D1547272

L'ADMINISTRATION DE L'ÉDUCATION

Une perspective historique

PRESSES DE L'UNIVERSITÉ DU QUÉBEC
Le Delta I, 2875, boulevard Laurier, bureau 450
Sainte-Foy (Québec) G1V 2M2
Téléphone : (418) 657-4399 • Télécopieur : (418) 657-2096
Courriel : puq@puq.uquebec.ca • Internet : www.puq.uquebec.ca

Distribution :

CANADA et autres pays

DISTRIBUTION DE LIVRES UNIVERS S.E.N.C.
845, rue Marie-Victorin, Saint-Nicolas (Québec) G7A 3S8
Téléphone : (418) 831-7474 / 1-800-859-7474 • Télécopieur : (418) 831-4021

FRANCE

DIFFUSION DE L'ÉDITION QUÉBÉCOISE
30, rue Gay-Lussac, 75005 Paris, France
Téléphone : 33 1 43 54 49 02
Télécopieur : 33 1 43 54 39 15

SUISSE

SERVIDIS SA
5, rue des Chaudronniers, CH-1211 Genève 3, Suisse
Téléphone : 022 960 95 25
Télécopieur : 022 776 35 27

CLERMONT BARNABÉ
PIERRE TOUSSAINT

L'ADMINISTRATION DE L'ÉDUCATION

Une perspective historique

Préface de PHILIPPE DUPUIS

2002

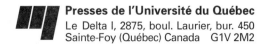 **Presses de l'Université du Québec**
Le Delta I, 2875, boul. Laurier, bur. 450
Sainte-Foy (Québec) Canada   G1V 2M2

Données de catalogage avant publication (Canada)

Barnabé, Clermont, 1934-

    L'administration de l'éducation, une perspective historique

    Comprend des réf. bibliogr.

    ISBN 2-7605-1189-8

    1. Administration scolaire – Histoire. 2. Administration scolaire – Québec (Province) – Histoire. 3. Administration scolaire – Canada. 4. Administration scolaire – États-Unis. 5. Éducation – Histoire. I. Toussaint, Pierre, 1951- . II. Titre.

LB2805.B2723 2002   371.2'0097   C2002-941239-0

Nous reconnaissons l'aide financière du gouvernement du Canada
par l'entremise du Programme d'aide au développement
de l'industrie de l'édition (PADIÉ) pour nos activités d'édition.

Mise en pages : CARACTÉRA PRODUCTION GRAPHIQUE INC.

Couverture : RICHARD HODGSON

PRÉFACE

Le travail de moine, copiste de livres, a disparu depuis que l'imprimerie a été inventée. L'organisation de banques de données et leurs traitements, autres travaux de moine, sont devenus d'une facilité et d'une efficacité à faire jurer le plus pieux des étudiants de doctorat des années 1960. Les vocations se font donc de plus en plus rares avec la disparition des champs de pratique. Certains ont cependant encore la vocation pour le travail de moine comme en témoigne la production des «frères» Barnabé et Toussaint: *L'administration de l'éducation: une perspective historique.*

Que de fois au cours des conférences, symposiums, colloques et autres forums d'échanges sur l'administration de l'éducation ne s'entend-on pas sur le besoin que le champ aurait d'une vue d'ensemble de son développement, de ses difficultés et réussites afin de ne pas réinventer la roue à chaque quart de siècle, de ne pas répéter les erreurs du passé, de se comprendre soi-même professionnellement en prenant de la perspective et, surtout peut-être, de bâtir le présent sur les acquis du passé. De

multiples raisons sont invoquées pour ne pas s'y attaquer, mais encore
plus d'excuses sont avancées pour justifier qu'on laisse à d'autres la
tâche de le faire. Les excuses, on devrait écrire l'excuse est toujours
la même : par où commencer, comment retrouver, regrouper, analyser
ces montagnes de données, disparates, inégales, sans lien bien évident,
dispersées, oubliées... Publication et promotion obligeant, on ira pour
du conventionnel, si possible un questionnaire sur un sujet d'actualité
susceptible d'attirer des subventions. D'autres plus... patients, tena-
ces, endurants, désintéressés... se trouveront peut-être un jour suffisamment courageux pour mener à bien cette œuvre, par ailleurs
presque essentielle, fondamentale.

Toute la communauté de l'administration scolaire se doit d'être
reconnaissante aux professeurs Barnabé et Toussaint d'avoir entrepris
cette tâche et surtout de l'avoir complétée en dépit des obstacles. Le
bénéfice est évident pour le milieu universitaire. Il ne l'est pas moins
pour le milieu de la pratique, car un praticien qui n'a pas de cadre de
référence, qui ne sait pas professionnellement où il se situe risque fort
de devenir un exécutant à recettes toutes faites, sans envergure et vite
dépassé surtout dans les organisations complexes que sont devenus
les établissements scolaires même modestes.

La première, ou l'une des premières réactions en lisant cette
œuvre, c'est que nous venons de loin. Nous, les professeurs des universités, nous les administrateurs du ministère, des commissions scolaires, des établissements du Québec, avons parcouru en moins de
quarante ans un chemin presque inimaginable au début des années
1960. On n'a qu'à se rappeler le combat autour de la direction générale
des commissions scolaires : bicéphalie, direction unifiée ! Le résultat
de ce combat illustre bien le fait que nous ayons atteint une certaine
reconnaissance professionnelle et même une reconnaissance professionnelle certaine comme administrateurs scolaires.

Une des leçons les plus claires de l'histoire en général et de la
perspective historique présente est que l'on mise trop souvent sur le
très court terme. Que devant la complexification de la tâche l'on est
porté à s'assurer des compétences techniques immédiates en négligeant souvent la vision globale de la fonction, la philosophie, le cadre
opérationnel qui assure des actes administratifs intégrés, cohérents et
à moyen et long termes plus efficients. Surtout dans un cadre opérationnel de plus en plus complexe, de plus en plus instable ou, comme
le décrivait Barnabé dans une publication antérieure, dans l'ère post-
moderniste où tout est mouvant.

Une autre considération s'impose à la lecture des chapitres de l'ouvrage. Une somme de travail énorme dans les universités a produit des résultats extrêmement intéressants, mais « l'anarchie institutionnalisée » que sont les universités, selon certains, fait qu'on est allé dans tous les sens à la fois. De plus, souvent chaque chercheur, penseur ou praticien semble ignorer ce que d'autres ont produit. Un exemple : la professionnalisation de l'administration scolaire ou sa spécificité. Dès le début des années 1960, Bidwell avait magistralement jeté les bases sur lesquelles on aurait pu avec beaucoup d'assurance et probablement de succès faire avancer la réflexion. Il a été très souvent ignoré ou considéré trop réducteur. Ce n'est que ces dernières années qu'on redécouvre la valeur de ses propositions. On peut dire la même chose des études conduites en français au Québec. Il serait gênant de demander à un groupe de chercheurs en administration scolaire : Qui a lu les résultats des recherches des collègues ? Des regroupements ont tenté de pallier cette ignorance, le dernier en liste au Québec, l'Association pour le développement de l'enseignement et de la recherche en administration de l'éducation (ADERAE), maintient un lien minimal annuel entre les professeurs, étudiants et praticiens pour leur permettre de partager leur savoir et leur expérience.

Une autre leçon du livre des professeurs Barnabé et Toussaint, c'est la prise de conscience de l'importance que représente le lien avec le milieu de pratique professionnelle pour les unités universitaires d'administration de l'éducation. Là où l'on s'est réfugié dans la recherche pour la recherche, excellente par ailleurs, où l'on a maintenu des programmes d'enseignement, rationnellement inattaquables mais sans sensibilité locale, on s'est à moyen terme isolé, on est devenu, à plus long terme, sans signification (*irrelevant*) pour les milieux de pratique.

Par ailleurs, la contrepartie de cette attitude qui consiste à ne répondre qu'aux besoins ad hoc du milieu sans intégrer les interventions dans un cadre rationnel théorique enlève rapidement toute crédibilité au groupe qui opte pour cette voie. L'université n'est pas une boîte de consultants. Les unités d'administration de l'éducation ont une vocation universitaire professionnelle. Nous faisons partie de facultés d'éducation qui ont pour mission de former des maîtres et du personnel administratif dans un cadre universitaire. L'intégration des écoles normales à l'université fut longue à venir au Québec, l'objectif était de rehausser la qualité de la formation dispensée, mais non de l'abstraire du milieu professionnel. La dernière réforme de la formation des maîtres indique clairement ce besoin de demeurer branché sur le milieu de pratique. L'art c'est de réaliser cette quasi-quadrature du cercle d'une formation éminemment pratique fondée et nourrie par les théories générées par la recherche. Vérité absolue autant en formation d'administrateurs scolaires que d'enseignants.

Comme les universités sont premièrement, de par la culture du milieu, des établissements de recherche, la carrière d'un professeur ne peut en pratique progresser sans un fort dossier de publications des résultats de ses recherches. L'enseignement est clairement secondaire. Encore aujourd'hui, et ce dans des secteurs professionnels comme le nôtre, on indique très clairement au nouveau professeur que sa priorité c'est de se trouver un créneau de recherche qui lui procure des subventions et surtout l'assure de publications dans des médias prestigieux. L'enseignement? « Eh bien, faites que l'on n'ait pas de plaintes. » Comment alors répondre aux besoins des étudiants qui viennent pour recevoir une solide formation professionnelle qui les habilitera à prendre en charge des établissements scolaires d'une complexification croissante? L'ambiguïté, pour ne pas dire la méfiance, du milieu de l'éducation vis-à-vis notre capacité à répondre aux besoins de leurs gestionnaires, que soulignent Barnabé et Toussaint dans leur réflexion, ne viendrait-elle pas en grande partie de là?

Il nous faut impérativement rester branchés sur le milieu. Une façon d'y parvenir dans certains départements universitaires, Montréal présentement, a consisté à doubler le personnel enseignant en lui adjoignant des directions d'école, des directions de services en fonction mais prêtées par leur employeur, des directions générales de commission scolaire, des directeurs d'école nouvellement retraités. De plus, les contenus des programmes de formation dispensés aux groupes de candidats à la direction dans les commissions scolaires sont le résultat d'une entente et d'un partenariat avec les autorités concernées. C'est Denis Massé, professeur retraité de l'Université de Sherbrooke et professeur invité à l'Université de Montréal, qui anime le groupe élargi de professeurs et assure le contact avec le milieu qu'il connaît comme aucun autre professeur d'université. Les premiers résultats sont encourageants. Il demeure que c'est une formule qui exige un renouvellement perpétuel. De plus, on pourrait, comme dans certaines unités universitaires d'administration des affaires, confier une partie importante de l'enseignement à des professeurs à qui l'on ne demande pas par ailleurs de production de recherche. Ils ont une charge d'enseignement plus lourde que le professeur régulier et leur mission est de traduire en enseignement les résultats des recherches les plus à jour dans leur domaine de compétence. C'est un système qui semble très bien fonctionner à l'Université McGill par exemple à la Faculté de management.

Un autre débat rappelé par l'ouvrage c'est celui produit par la recherche de la spécificité de l'administration scolaire et surtout, dans certains cas, de la tentation de créer une coterie d'universitaires en décrivant l'administration scolaire en termes alambiqués, en utilisant périphrases et néologismes pour lui donner l'apparence du mystère, du secret réservé aux initiés. Cette attitude est la marque évidente du complexé cherchant à s'imposer.

Les actes professionnels des milieux de l'éducation et de l'administration sont non exclusifs et essentiellement faciles à concevoir. De plus, les parents, clients des organismes d'éducation, font tous de l'éducation, de leurs enfants, et de l'administration, de leurs ressources familiales. Il est probablement plus difficile d'atteindre à la reconnaissance professionnelle dans ces champs de pratique que dans des professions où l'acte professionnel est moins «commun», comme en droit ou en médecine.

Cette recherche de la spécificité de l'administration de l'éducation semble intéresser d'abord et avant tout les professeurs d'université. Pourquoi devrait-on être unique? L'unicité, la spécificité rendrait-elle l'administration de l'éducation plus performante? Évidemment oui si la spécificité était telle que les pratiques, lois et théories de l'administration générale ne pouvaient prendre en compte la nature de l'organisation propre à l'éducation. Les auteurs Barnabé et Toussaint montrent bien que jusqu'à maintenant les chercheurs et penseurs n'ont réussi qu'à établir qu'il s'agit tout au plus d'une variation des modèles, qu'on trouve dans l'administration publique, d'organismes de service. Ce que la proposition de Bidwell établissait déjà dans les années 1960.

Le milieu présente, en commun avec d'autres milieux, ce qu'il est convenu d'appeler une bureaucratie professionnelle. Une des caractéristiques de ces bureaucraties c'est que l'administrateur ne maîtrise pas nécessairement l'acte professionnel spécifique au groupe de travailleurs qui fonctionnent sur la ligne de production. Avantage diront certains, cette bureaucratie s'est préservée presque partout une administration issue du corps professionnel principal de l'organisation, donc qui connaît d'expérience l'acte professionnel. Une autre caractéristique de ces bureaucraties, centrale elle, c'est la liberté professionnelle, ici de l'enseignant : dans sa classe il est maître de sa pratique professionnelle.

Ce qui caractérise l'administration de l'éducation plus que tout autre aspect probablement, c'est la nature même de l'acte professionnel de la «ligne de production», la relation maître/élève. Cet acte donne à la profession enseignante des lettres de noblesse à nulle autre pareille. Les enseignants sont des chanceux car leur gagne-pain c'est de faciliter la croissance d'êtres humains. Et l'essence de la tâche de l'administrateur de l'éducation c'est de faire en sorte que ce processus éducatif se produise et atteigne les plus hauts standards d'excellence.

Comme on le répète souvent, les sources les plus puissantes de motivation et d'implication sont celles qui répondent aux besoins psychologiques du haut de la pyramide des besoins des individus vivant en société. Toute direction d'école devrait se compter privilégiée par la nature du travail d'éducation qui fait appel aux besoins les plus nobles des individus, à leurs besoins intimes d'estime et de réalisation de soi. Quoi de plus noble que l'acte de rendre libres, autonomes, productifs et autosuffisants des êtres en croissance !

En comparant cette situation à tout autre champ de pratique administrative on voit facilement l'avantage énorme que l'administrateur scolaire possède pour mobiliser son personnel. Serait-ce là la spécificité de l'administration scolaire ?

Au lieu de se chercher une spécificité, le cheminement suivi par beaucoup de chercheurs, comme le montre clairement le chapitre 4, pourrait se résumer à ceci : observons par exemple des écoles et identifions les facteurs qui expliqueraient que certaines réussissent à garder leurs élèves et à les conduire au succès dans leurs apprentissages. Essayons de définir le rôle de la direction dans ces situations et tentons de déterminer quelles caractéristiques présentent les directions efficientes. Il s'agira ensuite de sélectionner les personnes qui présentent les aptitudes identifiées pour les inviter à développer leur potentiel et accéder à la direction d'une école. Les programmes des universités devraient justement assurer ce développement du potentiel des candidats à la direction.

Ce que l'on pourrait reprocher aux auteurs, cependant, c'est leur réserve, leur modestie, leur timidité. Ils ont, c'est évident pour moi, la compétence et l'autorité pour présenter une proposition articulée de ce que doit être l'enseignement de l'administration de l'éducation au Québec. Ils se sont peut-être imposés comme discipline de demeurer très factuels. Je crois qu'ils auraient pu se « laisser aller » ! N'ayant pas parcouru tout leur cheminement de recherche, mais son résultat, leur livre, il m'est venu des idées, des suggestions pour nourrir la pensée des administrateurs de l'éducation et surtout des professeurs du champ d'étude. En revoyant les chapitres d'analyses des programmes, en me souvenant de ce qui fut présenté comme évolution de la discipline, comme embûches liées aux besoins de demeurer en contact avec le milieu, d'être significatifs et comme critiques adressées aux programmes dans grandeur et misère du champ d'étude, je serais tenté d'être osé, peut-être téméraire, mais de suggérer une piste de réflexion que la lecture du volume a précipitée chez moi.

Un bon administrateur scolaire c'est quelqu'un qui a une vision claire des objectifs de son établissement et de son rôle, vision soutenue par un système personnel de valeurs éducatives intégrées. Par valeurs intégrées on veut dire que la personne situe très bien son idée, sa philosophie, son cadre de référence professionnel, le projet de son école dans le cadre plus général des courants pédagogiques anciens et contemporains. On veut aussi souligner la nécessité de retrouver chez cette direction une bonne culture générale comme soutien à sa pensée pédagogique. Une personne de culture vivante, qui continue de s'informer, de se former, qui se tient au courant des développements les plus récents en éducation, en administration. Beaucoup de chercheurs, d'observateurs du monde de l'éducation expliquent le succès ou l'échec de directions d'école par ce facteur de base. Cette vision doit évidemment être opérationnelle ; on peut la sentir, la décrire en vivant dans l'établissement. Des valeurs éducatives éblouissantes, une vision brillante de bureau ou de discours ne passent pas le test. L'administration est sans sens si elle ne se matérialise pas par et dans l'action.

Finalement, il convient, au nom de la communauté de toutes les personnes intéressées à l'administration de l'éducation, de remercier les collègues, Clermont Barnabé et Pierre Toussaint, pour la réalisation de cette œuvre majeure et unique du domaine. J'ai souligné leur courage, patience, ténacité... il ne faudrait pas oublier leur intelligence, leur capacité d'analyse et de synthèse. Je savais que Clermont possédait le feu sacré car j'avais eu le privilège de travailler à ses côtés, il fait bon de savoir que d'autres, Pierre ici, sont aussi capables de « consécration » à une œuvre.

Tout collègue en administration de l'éducation devra impérativement posséder cette œuvre non pas dans sa bibliothèque, mais sur sa table de travail ou au moins avec ses dictionnaires. De nombreux professeurs voudront sûrement l'inclure dans leurs références privilégiées pour leurs étudiants. Ce sera l'expression la plus sentie de la gratitude du monde de l'administration de l'éducation aux professeurs Clermont Barnabé et Pierre Toussaint.

Merci distingués collègues.

Philippe Dupuis,
Professeur titulaire
Administration de l'éducation
Université de Montréal

REMERCIEMENTS

Des remerciements vont en premier lieu à nos collègues Philippe Dupuis et Denis Massé, de l'Université de Montréal, à Jean Plante, de l'Université Laval, et à Gérard Éthier, retraité de l'École nationale d'administration publique, qui ont accepté notre invitation à participer à deux réunions afin de témoigner au sujet du développement de l'administration de l'éducation au Québec. Nous les remercions de s'être imposé la lecture de certains chapitres en cours de rédaction et d'avoir corrigé les épreuves de cet ouvrage.

Nos remerciements vont également à l'Association canadienne pour l'étude de l'administration scolaire (ACEAS) et à son directeur général, Tim Howard, qui nous a fourni gracieusement la liste des membres de l'ACEAS afin que nous puissions leur faire parvenir notre questionnaire. Sans cette liste, nous n'aurions pu joindre les collègues des provinces anglaises du Canada et obtenir les résultats que nous rapportons dans cet ouvrage.

Nous remercions les anciens présidents de la Fédération des principaux du Québec (FPQ) et de la Fédération québécoise des directeurs et directrices d'établissement d'enseignement (FQDE) d'avoir accepté de prendre de leur précieux temps et d'avoir répondu au questionnaire que nous leur avons fait parvenir. Leur opinion à l'égard de l'évolution de l'administration de l'éducation au Québec a été grandement appréciée et a contribué à fournir une perspective importante.

Christian St-Gelais, diplômé de l'École nationale d'administration publique (ÉNAP), doit être remercié de son accompagnement dans les débuts de notre démarche. Un ouvrage comme le nôtre a requis des recherches en bibliothèque et des dépouillements de plusieurs documents. Danielle Malette, de la Bibliothèque des sciences de l'éducation de l'Université du Québec à Montréal (UQAM), et Jean-Luc Ratel, étudiant en sociologie à l'UQAM, nous ont été d'une aide indispensable. Nous tenons à les remercier tous les deux de leur disponibilité et de leur collaboration.

Nous tenons à remercier le Département des sciences de l'éducation et son directeur, Julien Bilodeau, de même que le Service audiovisuel de l'Université du Québec à Montréal (UQAM) pour leur support logistique. Des remerciements vont enfin au Bureau des archives de l'Université de Sherbrooke et à la Division des archives de l'Université Laval, qui nous ont donné l'accès à des documents qui étaient indispensables pour les besoins de notre ouvrage.

TABLE DES MATIÈRES

Chapitre 3

Évolution historique des diverses conceptions 77

Chapitre 4

Les conceptions de la formation et du perfectionnement
des gestionnaires de l'éducation 117

Chapitre 5

Chapitre 6

Chapitre 7

Chapitre 8

Chapitre 9

LISTE DES FIGURES ET DES TABLEAUX

FIGURES

TABLEAUX

INTRODUCTION

Pour comprendre un champ d'études, sa pensée et sa pratique, il faut en connaître les origines (Campbell *et al.*, 1987). L'administration de l'éducation souffre d'un manque d'identité. En effet, ce que l'on en connaît, c'est grâce à quelques rares ouvrages et plusieurs recherches publiées surtout aux États-Unis. Malheureusement, ceux-ci ne creusent pas toujours la question. Si ces publications nous renseignent sur les origines américaines de l'administration de l'éducation, elles ne contiennent presque rien sur les origines canadiennes et québécoises de cette discipline.

Comme Willower et Forsyth (1999) l'ont souligné, l'histoire d'un champ d'études est un ensemble d'évènements qui lui servent de points de repère, incluant les problèmes éprouvés, des domaines de recherche et des questions parfois contestées. Cet ouvrage non seulement suit la pensée de ces auteurs à l'égard des évènements qui ont jalonné le développement du champ d'études, mais va la dépasser en bonne partie. En effet, nous couvrons des conceptions du champ d'études et ce à quoi l'on peut s'attendre dans un futur prévisible.

Comme domaine d'études universitaires et d'intérêt pratique, l'histoire de l'administration de l'éducation est tributaire de deux champs d'études : l'éducation et la gestion. L'administration de l'éducation suit l'évolution du champ général de l'éducation. L'apparition des premières écoles a fait naître la nécessité de les administrer et, peu à peu, l'évolution de l'administration de l'éducation a suivi celle de l'éducation. Ce champ d'études ne peut faire abstraction du domaine général de la gestion. De nombreux éléments appliqués à la pratique de la gestion des entreprises ont influencé l'administration des différents types d'établissements scolaires.

L'enseignement de l'administration de l'éducation a commencé au Québec au début des années 1950. Depuis ses origines, cet enseignement a été offert par de plus en plus d'universités et à de plus en plus de praticiens et de futurs gestionnaires. De nombreux concepts d'administration et de gestion de l'éducation ont été couverts par cet enseignement. Cependant, à notre connaissance, il n'y a jamais eu de réflexion profonde sur cet enseignement et ses origines. Il en est de même aux États-Unis, comme le soulignaient Campbell *et al.* (1987). « Les chercheurs ont rarement accordé une attention spécifique et soutenue à l'histoire de l'administration des écoles et des collèges » (p. 1).

PROBLÉMATIQUE

L'objectif général du présent ouvrage consiste à étudier les pratiques de l'enseignement de l'administration de l'éducation dans une perspective historique. Comme cet enseignement a débuté aux États-Unis au début du siècle et dans les années 1950 au Canada et au Québec, la rédaction de cet ouvrage n'a pu éviter de faire une comparaison de l'évolution de cette discipline survenue dans ces trois endroits. L'ouvrage tente de répondre aux questions suivantes :

 ➤ Est-ce que l'on peut affirmer qu'il existe une base de connaissances en administration de l'éducation ?

 ➤ Quelle a été l'évolution historique du développement de l'administration de l'éducation aux États-Unis, au Canada et au Québec ?

 ➤ Quelle a été l'évolution historique des conceptions de cette discipline aux États-Unis, au Canada et au Québec ?

 ➤ Quelle a été l'évolution historique des conceptions de la formation des gestionnaires de l'éducation dans les trois endroits ?

➢ Quelle a été l'évolution historique des pratiques de l'enseigne-ment de l'administration de l'éducation aux États-Unis, au Canada et au Québec ?

➢ Quelle a été l'évolution historique de la recherche dans ces trois endroits ?

➢ Quels sont les témoignages que peuvent nous fournir certains pionniers de l'enseignement de l'administration de l'éducation au Québec ?

➢ Quelles conclusions et réflexions peut-on tirer du développement de l'administration de l'éducation ?

IMPORTANCE DE L'ÉTUDE

Plusieurs raisons ont incité les auteurs à entreprendre la rédaction d'un tel ouvrage. Les principales étaient les suivantes :

➢ l'absence d'une référence historique complète publiée sur l'ensei-gnement de l'administration de l'éducation au Canada et au Québec ;

➢ une meilleure compréhension des fondements théoriques et pratiques de cet enseignement ;

➢ l'élaboration d'une philosophie de formation des gestionnaires de l'éducation ;

➢ une meilleure compréhension de l'origine de nos conceptions de la formation, de la recherche, des techniques et pratiques actuelles ;

➢ la proposition d'un cadre de référence dans la formation des gestionnaires scolaires ;

➢ la mise au point et la rectification de faits historiques, tels que certaines dates et des noms d'organismes déformés, observés lors du dépouillement de la documentation.

CADRE THÉORIQUE

Wren (1979) propose de concevoir l'administration de l'éducation comme un système ouvert influencé par son environnement. Ce champ d'études a pris place dans une profonde mutation d'un contexte culturel, économique, social et politique. En outre, son évolution est une histoire qui suit le changement des idées et des valeurs touchant la

nature même du travail et celle de l'être humain dans le fonctionnement des organisations. Nous avons tenté tout au cours de cet ouvrage
de tenir compte des dimensions suggérées par Wren. La figure suivante présente visuellement les dimensions proposées par cet auteur.

Dimensions de l'étude de l'administration

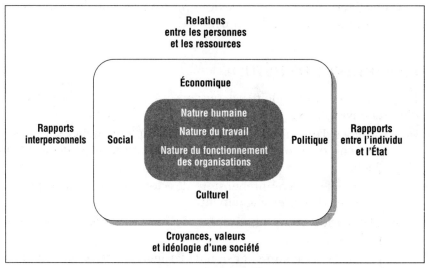

Source : D.A. Wren (1979). *The Evolution of Management Thought*, 2ᵉ éd., New York, John Wiley
and Sons.

L'administration de l'éducation s'est développée en premier lieu
en tenant compte d'éléments culturels tels que les valeurs entretenues
par la société et pratiquées par les individus vivant dans cette société.
En outre, ce champ d'études a évolué dans un contexte économique,
c'est-à-dire en utilisant les ressources disponibles à certains moments
de son évolution. L'aspect social de l'évolution de l'administration de
l'éducation ne peut être ignoré. La pratique de cette dernière a cor-
respondu en bonne partie aux relations qu'entretenaient des individus
ou des groupes entre eux. Enfin, ce champ d'études a progressé dans
un cadre politique, à savoir sous l'influence qu'ont pu avoir les interventions gouvernementales et les arrangements d'ordre social.

MÉTHODOLOGIE

La recherche nécessaire à la rédaction de l'ouvrage a exigé une analyse de contenu de nombreux documents américains, canadiens et québécois. Elle a porté plus précisément sur les types de documents suivants :

> ➢ livres ;

> ➢ revues et bulletins ;

> ➢ communications scientifiques ;

> ➢ documents d'archives ;

> ➢ thèses et mémoires ;

> ➢ annuaires des universités.

Afin de bien situer le développement de l'administration de l'éducation au Québec, nous avons réuni vers la fin de notre rédaction quatre pionniers de l'enseignement de ce champ d'études au Québec. Il s'agissait de Philippe Dupuis et Denis Massé, de l'Université de Montréal, de Gérard Éthier, retraité de l'École nationale d'administration publique, et de Jean Plante, de l'Université Laval. Les trois premiers sont des diplômés de l'Université de l'Alberta et le dernier est diplômé de l'Université d'Ottawa.

LIMITES

Lorsque l'idée de rédiger l'histoire de l'administration de l'éducation a germé dans l'esprit de l'un des auteurs de cet ouvrage, il lui semblait alors qu'il ne s'agirait que d'une brève histoire rapidement expédiée. Ce qui, heureusement pour ce champ d'études, n'a pas été le cas. Malgré les archives personnelles de l'un des auteurs, les résultats des recherches nécessaires à une telle rédaction ne cessaient de s'accumuler, au point que plus de trois années ont été requises pour compléter l'ouvrage. L'ampleur de l'ouvrage a évidemment nécessité plusieurs heures de réunions des auteurs et de dépouillements de nombreux documents. Une étude d'une telle envergure n'est donc pas exempte de faiblesses.

Une de ses principales limites est que les auteurs de cet ouvrage n'ont pas cherché à être exhaustifs au point de n'avoir négligé aucune source d'information. Les informations concernant l'administration de l'éducation aux États-Unis comme au Canada étaient tellement éparses qu'il se peut que certaines d'entre elles, probablement importantes par ailleurs, aient pu échapper aux auteurs. Nous nous en excusons à l'avance. En outre, le lecteur aura probablement la sensation, à certains moments, de répétition. C'est qu'il était particulièrement difficile de toujours garder un traitement étanche entre différentes dimensions du champ d'études, telles la conception du champ d'études et celle de la formation des gestionnaires et l'évolution historique de l'enseignement et de la recherche.

Au point de départ, nous avions choisi de présenter l'histoire par tranches de 20 ans. Malheureusement, il arrivait parfois qu'une période donnée soit plus courte ou plus longue que les 20 ans en raison de la rareté ou de l'abondance des documents recensés. Des informations cruciales ou des évènements importants pouvant illustrer une période étaient plus ou moins nombreux. Nous avons finalement opté pour des titres correspondant à certaines époques déjà connues par le lecteur ou mentionnées par plusieurs auteurs consultés.

Enfin, malgré la difficulté de bien rendre l'esprit de leurs auteurs, nous avons choisi une traduction libre des citations de langue anglaise utilisées dans ce texte. De plus, lorsqu'un terme, une expression ou une traduction étaient incertains, nous avons alors fourni leur expression anglaise afin de ne pas entretenir quelque confusion que ce soit chez le lecteur.

DÉFINITION DES TERMES

Le terme *administration* est compris dans les mêmes termes que ceux de Brassard (1996), qui la définit comme « la fonction organisationnelle qui consiste à constituer une organisation et à en assurer le fonctionnement » (p. 17). Le terme pourrait aussi désigner les « activités qui visent à constituer un ensemble organisé, en vue de buts à atteindre, et à en assurer le fonctionnement et l'évolution » (CERCLE, 1997, p. 1). C'est aussi un champ d'études qui porte sur les activités administratives.

Le terme *gestion* est également compris dans cet ouvrage comme « l'activité administrative qui consiste à assumer la responsabilité d'un secteur de l'organisation ou d'une activité de l'organisation et à s'en occuper » (Brassard, 1996, p. 17). La gestion fait partie de l'administration. Les auteurs de cet ouvrage acceptent aussi que le terme *gestion* puisse désigner « la fonction qui consiste à assurer le fonctionnement de l'ensemble organisé conformément à sa constitution » (CERCLE, 1997, p. 22).

L'administration de l'éducation est un sous-système de l'administration publique. Elle réfère aux « activités qui consistent à mettre en place un ensemble organisé à des fins éducatives et à en assurer le fonctionnement et l'évolution» (CERCLE, 1997, p. 3). L'administration scolaire est un sous-système de l'administration de l'éducation. L'expression «s'applique aux ensembles organisés à tous les ordres d'enseignement du préscolaire à l'université» (p. 4). La gestion scolaire est cette «fonction de gestion appliquée aux écoles du primaire à l'université» (p. 24). Lorsque les textes employaient les termes *educational administration* ou *school administration*, nous les avons traduits par l'expression *administration de l'éducation*. D'autre part, l'expression *gestionnaire scolaire* a remplacé invariablement les termes anglais *school or educational administrator*.

Nous avons employé le terme *formation* pour signifier l'«ensemble des connaissances théoriques et pratiques qui ont été acquises dans un domaine donné» (Legendre, 1993, p. 622). Il est synonyme des termes anglais *preparation, training* ou *pre-service*. Le terme *perfectionnement* signifie un «ensemble d'activités d'apprentissage susceptibles de permettre à l'individu de s'adapter à l'évolution de sa tâche» (Legendre, p. 976). Il correspond au terme anglais *in-service training*. Enfin, le terme *développement* désigne la formation et le perfectionnement.

ORGANISATION DE L'OUVRAGE

L'ouvrage est divisé en neuf chapitres, chacun étant consacré à l'une des questions de recherche posées au départ. Le premier chapitre traite des fondements épistémologiques de l'administration de l'éducation. Dès le départ, il était important de présenter la base de connaissances de cette discipline. L'historique du développement du champ d'études aux États-Unis, au Canada et au Québec est l'objet du second chapitre. C'est un chapitre qui est de nature à intéresser le chercheur tout autant qu'un étudiant pour peu qu'ils soient friands de connaître la façon dont le champ d'études a évolué depuis ses origines.

Le troisième chapitre porte sur l'évolution historique des conceptions du champ d'études alors que le quatrième chapitre présente les conceptions de la formation des gestionnaires scolaires. Ces deux types de conceptions revêtent toute leur importance puisqu'ils sont de nature à expliquer en grande partie la pratique de cette discipline. Le chapitre 5 traite de la mise en place des programmes d'études, alors que les chapitres 6 et 7 abordent respectivement l'histoire des pratiques de l'enseignement et de la recherche en administration de l'éducation.

Le chapitre 8 traite des témoignages que nous ont laissés les premiers professeurs québécois de l'administration de l'éducation que nous avons rencontrés. Enfin, le chapitre 9 présente des réflexions relatives à l'avenir du champ d'études, les conclusions ainsi que les prospectives qu'ont fournies aux auteurs l'ensemble des informations recueillies sur ce champ d'études.

Références

BRASSARD, A. (1996). *Conception des organisations et de la gestion*, Montréal, Éditions Nouvelles.

CAMPBELL, R.F. *et al.* (1987). *A History of Thought and Practice in Educational Administration*, New York, Teachers College Press, Columbia University.

CERCLE (1997). *Termes révisés en vue de la 3e édition du Dictionnaire actuel de l'éducation.* Montréal, Université du Québec à Montréal. Document inédit en administration de l'éducation.

LEGENDRE, R. (1993). *Dictionnaire actuel de l'éducation*, 2e éd. Montréal, Guérin.

WILLOWER, D.J. et P.B. FORSYTH (1999). «A Brief History on Scholarships in Educational Administration», dans J. Murphy et K. Seashore Louis (dir.), *Handbook of Research on Educational Administration*, 2e éd., San Francisco, Jossey-Bass Publisher, p. 1-23.

WREN, D.A. (1979). *The Evolution of Management Thought*, 2e éd., New York, John Wiley and Sons.

CHAPITRE 1

ÉTAT DES CONNAISSANCES

Avant de rapporter les principales étapes du développement de l'administration de l'éducation et de procéder à la présentation des diverses conceptions de ce champ d'études, il apparaît important de bien l'asseoir sur les connaissances susceptibles de le supporter. Mais, avant tout, il y a lieu de se demander s'il existe vraiment une base de connaissances en administration de l'éducation sur laquelle reposerait normalement l'élaboration des programmes de formation et la recherche dans ce domaine.

Le présent chapitre a donc pour objectif de montrer qu'il existe ou qu'il n'existe pas une telle base de connaissances propre à l'administration de l'éducation. En premier lieu, il convient d'établir dans quelle mesure le champ d'études peut être distingué en regard d'autres disciplines ; les traits distinctifs qui en font justement un champ d'études particulier sont étalés. En second lieu, le chapitre expose les arguments en faveur de l'existence d'une base de connaissances et les raisons qui militent contre son existence.

PARTICULARITÉS

À notre connaissance, Campbell (1958) semble avoir été le premier, et sur invitation, à présenter un texte sur les particularités de l'administration de l'éducation. La plupart des auteurs dans le domaine ont traité du sujet au passage, par exemple dans une brève introduction à un chapitre ou à un article. Pour lui, les particularités de ce champ d'études provenaient de quatre caractéristiques : la fonction de l'éducation dans la société, la nature de l'entreprise éducative, le caractère des groupes de référence du gestionnaire, le semi-professionnalisme de l'administration de l'éducation et le double rôle du gestionnaire scolaire (p. 167-168). Les arguments de Campbell relatifs à chacune de ces caractéristiques sont expliqués dans ce qui suit.

La première caractéristique de l'administration de l'éducation suggère que les gestionnaires de l'éducation soient appelés à diriger une entreprise qui est étroitement reliée au bien-être de la société. La démonstration n'est pas tellement à faire ; tous en conviendront. Sans l'éducation, une société aurait des difficultés à fonctionner. Un système d'éducation est unique en ce qui regarde ses fonctions et ses relations avec d'autres institutions sociales. Il est également unique en ce que les fonctions de ce système semblent lui avoir été déléguées de la part des autres systèmes et en ce que ces derniers dépendent directement de son efficacité.

La nature même de l'entreprise éducative était le second argument avancé par Campbell. L'éducation est avant tout un service qui intervient directement et intimement auprès des gens. Le gestionnaire de l'éducation n'a pas le choix de ses clients, qui peuvent être parfois beaucoup plus exigeants à l'égard du service qui leur est rendu qu'envers celui venant d'autres institutions de service. Une autre particularité d'un système d'éducation réside dans le fait que le processus qui lui est propre est celui de l'apprentissage des élèves, qui est par ailleurs difficile à évaluer. Un système d'éducation a l'obligation de voir à ce que tous les élèves apprennent.

Un autre argument utilisé par Campbell pour montrer les particularités de l'administration de l'éducation était le caractère des groupes de référence du gestionnaire de l'éducation. D'abord, ce dernier relève d'un conseil de commissaires d'écoles dont les membres ne sont pas toujours familiers avec la chose scolaire, contrairement au secteur privé où les membres d'un conseil d'administration sont en majorité déjà personnellement en affaire. Puis, le personnel d'une organisation scolaire est différent : il est composé de personnes dont la majorité a un même niveau de formation que celui du gestionnaire. Enfin, le gestionnaire, ayant affaire avec le public, est beaucoup plus visible que celui de l'entreprise privée, plus enclin à être sensible aux critiques exprimées à son égard.

Le semi-professionnalisme qui existe en administration de l'éducation rend cette dernière plus particulière que d'autres types d'administration. Même si les enseignants voudraient être reconnus comme des professionnels, ils sont encore considérés comme des semi-professionnels (Hoy et Miskel, 1991, p. 146). Le fait aussi que les gestionnaires d'une organisation scolaire soient généralement choisis parmi les enseignants en fait une particularité de l'administration de l'éducation. Campbell soulignait aussi que la difficulté de pouvoir éliminer un gestionnaire en éducation contribue à particulariser l'administration de l'éducation.

Enfin, le double rôle qu'est appelé à jouer le gestionnaire de l'éducation permet de distinguer l'administration de l'éducation des autres formes d'administration. Son premier rôle, toujours selon Campbell, est de gérer son école ou sa commission scolaire. Son second rôle consiste à évaluer constamment les buts, les structures et les opérations de son organisation afin d'atteindre plus adéquatement les buts poursuivis.

Bidwell (1965) soulignait à sa façon les particularités de l'administration de l'éducation alors qu'il exposait les raisons pour lesquelles l'école ne pouvait être entièrement une bureaucratie traditionnelle. Selon lui, le caractère professionnel du travail des enseignants, la diversité du fonctionnement dans des écoles, diversité attribuable à la variété des étudiants, et la pression exercée par les parents sont les principaux facteurs qui contribuaient à distinguer l'administration de l'éducation d'autres champs d'administration.

Cohen, March et Olson (1972) caractérisaient les organisations scolaires comme des anarchies organisées où règnent des préférences problématiques, une technologie peu claire et une participation fluide. Weick (1976), pour sa part, affirmait que les organisations scolaires se distinguaient particulièrement des autres organisations en ce qu'elles étaient des systèmes de couplage souple (*loosely coupled systems*), c'est-à-dire des organisations dont les activités de fonctionnement étaient reliées d'une façon relativement lâche. Enfin, March (1978) a décrit longuement les principales caractéristiques des organisations scolaires afin de les distinguer des autres types d'organisations. En plus de répéter celles des auteurs précédents, il relevait le fait que le système administratif en éducation était normatif et hiérarchique, que les carrières étaient régulées par des normes sociales et que ces organisations étaient avant tout des organisations composées de personnes (p. 223).

Lors d'un colloque tenu à Montréal à l'occasion du congrès annuel de l'Association canadienne-française pour l'avancement des sciences (ACFAS), les participants ont débattu de l'administration de l'éducation comme champ d'études autonome ou domaine d'application de l'administration générale (Brassard, 1987a, p. 3). Les participants ont fait ressortir autant des différences que des convergences. Pour illustrer une divergence, Bordeleau (1987), par exemple, n'était pas « convaincu qu'il faille considérer l'administration scolaire comme un secteur tout à fait distinct de l'administration en général » (p. 138).

Il semblerait tout à fait normal qu'un champ d'études comme celui de l'administration de l'éducation pose le problème de l'existence d'une base de connaissances qui lui soit propre. Glazer (1974, cité dans Schön, 1994, p. 47) a appelé la médecine et le droit des professions « vedettes » pour les distinguer des professions « de moindre prestige » dont font partie l'éducation et, donc, l'administration de l'éducation. Or, selon Schön (1987), quand les représentants des professions « de moindre prestige » considèrent le problème de l'accession au statut de profession « vedette », ils se demandent souvent si leurs connaissances fondamentales ont les qualités requises et si celles-ci sont régulièrement appliquées dans les problèmes de pratique quotidienne (p. 49).

BASE DE CONNAISSANCES

« L'administration de l'éducation est un champ d'études qui se développe par la production de connaissances » (Brassard, 1987b, p. 146). À la lecture de l'introduction de cet ouvrage, on serait porté à croire qu'une base de connaissances propre à ce champ d'études pourrait exister. Certains auteurs croient fermement qu'il en existe une, tandis que d'autres pensent le contraire. Selon Forsyth (1992), il y a donc possiblement trois situations : oui, il y a de fait une base de connaissances, non, il n'y a pas une telle base ou sinon, il est possible d'en construire une (p. 322). Le reste du chapitre présente ces trois situations.

Il n'est peut-être pas superflu de commencer par bien savoir de quoi il est question ; nous avons besoin d'une définition d'une base de connaissances. En administration de l'éducation, une base de connaissances est le noyau de connaissances ou le canon que tout membre d'une profession devrait connaître (Scheurich, 1995, p. 18). Bredeson (1995) la définit comme ce qui marque le territoire d'un champ d'études donné ainsi que la pratique (p. 48). Une telle base sert deux fonctions, l'une interne et l'autre externe. La fonction interne d'une base de connaissances est de standardiser une profession de façon que tous ses membres soient certifiés prouvant qu'ils maîtrisent ces connaissances. La fonction externe est de prouver à l'extérieur de la profession qu'il existe une telle base de connaissances dont la maîtrise confère un statut spécial à ses praticiens.

Schein (1973) a identifié les trois composantes suivantes du savoir professionnel :

> ➤ la composante discipline sous-jacente ou science fondamentale ;
> ➤ la composante science appliquée ou génie ;
> ➤ la composante habileté et attitude (p. 43).

Certains auteurs ont récemment indiqué les catégories de connaissances possédées par les gestionnaires de l'éducation. Imber (1995), par exemple, à la suite de son étude auprès de ces derniers, a déterminé les trois catégories suivantes :

> ➤ des connaissances théoriques qui consistent en des connaissances spécialisées reposant sur la théorie relative à l'accomplissement des buts de l'éducation ;
> ➤ des connaissances techniques, c'est-à-dire l'information relative à la performance des différentes tâches impliquées dans la gestion d'une école ou d'un système scolaire, telle que l'entretien des édifices, l'aménagement des horaires, l'achat de livres, etc. ;
> ➤ des connaissances de carrière qui assure la qualité de vie du gestionnaire (p. 115-117).

Anderson et Page (1995), pour leur part, ont proposé les quatre catégories de connaissances suivantes :

> ➤ des connaissances techniques définies comme celles d'Imber ;
> ➤ des connaissances locales qui incluent les expressions du milieu ;
> ➤ des connaissances du métier qui consistent en un répertoire d'exemples, d'images, de compréhensions et d'actions que les praticiens accumulent avec le temps ;

> des connaissances personnelles, c'est-à-dire les dispositions qui se reflètent caractéristiquement dans le langage personnel (p. 131).

Shulman (1986) avait déjà suggéré trois différents types de connaissances nécessaires à la pratique de l'administration de l'éducation. Il y avait:

> des connaissances propositionnelles telles que des affirmations provenant de recherches empiriques ou philosophiques ainsi que des maximes venant de l'expérience pratique et des normes découlant d'un raisonnement moral ou éthique;
> des connaissances dérivées de cas pratiques;
> des connaissances stratégiques servant à résoudre les problèmes pratiques.

EXISTENCE D'UNE BASE DE CONNAISSANCES

Les auteurs qui présument ou qui acceptent l'existence d'une base de connaissances en administration de l'éducation s'appuient sur la production de connaissances effectuée depuis les origines du champ d'études ou sur celle des connaissances transmises à l'occasion de la formation des gestionnaires de l'éducation. Les arguments avancés par ces auteurs possèdent donc une perspective historique et pratique. Ils racontent habituellement les aspects généraux de l'histoire du champ d'études, qui font état des connaissances désirées et obtenues à différentes périodes de son développement (Riehl *et al.*, 2000, p. 392).

Callahan (1962), un important historien de l'administration de l'éducation aux États-Unis, nous a transmis en bonne partie les connaissances qui ont inspiré les premiers enseignants de ce champ d'études. Au début, les connaissances avaient un caractère très technique, comme la comptabilité du prix de revient des activités de fonctionnement. Puis, peu à peu, il s'est agi des connaissances relatives au curriculum, aux problèmes d'enseignement, à la philosophie, et des descriptions d'éminents gestionnaires scolaires (Murphy, 1995, p. 62).

Mann (1975) acceptait l'existence d'une base de connaissances en administration de l'éducation lorsqu'il arguait que plusieurs caractéristiques de la base de connaissances en administration de l'éducation, en particulier, exercent une pression sur les départements qui offrent un enseignement de deuxième cycle dans ce champ d'études. Son principal argument résidait dans le fait que les praticiens qui ont du succès démontrent un énorme éventail de compétences et sont à la fois psychologues, économistes et politiciens amateurs. Lorsqu'ils découvraient qu'ils pouvaient se débrouiller malgré le peu qu'ils avaient appris, ils devenaient très souvent dédaigneux à l'égard de l'acquisition de plus de connaissances (p. 140).

Silver (1976) admettait également qu'il existait une telle base de connaissances dans le champ d'études, puisqu'elle indiquait que certains aspects des connaissances disponibles étaient sous-utilisés ou pas utilisés du tout (p. 43). Elle déplorait le fait que les connaissances conceptuelles et empiriques portant sur les organisations d'éducation avaient été d'une façon frappante négligées dans la gestion, la conception et l'étude des programmes de formation, une condition qui, selon elle, contribuait peut-être à accroître l'écart constant de crédibilité entre les praticiens et les professeurs.

Sergiovanni *et al.* (1987) écrivaient que la base de connaissances en administration de l'éducation se résumait à quatre intérêts : celui pour l'efficacité, celui pour la personne, celui pour les politiques et la prise de décision ainsi que celui pour la culture (p. 41). Ils faisaient remarquer qu'à cause de la complexité et de la signification sociale de l'administration en général, on avait dû emprunter à un certain nombre de disciplines diverses. Par contre, les auteurs admettaient que la base de connaissances était faible.

Culbertson (1988) a exposé les efforts déployés au cours du siècle dernier par «des individus et des groupes pour créer une science de l'administration de l'éducation et professionnaliser cette dernière» (Donmoyer, 1999, p. 25) afin d'en arriver éventuellement à une base de connaissances en administration de l'éducation. Culbertson a toujours été un des plus fermes croyants de l'existence d'une telle base. Tellement croyant que son texte présumait même de l'existence d'une science de l'administration de l'éducation, puisque tous les sous-titres du texte annonçaient la présence d'une science dans ce domaine. Il concluait qu'après «un siècle à la poursuite de connaissances, les professeurs en administration de l'éducation recherchent encore une science de ce domaine» (p. 24).

Selon Scheurich (1995, p. 19), le chapitre de Culbertson (1988) et celui de Griffiths (1988), sur la théorie en administration, parus dans le même volume, ont témoigné de l'existence d'un corpus de connaissances pour le champ d'études. Culbertson affirmait qu'il existait un vaste corpus de connaissances à utiliser en administration de l'éducation (p. 23) tandis que Griffiths se faisait alors l'avocat du développement des connaissances accumulées depuis l'origine du champ d'études.

Toujours selon Scheurich, il en était de même pour Nicolaides et Gaynor (1989) qui publiaient les résultats de leur recherche sur les manuels en usage en administration de l'éducation.

Croyant en l'existence d'une base de connaissances en administration de l'éducation, le National Policy Board for Educational Administration (NPBEA, 1989 dans UCEA, 1989) publiait un rapport qui recommandait de repenser et d'articuler clairement les connaissances de base du champ d'études. Le University Council for Educational Administration (UCEA) releva le défi et débuta un plan de dix ans dans le but « d'identifier les connaissances essentielles et nécessaires aux gestionnaires afin de solutionner les problèmes critiques et contemporains de la pratique » (UCEA, 1992). Le UCEA forma alors un comité pour superviser la détermination de ces connaissances du champ d'études, l'élaboration des buts à poursuivre et l'encouragement devant être accordé à la recherche systématique (Hoy, 1994, p. 179).

Dans son document de 1992, le University Council for Educational Administration (UCEA) justifiait son projet en affirmant ce qui suit :

> Bref, l'histoire du curriculum en administration de l'éducation en est une de pige. Notre curriculum est le produit d'une succession de coups de vents provenant du social, de l'historique et du politique. Il n'a jamais été le produit d'un développement original, systématique et consensuel de la part des praticiens et des professeurs (p. 3).

Finalement, après beaucoup de débats et de critiques, le UCEA forma sept équipes avec le mandat d'élaborer un programme concernant les connaissances essentielles pour les gestionnaires de l'éducation. Ces connaissances furent divisées selon les sept domaines suivants :

➢ les influences sociétales et culturelles sur l'éducation ;

➢ les recherches sur l'enseignement et l'apprentissage et ses implications pour l'administration de l'éducation ;

➢ les études organisationnelles ;

➢ le leadership en administration de l'éducation : une perspective sociologique ;

➢ les études politiques ;

➢ la loi et l'éthique pour les gestionnaires de l'éducation ;

➢ les dimensions économiques et financières de l'éducation.

Chacune des équipes, composée de trois à six experts, avait les responsabilités suivantes :

➢ préciser le contenu et les processus essentiels de leur domaine ;

➤ prêter attention aux perspectives empiriques et interprétatives ;

➤ inclure à la fois la sagesse de la pratique et les connaissances du savoir ;

➤ incorporer les perspectives multiculturelles, émergentes, féministes et traditionnelles ;

➤ déterminer les domaines de connaissances qui ont besoin d'être développés davantage ;

➤ créer une série de produits destinés à communiquer la base professionnelle de connaissances pourra être employée pour réformer le curriculum, guider la recherche et le développement et informer des politiques éducatives relatives à la formation des gestionnaires scolaires (Murphy et Forsyth, 1999, p. 81).

Cette première phase du projet fut complétée en 1993 et les résultats furent confinés dans des documents intitulés *PRIMIS* et publiés par Hoy, Astuto et Forsyth (1994).

Forsyth (1994), alors directeur du UCEA, indiquait que la seconde phase du projet reposerait sur les sept objectifs suivants :

➤ revoir l'achèvement de la structure des sept domaines, faire les ajustements et apporter des ajouts, si nécessaire ;

➤ développer les connaissances de chaque domaine ;

➤ analyser les connaissances de chaque domaine pour en établir l'adéquation ;

➤ modifier le contenu de chaque domaine ;

➤ articuler les connaissances de chaque domaine ;

➤ déterminer les médias appropriés pour communiquer avec des publics multiples ;

➤ chercher les façons d'intégrer les connaissances des sept domaines (Donmoyer, 1999, p. 30).

Selon la seconde situation suggérée précédemment par Forsyth (1992), il existerait peut-être une base de connaissances techniques et rationnelles (p. 323) qui justifierait l'existence d'une école professionnelle universitaire (p. 327). Pour affirmer cela, il s'appuyait sur ce que Schön (1987) écrivait à ce sujet. Selon ce dernier, la rationalité technique prétend que les praticiens résolvent les problèmes grâce à la sélection de moyens techniques pertinents pour les problèmes éprouvés (p. 3). Donc, selon Forsyth, la rationalité technique requérait que les connaissances de la profession soient développées et transmises (p. 324).

Enfin, Willower et Forsyth (1999) ont récemment offert une recension du savoir en administration de l'éducation, témoignant ainsi de leur croyance en l'existence d'une base de connaissances dans le domaine. Leur texte, présenté dans une perspective historique, repassait en particulier les éléments qui ont servi à unifier l'administration de l'éducation, les études théoriques et empiriques du champ d'études, les questions philosophiques traitées depuis les années 1960 et les travaux accomplis dans le domaine des valeurs.

ABSENCE D'UNE BASE DE CONNAISSANCES

Ce sont Greenfield (1974) et Bates (1982) qui, les premiers, ont soulevé le problème d'une base de connaissances en administration de l'éducation. Lorsque Greenfield affirmait que les organisations de l'éducation n'existaient pas et qu'elles étaient des constructions mentales de ceux qui y travaillent, il doutait alors de la vraisemblance de l'existence d'une base de connaissances dans ce champ d'études. Quant à Bates, il soulevait explicitement la désirabilité de créer une telle base de connaissances puisque, selon lui, elle n'existait pas.

Mais ce n'est en fait que depuis les années 1990 que certains auteurs ont recommencé à prétendre qu'il n'existait pas de base de connaissances en administration de l'éducation. Il semble même que ce soit après la publication des deux rapports mentionnés précédemment: d'abord, celui du National Policy Board for Educational Administration (NPBEA, 1989); ensuite, celui du University Council for Educational Administration (UCEA, 1992). Ces deux rapports ont provoqué, de la part de jeunes professeurs il faut le dire, des réactions dont une bonne part est contenue dans l'ouvrage de Donmoyer, Imber et Scheurich (1995).

Comme pour relancer le débat, nul autre que le directeur du UCEA avançait une autre hypothèse qu'il n'existait pas de base de connaissances en administration de l'éducation (Forsyth, 1992, p. 322). Cette position était dramatique, car si tel était le cas, il n'y avait pas de raison selon lui d'avoir des programmes de formation dans ce domaine et encore moins à l'université (p. 327). Cette position pourrait être soutenue si l'on pense aux connaissances professionnelles. Il écrivait alors qu'il n'existait pas une intégration des modèles, des explications, des résultats de recherche, des stratégies d'intervention, des méthodes d'analyse, des protocoles et des traditions de réflexions morales et ingénieuses qui informent et guident la pratique de l'administration de l'éducation. Bref, il affirmait qu'il n'y avait pas une base distinctive de connaissances pertinentes pour la pratique de l'enseignement ou de l'administration de l'éducation (p. 322).

Immegart (1990), pour sa part, affirmait que les fondements cognitifs de l'administration de l'éducation étaient peu solides (p. 8). Quant à Murphy (1995), il relevait le fait que peu de chercheurs et de praticiens avaient quelque chose de positif à dire ou à écrire au sujet de la base de connaissances du champ d'études. Citant plusieurs éminents chercheurs dans ce domaine, il faisait connaître les principales raisons suivantes appuyant la thèse du manque de solidité des fondements de l'administration de l'éducation :

> ➢ notre ardeur à emprunter des idées avant qu'elles ne soient vérifiées ;
> ➢ le manque d'une théorie sur laquelle devraient reposer les efforts de recherche ;
> ➢ le manque dans la concentration de l'administration de l'éducation comme un domaine d'études ;
> ➢ des habitudes du savoir dans le champ d'études ;
> ➢ une absence de vision à l'égard de la profession (p. 87).

Un des principaux arguments utilisés pour expliquer l'absence d'une base de connaissances en administration de l'éducation est celui des résultats plutôt faibles de la recherche, qui devraient normalement produire les connaissances nécessaires au développement d'une telle base. Si l'on se fie à certains auteurs qui ont recensé les recherches accomplies dans ce domaine, l'argument n'est pas complètement faux. Boyan (1981) et Griffiths (1983), par exemple, trouvaient que la recherche du champ d'études était pauvrement faite alors que Bridges (1982) affirmait qu'elle avait procuré peu d'avancement qui avait une valeur théorique ou pratique. Greenfield (1993), quant à lui, s'appuyait sur le fait que la recherche en administration de l'éducation était incapable de fournir les réponses définitives à des questions concernant l'éducation. De plus, les professions « de moindre prestige », selon Schön (1994), « sont affublées de buts changeants et ambigus et elles agissent dans un contexte de pratique institutionnelle instable ; dès lors, elles sont incapables de développer une base de savoir professionnel scientifique systématique » (p. 47).

Prestine (1995) a adopté une perspective constructiviste afin de montrer l'inexistence d'une base de connaissances en administration de l'éducation. Parce que ce champ d'études comporte des situations problématiques complexes et mal définies, Prestine arguait que des

organisations prescriptives, officielles et de préemption de connaissances avaient peu d'application dans des contextes aussi ambigus et
complexes. L'existence de problèmes mal définis dans le contexte du
praticien exclut a priori l'identification de structures de connaissances
appropriées et pertinentes qui pourraient être transmises à travers
les permutations des problèmes à mesure qu'ils arrivent dans des
contextes pratiques (p. 274).

Scheurich (1995) était catégorique lorsqu'il écrivait «je voudrais
conclure que présentement il n'y a aucune justification acceptable qui
puisse supporter l'existence d'une base de connaissances en administration de l'éducation» (p. 21). Littrell et Foster (1995) ont également
affirmé qu'une telle base de connaissances n'existait pas, si l'on com-
prend que cette dernière consiste en une série de suppositions défi-
nissables, acceptables et testables au sujet des organisations et de
l'administration (p. 32). Ils ajoutaient que les sciences sociales sur
lesquelles repose en grande partie la base de connaissances en administration de l'éducation manquent de pouvoir de prédiction (p. 34).

Bref, Scheurich (1995, p. 25) résumait les raisons qui l'amenaient
à affirmer qu'il n'existait pas de base de connaissances en administration de l'éducation. En premier lieu, la base actuellement existante ne
reposait que sur le paradigme positiviste ou fonctionnaliste, excluant
d'autres alternatives telles que l'interprétivisme et la théorie critique.
En second lieu, les connaissances du champ d'études privilégiaient la
masculinité au détriment du féminisme. Finalement, le biais racial
était ancré dans la production de connaissances en sciences sociales
et, par ricochet, en administration de l'éducation.

Forsyth et Murphy (1999) ont soulevé un point important et
intéressant pour notre propos. Selon eux, l'histoire générale des
connaissances professionnelles et la préparation des professionnels
ont été dominées par la nature des connaissances techniques et pratiques. Ils ajoutaient que lorsque les universités contrôlaient la préparation professionnelle, elles sous-évaluaient les connaissances pratiques
alors que lorsque les praticiens la contrôlaient, ils sous-évaluaient les
connaissances techniques et la recherche (p. 254).

Par connaissances techniques, les auteurs entendaient un système
organisé d'explications théoriques et d'évidences systématiques reliées
à une série de phénomènes représentant le centre d'intérêts de la pratique professionnelle. Par contraste, les connaissances pratiques réfé-
raient, pour eux, à celles qui n'existent que dans l'usage et qui ne sont
apprises que par l'expérience. L'enseignement de l'administration de
l'éducation ayant été historiquement dispensé en milieu universitaire,

les auteurs se demandaient pourquoi les connaissances techniques ont eu tendance à être non pertinentes et loin de la pratique, alors que tant de personnes les désiraient pertinentes et rigoureuses (p. 265), et pourquoi les expériences de connaissances pratiques ont été tellement instables, malgré le consensus quasiment universel concernant l'importance de la préparation des praticiens (p. 267).

CONSTRUCTION D'UNE BASE DE CONNAISSANCES

Forsyth (1992) a été le premier à suggérer la construction d'une base de connaissances en administration de l'éducation (p. 322). Pour lui, cette base devrait reposer fondamentalement sur des problèmes pratiques et pourrait être définie comme une classe de portée moyenne (*middle-range class*) des problèmes avec un objectif centré sur l'action (p. 325). Le développement d'une telle base permettrait d'améliorer la rationalité technique dont il a été question précédemment (p. 327). Les commentaires plus récents de Forsyth (1994) suggéraient que l'articulation d'une base de connaissances était un problème technique qui peut s'avérer difficile, mais qui n'est certainement pas impossible à accomplir. Silver (1983) allait dans le même sens lorsqu'elle écrivait « bref, les problèmes du client et non pas les praticiens sont les cibles de la production des connaissances » (p. 12). Selon Donmoyer (1999), une question importante demeure toutefois : les connaissances du praticien peuvent-elles être incorporées dans une base de connaissances générées par le champ d'études ? (p. 36).

Forsyth illustrait sa suggestion par l'exemple du projet urbain mené par le UCEA et la Fondation Danforth. L'objectif du projet était de déterminer les problèmes pratiques qui sous-tendent la pratique administrative en milieu urbain. Dans le cadre du projet, dix directeurs d'école qui connaissaient beaucoup de succès furent réunis afin de connaître ces problèmes pratiques. Par exemple, un des problèmes mentionnés fut la motivation des enfants à apprendre, un résumé « des symptômes pathologiques des enfants pauvres de l'école urbaine » (p. 325).

Silver (1983), comparant l'administration de l'éducation à d'autres champs d'études professionnelles, écrivait « que les praticiens professionnels peuvent trouver dans la littérature consacrée à leurs champs d'études respectifs les connaissances courantes concernant la plupart des problèmes qu'ils éprouvent parce qu'elles sont codifiées selon des classes de problèmes pratiques. En administration de l'éducation, les praticiens ne peuvent se fier à la littérature en administration de l'éducation parce qu'ils savent qu'ils ne trouveront pas les connaissances courantes portant sur les façons de résoudre les problèmes auxquels ils font face» (p. 11).

Bok (1987, cité par Achilles, 1991) soulevait les problèmes relatifs à l'absence d'une base de connaissances en sciences de l'éducation. Il affirmait que parce que les professeurs n'ont pas une profession forte ni un corpus distinctif de connaissances à communiquer, ils n'ont pas d'ancrage ferme pour l'élaboration de leurs programmes. Au contraire, des forces externes les poussent dans une direction, puis dans une autre (p. 47). Culbertson (1990) ajoutait que dans le cas de l'administration de l'éducation, les concepts empruntés à d'autres disciplines ont tendance à entrer dans les ouvrages publiés avant même qu'ils soient vérifiés dans la pratique et sont transmis par la formation alors que leurs relations avec la gestion et le leadership scolaires demeurent inconnues (p. 102).

Achilles (1991) faisait remarquer qu'en l'absence d'une base de connaissances qui soit propre à l'administration de l'éducation, l'habitude est née d'emprunter d'autres disciplines (p. 28). L'absence d'une base ferme de connaissances et cette pratique d'emprunt rendent, selon lui, les programmes du champ d'études suspects et affectent la reconnaissance et la définition des problèmes de recherche. Il ajoutait que cette situation pouvait expliquer le peu de respect accordé à ce champ d'études sur les campus universitaires (p. 25).

Daresh et Barnett (1993) ont expliqué les sources traditionnelles qui servent habituellement à construire une base de connaissances en administration de l'éducation. Une première source est la confiance accordée aux concepts fournis par les sciences du comportement. Une seconde source est le partage des connaissances du métier au sujet du champ d'études. Enfin, ils mentionnaient les spécifications gouvernementales concernant les exigences de certification des gestionnaires comme une dernière source (p. 133).

Scheurich (1995), qui ne croyait pas en l'existence d'une base de connaissances en administration de l'éducation, s'est demandé quelles étaient les alternatives (p. 25). Il posait d'abord comme postulat que le public était beaucoup moins intéressé à la nature du champ d'études qu'au succès des écoles publiques. Selon lui, le public accorderait plus de respect à la profession si les gestionnaires faisaient montre d'un excellent leadership intéressé au succès de tous les élèves (p. 26). Plutôt que de tenter de développer une base de connaissances standardisées, Scheurich se faisait l'avocat d'une direction opposée en proposant aux professeurs en administration de l'éducation ce qui suit :

> ➢ un appui solide à une vaste expérimentation en ce qui concerne les programmes de formation ;
> ➢ une confrontation directe et explicite avec la stratification des genres et des races en administration ;
> ➢ un changement de la thèse de doctorat dans sa forme actuelle ;
> ➢ l'élimination de l'exigence des études à temps plein pour les praticiens ;
> ➢ une insistance pour que les gestionnaires jugent le travail des professeurs et des écoles à partir de ce que nous faisons avec ceux qui sont à la base plutôt qu'avec ceux au sommet de la hiérarchie ;
> ➢ nous en faire beaucoup moins au sujet du statut de la profession et plus concernant la condition de nos écoles (p. 26-27).

Bredeson (1995) a suggéré les critères dont on devrait se servir pour juger si une base de connaissances en administration de l'éducation est adéquate ou non. D'abord, elle requerrait l'inclusion de multiples voix et de perspectives. Deuxièmement, la reconnaissance et l'intégration des connaissances professionnelles existantes et les compétences requises pour la pratique sont des composantes importantes d'une base de connaissances. Troisièmement, les processus utilisés pour définir une nouvelle base de connaissances sont cruciaux pour son implantation (p. 53).

Capper (1995) a exposé les réactions des auteurs qui privilégiaient d'autres cadres de référence par rapport au document publié par le UCEA (1992) concernant le développement d'une base de connaissances en administration de l'éducation. Les réactions viennent en particulier des partisans de la théorie critique et de la perspective féministe. Du côté des théoristes critiques, ils suggéreraient que les sept domaines définis par le UCEA contiennent un intérêt pour la souffrance et l'oppression, une vue critique des buts de l'éducation, des buts «d'empowerment et de transformation, et une emphase sur les mœurs et les valeurs» (p. 289). Par contre, une perspective féministe recommanderait d'avoir une représentation féminine non seulement comme président des équipes d'étude, mais aussi comme membres de ces équipes formées par le UCEA (p. 291).

Littrell et Foster (1995), quant à eux, ont fait part de la réaction des postmodernistes concernant le développement d'une base de connaissances en administration de l'éducation. Pour ce faire, ils rappelaient leurs croyances à l'égard des connaissances. En premier lieu, pour les postmodernistes, les connaissances sont toujours produites dans des contextes spécifiques. En second lieu, un accord développé autour de ce qui constitue de vraies connaissances est relatif à la distribution du pouvoir dans une société. Enfin, le résultat final était des histoires largement acceptées de construction de la réalité qui ne servent qu'à maintenir le système existant de privilèges et de pouvoirs (p. 35).

Que doit-on conclure? D'abord, il nous semble qu'il serait probablement quelque peu prétentieux à ce stade-ci du développement du champ d'études de soutenir d'une façon absolue que l'administration de l'éducation aurait une base de connaissances qui lui serait exclusive. Il faut plutôt admettre que le champ d'études est avant tout une application de l'administration générale dont elle s'est inspirée grandement au cours de son développement. En outre, le domaine possède une base de connaissances empruntées à diverses disciplines. Puis, les résultats de la recherche n'ont pas encore jusqu'ici démontré leur pertinence pour le développement d'une base de connaissances en administration de l'éducation. Cependant, en même temps, il faut reconnaître qu'un bon nombre de connaissances particulières à l'administration de l'éducation se sont accumulées au point de former une certaine base de connaissances propre à ce domaine.

Brassard (2000) a qualifié le corpus de connaissances de l'administration de l'éducation de la manière suivante : « c'est à la manière de couches sédimentaires qui s'ajoutent les unes aux autres que chaque période a nourri en connaissances le champ de l'administration de l'éducation, tout comme les divers champs de l'administration et celui de l'administration générale. Il en résulte un ensemble plutôt disparate et hétéroclite... » (p. 25). Il ajoutait que « le discours produit se caractérise par un langage confus ou imprécis et flotte entre ce qui est de l'ordre descriptif, explicatif ou interprétatif et de l'ordre normatif ».

Résumé

Ce chapitre avait pour objectif de présenter, dès le départ de notre ouvrage, l'idée d'une base de connaissances en administration de l'éducation. Malgré des opinions divergentes sur le sujet, nous avons cru quand même bon, en premier lieu, d'expliquer en quoi ce champ d'études se distingue des autres disciplines existantes. Les principales particularités présentées concernent le fait que l'éducation est une réalité reliée au bien-être de la société, qu'elle offre un service grâce à un personnel professionnel et qu'elle doit composer avec des groupes de référence qui possèdent un caractère particulier.

En second lieu, le chapitre a tenté de montrer dans quelle mesure on pouvait affirmer qu'il existait ou non une base de connaissances en administration de l'éducation. Nous avons exposé les principaux arguments des auteurs qui militaient en faveur de son existence et les raisons fondamentales qui sous-tendaient son inexistence. Nous avons, également, montré la possibilité de développer une telle base ainsi que les conditions à respecter à l'occasion d'un tel développement. Nous en sommes venus à la conclusion, et ce, de façon prudente, qu'il existait une accumulation suffisante de connaissances propres à l'administration de l'éducation pour supposer que ce champ d'études avait une certaine base de connaissances, même si elle est plutôt diversifiée. Le prochain chapitre présentera les différentes conceptions de l'administration de l'éducation qui ont été proposées au cours de son développement.

Références

ACHILLES, C.M. (1991). «Re-Forming Educational Administration: An Agenda for the 1990s», Planning and Changing, vol. 22, nº 1, p. 23-33.

ANDERSON, G.L. et B. PAGE (1995). «Narrative Knowledge and Educational Administration: The Stories that Guide Our Practice», dans R. Donmoyer, M. Imber et J.J. Scheurich (dir.), *The Knowledge Base in Educational Administration: Multiple Perspectives*, Albany, The State University of New York Press, p. 124-135.

BATES, R. (1982). *Toward a Critical Practice of Educational Administration*, communication présentée au Annual Meeting of the American Educational Research Association, New York.

BIDWELL, C.E. (1965). «The School as a Formal Organization», dans J.G. March (dir.), *Handbook of Organization*, Chicago, Rand McNally, p. 972-1022.

BOK, D. (1987). «The Challenge to Schools of Education», *Harvard Magazine*, vol. 89, nº 5, p. 47-57, 79-80.

BORDELEAU, Y. (1987). « L'administration des champs d'application de l'administration : le danger du ghetto », dans A. Brassard (dir.), *Le développement des champs d'application de l'administration : le cas de l'administration de l'éducation*, Montréal, Les publications de la Faculté des sciences de l'éducation, Université de Montréal, p. 133-138.

BOYAN, N.J. (1981). « Follow the Leaders : Commentary on Reseach in Educational Administration », *Educational Researcher*, vol. 10, n° 3, p. 6-13 et 21.

BRASSARD, A. (dir.) (1987a). *Le développement des champs d'application de l'administration : le cas de l'administration de l'éducation*, Montréal, Les publications de la Faculté des sciences de l'éducation, Université de Montréal.

BRASSARD, A. (1987b). « L'enjeu : le développement de l'administration de l'éducation », dans A. Brassard (dir.), *Le développement des champs d'application de l'administration : le cas de l'administration de l'éducation*, Montréal, Les publications de la Faculté des sciences de l'éducation, Université de Montréal, p. 142-154.

BRASSARD, A. (2000). « L'institutionnalisation du champ d'études de l'administration de l'éducation : une analyse critique de l'expérience québécoise », *Revue française de pédagogie*, n° 130, janvier-février-mars, p. 15-28.

BREDESON, P.V. (1995). « Building a Professional Knowledge Base in Educational Administration : Opportunities and Obstacles », dans R. Donmoyer, M. Imber et J.J. Scheurich (dir.), *The Knowledge Base in Educational Administration. Multiple Perspectives*, Albany, The State University of New York Press, p. 47-61.

BRIDGES, E.M. (1982). « Research on the School Administrator : The State of the Art, 1967-1980 », *Educational Administration Quarterly*, vol. 18, n° 3, p. 12-33.

CALLAHAN, R.E. (1962). *Education and the Cult of Efficiency. A Study of the Social Forces that have Shaped the Administration of Schools*, Chicago, The University of Chicago Press.

CAMPBELL, R.F. (1958). « What Peculiarities in Educational Administration Make It a Special Case ? », dans A.W. Halpin (dir.), *Administrative Theory in Education*, New York, Macmillan Company, p. 167-185.

CAPPER, C.A. (1995). « An Otherist Poststructural Perspective of the Knowledge Base in Educational Administration », dans R. Donmoyer, M. Imber et J.J. Scheurich (dir.), *The Knowledge Base in Educational Administration. Multiple Perspectives*, Albany, The State University of New York Press, p. 287-301.

COHEN, D.K., J.G. MARCH et J.P. OLSON (1972). « A Garbage Can Model of Organizational Choice », *Administrative Science Quarterly*, vol. 17, n° 1, p. 1-25.

CULBERTSON, J.A. (1988). « A Century's Quest for a Knowledge Base », dans N.J. Boyan (dir.), *Handbook of Research on Educational Administration*, New York, Longman, p. 3-26.

CULBERTSON, J.A. (1990). « Tomorrow's Challenges to today's Professors of Educational Administration », *Record in Educational and Supervision*, vol. 11, n° 1, p. 100-107.

DARESH, J.C. et B.G. BARNETT (1993). « Restructuring Leadership Development in Colorado », dans J. Murphy (dir.), *Preparing Tomorrow's School Leaders : Alternative Designs*, University Park, UCEA inc., p. 129-156.

DONMOYER, R., M. IMBER et J.J. SCHEURICH (dir.) (1995). *The Knowledge Base in Educational Administration. Multiple Perspectives*, Albany, The State University of New York Press.

DONMOYER, R. (1999). «The Continuing Quest for a Knowledge Base: 1976-1998», dans J. Murphy et K. Seashore Louis (dir.), *Handbook of Research on Educational Administration*, 2ᵉ éd., San Francisco, Jossey-Bass Publisher, p. 25-43.

FORSYTH, B.P. (1992). «Fury, Flutter, and Promising Directions: Notes on the Reform of Educational Administrator Preparation», dans E. Miklos et E. Ratsoy (dir.), *Educational Leadership. Challenge and Change*, Edmonton, Department of Educational Administration, University of Alberta, p. 319-337.

FORSYTH, P.B. (1994). «Forward», dans W.K. Hoy, T.A. Astuto et P.B. Forsyth (dir.), *PRIMIS: The University Council for Educational Administration Document Base*, New York, McGraw-Hill.

FORSYTH, P.B. et J. MURPHY (1999). «A Decade of Changes: Analysis and Comment», dans J. Murphy et P.B. Forsyth (dir.), *Educational Administration: A Decade of Reform*, Thousand Oaks, Corwin Press inc., p. 253-272.

GLAZER, N. (1974). «Schools of the Minor Professions», *Minerva*.

GREENFIELD, T.B. (1974). *Theory in the Study of Organizations and Administrative Structures: A New Perspective*, communication présentée au Third International Intervisitation Programme on Educational Administration, Bristol, Angleterre.

GREENFIELD, T.B. (1993). «Research in Educational Administration in United States and Canada», dans T.B. Greenfield et P. Ribbins (dir.), *Greenfield on Educational Administration. Towards a Humane Science*, New York, Routledge, p. 28-52.

GRIFFITHS, D.E. (1983). «Evolution in Research and Theory: A Study of Prominent Researchers», *Educational Administration Quarterly*, vol. 19, nᵒ 3, p. 201-221.

GRIFFITHS, D.E. (1988). «Administrative Theory», dans N. Boyan (dir.), *Handbook on Research on Educational Administration*, New York, Longman, p. 27-51.

HOY, W.K. et C.G. MISKEL (1991). *Educational Administration. Theory, Research, and Practice*, 4ᵉ éd., New York, McGraw-Hill inc.

HOY, W.K. (1994). «Foundations of Educational Administration: Traditional and Emerging Perspectives», *Educational Administration Quarterly*, vol. 30, nᵒ 2, p. 178-198.

HOY, W.K., T.A ASTUTO et P.B. FORSYTH (dir.) (1994). *PRIMIS: The University Council for Educational Administration Document Base*, New York, McGraw-Hill.

IMBER, M. (1995). «Organizational Counterproductivism in Educational Administration», dans R. Donmoyer, M. Imber et J.J. Scheurich (dir.), *The Knowledge Base in Educational Administration: Multiple Perspectives*, Albany, The State University of New York Press, p. 113-123.

IMMEGART, G.L. (1990). «What is missing in Advanced Preparation in Educational Administration», *Journal of Educational Administration*, vol. 28, nᵒ 3, p. 5-13.

LITTRELL, J. et W. FOSTER (1995). «The Myth of a Knowledge Base in Administration», dans R. Donmoyer, M. Imber et J.J. Scheurich (dir.), *The Knowledge Base in Educational Administration. Multiple Perspectives*, Albany, The State University of New York Press, p. 32-46.

MANN, D. (1975). «What Peculiarities in Educational Administration Make It Difficult to Profess: An Essay», *The Journal of Educational Administration*, vol. 13, nᵒ 3, p. 139-147.

MARCH, J.G. (1978). «American Public School Administration: A Short Analysis», *School Review*, vol. 86, p. 217-250.

MURPHY, J. (1995). « The Knowledge Base in School Administration : Historical Footings and Emerging Trends », dans R. Donmoyer. M. Imber et J.J. Scheurich (dir.), *The Knowledge Base in Educational Administration. Multiple Perspectives*, Albany, The State University of New York Press, p. 62-73.

MURPHY, J. et P.B. FORSYTH (1999). *Educational Administration : A Decade of Reform*, Thousand Oaks, Corwin Press inc.

NATIONAL POLICY BOARD FOR EDUCATIONAL ADMINISTRATION (1989). *Improving the Preparation of School Administrators. An Agenda for Reform*, Fairfax, NPBEA.

NICOLAIDES, N. et A. GAYNOR (1989). *The Knowledge Base Informing the Teaching of Administrative and Organizational Theory in UCEA Universities : Empirical and Interpretive Perspectives*, Charlottesville, National Policy Board for Educational Administration.

PRESTINE, N.A. (1995). « A Constructivist View of the Knowledge Base in Educational Administration », dans R. Donmoyer, M. Imber et J.J. Scheurich (dir.), *The Knowledge Base in Educational Administration. Multiple Perspectives*, Albany, The State University of New York Press, p. 269-286.

RIEHL, C. *et al.* (2000). « Reconceptualization Research and Scholarship in Educational Administration : Learning to Know, Knowing to Do, Doing to Learn », *Educational Administration Quarterly*, vol. 36, n° 3, p. 391-427.

SCHEIN, E.H. (1973). *Professional Education*, New York, McGraw-Hill.

SCHEURICH, J.J. (1995). « The Knowledge Base in Educational Administration : Postpositivist Reflections », dans R. Donmoyer, M. Imber et J.J. Scheurich (dir.), *The Knowledge Base in Educational Administration. Multiple Perspectives*, Albany, The State University of New York Press, p. 17-31.

SCHÖN, D.A. (1987). *Educating the Reflective Practitioner : Toward a New Design for Teaching and Learning in the Profession*, San Francisco, Jossey-Bass Publisher.

SCHÖN. D.A. (1994). *Le praticien réflexif. À la recherche du savoir caché dans l'agir professionnel*, Montréal, Les Éditions Logiques.

SERGIOVANNI, T.J. *et al.* (1987). *Educational Governance and Administration*, 2e éd., Englewood Cliffs, Prentice-Hall inc.

SHULMAN, L. (1986). « Those Who Understand : Knowledge Growth in Teaching », *Educational Researcher*, vol. 15, n° 7, p. 4-14.

SILVER, P.F. (1976). « Knowledge Utilization Within Administrator Preparation Programs », *The Journal of Educational Administration*, vol. 14, n° 1, p. 43-53.

SILVER, P.F. (1983). *Professionalism in Educational Administration*, Victoria, Australia, Deakin University Press.

UNIVERSITY COUNCIL FOR EDUCATIONAL ADMINISTRATION (1989). « Improving the Preparation of School Administrators. An Agenda for Reform », *UCEA Review*, vol. 30, n° 3, p. 8-15.

UNIVERSITY COUNCIL FOR EDUCATIONAL ADMINISTRATION (1992). *Essential Knowledge for School Leaders. A Proposal to Map the Knowledge Base of Educational Administration*, inédit.

WEICK, K.E. (1976). « Educational Organization as Loosely Coupled Systems », *Administrative Science Quarterly*, vol. 21, n° 1, p. 1-19.

WILLOWER, D.J. et P.B. FORSYTH (1999). « A Brief History on Scholarship on Educational Administration », dans J. Murphy et K. Seashore Louis (dir.), *Handbook of Research on Educational Administration*, 2e éd., San Francisco, Jossey-Bass Publisher, p. 1-23.

CHAPITRE 2

ÉVOLUTION HISTORIQUE

On serait porté à penser que l'administration de l'éducation comme champ d'application de l'administration générale est née avec l'existence de la première école. Le lecteur sera peut-être surpris de constater sa naissance relativement récente. En effet, ce n'est que lorsque le besoin s'est fait sentir de coordonner les efforts d'un plus grand nombre de personnes œuvrant au sein d'une école et d'une commission scolaire que l'administration de l'éducation devint une préoccupation de plus en plus sérieuse de la part d'éducateurs responsables.

Le chapitre expose donc les principales étapes historiques du développement de l'administration de l'éducation. Après avoir présenté les différentes phases de l'évolution américaine de ce champ d'études, le chapitre fait état du progrès accompli au Canada dans ce domaine avant de se terminer par un aperçu de son développement au Québec. Le contenu du chapitre est divisé selon des périodes qui ont particulièrement marqué la progression de l'administration de l'éducation aux États-Unis, au Canada anglais et au Québec.

AUX ÉTATS-UNIS

Période philosophique (avant 1900)

Le développement de l'administration de l'éducation est tributaire de l'évolution générale de l'éducation. Tant que les commissions scolaires étaient petites et plutôt rurales, les commissaires d'école tenaient à conserver leur responsabilité d'administrer les écoles. Des comités de commissaires inspectaient les lieux, examinaient les progrès des élèves, choisissaient les manuels scolaires, embauchaient le personnel enseignant, etc. Dans de plus grandes commissions scolaires rurales, des sous-comités étaient formés pour s'occuper des mêmes tâches.

Les commissaires d'école des grandes villes urbaines se sont rendu compte peu à peu qu'ils ne pouvaient plus facilement garder la responsabilité des opérations quotidiennes des écoles. Puis, comme le soulignaient Tyack et Hansot (1982, p. 95), les réformateurs de l'éducation de cette époque étaient fascinés par la possibilité d'appliquer à l'éducation quelques-unes des normes techniques employées par les usines où un *surintendant* et quelques contremaîtres supervisaient le travail de centaines d'ouvriers. Les réformateurs se demandaient s'il ne serait pas possible d'engager un *surintendant* pour qu'il surveille et rationalise le processus d'enseignement de milliers d'élèves entassés dans des écoles urbaines.

Les réformateurs en vinrent à confier l'administration des écoles et des commissions scolaires à une personne appelée *district superintendent*[1]. Ce poste s'apparentait à celui d'un agent de la commission scolaire. Il était embauché pour classer les élèves, observer le personnel enseignant, tenir à jour les registres des absences, etc. En 1837, on trouvait les deux premiers directeurs généraux dans les villes de Buffalo et de Louiseville, et d'autres se sont trouvés par la suite dans plusieurs villes. L'année suivante, le poste de principal existait dans la ville de Cincinnati, en Ohio.

---

1. Le titre de *superintendent* correspond au Québec au titre de directeur général d'une commission scolaire.

Les premiers directeurs généraux des commissions scolaires, à qui on refusait souvent le droit de sélectionner le personnel enseignant, de déterminer le programme d'études et d'établir des politiques, n'étaient que des commis (Tyack et Cummings, 1977, p. 51). Selon Button (1966), ils enseignaient aux enseignants. Certains d'entre eux étaient toutefois des pédagogues chevronnés. C'est le cas, par exemple, de William H. Payne et de William T. Harris. Payne, dont on reparlera à l'occasion de l'enseignement de l'administration de l'éducation. Payne fut le directeur général de la commission scolaire d'Adrian, au Michigan, de 1869 à 1878 tandis que Harris le fut pour la commission scolaire de la ville de St. Louis de 1868 à 1880. Selon Culbertson (1986), Payne publiait en 1875 ce qui était probablement le premier ouvrage en administration de l'éducation (p. 5).

Période normative (1900-1950)

Cette période a été celle de la démocratie et de l'éducation progressiste avec la publication du volume de Dewey (1916). La philosophie de l'éducation de Dewey rejoignait la formation offerte dans les domaines industriel et agricole avec une nouvelle vision sociale démocratique et de nouvelles techniques d'enseignement (Campbell *et al.*, 1987, p. 9). L'apprentissage devait être lié à la vie courante et on devait respecter les différences individuelles.

C'est également au cours de cette période que des milliers de citoyens furent appelés à prendre les armes lors de la Grande Guerre. L'effet ne fut pas immédiat sur l'administration de l'éducation, mais, après un certain temps, les départements d'administration de l'éducation accusèrent une baisse d'étudiants qui eut des répercussions sur les besoins de gestionnaires dans les commissions scolaires.

Au début du siècle, l'administration de l'éducation a connu des critiques qui la conduisirent dans un mouvement du culte de l'efficience (Callahan, 1962). L'industrie américaine d'alors avait connu un essor important, et les gens d'affaires étaient préoccupés par les résultats médiocres obtenus par le système d'éducation et le manque de principes d'affaires de la part des directeurs généraux. Ils empruntaient la voie des journaux, des revues et des livres pour faire connaître leurs critiques. Mais c'est surtout grâce aux commissions scolaires qu'ils ont surtout exercé leur influence. En effet, les commissions scolaires étaient composées de plus en plus d'industriels, de gens d'affaires et de journalistes professionnels.

De 1900 à 1920, le monde scolaire se mit graduellement à l'heure de la gestion industrielle. De fortes pressions s'exerçaient pour que l'organisation et les opérations des écoles soient davantage standardisées et que les pratiques du monde des affaires soient adoptées par les éducateurs. Les directeurs généraux des commissions scolaires, malgré leurs résistances, étaient devenus vulnérables aux pressions de leurs commissaires et de l'opinion publique. C'est ainsi qu'après 1900, surtout après 1910, alors que les critiques des écoles étaient devenues plus virulentes, ils s'identifiaient à des « hommes d'affaires qui avaient réussi ».

Ainsi, l'administration de l'éducation a été grandement influencée par la gestion scientifique des entreprises. Après la parution de l'ouvrage de Taylor (1911) décrivant son système d'efficience dans l'industrie, il va sans dire que non seulement l'administration des commissions scolaires a suivi les normes du monde des affaires, mais tout l'enseignement de l'administration de l'éducation après 1910 reposait sur la direction scientifique des écoles. Les premiers professeurs d'administration de l'éducation se mirent de la partie en mettant l'accent en particulier sur la comptabilité. Les publications de cette période reflétaient bien sûr la nouvelle orientation. Ce fut le cas, par exemple, des ouvrages de Snedden et Allen (1908) et de Cubberley (1916) et surtout de l'influence de la revue *Educational Administration and Supervision* créée en 1915. Les directeurs généraux, pour leur part, faisaient de fréquentes analogies avec le monde des affaires de façon à renforcer leur identification avec ce monde et à pouvoir appliquer l'efficience industrielle aux écoles (Drost, 1971, p. 71).

Appliquée aux écoles, l'efficience prit deux formes différentes, parfois même antagonistes. En tant qu'efficience industrielle, l'économie des opérations et de l'effort était recherchée tandis que l'efficience sociale promettait de préparer les individus à faire face plus efficacement aux demandes de la société et à en corriger les mauvais côtés (Drost, p. 71). L'ouvrage de Snedden et Allen (1908) prônait d'ailleurs les deux formes d'efficience alors que celui de Dutton et Snedden (1908), considéré comme le premier manuel d'enseignement du domaine, ne prenait partie que pour l'efficience sociale. Le mouvement de l'efficience donna lieu à une nouvelle génération d'administrateurs de l'éducation qui se sont servis des deux formes d'efficience afin de tenter de se libérer du contrôle excessif de la commission scolaire. Ceci eut comme résultat que l'administration de l'éducation devint une profession munie d'une identité propre.

Lynd et Lynd (1937, cité dans Callahan, 1962, p. 221) affirmaient que les années 1920 furent encore celles de l'efficience en éducation et que celle-ci servait de mesure à tout ce qui se faisait en éducation. C'est ce qu'ils avaient constaté lors de leur étude de la commission scolaire de Middletown City en 1925. Callahan ajoutait que Middletown était loin d'être un cas isolé. Bien au contraire, selon lui, « au milieu des années 1920, les procédures relatives à l'efficience s'étaient répandues à travers toutes les parties de la nation » (p. 221).

Au début des années 1930, les sociétés américaines et les sociétés de l'Europe de l'Ouest tombèrent sous deux menaces. La première fut la grande dépression économique qui laissa des millions de gens sans emploi et, aux États-Unis, plus de 6 000 banques fermées. L'éducation fut alors considérée comme un luxe. La seconde menace, à la fin des années 1930, fut l'envahissement par les troupes nazies de l'Europe, créant un malaise dans la société américaine qui commençait seulement à se relever de la grande dépression.

En 1937, l'American Association of School Administrators (AASA), la plus importante et la plus puissante des organisations d'administrateurs scolaires, voyait le jour (Moore, 1964, p. 13). De fait, c'était un changement de nom de la précédente Association indépendante des directeurs généraux qui avait été établie en 1867 et qui avait joint la National Education Association (NEA), elle-même créée en 1857. En 1946, la moitié des membres étaient des directeurs généraux tandis que l'autre moitié des membres étaient des enseignants, des directeurs d'école, des professeurs de collège et autres. Jusqu'en 1949, l'AASA a été dominée par les directeurs généraux des commissions scolaires des grandes villes.

L'American Association of School Administrators (AASA) a été appelée à jouer un rôle très important dans le développement de l'administration de l'éducation. L'association fut importante dans ce développement grâce aux gestionnaires scolaires de haut niveau qui en étaient membres. Mais elle le fut surtout à la suite des pressions exercées par ses membres les plus influents auprès des universités chargées de la formation des gestionnaires scolaires actuels et potentiels. De plus, elle a fixé à un certain moment les conditions académiques minimales requises pour devenir membre de l'association.

La National Society for the Study of Education (NSSE) publiait en 1946 son 45e annuaire qui portait, pour la première fois, sur l'administration de l'éducation (Henry, 1946). La parution de cet annuaire sert encore de point de repère important dans le développement de ce champ d'études. Parmi les auteurs, on trouvait cinq administrateurs, un président de collège, un doyen d'une faculté d'éducation et deux professeurs d'éducation. Le contenu de l'annuaire accentuait l'importance de la démocratie en administration de l'éducation et, globalement, il s'agissait d'un « comment faire » (Gregg, 1965, p. 42).

Selon Griffiths (1964, p. 1), le titre de cet annuaire n'avait pas été judicieusement choisi. En effet, le concept de démocratie traité dans l'annuaire était loin d'être nouveau et le choix du titre était « influencé par la victoire récente des démocraties à la suite de la Deuxième Grande Guerre » (p. 1). Il était également évident dans leurs propos que les auteurs de l'annuaire avaient subi l'influence de la philosophie et de l'histoire. Enfin, Griffiths mentionnait que les recommandations présentées dans l'annuaire de 1946 à l'égard de la formation des gestionnaires scolaires auraient pu d'ailleurs être répétées dans l'annuaire de 1964.

En 1946 et 1947, au moment où la société américaine tenait pour acquis l'ordre social, elle passait graduellement d'une société stable à une société plus tumultueuse (Campbell, 1972, p. 2). Les États-Unis sortaient alors à peine de la Deuxième Guerre mondiale. Ils pouvaient maintenant déployer les ressources qui avaient servi auparavant à la guerre à la cause de la paix et à celle de l'éducation. D'une part, de nombreuses écoles furent alors construites pendant que de nouvelles universités naissaient et que d'autres connaissaient une expansion (en 1947, quatre millions de vétérans furent inscrits dans les universités). D'autre part, les citoyens américains recherchaient des alternatives scolaires au monopole du système des écoles publiques.

De plus, en 1946 et 1947, l'administration de l'éducation a connu un progrès significatif grâce à trois évènements importants survenus d'une façon presque précipitée et presque simultanée. Ce sont :

➢ l'intervention de la Fondation W.K. Kellogg dans le domaine de l'administration de l'éducation ;

➢ l'intérêt porté à l'administration de l'éducation par l'American Association of School Administrators (AASA) ;

➢ la formation d'une association des professeurs en administration de l'éducation : la National Conference of Professors of Educational Administration (NCPEA).

Dès 1930, la compagnie W.K. Kellogg avait établi une fondation « pour améliorer la santé, le bonheur et le bien-être des enfants et de la jeunesse sans discrimination raciale, religieuse ou géographique ».

Elle avait révélé son intérêt pour la préparation des administrateurs de l'éducation en manifestant sa préoccupation pour les programmes scolaires offerts en milieu rural et l'administration de ces écoles. Dès la création de sa fondation, Kellogg avait aidé financièrement sept comtés ruraux du Michigan et organisé, pour les administrateurs de ces écoles, une session de formation au cours d'un été.

Lorsque le comité aviseur en éducation de la Fondation Kellogg se réunit en janvier 1946 et recommanda de s'intéresser davantage à l'administration de l'éducation, la raison donnée portait alors sur le rôle des administrateurs concernant l'exercice d'un leadership communautaire. La Fondation, intéressée à l'amélioration de la vie communautaire, avait remarqué que le succès de ses différents projets dépendait en grande partie du leadership des administrateurs locaux des écoles. Au début de son implication dans le domaine de l'administration de l'éducation, la Fondation avait comme thème l'aide apportée à des programmes de perfectionnement pour les administrateurs de l'éducation.

Un autre évènement important fut la présentation du rapport de 1946 du Comité de planification de l'AASA, qui avait été chargé de proposer un plan d'action regroupant les préoccupations de l'Association pour les dix prochaines annécs. Le rapport touchait plusieurs aspects, dont le début d'études conduisant à la professionnalisation (Moore, 1957, p. 2). Mais il contenait, dans sa liste, les sujets suivants relatifs à l'administration de l'éducation : 1) l'amélioration des programmes de formation ; 2) le raffinement des critères de sélection des cadres scolaires ; 3) une plus grande participation de l'AASA aux activités de la profession.

À la suite des recommandations de son comité de planification, l'AASA fit en 1948 une demande de subvention de 75 000 $ à la Fondation Kellogg dont l'objectif était d'étudier la direction générale des écoles. La demande fut d'abord refusée. La proposition, telle qu'elle avait été présentée, était beaucoup trop large, d'autant plus que la Fondation craignait le contrôle absolu du projet par l'AASA. Une contre-offre fut soumise par la Fondation qui acceptait de financer une série de cinq conférences exploratoires. Ces conférences serviraient à investiguer les aspects soulevés dans le projet rejeté et à développer les raisons invoquées pour déployer un effort national majeur pour améliorer l'administration de l'éducation.

La dernière conférence exploratoire eut lieu en 1949 alors que la demande de subvention était soumise à nouveau à la Fondation Kellogg. On réclamait des montants plus généreux pour une période plus longue et on demandait que le projet soit centré dans les universités qui étaient reconnues pour leur leadership au niveau régional ou national. La Fondation accepta en août 1950 d'accorder une subvention de 3 400 000 $ pour une période de cinq ans (1951-1956) avec l'objectif précis d'améliorer l'étude et la pratique de l'administration de l'éducation. Elle accordera éventuellement plus de six millions dans les années suivantes.

L'intérêt commun de l'American Association of School Administrators (AASA) et de la Fondation Kellogg a donné lieu à l'inauguration de ce qui fut appelé le Cooperative Program in Educational Administration (CPEA). Il représentait un effort à travers tous les États-Unis afin d'étudier tous les aspects de l'administration de l'éducation. Selon Tope *et al.* (1965), le CPEA proposait les études suivantes :

> ➢ le processus de sélection grâce auquel des individus atteignent des positions de leadership ;
> ➢ les programmes de formation dans les établissements d'enseignement supérieur connus pour préparer des individus à des positions de gestionnaires scolaires ;
> ➢ l'environnement dans lequel l'école et le gestionnaire scolaire évoluent, l'étude de l'organisation et la structure communautaire ;
> ➢ les responsabilités du gestionnaire adéquates pour le milieu du XXe siècle ;
> ➢ les différentes responsabilités administratives qui conviennent au niveau de la ville, du comté, de l'État, et la relation qui existe entre ces niveaux ;
> ➢ les programmes expérimentaux de formation et de perfectionnement des futurs gestionnaires (p. 3).

Au cours des premières années, il y eut une demande pour une plus grande coordination de ces projets. La Fondation était contre la formation d'un comité national de coordination. Elle désirait plutôt que chaque centre universitaire régional conserve la direction absolue de son propre projet. Les premiers projets ont commencé au cours de l'année scolaire 1950-1951 dans les cinq universités suivantes :

> ➢ Université de Chicago ;
> ➢ Teachers College, Université Columbia ;
> ➢ Université Harvard ;
> ➢ George Peabody College for Teachers ;
> ➢ Université du Texas.

L'année suivante, les trois autres centres universitaires régionaux suivants furent subventionnés par la Fondation :

> Université de l'Oregon ;
> Université de l'Ohio ;
> Université Stanford.

Chacun des centres menait ses activités d'une façon autonome et avec une direction centrale réduite. Les objectifs et les activités de chacun variaient passablement d'un centre à l'autre. Par exemple, voici ce qu'étaient les préoccupations de certains de ces centres :

> à l'Université de Chicago, on s'intéressait à la recherche ;
> au Teachers College, on s'occupait de l'interaction avec les autres universités de la région ;
> au George Peabody College, une approche par compétences était développée ;
> à l'Université du Texas, on étudiait le principalat ;
> à l'Université de l'Oregon, on présentait des séminaires interdisciplinaires ;
> à l'Université de l'Ohio, on était préoccupé par le leadership (Murphy et Forsyth, 1999, p. xiv).

Chacun des huit centres régionaux avait un petit nombre de professeurs à temps plein, dont certains étaient des membres réguliers de la faculté d'éducation tandis que d'autres n'avaient aucun statut universitaire. Chaque centre a utilisé l'argent fourni par Kellogg pour attirer des étudiants de haut calibre. De nombreuses thèses de doctorat ont été produites par chacun des centres, certaines d'entre elles ont apporté une excellente contribution à la recherche en administration de l'éducation. Les montants versés par Kellogg furent également utilisés pour organiser des conférences, accorder des subventions de recherche et développer de nouvelles méthodes d'enseignement, telles que des stages, des séminaires interdisciplinaires et des exercices pratiques sous forme d'études du milieu. Grâce aux CPEA et à l'argent fourni par la Fondation Kellogg, les programmes de formation en administration de l'éducation dans tous les centres universitaires régionaux ont connu constamment des changements. Ils ont contribué à former de nouveaux chefs de file en administration de l'éducation, qui auront une grande influence au cours des périodes subséquentes.

Par ailleurs, l'idée de la formation de la National Conference of Professors of Educational Administration (NCPEA) émergea en 1947 à l'occasion d'une réunion de professeurs en administration de l'éducation, réunion convoquée par Walter Cocking, alors éditeur de la revue *School Executive*. À la suite d'une discussion sur l'enseignement et la pratique en administration de l'éducation, un groupe de professeurs suggérèrent de former un comité avec le mandat d'organiser une première conférence, qui eut lieu en août 1947. C'est lors de cette conférence que la NCPEA prit forme et devint officielle l'année suivante. Selon Moore (1964, p. 19), la NCPEA n'a jamais eu pour objectif d'augmenter le nombre de ses membres. Lors de la première conférence en 1947, elle comptait 72 professeurs ; en 1957, elle n'en comptait que 70 de plus, soit 142.

Période des sciences sociales (1951-1970)

L'AASA a contribué à la création d'un organisme qui influença le développement de l'administration de l'éducation. En juillet 1955, après des négociations entre l'AASA et la Fondation Kellogg, le Committee for the Advancement of School Administration (CASA) voyait le jour, avec le mandat général d'examiner et de diffuser les résultats obtenus par les centres universitaires régionaux (McPhee, 1960). La tâche de ce comité avait deux volets. Il devait, en premier lieu, stimuler les efforts des établissements universitaires afin d'améliorer les programmes de formation des gestionnaires scolaires. En second lieu, le comité devait faire en sorte que cette formation soit limitée seulement aux établissements universitaires qui possédaient les ressources financières requises (Tope *et al.*, 1965, p. 4-5).

Après seulement six semaines d'existence du CASA, un représentant du National Council for Accreditation of Teacher Education (NCATE) entra en communication avec le secrétaire du CASA lui proposant qu'une étude soit faite afin d'établir des critères d'accréditation des programmes de formation en administration de l'éducation. Le CASA passa plusieurs années à la préparation d'un tel projet d'accréditation, qui fut éventuellement soumis au NCATE. Les critères entrèrent en vigueur au cours de l'année scolaire 1959-1960. Les visites en vue d'une accréditation des programmes de formation en administration de l'éducation avaient lieu en même temps que les établissements universitaires demandaient une accréditation de leurs programmes de formation des maîtres. Le CASA contribua à faire accepter en 1959 par l'AASA un amendement de sa constitution par lequel, après 1964, seuls les diplômés des programmes de deux ans accrédités par la NCATE pourraient être membres de l'AASA. L'amendement se lisait comme suit :

> À partir de janvier 1964, tous les membres de l'Association américaine des administrateurs scolaires (AASA) devront prouver qu'ils ont complété deux ans d'études universitaires en vue de l'obtention d'un diplôme supérieur de formation pour les administrateurs scolaires et approuvé par un organisme d'agrément sanctionné par le comité exécutif de l'AASA (Tope *et al.*, 1965, p. 5).

Pour la première fois, les administrateurs de l'éducation faisaient face à une politique qui établissait les qualifications d'admission à la profession. L'amendement fut approuvé par le National Council for the Accreditation of Teacher Education (NCATE) qui fut chargé de l'application de cet amendement. Une entente est intervenue entre l'AASA et le NCATE pour qu'en 1964, tous les établissements possédant des programmes de formation en administration de l'éducation conduisant au doctorat et à des programmes de deux ans soient évalués.

Entre temps, soit en 1953, l'État de New York avait créé un Cooperative Development of Public School Administration (CDPSA) supporté financièrement par la Fondation Kellogg par l'entremise du *Cooperative Program in Educational Administration-Middle Atlantic Region*. Le CDPSA entreprit une vaste recherche répondant à deux questions : 1) Quels sont les concepts émergents relatifs à une bonne organisation administrative et à une dotation de personnel ? 2) Quelles sont les pratiques émergentes relatives à la dotation de personnel dans les fonctions administratives ? Les résultats furent d'abord publiés au cours de l'année 1956-1957 dans une série de brochures ayant pour titre *Your School and Staffing*, pour ensuite paraître sous la forme d'un ouvrage (Griffiths, 1962). L'ouvrage a servi de référence dans de nombreux programmes de formation.

En 1954, les centres universitaires régionaux, créés en 1950-1951, étaient préoccupés par la survie de leurs projets et de leur financement par la Fondation Kellogg. Un des centres, le Teachers College, proposa la création d'une organisation dédiée à l'amélioration des programmes de formation en administration de l'éducation, dont les membres seraient des universités plutôt que des individus. Une conférence exploratoire eut lieu, à l'automne 1955, au Teachers College avec 30 universités invitées et présentes pour l'évènement. En 1956, le University Council for Educational Administration (UCEA), un résultat majeur du CASA, était né. Situé d'abord sur le campus du Teachers College, le UCEA déménagea en 1959 sur le campus de l'Université de l'État de l'Ohio et se trouve maintenant à Columbia, au Missouri. Le UCEA se proposait d'améliorer l'administration de l'éducation grâce à la stimulation et à la production de recherches ainsi qu'au perfectionnement des professeurs en administration de l'éducation (Tope *et al.*, 1965, p. 6).

Le UCEA a eu dès ses débuts une grande influence sur le développement de l'administration de l'éducation aux États-Unis, au Canada et dans les pays du Commonwealth d'alors. Son influence s'est exercée par la tenue de plusieurs séminaires, l'organisation de nombreux groupes d'intervention (*Task force*), la publication de prises de position sur divers aspects de l'administration de l'éducation et le développement de matériel pédagogique.

Selon Campbell *et al.* (1987, p. 12), trois évènements du milieu des années 1950 précipitèrent des changements en administration de l'éducation. Le premier de ces évènements fut la décision de la Cour suprême des États-Unis en 1954 dans la cause Brown et la commission scolaire de Topeka, décision qui rendait illégale la ségrégation raciale. Le second évènement fut la réduction de presque la moitié des districts scolaires. Enfin, des spécialistes en sciences sociales, en particulier les sociologues et les psychologues, obtenaient un nouveau statut dans les universités américaines. Plus que jamais, on reconnaissait leur capacité d'analyser et de résoudre les problèmes sociaux. Ce qui provoqua l'introduction des sciences sociales dans la formation des gestionnaires scolaires.

Entre 1954 et 1974, l'éducation américaine a connu « une ère sous la supervision des cours de justice » (Watson, 1977, p. 67). Par différentes sentences rendues par la Cour suprême, les écoles étaient utilisées pour réformer la société américaine nouvellement intéressée par les droits constitutionnels des individus. Les principales causes portaient sur la ségrégation raciale, la liberté scolaire, les exercices religieux dans les écoles et les droits des étudiants et des enseignants. L'autorité dans les commissions scolaires et les écoles s'est alors retrouvée plus limitée par les décisions judiciaires.

Par exemple, si l'on considère les décisions judiciaires rendues par la Cour suprême des États-Unis concernant la ségrégation raciale, elles furent à l'origine du mouvement en faveur des droits civiques conduit surtout par la minorité noire. C'est ainsi que l'on a vu en 1963 la marche des Noirs sur Washington, menée par Martin Luther King. Ce sont ces décisions judiciaires qui ont poussé l'administration américaine à adopter en 1964 le *Civil Rights Act* (CRA). Cette législation permettait au procureur général de poursuivre les écoles qui entretenaient la ségrégation raciale. On peut facilement imaginer la situation dans laquelle se retrouvaient les gestionnaires scolaires.

À la suite d'un mouvement d'urbanisation, la réorganisation et la consolidation des commissions scolaires devinrent un facteur important en administration de l'éducation. Par exemple, en 1947, on en comptait 104 000. En 1956, leur nombre fut réduit à 59 000. Les commissions scolaires devenant plus grosses, l'efficacité était en plus grande demande, et le besoin de surveiller l'accès à l'égalité. Les responsables des organismes scolaires se voyaient attribuer de nouvelles tâches et devaient jouer un rôle important dans leur milieu (Campbell *et al.*, 1987, p. 13).

Comme l'a noté Culbertson (1965, p. 18), la période de 1958 à 1962 fut caractérisée par l'introduction des sciences sociales et du comportement dans la formation en administration de l'éducation. Le tout a débuté en 1950 lorsque fut tenue à l'Université de l'Orégon une série de discussions entre l'École d'éducation et plusieurs départements des sciences sociales du Collège des arts libéraux. L'objectif de ces discussions était d'explorer la possibilité d'incorporer certains aspects des sciences sociales dans la formation des administrateurs de l'éducation. Éventuellement, un séminaire impliquant cinq départements de sciences sociales fut offert pour la première fois à l'été de 1952 et chaque année par la suite. Les sciences sociales, appelées par la suite les sciences du comportement, ont été introduites dans la majorité des programmes de formation en administration de l'éducation.

Le rôle des sciences sociales dans la formation des administrateurs de l'éducation a été décrit par Cronin et Iannacone (1973) en comparant les programmes offerts dans les années 1950 par les universités de Chicago et Harvard. À Chicago, le département d'éducation faisait partie de la division des sciences sociales et les étudiants suivaient optionnellement des cours dans différentes disciplines. À Harvard, les sciences sociales faisaient partie intégralement du programme de formation.

La réunion de la National Conference of Professors of Educational Administration (NCPEA) tenue à Denver au Colorado en août 1954 fut très importante. En plus de personnes en administration de l'éducation, les personnes présentes à cette réunion venaient de disciplines aussi variées que la psychologie, la sociologie, la psychologie sociale et la science politique. D'autres personnes connaissant la théorie du comportement humain assistaient également à la réunion. Les discussions contribuèrent à remettre en question le point de vue alors en usage en administration de l'éducation et à suggérer de nouvelles façons d'envisager ce champ d'études.

Un des résultats de cette rencontre fut la parution de l'ouvrage repère dirigé par Campbell et Gregg (1957) et soutenu par la Fondation Kellogg. L'ouvrage se voulait « une synthèse et une interprétation des résultats de recherches et de la pratique portant sur les facteurs relatifs au comportement administratif » (p. ix). Il y avait également derrière la publication de cet ouvrage un « désir de placer l'administration de l'éducation sur une base professionnelle plus solide en suggérant des pistes de recherche et des étapes pour l'élaboration possible d'une théorie » (p. x). Finalement, l'ouvrage présentait des implications pour la formation des administrateurs de l'éducation.

Harman (1970) a relevé les changements sociaux et technologiques qui ont caractérisé cette période. Globalement, il mentionnait les nouveautés suivantes :

> ➤ l'industrialisation et la modernisation mondiales ;
> ➤ l'accumulation des connaissances scientifiques et technologiques ;
> ➤ l'augmentation des problèmes d'équilibre écologique, de la détérioration environnementale, de la concentration des populations et de l'approvisionnement de la nourriture ;
> ➤ l'augmentation des forces créant le stress individuel.

Boyd et Crowson (1981) mentionnaient que les pressions exercées sur les écoles au cours des années 1960, au nom de l'égalité, de l'efficacité et de l'efficience, ont amené un nombre de changements de grande envergure : une révolution dans les relations d'autorité ; un sens de crise concernant l'ordre normatif ; un déclin sérieux de la confiance et du soutien du public ; des changements substantiels dans la façon de gouverner (p. 311).

Parmi les changements reliés au gouvernement des écoles, les auteurs indiquaient que l'administration des écoles était devenue plus complexe, bureaucratique et légalisée, qu'une croissance de l'intervention de l'État et du fédéral avait diminué le contrôle local et que de plus en plus d'acteurs et de groupes de pression s'impliquaient dans le domaine de l'éducation (p. 313). Selon Boyd et Crowson (1981), les écoles publiques étaient dans le trouble quant à l'atteinte de leurs objectifs, à leur capacité d'adaptation, d'intégration et de stabilité normative (p. 315).

La période des années 1960 était également caractérisée par différents évènements qui ont eu une influence directe ou indirecte sur l'évolution de l'administration de l'éducation. À commencer par l'intervention croissante du gouvernement fédéral américain par de nouvelles législations et le rôle élargi du United States Office of Education

(USOE). La première percée est venue lors de l'adoption du *Elementary and Secondary Education Act* (ESEA) de 1965 qui contenait une série d'impératifs de programmes et d'innovations. Ces activités incluaient de nombreuses subventions en recherche et développement et la création d'une série de laboratoires régionaux et de centres de recherche et de développement (Halpin et Hayes, 1977, p. 275).

C'est au cours de la même période que les États-Unis ont également connu le militantisme enseignant et étudiant. Jusqu'en 1960, les enseignants avaient peu d'influence sur leurs commissaires d'école et leurs décisions administratives. Cependant, la victoire des enseignants en 1960 à New York a marqué le début des hostilités dans le reste du pays; les enseignants par leur affiliation à l'American Federation of Teachers (AFT) ont gagné de plus en plus de pouvoirs de négociation. Les administrateurs scolaires ont vite réalisé qu'ils se devaient d'apprendre à affronter cette nouvelle réalité. Quant aux étudiants, ils manifestaient en faveur de la libre expression et de l'autodétermination.

Cette période de l'évolution historique de l'administration de l'éducation aux États-Unis est également caractérisée par l'apparition de nouvelles technologies de la gestion (Culbertson *et al.*, 1969, p. 79-93). Ce fut le cas, par exemple, du Planning-Programming-Budgeting System (PPBS), du Program Evaluation and Review Technique (PERT), de l'Operation Research et des Computers and Management Information Systems. Leur adoption par certaines organisations scolaires américaines, et en particulier dans l'enseignement de l'administration de l'éducation, s'est faite graduellement et a permis à cette dernière de continuer sur sa lancée.

Après la parution de l'important ouvrage de Campbell et Gregg (1957), la parution en 1964 d'un second annuaire de la National Society for the Study of Education (NSSE) portant sur l'administration de l'éducation a été également capitale pour le développement du champ d'études. Contrairement à l'annuaire paru en 1946, aucun praticien n'a participé à la rédaction de celui de 1964. Par contre, quelques auteurs venaient des sciences du comportement. Le contenu de l'annuaire indiquait que l'administration de l'éducation pouvait être étudiée, analysée et expliquée grâce aux sciences du comportement introduites au cours des années 1950 et 1960. On y présentait des perspectives historiques, de nouvelles bases scientifiques de l'administration générale et des implications concernant les nouveaux fondements scientifiques de l'administration de l'éducation. L'ouvrage est demeuré un point de repère marquant pour la profession.

Un autre événement important de cette période fut le lancement en 1965 de la revue *Educational Administration Quarterly* (EAQ) suivie en 1966 de l'*Educational Administration Abstracts* (EAA) toutes deux publiées par le University Council for Educational Administration (UCEA). Le EAQ avait pour objectif de permettre aux professeurs de publier des articles de nature conceptuelle, empirique et analytique. Campbell (1979), après l'analyse de 42 numéros, concluait que l'objectif de la revue avait été amplement atteint. Le EAA, quant à lui, servait de référence pour une recherche rapide d'articles parus sur divers sujets touchant l'administration de l'éducation. Le lancement du *Journal of Educational Administration* (JEA) en mai 1963 à l'Université de New England en Australie a eu également une importance non négligeable.

En 1966, le UCEA conçut l'idée d'établir un programme de visites internationales (*International Intervisitation Program*) pour les professeurs en administration de l'éducation et les praticiens occupant des postes supérieurs dans des pays d'expression anglaise. Le programme, soutenu financièrement par la Fondation Kellogg, eut sa première réunion, la même année, à l'Université du Michigan. Il comprenait une semaine de conférences tenues sur le campus, deux semaines de visites d'écoles, d'universités et de ministères d'Éducation (*State Departments of Education*). La tenue de ce premier programme a donné lieu à un ouvrage (Baron *et al.*, 1969). En 1969, un second programme de visites internationales eut lieu sur le campus de l'Université de New England à Armidale. Des représentants de 14 pays ont assisté à ces visites. Lors de la session plénière, il a été suggéré d'établir aussitôt que possible une organisation internationale. L'année suivante, en août 1970, le Commonwealth Council for Educational Administration (CCEA) était né. Contrairement au UCEA qui ne regroupait que des professeurs en administration de l'éducation, les membres du CCEA étaient, toutes catégories confondues, des personnes intéressées à ce champ d'études.

Puis, un ouvrage paru sous la direction de Getzels, Lipham et Campbell (1968) représente une autre des étapes importantes du développement de l'administration de l'éducation. L'ouvrage avait pour but de présenter les recherches, publiées et non publiées, dont l'approche théorique principale était le modèle socio-psychologique développé par Getzels (1952) et, par la suite, élaboré davantage par Getzels et Guba (1957). Un second objectif de cet ouvrage était d'encourager des recherches théoriques et empiriques dans le domaine de l'administration de l'éducation (p. xvi). En plus d'avoir été un point de repère pour le champ d'études, il a servi de manuel d'enseignement dans plusieurs universités.

Un autre point de repère essentiel en administration de l'éducation est la parution en 1969 d'une importante publication de la part du UCEA (Culbertson *et al.*, 1969). Il s'agissait d'une immense étude dont l'objectif était de fournir aux universitaires l'information nécessaire à la refonte des programmes de doctorat pour les directeurs généraux des commissions scolaires. Cette étude était la première du genre depuis la naissance du champ d'études. L'hypothèse de départ était qu'il existait un écart entre les occasions de formation professionnelle requises par les futurs gestionnaires de l'éducation et celles qui leur étaient alors disponibles (p. 1).

À partir d'une recension des écrits portant sur la formation des administrateurs de l'éducation, des résultats d'un questionnaire expédié à 180 directeurs généraux et à 46 professeurs d'université membres du UCEA, les auteurs de cette recherche ont déterminé les forces susceptibles d'influencer la formation des administrateurs de l'éducation et ont rapporté les tendances et les besoins des programmes de formation. L'étude proposait 22 recommandations portant sur différents aspects relatifs aux programmes de formation.

Période de transition et dialectique (1971-2000)

Les années 1970 furent caractérisées en administration de l'éducation par une ère de confrontation plutôt que de consensus (Campbell, 1972, p. 2). Selon lui, « les représentants d'extrême gauche voulaient tout détruire et repartir à zéro tandis que ceux d'extrême droite ne considéraient aucune alternative de solution » (p. 3). Les Américains étaient alors conscients que leurs écoles ne fonctionnaient pas bien, qu'ils éprouvaient beaucoup de difficultés à régler les problèmes de pauvreté et ceux des minorités, les problèmes d'emplois, de justice, de santé et de qualité de l'éducation. Tout le système américain d'éducation a alors fait face au mouvement de reddition de comptes.

Cette époque de reddition de comptes a commencé dans les dernières années de 1960, et cette nouvelle thèse s'est perpétuée tout au cours des années 1970. D'ailleurs, jusqu'en 1969, le mot *accountability* n'apparaissait même pas dans l'*Education Index* alors qu'en 1970, il a fallu créer une catégorie spéciale afin d'intégrer ce nouveau concept (Getzels, 1977, p. 14). Quant au Educational Resources Information

Center (ERIC), il comptait dès 1973, 112 inscriptions sous le vocable Educational Accountability. Enfin, dès 1972, Sciara et Jantz publiaient leur ouvrage sur le sujet.

En 1974, plus de 30 États américains avaient adopté une législation exigeant une forme ou une autre d'imputabilité. L'administration de l'éducation fut alors poussée encore une fois à appliquer les théories utilisées dans le monde des affaires et à accorder une plus grande attention aux résultats obtenus par les écoles. Getzels (1977) mentionnait que les énoncés d'objectifs, de procédures et de standards de performance furent de plus en plus consignés par écrit, bureaucratisant encore plus l'éducation (p. 15). Il ajoutait que l'attention était portée aux intrants et aux extrants des processus, négligeant ce qui se passait entre les deux.

La période des années 1970 ne fut pas particulièrement caractérisée par de grands évènements comme par les années précédentes. L'administration de l'éducation étant un champ d'études bien ancré dans les mœurs éducationnelles, ce fut davantage une période de réexamen (Campbell *et al.*, 1987, p. 14). La préoccupation majeure au cours de ces années a surtout porté sur l'amélioration des programmes de formation. Il en sera davantage question dans le chapitre 4 de cet ouvrage. C'est au cours de cette période toutefois que l'expression *administration de l'éducation* a peu à peu remplacé *administration scolaire* (Campbell, 1972, p. 8). Au cours de ces années, selon Cunningham, Hack et Nystrand (1977), « l'administration de l'éducation s'est retrouvée dans un désarroi intellectuel et cherchait soit une affirmation des orientations prises dans les années précédentes ou des indications d'alternatives appropriées pour le futur » (p. vii).

La National Conference of Professors of Educational Administration en 1971 publiait, sous la plume de Hack et de ses collègues, la vision du comité qu'elle avait formé concernant le futur de l'administration de l'éducation. L'ouvrage contenait les perspectives concernant les programmes de formation de ce champ d'études et sa gouvernance, de l'organisation de l'éducation et de ce que sera le gestionnaire de l'éducation de l'année 1985. Malgré les problèmes éprouvés lors de la rédaction de l'ouvrage, les auteurs du document espéraient susciter des discussions fructueuses parmi les professeurs.

En 1974, à l'occasion d'une réunion du programme de visites internationales tenue à Bristol en Angleterre, Greenfield présenta une communication choc (Greenfield, 1974). L'auteur suggérait une nouvelle perspective dans l'étude de l'administration de l'éducation. Sa communication remettait en question les croyances des chercheurs en administration de l'éducation concernant leur approche quantitative et proposait plutôt une approche qualitative de l'étude de ce champ d'études. Cette communication provoqua tout un débat qui, selon Griffiths (1979), jetait l'administration de l'éducation dans une dispute intellectuelle. Bref, le mérite de Greenfield a été de stimuler une réflexion féconde (Hills, 1975).

Carver (1975) a résumé l'état de l'administration de l'éducation d'alors. Selon lui, il y avait une activité intellectuelle renouvelée. Les discussions portaient sur le réservoir de connaissances nécessaires pour gérer l'éducation, la pertinence de stratégies de recherche et les caractéristiques communes à l'administration de l'éducation et à celle du niveau postsecondaire. Selon Carver, ces questions n'étaient pas tellement nouvelles, mais leur intérêt était dû au fait que leur discussion était simultanée.

La parution de l'ouvrage sous la direction de Cunningham, Hack et Nystrand (1977) fait partie des points de repère importants en administration de l'éducation. Les chapitres de cet ouvrage étaient des communications présentées à l'occasion d'une conférence, sous le patronage du UCEA, tenue à l'Université de l'État de l'Ohio en 1975 dont le thème était *Educational Administration : Twenty-Years Later*. L'ouvrage traitait du contexte de la pratique administrative et de sa nature changeante, de la nature changeante de l'étude de l'administration et du futur de la théorie et de la pratique. L'ouvrage a servi de point de référence concernant le développement du champ d'études de 1954 à 1974.

L'année 1978 a constitué une étape importante en administration de l'éducation. Ce fut la publication de l'étude, réalisée par Silver et Spuck (1978), portant sur les programmes de formation de ce champ d'études. C'était la deuxième étude de ce genre depuis celle de Culbertson *et al.*, en 1969. Nous ferons davantage allusion à cette seconde étude à l'occasion des conceptions de la formation des gestionnaires. Disons pour le moment que cette étude a définitivement marqué l'évolution du champ d'études.

Les années 1980 ont suscité une sérieuse introspection de l'administration de l'éducation de la part des parents, des commentateurs publics, du gouvernement et même des élèves. Les résultats des élèves aux tests standardisés étaient de moins en moins bons au point que de moins en moins d'entre eux accédaient à des études supérieures. D'autre part, les revenus de la taxation étant peu abondants, les membres des législatures de chacun des États furent amenés à poser des questions embêtantes aux personnes en autorité en éducation (Campbell *et al.*, 1987, p. 15). « De plus en plus de pressions s'exercèrent afin que les écoles soient plus efficaces, quoique les critères d'efficacité aient été souvent simplistes et indûment prescriptifs » (p. 15).

L'approche théorique à l'étude de l'administration de l'éducation fut en particulier attaquée de toute part, très tôt en 1980, surtout par les professeurs de ce domaine (Culbertson, 1983). On arguait que la recherche universitaire et le contenu de la formation des gestionnaires en éducation n'étaient pas pertinents pour la pratique. Greenfield (1974) partit le bal alors que Foster (1980) et Bates (1982) continuèrent à attaquer la légitimité de l'utilisation de la théorie en administration de l'éducation.

Halpin et Hayes (1977) ont avancé d'autres raisons pour le déclin de l'approche théorique de l'administration de l'éducation. Entre autres, selon eux, on a exagéré les mérites de la théorie. « Parce que plusieurs parmi nous ont espéré beaucoup trop, trop vite et trop facilement, nous étions condamnés d'avance à être déçus » (p. 271). Une autre raison fut que l'usage de la théorie devait servir à la recherche et à la pratique administratives alors que ces deux facettes ne furent pas suffisamment différenciées.

Cette situation a provoqué une réorientation de la part du UCEA. À la suite de subventions obtenues auprès de plusieurs organismes, le UCEA lançait en avril 1985 la National Commission on Excellence in Educational Administration (NCEEA). Le mandat de la commission de 27 membres était d'examiner la qualité du leadership en éducation. La commission a tenu plusieurs séminaires régionaux et demandé à des spécialistes du domaine de soumettre leurs idées dans des travaux écrits. Ces derniers apparaissent dans le rapport final de la commission. La parution d'un bref rapport en 1987 marquait une étape importante dans le développement de l'administration de l'éducation et mettait en lumière la nécessité d'une nouvelle réforme de la formation des administrateurs de l'éducation. Le rapport complet fut publié l'année suivante (Griffiths, Stout et Forsyth, 1988).

Le rapport de 1987 de la commission débutait par une liste de recommandations les plus significatives suivies d'une vision du leadership éducationnel et de 35 recommandations destinées aux écoles publiques, organisations professionnelles, universités, politiciens fédéraux et politiciens des États et au public en général. Les recommandations les plus significatives étaient les suivantes :

➤ le leadership éducationnel devrait être redéfini ;

➤ un National Policy Board on Educational Administration devrait être formé ;

> les programmes de formation des gestionnaires de l'éducation devraient être modelés sur ceux des écoles professionnelles ;
> au moins 300 universités et collèges devraient cesser de former des gestionnaires de l'éducation ;
> des programmes de recrutement et de placement des minorités ethniques et des femmes devraient être lancés par les universités, les commissions scolaires, le gouvernement fédéral et celui des États et par le secteur privé ;
> les écoles publiques devraient devenir des partenaires à part entière dans la formation des gestionnaires de l'éducation ;
> les activités de développement professionnel devraient être une composante intégrale de la carrière des professeurs d'administration de l'éducation et des praticiens ;
> les programmes de certification devraient être réformés substantiellement (NCEEA, 1987, p. xiii).

Cette commission a provoqué la mise sur pied en 1989 du National Policy Board on Educational Administration (NPBEA), qui réunissait dix associations nationales, telles que l'AASA, la NCPEA, la National Association of Secondary School Principals (NASSP), etc. Une proposition pour créer ce nouvel organisme fut présentée à la Fondation Danforth qui accorda une subvention de 179 000 $ pour trois ans (1988-1990). Les trois objectifs suivants furent mis de l'avant :

> développer, disséminer et implanter des modèles professionnels de formation et de perfectionnement des leaders de l'éducation ;
> augmenter le recrutement et le placement des femmes et des minorités pour des postes de leadership éducationnel ;
> établir un comité national de certification des gestionnaires scolaires (Thomson, 1999, p. 95).

L'organisme, situé à Columbia au Missouri et rattaché au University Council for Educational Administration (UCEA), a consacré d'immenses efforts au cours des années suivantes à la formation des administrateurs de l'éducation. Il l'a fait surtout par ses publications, telles que celles de 1989 et 1990 (NPBEA, 1989 et 1990), et différents projets spéciaux. En 1996, l'organisme créait le *Policy Circle* avec les deux objectifs suivants : fournir au NPBEA un élément de recherche ainsi qu'un système institutionnalisé de renseignements sur les questions de politiques sociales et éducationnelles (*UCEA Review*, 1997, p. 9).

Un des vice-présidents de la Fondation Danforth de St. Louis, Missouri, avait remarqué le manque de reconnaissance dans les écrits sur la réforme en éducation du rôle du directeur d'école (Gresso, 1993, p. 1). La Fondation décida donc au début de 1986 de choisir entre 15 et 20 universités qui soumettraient un plan afin de développer et d'implanter des programmes innovateurs concernant la formation des directeurs d'école. Une étude menée auprès des 22 universités subventionnées par la Fondation montrait les succès remportés par ces programmes (Cordeiro *et al.*, 1992). Il en sera davantage question au quatrième chapitre.

L'année 1987 a marqué une étape importante pour le développement de l'administration de l'éducation. À l'occasion du 30e anniversaire de sa fondation à l'automne 1987, le University Council for Educational Administration (UCEA) décida de tenir une réunion annuelle au cours de laquelle on discuterait et débattrait des questions de réformes relatives à l'éducation et au leadership éducationnel. À cette réunion, appelée la Convention UCEA, assistaient pour la première fois des professeurs en administration de l'éducation des universités membres de l'organisme ainsi que des professeurs européens intéressés par le champ d'études. Ce fut une occasion pour ces professeurs d'assister à l'une ou l'autre des activités organisées par l'UCEA et à la présentation de plusieurs communications portant sur les réformes nécessaires des programmes de formation en administration de l'éducation. Depuis son existence, selon Murphy et Forsyth (1999), la Convention UCEA est devenue la plus grande conférence mondiale dédiée spécifiquement à l'administration de l'éducation (p. 79).

L'année 1988 a été une étape cruciale pour le développement de l'administration de l'éducation. Elle a vu la naissance d'un projet dont l'idée première remontait à 1974 à l'occasion de la réunion des affaires de la division A de l'American Educational Research Association (AERA) qui regroupait les professeurs en administration de l'éducation. Le projet fut concrétisé par la parution d'un manuel de recherche en administration de l'éducation (Boyan, 1988). Il représentait le premier ouvrage de ce genre dans le domaine. Contenant 33 chapitres, il était une mise à jour des connaissances accumulées dans ce champ d'études depuis ses origines.

Un autre évènement important de l'année 1988, selon Murphy et Forsyth (1999, p. 25), provoqué par la National Commission on Excellence in Educational Administration (NCEEA), fut la présentation de Griffiths (1988) au congrès de l'American Educational Research Association (AERA). Griffiths mentionnait qu'à moins d'un mouvement d'une réforme radicale en administration de l'éducation, il prédisait la fin de ce champ d'études. Il l'exprimait de la façon suivante :

> Je suis parfaitement et complètement convaincu qu'à moins qu'un mouvement d'une réforme radicale se mette en marche et qu'il soit couronné de succès, la plupart d'entre nous présents dans cette salle allons vivre assez vieux pour voir la fin de l'administration de l'éducation comme une profession (p. 1).

Dès le début des années 1990, les différents départements de formation en administration de l'éducation revoyaient d'une façon très significative leurs programmes de deuxième et de troisième cycles. L'objectif poursuivi par ces réformes de programmes était de répondre autant que possible aux recommandations faites par la National Commission on Excellence in Educational Administration (NCEEA). Les milieux intéressés par la formation des administrateurs de l'éducation, soit les universités, les départements de l'éducation, les districts scolaires ainsi que les écoles, étaient engagés dans une démarche collective de changement (Grégoire, 1998, p. 26). Certaines des réformes nous sont rapportées par Milstein (1993) et Murphy (1993).

De plus, McCarthy (1999) a prétendu qu'il y avait eu récemment un mouvement pour utiliser le terme «leadership» plutôt qu'«administration» de l'éducation (p. 124). Or, Norton (1988) a rapporté que cette tendance était déjà commencée auparavant. En effet, il avait constaté qu'au moins six départements étaient alors connus sous l'appellation «*educational leadership*» (p. 333). Par contre, McCarthy et Kuh (1997) rapportaient que 34 % des départements universitaires avaient incorporé les termes d'«*educational leadership*» dans le nom de leur unité alors que 34 % d'entre eux avaient conservé le nom d'administration de l'éducation (p. 36).

Les années 1990 ont également été marquées par la parution d'importantes publications et par les efforts déployés pour mettre en place les recommandations de la commission nationale sur l'excellence en administration de l'éducation dont il fut question précédemment. Au cours de cette période, plusieurs ouvrages importants ont été publiés. Nous accordons une place particulière à certains d'entre eux afin de mieux caractériser la période, quitte à mentionner les autres ouvrages lors de notre discussion sur la conception de l'administration de l'éducation et de son enseignement.

Il y eut d'abord la publication, par la National Association of Elementary School Principals (NAESP, 1990), du rapport d'un large groupe de travail sur la formation des directeurs d'école. De son côté, le National Policy Board on Educational Administration (NPBEA) publiait le rapport de la commission d'étude, créée conjointement par deux associations de directeurs d'école, portant sur la formation du personnel de direction d'une école (NPBEA, 1990). Plus tard, le même bureau publiait un ouvrage portant cette fois sur les connaissances et les habiletés que devaient posséder les directeurs d'école (Thomson, 1993).

En 1994, la Fondation Danforth réunissait à New York un groupe d'experts pour se pencher sur les liens entre les écoles de développement professionnel, qui existaient pour les enseignants depuis le milieu des années 1980, et le renouveau du leadership éducationnel des programmes de formation des gestionnaires de l'éducation (Teitel, 1996, p. 10). Les résultats des deux jours de réunion soulignaient l'importance de comprendre l'utilité des écoles professionnelles de développement professionnel, comme des laboratoires d'apprentissage, pour aider à voir le futur de la pratique de l'administration de l'éducation.

En 1995, le National Council for Accreditation of Teacher Education (NCATE), de concert avec le National Policy Board for Educational Administration (NPBEA), publiait les orientations devant servir à l'évaluation des programmes de formation en administration de l'éducation (NCATE, 1995). Les standards proposés pour cette évaluation comprenaient «les connaissances, les habiletés et les attributs requis pour mener et gérer une entreprise d'éducation centrée sur l'enseignement et l'apprentissage» (NPBEA, 1996). Les orientations portaient sur l'internat et le leadership stratégique, pédagogique, politique et communautaire.

Récemment, le National Policy Board on Educational Administration (NPBEA) annonçait la création du American Board for Leadership in Education (ABLE) (Driscoll, 2000). Le but poursuivi par ce nouvel organisme était d'établir des standards de pratique dans le champ du leadership éducationnel et de développer un processus de certification qui permettrait de reconnaître les personnes qui auraient répondu aux standards mis de l'avant (p. 11). La certification serait un processus volontaire et exigerait la démonstration de la compétence au-delà de ce qui est exigé pour entrer dans la profession.

Un second manuel portant sur la recherche en administration de l'éducation paraissait il y a déjà quelques années (Murphy et Seashore Louis, 1999). Comme le premier paru en 1988 sous la direction de Boyan, l'objectif de cette seconde publication du genre consistait à faire le point sur l'évolution des connaissances et de la recherche accumulées depuis la parution du premier manuel. L'ouvrage traitait du développement du champ d'études, de la nature changeante de l'éducation et de la reconsidération des défis qu'offre le leadership en éducation.

Enfin, la directrice du University Council for Educational Administration (UCEA) annonçait les liens que l'organisme entendait entretenir avec certaines organisations nationales, telles que la National Conference of Professors in Educational Administration (NCPEA), l'American Association of School Administrators (AASA) et l'American Association of Colleges for Teacher Education (AACTE) (Young, 2001, p. 7). Elle relevait également le fait que le UCEA avait déjà commencé à travailler de concert avec le Focus Council on Leadership du National Land Grant Deans Organization (NLGDO), un groupe intéressé à la formation des directeurs généraux et des directeurs d'école.

On ne peut terminer cette section sur l'évolution du développement de l'administration de l'éducation aux États-Unis sans mentionner le départ d'une figure très étroitement associée à ce mouvement. Le 2 octobre 1999, Daniel E. Griffiths décédait. Il a été, depuis les années 1950 jusqu'à son décès, de toutes les discussions du champ d'études. Au début, grand défenseur du positivisme et de l'usage de la théorie en administration de l'éducation, il finit par accepter les nouvelles perspectives. Selon Lutz (2000), il a changé complètement la profession (p. 3).

AU CANADA ANGLAIS

Le développement de l'administration de l'éducation a été plus lent au Canada qu'aux États-Unis. Elle s'est par contre développée grâce à des appuis canadiens équivalant à ceux des organisations et des programmes américains comme l'American Association of School Administrators (AASA), la National Conference of Professors in Educational Administration (NCPEA) et le Cooperative Program in Educational Administration (CPEA). Au Canada, le développement de ce champ d'études est dû en grande partie à l'influence de la Canadian Education Association (CEA), de la Canadian Association of School Superintendents and Inspectors (CASSI) et de l'Université de l'Alberta.

La Canadian Education Association (CEA), au moment de sa création en 1891, désirait être une organisation interprovinciale composée d'autorités en éducation. Les membres étaient des sous-ministres de l'Éducation de chacune des provinces, des professeurs en éducation, des directeurs généraux de commission scolaire et des présidents de plusieurs organisations nationales intéressées à l'éducation (Stewart, 1958, p. 33). Elle n'établit son premier bureau permanent qu'en 1945 et publiait la même année le premier numéro de sa revue *Education Canada*. Elle était soutenue financièrement par chacune des provinces, proportionnellement à sa population.

Création des premiers départements d'administration de l'éducation (1950-2000)

La Canadian Association of School Superintendents and Inspectors (CASSI), créée en septembre 1951, était au départ une fédération d'organisations provinciales qui permettait à des individus d'en être membres. Les inspecteurs et les directeurs généraux de commission scolaire constituaient la majorité des membres et en étaient les principaux directeurs. Les réunions annuelles de la CASSI devenaient des occasions de discuter de nombreux sujets relatifs à l'éducation. Éventuellement, l'organisation fut amenée à réaliser des enquêtes, à publier un annuaire et à s'impliquer dans d'autres activités professionnelles.

Les débuts du développement de l'administration de l'éducation au Canada ont eu lieu en Alberta. Pourquoi l'Université de l'Alberta plutôt que tout autre université canadienne ? Parce que cette université était particulièrement avant-gardiste. Par exemple, elle était la première au Canada en 1945 à avoir intégré la formation des maîtres à l'université et aboli les écoles normales ; ce qui avait provoqué la création de la Faculté d'éducation qui, en 1952, offrait déjà des programmes d'études supérieures bien établis avec un personnel enseignant engagé dans la recherche. Contrairement à d'autres provinces, l'Alberta semblait fournir l'environnement éducationnel propice à l'implantation d'un programme de formation des administrateurs de l'éducation et par le fait même avait les meilleures chances de réussir (Bergen, 1991, p. 2).

Jusqu'en 1950, il était exceptionnel pour un administrateur de l'éducation d'entreprendre des études. C'était également le cas pour toute personne qui aspirait à un rôle d'administrateur en éducation. Au cours de cette période, il n'existait que très peu d'enseignement dans la discipline. Toute personne qui désirait se perfectionner devait le faire en se faisant admettre à l'une des universités américaines telles que Chicago, Columbia, Minnesota, Northwestern et Stanford (Swift, 1970). Plusieurs personnes ont alors profité des sommes allouées aux militaires démobilisés pour fins d'études après la fin de la guerre de 1939-1945.

Au cours de l'année 1950-1951, le secrétaire de la Canadian Education Association (CEA), F.K. Stewart, fut mandaté pour communiquer avec des fondations américaines dans le but d'obtenir des subventions de recherche. La Fondation W.K. Kellogg semblait être la plus prometteuse. On se souviendra du rôle joué par cette Fondation dans le développement de l'administration de l'éducation aux États-Unis. D'ailleurs, comme le soulignait Swift (1970, p. 14), en réagissant à la demande de la CEA, la Fondation Kellogg n'était pas sans se souvenir de son implication avec les Cooperative Programs in Educational Administration (CPEA) créés la même année.

Les directeurs de la Fondation Kellogg indiquèrent qu'ils n'étaient pas intéressés à la recherche dans son sens conventionnel. Ils désiraient plutôt accorder leur appui à un programme d'action qui aurait un effet immédiat et bénéfique pour l'éducation; un programme d'action qui conduirait à la mise en place d'activités qui pourraient, éventuellement, être prises en charge et financées d'une façon permanente par les autorités scolaires canadiennes et d'autres institutions engagées en éducation (Swift, 1970, p. 13).

Encouragés par cette réaction de la Fondation Kellogg, des membres importants de la CEA se mirent au travail afin de mettre au point une proposition susceptible de satisfaire les exigences de la fondation. Un comité intérimaire fut formé sous la présidence de Swift, sous-ministre de l'Éducation de l'Alberta. L'essence même de la proposition, qui devint éventuellement le *CEA-Kellogg Project*, était révélée dans une lettre de la CEA adressée à la fondation et datée du 1er mai 1951 :

> Notre exécutif m'a demandé de discuter avec vous afin de voir dans quelle mesure vous pourriez coopérer avec nous pour développer de bonnes pratiques administratives et le leadership en éducation (Swift, 1970, p. 14).

La première activité, appuyée financièrement en partie par la Fondation Kellogg, a précédé l'approbation du projet par ladite fondation. Afin d'explorer l'intérêt pour la proposition soumise à la Fondation, une réunion de personnes intéressées eut lieu à Saskatoon en septembre 1951, avant la rencontre régulière de la CEA. La proposition fut expliquée et appuyée par toutes les personnes présentes. La CEA pouvait alors continuer ses discussions avec la Fondation Kellogg. À la réunion annuelle de la CEA en 1952, le projet, sous le nom de CEA-Kellogg Project in Educational Leadership, fut annoncé.

Le projet fut approuvé par la Fondation Kellogg au cours de l'année 1952. Cette approbation permit au président de la CEA d'indiquer, lors de la réunion annuelle de la CEA en 1953, que le projet s'intéresserait aux sujets suivants :

> ➢ le rôle de leadership du directeur général vu par les enseignants ;
> ➢ le rôle de leadership du directeur général vu par les directeurs d'école ;
> ➢ la relation entre le directeur général et les commissaires d'école ;
> ➢ la centralisation des écoles ;
> ➢ le rôle du directeur général dans le développement de l'intérêt public pour la chose scolaire et de son soutien.

La première activité du projet, dirigée par George E. Flower, eut lieu en mai 1953 à l'Université de l'Alberta. Il s'agissait d'un cours intensif (appelé *short course*) d'une durée de trois semaines durant lequel les participants demeuraient en résidence. Assistaient à cette activité 48 inspecteurs et directeurs généraux de commission scolaire ; toutes les provinces étaient représentées. Les participants examinèrent leurs rôles relatifs à leur travail auprès des enseignants, des commissaires d'école et du public. Ce premier cours intensif fut suivi de trois conférences régionales, de deux semaines chacune, dont l'une s'est tenue en français en 1954 au Québec.

Les cours intensifs avant 1954 eurent tous lieu à l'Université de l'Alberta jusqu'en 1958. En 1959, le cours eut lieu à Toronto et, à partir de 1960, les cours s'établirent en permanence à Banff School of Fine Arts, toujours sous la direction d'un professeur du Département d'administration de l'éducation de l'Université de l'Alberta. Au cours des années 1980, un professeur d'une autre université canadienne fut appelé à en assurer la direction. À partir de 1965, des cours intensifs furent organisés pour les directeurs d'école. Depuis les années 1970, les cours intensifs sont offerts à toute personne intéressée. L'une des fins exprimées dans le projet initial de 1951 était :

> D'encourager l'établissement, dans une faculté d'éducation, d'un programme de formation et d'étude en supervision et en administration de plus grandes agglomérations scolaires pour le futur administrateur ou celui qui occupe déjà ce poste (Swift, 1970, p. 17).

Au cours de l'année 1955, le temps semblait venu de pousser plus loin cette partie de la proposition initiale. Lors de la convention de la Canadian Education Association (CEA) en 1955, il y eut une discussion sur le rôle que l'université pouvait jouer dans l'éducation professionnelle en supervision et en administration. Compte tenu du succès du *CEA-Kellogg Project in Educational Leadership*, du soutien de tous les départements d'éducation du Canada (ou ministères de l'Éducation) et de la satisfaction de la Fondation Kellogg, il était tout à fait naturel d'espérer que cette dernière serait réceptive à une nouvelle proposition.

Le doyen et quelques membres du personnel de la faculté d'éducation de l'Université de l'Alberta, aidés du président de la CEA, entreprirent d'élaborer une proposition. Le plan prévoyait la création d'un département d'administration de l'éducation dans la faculté. On proposait d'offrir les quatre programmes suivants :

➢ un diplôme en administration de l'éducation et en supervision (une année universitaire) ;

➢ une maîtrise en éducation avec un mémoire (une seconde année universitaire) ;

➢ un diplôme de spécialiste en administration de l'éducation et en supervision (une troisième année) ;

➢ le doctorat (au moins une quatrième année de cours et une thèse).

Les personnes impliquées dans l'élaboration de la proposition n'étaient pas sans se douter qu'elles planifiaient un programme de formation en administration de l'éducation non seulement pour la province de l'Alberta, mais aussi pour l'ensemble du Canada. Il apparaissait difficile de pouvoir convaincre l'Université de l'Alberta de financer un tel programme. En effet, pourquoi les payeurs de taxes de l'Alberta devaient-ils financer un programme d'études supérieures dont profiteraient des étudiants des autres provinces ? Heureusement que le président de la CEA, W.H. Swift, était alors un membre du conseil d'administration de l'Université de l'Alberta.

La proposition fut soumise en 1955 aux doyens des facultés d'éducation et aux professeurs d'administration de l'éducation et de supervision lors de leur réunion annuelle tenue à Toronto. La proposition reçut l'appui des personnes présentes et également celui de la CEA. La proposition fut soumise en janvier 1956 à la Fondation Kellogg, qui annonça une subvention de 127 540 $ à l'Université de l'Alberta pour cinq ans. En avril 1956, le conseil d'administration de l'Université acceptait la subvention, autorisait la création d'un département d'administration de l'éducation dans la faculté d'éducation et nommait Arthur W. Reeves comme responsable du nouveau département.

Même avant l'approbation de la proposition par la Fondation Kellogg en 1956, la Faculté d'éducation avait déjà commencé à offrir des cours en administration de l'éducation. L'annuaire de l'année scolaire 1954-1955 contenait cinq cours dans le domaine. Toutefois, ces cours étaient dispensés par des professeurs des trois autres départements qui existaient alors dans la faculté. Ces professeurs avaient été des directeurs généraux de commission scolaire ou des inspecteurs d'école secondaire avant de joindre le personnel de la faculté. Selon Enns (1992, p. 3), la première année a été consacrée au développement du programme d'études et au recrutement des étudiants puisque les programmes de maîtrise et de doctorat ont débuté en 1957.

La mission de la nouvelle division était de former des personnes qui pourraient éventuellement occuper une variété de rôles et de fonctions au Canada (Reeves, 1959, p. 26). À cette fin, l'accent était mis sur des problèmes autant nationaux que provinciaux et il était proposé de former des généralistes plutôt que des spécialistes. De plus, Reeves et son personnel croyaient qu'il existait des principes, des concepts et des procédures qui étaient d'application universelle. Enfin, dès le début de l'existence du département, on faisait appel à une approche interdisciplinaire.

Les premiers professeurs du département d'administration de l'éducation étaient tous des diplômés d'universités américaines (Minnesota, Stanford et Chicago). L'un d'eux, John Andrews, quitta l'Alberta en 1965 pour devenir directeur adjoint du Ontario Institute for Studies in Education (OISE) nouvellement créé. Un département de l'administration de l'éducation fut alors créé à Toronto. Le départ d'Andrews se fit au grand dam de Reeves qui se voyait couper tout l'est du pays en termes de recrutement d'étudiants.

La création de la Canadian Association for the Study of Educational Administration (CASEA), connue sous le nom français de l'Association canadienne pour l'étude de l'administration scolaire (ACEAS), a été un évènement important dans le développement de l'administration de l'éducation au Canada. Cette association est née en juin 1974 à la suite du changement de nom de la Canadian Association of Professors of Educational Administration qui avait été mise sur pied l'année précédente. Sa réunion annuelle a toujours lieu dans le cadre du congrès des sociétés savantes.

Les buts poursuivis, selon la constitution de l'Association, étaient les suivants :

> encourager l'étude et la recherche en administration de l'éducation ;

> fournir un forum national pour faire rapport et discuter de résultats de recherche en administration de l'éducation ;

> s'associer à des organisations nationales et internationales qui partagent les mêmes objectifs (Bergen et Quarshie, 1987, p. 24).

Au cours des années, le deuxième but de la CASEA a été atteint par la tenue de sa réunion annuelle qui permet aux professeurs et aux étudiants de présenter les résultats de leurs travaux. Quant au dernier but, il a été atteint par les relations que l'Association a entretenues avec d'autres organisations canadiennes et américaines. Son influence canadienne sur l'administration de l'éducation s'est surtout exercée par les présentations faites à l'occasion de ses réunions annuelles depuis 1974. Chaque année, la réunion annuelle se déroule sous un thème prédéterminé.

L'Ontario Institute for Studies in Education (OISE) a créé en 1989 le Canadian Educational Leadership Network (CELN), un réseau d'associations ou d'organismes intéressés à l'administration de l'éducation. L'objectif général du réseau était d'accroître la qualité de l'administration de l'éducation au Canada, de soutenir la recherche et les pratiques de ce champ d'études et de promouvoir les échanges d'informations entre les membres. Lors de sa création, la Principals' and Vice-Principals' Association de la Colombie-Britannique, le Centre for Leadership Development (CLD) de l'OISE et le département d'administration de l'éducation de l'Université McGill avaient joint le réseau.

AU QUÉBEC

Il s'agit ici d'exposer les principaux développements de l'administration de l'éducation au Québec. Il nous est apparu important pour le lecteur de remonter le plus loin possible dans le temps afin de bien situer le développement du champ d'études dans son contexte, sans pour autant refaire toute l'histoire de l'éducation au Québec, que l'on peut retrouver d'ailleurs dans d'autres sources que le présent ouvrage.

Des débuts jusqu'à la Révolution tranquille (1800-1960)

À l'origine de la colonie, les premières écoles furent établies par différents ordres religieux tels que les Jésuites, les Récollets, les Sulpiciens et les Ursulines. Ces écoles se situaient surtout dans les villes de Québec, Montréal et Trois-Rivières alors que les écoles en milieu rural étaient plutôt négligées. L'administration de l'éducation au Québec échut alors naturellement à l'Église. Ainsi, sous le régime français (1608-1760), l'organisation des écoles, les programmes d'études, le choix des titulaires, la surveillance de ceux-ci, étaient du ressort de l'évêque.

Sous le régime anglais, la hiérarchie religieuse n'exista que par tolérance, sans statut légal; le nouveau pouvoir ne lui reconnaissait aucun droit en matière d'éducation. La première loi scolaire date de 1801 et fut connue sous le nom d'Institution royale. Elle représentait le premier geste concret pour l'établissement d'une organisation scolaire cohérente (Audet, 1967, p. 9). L'article 2 de la loi établissait un véritable ministère de l'Instruction publique. La loi confiait aux curés et aux pasteurs protestants la surveillance immédiate des écoles paroissiales.

Pour les francophones du Québec d'alors, la loi de 1824, dite la loi des écoles de fabriques, accordait aux fabriques la direction absolue de leur école. Malgré que cette loi n'ait pas fait surgir plus de 48 écoles, elle autorisait les fabriques à posséder des biens meubles et immeubles nécessaires à la fondation et au soutien d'écoles élémentaires dans les limites de la paroisse. Le principal mérite de cette loi fut d'admettre le principe de la confessionnalité de l'école et d'en greffer l'organisation sur celle de la paroisse (Filteau, non daté, p. 27).

La loi de 1829, dite loi des écoles de syndics, faisait d'abord du Parlement du Bas-Canada l'autorité suprême dans le domaine de l'éducation. D'après cette loi, chaque paroisse devait avoir sa commission de syndics élus par les contribuables. À ces syndics étaient confiés le contrôle, la direction, la régie, le maniement et l'administration exclusive des écoles. À la suite des nombreuses plaintes concernant la mauvaise préparation des instituteurs, la législature voulut organiser un inspectorat chargé de l'application de la loi et de la surveillance financière et pédagogique des écoles. Ce sont les députés qui furent désignés comme inspecteurs.

Au cours de la période de l'Union du Bas-Canada et du Haut-Canada (1841-1867), «la législation scolaire [était] particulièrement abondante dans le domaine de l'administration centrale» (Audet,

1967, p. 16). On y verra la création du poste de surintendant de l'Instruction publique (1841), d'un bureau d'éducation avec secrétaire et commis (1846), l'institution de la fonction d'inspecteur d'école (1851), la création d'un Conseil de l'Instruction publique (1856) et l'ouverture d'écoles normales pour la formation des maîtres (1856).

Depuis près de 150 ans, l'administration de l'éducation relève des commissions scolaires créées par les lois de 1845 et 1846 qui lui ont donné alors la structure essentielle. Une commission ou corporation scolaire est un corps administratif légalement constitué dont les membres appelés commissaires ou syndics, selon le cas, sont élus pour organiser et régir les écoles publiques d'un territoire donné. Lorsque furent érigées les premières municipalités scolaires (1845), la loi leur assigna sensiblement les mêmes limites que celles des municipalités civiles, lesquelles correspondaient d'ailleurs au cadre paroissial. Dès le début du régime des commissions scolaires, elles détenaient les aspects financiers et pédagogiques.

L'Acte de l'Amérique du Nord britannique (1867) faisait de l'ancien Bas-Canada la nouvelle province de Québec. L'article 93 de cet Acte confia définitivement à chaque province la juridiction exclusive en matière d'éducation. Cette loi stabilisait aussi le statut juridique que les minorités religieuses avaient acquis et établissait la jurisprudence concernant les écoles confessionnelles. Après 1867, soit en 1875, auront lieu les dernières transformations qui vont donner aux structures provinciales de l'éducation un aspect définitif qu'elles vont conserver durant près d'un siècle (Audet, 1967, p. 32), jusqu'au rapport de la Commission royale d'enquête sur l'enseignement en 1963-1964 (Tremblay, 1989, p. 10).

Lors de la création des commissions scolaires locales, la majorité des écoles primaires étaient petites et situées davantage en milieu rural. Elles n'avaient pas de personnel de direction à temps plein. À mesure que le nombre d'élèves et d'instituteurs augmentait, on jugeait nécessaire qu'un instituteur dirige les autres. De plus, les premières directions de ces écoles en milieu rural ou urbain étaient assumées en majorité par des religieux dans le cas des écoles de garçons et des religieuses dans le cas des écoles de filles. En effet, à la veille de la Révolution tranquille, soit pour l'année 1958-1959, 71 % des religieux et des religieuses occupaient des postes de direction dans les secteurs public et privé, aux ordres d'enseignement primaire et secondaire (Baudoux, 1994, p. 35).

Ce n'est qu'à partir du début des années 1960 que les règlements du Comité catholique obligèrent les commissaires qui engageaient deux institutrices (instituteurs) ou plus pour la même école à désigner l'une d'entre elles comme directrice (p. 87). Même si on lui confiait la direction de l'école, la directrice demeurait titulaire de classe. En 1961, les mêmes règlements fixaient à huit et plus le nombre de classes justifiant la nomination d'un directeur ou d'une directrice à plein temps. Le personnel de direction portait alors le titre de *principal*, sans égard au sexe du titulaire.

En 1942, la première association du personnel de direction était formée à la Commission des écoles catholiques de Montréal (CECM) sous le nom d'Association des principaux de Montréal (APM), une partie intégrante de l'Alliance des professeurs catholiques de Montréal (APCM) dont elle se détachera en 1951. Au niveau provincial, au début de la Révolution tranquille, le Québec connut une augmentation rapide des postes de direction, au point qu'on sentit le besoin en 1961 de se regrouper sous l'appellation de Fédération provinciale des principaux d'école (FPPE). Elle faisait alors partie de la Corporation des instituteurs et institutrices catholiques (CIC) dont elle se désaffiliera en 1969. La FPPE est maintenant connue sous le nom de Fédération québécoise des directeurs et directrices d'établissement d'enseignement (FQDE).

Certains centres du Québec ont vu leur population grandir plus vite que d'autres en vertu de leur expansion industrielle ou de leur site plus commercial et en vertu d'une migration de la population rurale vers ces centres. Les commissaires d'école de ces centres, tels que Montréal et Québec devenus villes, furent vite dépassés par les obligations de leur charge et sentirent le besoin de nommer un responsable des écoles de la ville. C'est ainsi que pour la ville de Montréal un *visiteur des écoles,* appelé plus tard un *surintendant local,* fut nommé en 1873 en la personne d'Urgel Archambault (Gagnon, 1996, p. 49). Ce n'est qu'en 1892 que son poste devint officiellement *directeur général.*

Plusieurs commissions scolaires imitèrent la métropole et nommèrent un directeur des études après 1900. Cette fonction s'est développée avec une lenteur telle que, vers 1950, il n'y avait que 7 ou 8 directeurs des études alors qu'on en comptait 68 en 1964-1965 (Barnabé, 1966, p. 20). Avec le temps, le titre du poste est devenu directeur général d'école, puis directeur général. En 1960, les titulaires du poste se regroupaient en association sous l'appellation d'Association des directeurs généraux des écoles (ADGE).

Au cours de la période de 1900 à 1959, le Québec connaît le défi de la modernisation (Magnuson, 1980, p. 68) et l'expansion des services d'enseignement (Audet, 1967, p. 45). Au cours de cette période, le Québec connut un changement important, passant d'une économie agricole à une économie industrielle. Ainsi, au début du siècle, le domaine manufacturier ne représentait que 4 % de la production québécoise, atteignant 38 % en 1920 et 64 % en 1941. En 1901, 60 % de la population vivait en milieu rural alors que dès 1931, plus de 63 % de la population vivait en milieu urbain (Henchey et Burgess, 1987, p. 26). La croissance démographique, l'industrialisation et l'urbanisation posèrent des problèmes et des défis nouveaux pour lesquels de nouveaux services d'enseignement se devaient d'être créés.

La préoccupation des intervenants et des commissaires de la commission Tremblay sur les problèmes constitutionnels (1956) pour les difficultés de l'éducation ; la discussion sur la démocratisation de l'enseignement lors de la conférence de 1956 de l'Institut canadien des affaires publiques ; les modifications importantes du système d'éducation suggérées lors des « États généraux » de 1958 et la création la même année de l'Association d'éducation du Québec (AEQ) annonçaient déjà des changements importants à venir en éducation.

De la Révolution tranquille jusqu'à nos jours (1961-2000)

Un nouveau gouvernement, qu'on associe avec les débuts de ce que l'on a appelé la Révolution tranquille, était élu en juin 1960 et déclenchait une kyrielle de lois scolaires qui allaient bouleverser tout le système d'éducation et son administration. Le nouveau titulaire du ministère de la Jeunesse se voyait confier la responsabilité du ministère de l'Instruction publique, devenant ainsi la seule personne responsable de tout le système d'éducation de la province, un ministre de l'Éducation sans le nom (Tremblay, 1989, p. 126).

Il n'est pas exagéré d'affirmer qu'entre 1960 et 1966, à peu près tous les aspects de l'administration provinciale de l'éducation connurent des changements majeurs. C'est ce qui faisait dire à Audet (1967) que « le système scolaire du Québec était en pleine évolution pour ne pas dire en véritable révolution » (p. 61). Il serait long et probablement fastidieux d'énumérer tous les changements survenus au cours de cette période. Parmi ces derniers, on ne peut passer sous silence la création d'un bureau de planification (1960) chargé d'élaborer un plan de développement scolaire, l'institution d'une commission royale d'enquête sur l'enseignement (1961) avec mission d'étudier l'organisation et le financement de l'éducation; l'adoption de la Grande charte de l'éducation (Gouvernement du Québec, 1961) comprenant un ensemble de 11 lois qui répondaient aux besoins les plus pressants et la création du ministère de l'Éducation et du Conseil supérieur de l'éducation (Gouvernement du Québec, 1964a; 1964b).

Les années qui suivirent la création du ministère de l'Éducation ont vu la mise en place de nouvelles structures provinciales. Ainsi, en mai 1965, le ministère promulguait le règlement numéro 1 qui établissait la nouvelle structure des ordres d'enseignement primaire et secondaire. En juin 1967, les collèges d'enseignement général et professionnel (cégeps) étaient créés pour remplacer les anciens collèges classiques et, en 1968, le gouvernement fondait l'Université du Québec. Enfin, l'Institut national de la recherche scientifique (INRS) était créé en 1969.

De 1965 à 1971, les commissions scolaires étaient aux prises avec l'application des divers règlements émis par le gouvernement. Le premier, le règlement numéro 1, établissait les structures des ordres d'enseignement primaire et secondaire: six ans de primaire divisé en deux cycles et cinq ans de secondaire également divisé en deux cycles. Les autres règlements, quoiqu'ils portent sur des sujets d'intérêt provincial, tels que celui sur les salaires des enseignants, avaient aussi des répercussions importantes au niveau local.

« Avec l'industrialisation et l'urbanisation, les disparités entre les services scolaires offerts à la population d'une localité à l'autre se sont accrues très considérablement » (Rocher, 1968, p. 41). C'est pourquoi le gouvernement déposait en juin 1964 le Livre Blanc sur le développement et le financement de l'équipement scolaire régional. Pour y donner suite, le gouvernement lançait en septembre de la même année l'Opération 55 dont l'objectif était de former 55 commissions scolaires régionales. « Une commission scolaire régionale était une unité administrative formée par le regroupement de plusieurs commissions scolaires locales en vue de la construction, de l'entretien et de l'administration d'écoles secondaires » (Gouvernement du Québec, 1967, p. 43).

En 1968, le ministère de l'Éducation publiait le document numéro 21 portant sur les structures fonctionnelles des commissions scolaires régionales. Le document proposait de mettre fin à la hiérarchie bicéphale qui existait alors dans la plupart des commissions scolaires locales. Il présentait deux types d'organigrammes, contenant les mêmes postes, qui pouvaient être utilisés par les commissions scolaires. Enfin, le document définissait les fonctions pour chacun des postes représentés dans les deux organigrammes. Ce guide eut une grande influence sur la structuration fonctionnelle des commissions scolaires.

Les gouvernements qui se sont succédés à Québec ont tenté plusieurs fois au cours des années 1960, d'ailleurs sans succès, de réduire le nombre de commissions scolaires de la province. Mais dans les années 1970, le gouvernement s'y est définitivement attaqué. C'est ainsi qu'en 1971, le gouvernement adoptait la loi 27 qui réduisait le nombre de commissions scolaires de 1100 à moins de 250, sauf celles sur l'Île de Montréal. Par contre, l'année suivante, le gouvernement adoptait la loi 71 afin de réduire le nombre de commissions scolaires de l'Île de Montréal de 33 à 8 et de créer le Conseil scolaire de l'Île de Montréal (CSIM).

Pendant ce temps était créé en 1970 à Montréal l'Association pour l'avancement de l'administration scolaire (APAAS). Elle regroupait des professeurs d'université ainsi que des praticiens. Au même moment, les professeurs d'université en administration de l'éducation se regroupaient sous l'appellation d'Association francophone des professeurs d'universités en administration de l'éducation (AFPUAE). En mai 1975, ces deux associations fusionnaient pour former l'Association pour le développement de l'administration de l'éducation (ADAE).

De 1977 à 1988, le système d'éducation du Québec a vécu des soubresauts importants de réformes. À commencer par la parution en 1977 du Livre Vert exposant tout un projet de réformes en réponse aux critiques exprimées par le public en ce qui regardait la qualité de l'éducation (Henchey et Burgess, 1987, p. 76). Pour faire suite aux discussions suscitées par ce document, un énoncé des politiques que le gouvernement entendait suivre parut en 1979 dans le Livre Orange. La même année, le gouvernement adoptait la loi 71 qui, entre autres choses, mettait en place un régime pédagogique.

La loi de 1979 a été très importante pour le niveau local. En effet, pour la première fois au Québec, la loi définissait ce que l'on entendait par une école et lui accordait un statut légal. De plus, la loi définissait les responsabilités du directeur d'école et établissait clairement que ce dernier devait œuvrer sous l'autorité du directeur général de la commission scolaire. On confirmait donc par une loi qu'une école et son directeur relevaient presque exclusivement de la commission scolaire (Henchey et Burgess, 1987, p. 53). Enfin, la loi accordait à chaque école la possibilité juridique de se donner un projet éducatif et de se doter d'un conseil d'orientation auquel siégeraient des enseignants et des parents.

En 1982, le gouvernement s'attaquait à d'autres aspects inachevés des réformes scolaires en publiant le Livre Blanc qui proposait en particulier une revalorisation et une responsabilisation de l'école. On y soumettait une redistribution des pouvoirs traditionnels au niveau local en faveur de l'école plutôt qu'en faveur de la commission scolaire. Par exemple, on prévoyait accorder à l'école des pouvoirs suffisants en matière de gestion des ressources humaines, matérielles et financières. De plus, il était proposé d'abolir la dualité confessionnelle des commissions scolaires sur l'Île de Montréal et de regrouper ces dernières sur une base linguistique.

Après la parution du Livre Blanc, le gouvernement présenta la loi 40 (1983) qui définissait le statut et le fonctionnement des écoles et des commissions scolaires ainsi que leurs rapports avec le ministère de l'Éducation. Vu le manque de consensus à son sujet, le projet fut éventuellement retiré. Par contre, la loi 3 adoptée en 1984 établissait la constitution de l'école, la composition et la formation du conseil d'école ainsi que la composition et les fonctions des comités d'école. De plus, la loi instituait des commissions scolaires linguistiques sur tout le territoire du Québec. En juin 1985, ladite loi fut déclarée anticonstitutionnelle par la Cour supérieure du Québec.

En décembre 1987, l'Assemblée nationale dut se prononcer sur le projet de loi 107 qui fut sanctionné en décembre 1988. Ladite loi remplaçait la loi vieille de 1899, la Loi sur l'instruction publique, dans le but de lui donner une structure nouvelle et plus cohérente, de la moderniser et de la rationaliser. La loi énonçait les droits des élèves aux services éducatifs, les droits et obligations des enseignants, plaçait l'école sous la direction pédagogique et administrative du directeur d'école et définissait les modalités de nomination et les fonctions et pouvoirs de ce dernier. Elle rétablissait le conseil d'orientation et maintenait l'obligation de former un comité d'école.

Des modifications importantes furent apportées à la Loi sur l'instruction publique en 1997 lorsque l'Assemblée nationale adopta la loi 180. Elle établissait à nouveau une restructuration des pouvoirs, responsabilités et rapports entre les écoles, la commission scolaire, le ministère de l'Éducation et le gouvernement. Plus important encore pour le niveau local, la loi accordait à chaque école des fonctions et des pouvoirs autrefois exercés par la commission scolaire. À cette fin, un conseil d'établissement d'au plus 20 membres remplaça le conseil d'orientation et le comité d'école.

En 1993 était créée à Rimouski à l'occasion du congrès annuel de l'Association canadienne-française pour l'avancement des sciences (ACFAS) une nouvelle association regroupant des professeurs en administration de l'éducation et quelques praticiens. Il s'agissait de l'Association pour le développement de l'enseignement et de la recherche en administration de l'éducation (ADERAE). La nouvelle association succédait à la défunte Association pour le développement de l'administration de l'éducation (ADAE).

Le Québec a vécu une autre réforme de l'éducation déclenchée par la tenue en 1995-1996 d'États généraux sur l'éducation (Gouvernement du Québec, 1996). La ministre de l'Éducation par la suite présentait les orientations pédagogiques de l'école québécoise et son plan d'action ministériel pour la réforme de l'éducation (Gouvernement du Québec, 1997). Puis, la réforme du curriculum était publiée (Gouvernement du Québec, 1999). Les changements prenaient place au premier cycle du primaire pour l'année scolaire 2000-2001, et graduellement jusqu'en 2003.

Deux ouvrages québécois ont fait état de la situation qui existait alors au Québec. Le premier ouvrage consistait en un collectif de Toussaint et de Fortin (1997), qui a bien mis en évidence la gestion de la diversité en éducation. Il s'agissait de présenter le « fruit d'une longue réflexion et d'une démarche critique, partagées par un groupe de professeurs et de chercheurs francophones du réseau universitaire québécois et canadien... » (p. 15). Les auteurs soulignaient le fait que les directeurs d'école voyaient se transformer les paramètres de leur environnement de travail. Enfin, Toussaint et Fortin concluaient, entre autres choses, que « les pratiques de gestion devront connaître une transformation majeure, rapide et continue » (p. 364).

Un second ouvrage collectif sous la direction de Toussaint et Laurin (1999) présentait la situation du système d'éducation québécois en contexte de changement. L'ouvrage contenait « la réflexion d'un ensemble de praticiens et de professeurs d'université interpellés par l'accélération du changement » (p. 18). Les auteurs affirmaient que le problème le plus difficile auquel faisaient face les principaux acteurs concernés par l'éducation était l'accélération du changement.

Nous avons présenté dans ce chapitre les éléments qui ont marqué l'évolution du développement de l'administration de l'éducation aux États-Unis et au Canada. Le champ d'études a débuté avant 1900 d'une façon relativement simple et agréablement directe (Drost, 1971, p. 68). Les débuts furent plutôt philosophiques avec des directeurs généraux de la trempe des Payne et Harris qui étaient davantage des pédagogues que des administrateurs. Mais la gestion scientifique qui avait cours dans l'industrie au début du siècle frappa assez tôt le champ d'études et provoqua l'instauration de l'efficience de la gestion scolaire.

Le développement de l'administration de l'éducation a été étroitement lié à des organismes américains qui ont été fondés après les années 1900. Ce fut le cas de l'American Association of School Administrators (AASA) créée en 1937 et de la National Conference of Professors in Educational Administration (NCPEA) en 1947. Plus tard, ce fut la création du University Council for Educational Administration (UCEA) en 1956. Enfin, plus près de nous, le National Policy Board in Educational Administration (NPBEA), né en 1989, qui nous a donné en 1999 l'American Board for Leadership in Education (ABLE).

Le développement de ce champ d'études a surtout évolué grâce à des évènements importants. On se rappellera qu'en 1946, la Fondation Kellogg intervenait financièrement dans le domaine de l'administration de l'éducation, lui faisant faire un progrès énorme. Cette intervention a permis la création du Cooperative Program in Educational Administration (CPEA) en 1950 suivi plus tard du Committee for the Advancement of School Administration (CASA) en 1955. Un autre évènement important a été la dispute intellectuelle lancée par Greenfield en 1974 lors de sa présentation en Angleterre qui proposait une nouvelle perspective. Enfin, la création en 1985 de la National Commission on Excellence in Educational Administration (NCEEA) a été une étape fructueuse pour le développement de l'administration de l'éducation.

Enfin, le développement de l'administration de l'éducation a été marqué par des publications qui ont souvent servi de point de repère pour la profession. D'abord, ce fut l'ouvrage, sous la direction de Campbell et Gregg, paru en 1957, qui présentait une synthèse des connaissances alors connues dans ce domaine. En 1964, paraissait l'ouvrage sous la direction de Griffiths, le second du genre depuis celui de Henry en 1946, qui résumait les tendances de l'époque. Sous la direction de Cunningham, Hack et Nystrand, un autre ouvrage important paraissait en 1977 portant sur les développements survenus entre 1954 et 1974 en administration de l'éducation. Enfin, la publication du rapport de 1987 de la National Commission on Excellence in Educational Administration (NCEEA), paru sous la forme d'un ouvrage en 1988, clôturait en quelque sorte la présentation de l'évolution du champ d'études au États-Unis.

Au Canada, les débuts du développement de l'administration de l'éducation remontent aux années 1950 lorsque la Canadian Education Association obtint une subvention de la Fondation Kellogg pour mettre au point le CEA-Kellogg Project in Educational Leadership. À la suite de quelques années d'expérience avec ce projet, l'idée surgit de demander une aide financière à la Fondation Kellogg afin de créer une division d'administration de l'éducation à l'Université de l'Alberta qui fut fondé en 1956.

Au Québec, le chapitre a repassé les développements survenus en éducation au cours des régimes français et anglais. L'administration locale relevait alors des commissions scolaires à la suite des lois de 1845 et de 1846. Les écoles étaient à cette époque entre les mains des communautés religieuses et n'avaient pas de personnel de direction à temps plein. Ce n'est qu'en 1960 que les commissions scolaires furent obligées de nommer une personne responsable de la direction d'une école.

Les années 1960 ont marqué le début de plusieurs bouleversements importants. La mise sur pied en 1961 d'une commission d'enquête sur l'enseignement (la commission Parent), la création du ministère de l'Éducation et du Conseil supérieur de l'éducation en 1964 ne sont que trois exemples des changements survenus à cette époque. Les années 1970 n'ont pas été privées de propositions de changements avec la publication des livres Vert et Orange qui aboutirent en 1979 à un nouveau régime pédagogique.

L'administration de l'éducation des années 1980 a surtout été consacrée aux discussions autour des lois 40, 3 et 107 qui, chacune à leur tour, remettaient en question les structures locales des écoles et les liens que devaient avoir les commissions scolaires avec le ministère. Finalement, l'adoption de la loi 180 en 1997 établissait une nouvelle restructuration des pouvoirs, responsabilités et rapports entre les écoles, les commissions scolaires et le ministère.

Les étapes qui ont contribué au développement de l'administration de l'éducation, une fois connues, servent de toile de fond à une meilleure compréhension des différentes conceptions de ce champ d'études qui ont prévalu au cours des mêmes périodes que son développement. Le prochain chapitre exposera donc les principales circonstances qui expliquent l'élaboration de ces conceptions.

Références

AUDET, L.-P. (1967). *Le système scolaire du Québec. Organisation et fonctionnement*, Montréal, Librairie Beauchemin.

BARNABÉ, C. (1966). *Le statut du directeur général des écoles*, Thèse de licence en pédagogie, Université de Montréal.

BARON, G., D.H. COOPER et W.G. WALKER (1989). *Educational Administration: International Perspectives*, Chicago, Rand McNally.

BATES, R.J. (1982). *Toward A Critical Practice of Educational Administration*, communication présentée au Annual meeting of the American Educational Research Association, New York.

BAUDOUX, C. (1994). *La gestion en éducation. Une affaire d'hommes ou de femmes?*, Cap-Rouge, Presses Inter Universitaires.

BERGEN, J.J. et J. QUARSHIE (1987). *Historical Perspective on The Development of the Canadian Association for the Study of Educational Administration*, Edmonton, Department of Educational Administration, University of Alberta.

BERGEN, J.J. (1991). «The Origins, Development, and Contributions of the Department of Educational Administration at the University of Alberta», *The Canadian Administrator*, vol. 31, n° 1, p. 1-10.

BOYAN, N.J. (dir.) (1988). *Handbook of Research on Educational Administration*, New York, Longman inc.

BOYD, W.L. et R.L. CROWSON (1981). «The Changing Conception and Practice of Public School Administration», *Review of Research in Education*, vol. 9, p. 311-373.

BUTTON, H.W. (1966). «Doctrines of Administration. A Brief History», *Educational Administration Quarterly*, vol. 2, n° 3, p. 216-224.

CALLAHAN, R.E. (1962). *Education and The Cult of Efficiency. A Study of the Social Forces that have Shaped the Administration of the Public Schools*, Chicago, The University of Chicago Press.

CAMPBELL, R.F. et R.T. GREGG (dir.) (1957). *Administrative Behavior In Education*, New York, Harper and Row Publishers.

CAMPBELL, R.F. (1957). «Situational Factors in Educational Administration», dans R.F. Campbell et R.T. Gregg (dir.), *Administrative Behavior in Education*, New York, Harper and Row Publishers, p. 228-268.

CAMPBELL, R.F. (1972). «Educational Administration. A Twenty-Five Years Perspective», *Educational Administration Quarterly*, vol. 8, n° 2, p. 1-15.

CAMPBELL, R.F. (1979). «A Critique of the Educational Administration Quarterly», *Educational Administration Quarterly*, vol. 15, n° 1, p. 1-19.

CAMPBELL, R.F. et al. (1987). *A History of Thought and Practice in Educational Administration*, New York, Teachers College Press, Columbia University.

CARVER, F.D. (1975). «Brief Comments About Educational Administration in 1975», *Educational Administration Quarterly*, vol. 11, n° 2, p. iii-iv.

COMMISSION ROYALE D'ENQUÊTE SUR L'ENSEIGNEMENT (1961). *Commission Parent*, Québec, Gouvernement du Québec.

CORDEIRO, P.A. et al. (1992). *Taking Stock: A Summary Report on the Danforth Programs for the Preparation of School Principals*, St. Louis, Danforth Foundation.

CRONIN, J.M. et L. IANNACCONE (1973). «The Social Sciences and the Preparation of Educational Administrators at Harvard and Chicago», dans J.A. Culbertson *et al.* (dir.), *Social Science Content for Preparing Educational Leaders*, Columbus, Charles E. Merrill Publishing Company, p. 193-244.

CUBBERLEY, E.P. (1916). *Public School Administration*, Boston, Houghton Mifflin Co.

CULBERTSON, J.A. (1965). «Trends and Issues in the Development of A Science of Administration», dans *Perspectives on Educational Administration and the Behavioral Sciences*, Eugene, Center for the Advanced Study of Educational Administration, University of Oregon.

CULBERTSON, J.A. *et al.* (1969). *Preparing Education Leaders for the Seventies*, Columbus, University Council for Educational Administration.

CULBERTSON, J.A. (1983). «Theory in Educational Administration: Echoes from Critical Thinkers», *Educational Administration Quarterly*, vol. 34, n° 10, p. 15-22.

CULBERTSON, J.A. (1986). «Administrative Thought and Research in Retrospect», dans G.S. Johnston et C.C. Yeakey (dir.), *Research and Thought in Administrative Theory Developments in the Field of Educational Administration*, Lanham, University Press of America, p. 3-23.

CUNNINGHAM, L.L. et R.O. NYSTRAND (1969). «Toward Greater Relevance in Preparation Programs for Urban School Administrators», *Educational Administration Quarterly*, vol. 5, n° 1, p. 6-23.

CUNNINGHAM, L.L., W.G. HACK et R.O. NYSTRAND (1977). *Educational Administration. The Developing Decades*, Berkeley, McCutchan Publishing Corporation.

DEWEY, J. (1916). *Democracy and Education*, New York, Macmillan and the Free Press.

DRISCOLL, M. (2000). «American Board for Leadership in Education to Be Established», *UCEA Review*, vol. 41, n° 3, p. 1-11.

DROST, W.H. (1971). «History of Educational Administration», dans L.C. Dreighton (dir.), *The Encyclopedia of Education*, vol. 1, New York, The Macmillan Co. et The Free Press, p. 68-81.

DUTTON, S.T. et D. SNEDDEN (1908). *The Administration of Public Education in the United States*, New York, The Macmillan Co.

ENNS, F. (1992). *Thirty-Five Years in Retrospect, 1957-1992. Reminiscences and Reflections on the Department of Educational Administration, University of Alberta*, Edmonton, Department of Educational Administration, University of Alberta.

FILTEAU, G. (non daté). *Les constantes historiques de notre système scolaire*, Québec, Gouvernement du Québec.

FOSTER, W.P. (1980). «Administration and the Crisis of Legitimacy: A Review of Habermasian Thought», *Harvard Educational Review*, vol. 50, n° 6, p. 496-505.

GAGNON, R. (1996). *Histoire de la Commission des écoles catholiques de Montréal. Le développement d'un réseau d'écoles publiques en milieu urbain*, Montréal, Boréal.

GETZELS, J.W. (1952). «A Psycho-Sociological Framework for the Study of Educational Administration», *Harvard Educational Review*, vol. 22, n° 4, p. 235-246.

GETZELS, J.W. et E.G. GUBA (1957). «Social Behavior and the Administrative Process», *School Review*, vol. 65, p. 423-441.

GETZELS, J.W., J.M. LIPHAM et R.F. CAMPBELL (1968). *Educational Administration as a Social Process. Theory, Research, Practice*, New York, Harper and Row Publishers.

GETZELS, J.W. (1977). «Educational Administration Twenty Years Later, 1954-1974», dans L.L. Cunningham, W.G. Hack et R.O. Nystrand (dir.), *Educational Administration. The Developing Decades*, Berkeley, McCutchan Publishing Corporation, p. 3-24.

GOUVERNEMENT DU QUÉBEC (1961). *Grande charte de l'éducation*, Québec, Imprimeur de la Reine.

GOUVERNEMENT DU QUÉBEC (1964a). *Loi créant un ministère de l'éducation*, Québec, Imprimeur de la Reine.

GOUVERNEMENT DU QUÉBEC (1964b). *Loi créant le Conseil supérieur de l'Éducation*, Québec, Imprimeur de la Reine.

GOUVERNEMENT DU QUÉBEC (1967). *Rapport du ministère de l'Éducation. 1964/1965, 1965/1966*, Québec, Imprimeur de la Reine.

GOUVERNEMENT DU QUÉBEC (1996). *Rénover notre système d'éducation : dix chantiers prioritaires*, Rapport final de la Commission des états généraux sur l'éducation, Québec, Gouvernement du Québec.

GOUVERNEMENT DU QUÉBEC (1997). *L'école, tout un programme. Énoncé de politique éducative*, Québec, Ministère de l'Éducation.

GOUVERNEMENT DU QUÉBEC (1997). *Prendre le virage du succès. Plan d'action ministériel pour la réforme de l'éducation*, Québec, Ministère de l'Éducation.

GOUVERNEMENT DU QUÉBEC (1999). *Le virage du succès ensemble. La réforme du curriculum*, Québec, Ministère de l'Éducation.

GREENFIELD, T.B. (1974). *Theory in the Study of Organizations and Administrative Structures : A New Perspective*, communication présentée au Third International Intervisitation Program on Educational Administration, Bristol, Angleterre.

GREGG, R.T. (1965). «Behavioral Science and Educational Administration», *Educational Administration Quarterly*, vol. 1, n° 1, p. 42-49.

GRÉGOIRE, R. (1998). *La formation du personnel de direction de l'école aux États-Unis : points de repère d'une réforme*, Beauport, Réginald Grégoire.

GRESSO, D.W. (1993). «Genesis of the Danforth Preparation Program for School Principals», dans M.M. Milstein (dir.), *Changing the Way We Preparare Educational Leaders. The Danforth Experience*, Newbury Park, Corwin Press, Inc., p. 1-16.

GRIFFITHS, D.E. (1962). *Organizing Schools for Effective Education*, Danville, The Interstate Printers and Publishers.

GRIFFITHS, D.E. (dir.) (1964). *Behavioral Science and Educational Administration,* The Sixty-Third Yearbook of the National Society for the Study of Education, 2ᵉ partie, Chicago, The University of Chicago Press.

GRIFFITHS, D.E. (1979). «Another Look at Research on the Behavior of Administrators», dans G.L. Immegart et W.L. Boyd (dir.), *Problem-Finding in Educational Administration*, Lexington, Lexington Books, p. 41-52.

GRIFFITHS, D.E., R.T. STOUT et P.B. FORSYTH (dir.) (1988). *Leaders for America's Schools. The Report and Papers of the National Commission on Excellence in Educational Administration*, Berkeley, McCutchan Publishing Corporation.

GRIFFITHS, D.E. (1988). *Educational Administration : Reform PDQ or RIP, A UCEA Occasional Paper #8312*, Tempe, The University Council for Educational Administration.

HALPIN, A.W. et A.E. HAYES (1977). «The Broken Iron, or, What Happened to Theory», dans L.L. Cunningham, W.G. Hack et R.O. Nystrand (dir.), *Educational Administration. The Developing Decades*, Berkeley, McCutchan Publishing Corporation, p. 261-297.

HARMAN, W.W. (1970). «Nature of Our Changing Society : Implications for Schools», dans P.K. Piele *et al.* (dir.), *Social and Technological Change : Implications for Education*, Eugene, Center for the Advanced Study of Educational Administration, University of Oregon, p. 1-67.

HENCHEY, N. et D. BURGESS (1987). *Between Past and Future. Quebec Education in Transition*, Calgary, Detselig Enterprises Limited.

HENRY, P.W. (dir.) (1946). *Changing Conceptions in Educational Administration*, The Forty-Fifth Yearbook of the National Society for the Study of Education, 2e partie, Chicago, The University of Chicago Press.

HILLS, J. (1975). «Some Comments on T.B. Greenfield's Theory in the Study of Organizations and Administrative Structures», *CASEA Newsletter*.

LOI 71 (1979). *Loi sur la restructuration scolaire*, Québec, Éditeur officiel du Québec.

LOI 40 (1983). *Loi sur l'enseignement primaire et secondaire publique*, Québec, Éditeur officiel du Québec.

LOI 3 (1984). *Loi sur l'enseignement primaire et secondaire public*, Québec, Éditeur officiel du Québec.

LOI 107 (1988). *Loi sur l'instruction publique*, Québec, Éditeur officiel du Québec.

LOI 180 (1997). *Loi sur l'instruction publique et diverses dispositions legislatives*, Québec, Éditeur officiel du Québec.

LUTZ, F.W. (2000). «Daniel E. Griffiths : He Changed an Entire Profession», *UCEA Review*, vol. 41, n° 3, p. 1-3.

LYND, R.S. et H.M. LYND (1937). *Middletown in Transition*, New York, Harper and Row.

MAGNUSON, R. (1980). *A Brief History of Quebec Education*, Montréal, Harvest House.

MCCARTHY, M.M. et G.D. KUH (1997). *Continuity and Change : The Educational Leadership Professoriate*, Columbus, University Council for Educational Administration.

MCCARTHY, M.M. (1999). «The Evolution of Educational Leadership Preparation Programs», dans J. Murphy et K. Seashore Louis (dir.), *Handbook of Research on Educational Administration*, 2e éd., San Francisco, Jossey-Bass Publishers, p. 119-139.

MCPHEE, R.F. (1960). «The Role of the CASA During the 1960's», dans D.E. Tope (dir.), *A Forward Look. The Preparation of School Administrators 1970*, Eugene, Bureau of Educational Research, University of Oregon, p. 106-111.

MILSTEIN, M.M. (1993). *Changing the Way We Prepare Educational Leaders : The Danforth Experience*, Newbury Park, Corwin Press.

MINISTÈRE DE L'ÉDUCATION (1965). *Règlement no 1*, Québec, Gouvernement du Québec.

MINISTÈRE DE L'ÉDUCATION (1968). *Les structures fonctionnelles, Document 21*, Québec, Direction générale de la planification et Direction générale de l'enseignement élémentaire et secondaire, Gouvernement du Québec.

MINISTÈRE DE L'ÉDUCATION (1977). *L'enseignement primaire et secondaire au Québec, Livre Vert*, Québec, Gouvernement du Québec.

MINISTÈRE DE L'ÉDUCATION (1979). *L'école québécoise, énoncé de politique et plan d'action, Livre Orange*, Québec, Gouvernement du Québec.

MINISTÈRE DE L'ÉDUCATION (1982). *L'école. Une école communautaire et responsable, Livre Blanc*, Québec, Gouvernement du Québec.

MOORE, H.A. (1957). *Studies in School Administration*, Washington, American Association of School Administrators.

MOORE, H.A. (1964). «The Ferment in School Administration», dans D.E. Griffiths (dir.), *Behavioral Science and Educational Administration*, The Sixty-Third Yearbook of the National Society for the Study of Education, Chicago, The University of Chicago Press, p. 11-32.

MURPHY, J. (dir.) (1993). *Preparing Tomorrow's School Leaders : Alternative Designs*, University Park, UCEA.

MURPHY, J. et K. SEASHORE LOUIS (1999). *Handbook of Research on Educational Administration*, 2e éd., San Francisco, Jossey-Bass Publishers.

MURPHY, J. et P.B. FORSYTH (dir.) (1999). *Educational Administration : A Decade of Reform*, Thousand Oaks, Corwin Press.

NATIONAL ASSOCIATION OF ELEMENTARY SCHOOL PRINCIPALS (1990). *Principals for 21st Century Schools*, Alexandra, NAESP.

NATIONAL CONFERENCE OF PROFESSORS OF EDUCATIONAL ADMINISTRATION (dir.) (1971). *Educational Futurism 1985. Challenges for Schools and Their Administrators*, Berkeley, McCutchan Publishing Corporation.

NATIONAL COMMISSION ON EXCELLENCE IN EDUCATIONAL ADMINISTRATION (1987). *Leaders for America's Schools. The Report and Papers of the National Commission on Excellence in Education Administration*, Tempe, University Council for Educational Administration.

NATIONAL COUNCIL FOR ACCREDITATION OF TEACHER EDUCATION (1995). *Curriculum Guidelines for Advanced Programs in Educational Leadership for Principals, Superintendents, Curriculum Directors, and Supervisors*, Washington, NCATE.

NATIONAL POLICY BOARD FOR EDUCATIONAL ADMINISTRATION (1989). *The Preparation of School Administrators : A Statement of Purpose*, Fairfax, NPBEA.

NATIONAL POLICY BOARD FOR EDUCATIONAL ADMINISTRATION (1990). *Alternative Certification for School Leaders*, Fairfax, NPBEA.

NATIONAL POLICY BOARD FOR EDUCATIONAL ADMINISTRATION (1996). *NCATE Curriculum Guidelines for Advanced Programs in Educational Leadership*, Fairfax, NPBEA.

NORTON, M.S. (1988). «A National Survey of Departmental Organization in Educational Administration», dans D.E. Griffiths, R.T. Stout et P.B. Forsyth (dir.), *Leaders for America's Schools. The Report and Papers of the National Commission on Excellence in Educational Administration*, Berkeley, McCutchan Publishing Corporation, p. 332-350.

REEVES, A.W. (1959). «A Graduate Program in School Administration», *Canadian Education*, vol. 24, no 2, p. 26-35.

ROCHER, G. (1968). «L'administration scolaire», *Recherches sociographiques*, vol. 9, p. 35-43.

SCIARA, F.J. et R.R. JANTZ (1972). *Accountability in American Education*, Boston, Allyn and Bacon.

SILVER, P.F. et D.W. SPUCK (dir.) (1978). *Preparatory Programs for Educational Administrators in the United States*, Columbus, University Council for Educational Administration.

SNEDDEN, D. et W.H. ALLEN (1908). *School Reports and School Efficiency*, New York, The Macmillan Co.

STEWART, F.K. (1958). «Working Interprovincially in Education», dans G.E. Flower et F.K. Stewart (dir.), *Leadership in Action. The Superintendent of Schools in Canada*, Toronto, W.J. Gage Limited, p. 29-39.

SWIFT, W.H. (1958). *Trends in Canadian Education*, Toronto, Quance Lectures. W.J. Gage Limited.

SWIFT, W.H. (1970). *Educational Administration in Canada. A Memorial to A. W. Reeves*, Toronto, Macmillan of Canada.

TAYLOR, F.W. (1911). *The Principles of Scientific Management*, New York, Harper and Brothers.

TEITEL, L. (1996). «Leadership in Professional Development Schools: Lessons for the Preparation of Administrators», *UCEA Review*, vol. 37, n° 1, p. 10-11, 15.

THOMSON, S.D. (dir.) (1993). *Principals for Our Changing Schools. Knowledge and Skill Base*, Lancaster, Technomic Publishing Company.

THOMSON, S.D. (1999). «Causing Change: The National Policy Board for Educational Administration», dans J. Murphy et P.B. Forsyth (dir.), *Educational Administration: A Decade of Reform*, Thousand Oaks, Corwin Press, p. 93-114.

TOPE, D.E. *et al.* (1965). *The Social Sciences View School Administration*, Englewood Cliffs, Prentice-Hall.

TOUSSAINT, P. et R. FORTIN (dir.) (1997). *Gérer la diversité en éducation*, Montréal, Les Éditions Logiques.

TOUSSAINT, P. et P. LAURIN (dir.) (1999). *L'accélération du changement en éducation*, Montréal, Les Éditions Logiques.

TREMBLAY, A. (1989). *Le ministère de l'Éducation et le Conseil supérieur. Antécédents et création, 1867-1964*, Québec, Presses de l'Université Laval.

TREMBLAY, T. (1956). *Rapport de la commission royale d'enquête sur les problèmes constitutionnels*, Québec, Imprimeur de la Reine.

TYACK, D.B. et R. CUMMINGS (1977). «Leadership in American Public Schools Before 1954: Historical Configurations and Conjonctures», dans L.L. Cunningham, W.G. Hack et R.O. Nystrand (dir.), *Educational Administration. The Developing Decades*, Berkeley, McCutchan Publishing Corporation, p. 46-66.

TYACK, D.B. et E. HANSOT (1982). *Managers of Virtue. Public School Leadership in America, 1820-1980*, New York, BasicBooks.

UNIVERSITY COUNCIL FOR EDUCATIONAL ADMINISTRATION (1997). «Universities/ NPBEA Launch Nationwide Policy Effort», *UCEA Review*, vol. 38, no 3, p. 1 et 9.

WATSON, B.C. (1977). «Issues Confronting Educational Administrators, 1954-1974», dans L.L. Cunningham, W.G. Hack et R.O. Nystrand (dir.), *Educational Administration. The Developing Decades,* Berkeley, McCutchan Publishing Corporation, p. 67-94.

YOUNG, M.D. (2001). «From the Director... Building National Ties», *UCEA Review*, vol. 52, n° 1, p. 6-7.

CHAPITRE 3

ÉVOLUTION HISTORIQUE
DES DIVERSES CONCEPTIONS

Il convenait, selon nous, de présenter les différentes conceptions de l'administration de l'éducation en tenant compte de l'histoire de l'administration générale. Il importait de le faire, ne serait-ce que pour en apprécier ses origines. Mais il était encore plus important de connaître sa genèse afin de mieux comprendre ses conceptions qui ont été élaborées au cours de sa propre évolution. D'autant plus important que l'administration de l'éducation s'est non seulement développée parallèlement à l'évolution du monde des affaires, mais s'en est très souvent inspirée au cours de son propre développement. C'est ce qui faisait dire à March (1974) que l'administration de l'éducation était « administrativement parasite » (p. 43).

Il ne s'agit pas ici de présenter un historique exhaustif de l'administration générale, ce qui n'est pas notre objectif. Il s'agit plutôt de bien situer l'administration de l'éducation dans le contexte plus large du développement de l'administration générale. C'est pourquoi les différentes conceptions du champ d'études sont présentées en tenant compte des bases de connaissances de l'administration générale appliquées à l'administration de l'éducation.

Lorsque l'on parle de conception de l'administration de l'éducation, il s'agit de la représentation que des individus se font de ce champ d'études, des images susceptibles d'expliquer sa nature. La conception que l'on entretient sert à sélectionner, organiser et structurer de nouvelles informations et ainsi à s'approprier le réel. Cette conception prend souvent l'envergure d'un paradigme auquel on tient fermement. Dans les écrits en administration de l'éducation, on parle souvent d'approche plutôt que de conception. Ainsi, on parlera de l'approche des processus ou du rôle. Enfin, d'une façon générale, au cours des périodes de développement du champ d'études, la conception de l'administration de l'éducation a plutôt utilisé l'image d'un système rationnel que d'un système naturel (Hoy et Miskel, 1991).

LES ORIGINES DE L'ADMINISTRATION GÉNÉRALE ET DE L'ADMINISTRATION DE L'ÉDUCATION (AVANT 1900)

Selon George (1968), l'administration trouve ses origines chez la civilisation sumérienne qui s'installa vers le 5e millénaire dans le sud de la Babylonie. La langue sumérienne est la plus vieille langue écrite de l'humanité (Robert, 1972, p. 1713). Cette civilisation, grâce à des documents écrits, nous a fourni l'évidence que des pratiques de contrôles administratifs existaient déjà. Les prêtres sumériens chargés d'un vaste système de taxation devaient rendre compte de leur intendance à leur prêtre en chef, d'où la nécessité d'inventer une forme manuscrite pour contrôler les entrées d'argent.

Puis, à travers les âges jusqu'à la fin du Moyen Âge, on a vu successivement se développer différentes formes d'administration, parfois simultanément, en Égypte, en Chine, en Grèce et en Italie. C'est ainsi que les Égyptiens reconnaissaient le besoin de planifier, d'organiser et de contrôler alors qu'en Grèce, on mettait de l'avant le principe de spécialisation des tâches et la délégation de l'autorité. Il faut préciser que tous les développements progressifs relatifs à l'administration n'avaient pour raison première que le développement économique.

Selon Campbell et Gregg (1957), le premier développement qui a donné au terme *administration* un sens nouveau et suscité son usage fréquent fut le travail des caméralistes en Allemagne et en Autriche dans les années 1700. Les caméralistes rattachaient les termes *administration* et *gestion* à un développement qui, essentiellement, consistait en une pensée et une activité scientifiques soutenant un système de gouvernance. Cette influence scientifique se manifestait comme suit :

➤ le réexamen et la révision des activités existantes ;

➤ l'invention et le développement de nouvelles activités et de nouveaux systèmes ;

➤ la collecte et la mise en ordre de plusieurs différentes sortes de connaissances à propos des systèmes gouvernementaux ;

➤ le développement de nouvelles façons d'organiser le personnel afin d'assurer la coordination des fonctions ;

➤ la révision des concepts relatifs au système complet de gouvernance.

Parmi les changements les plus importants du début des années 1700, on peut compter sur la croissance des villes, l'application du principe de la spécialisation, l'utilisation grandissante de l'imprimerie et les débuts de la révolution industrielle en Angleterre (George, 1968, p. 46). C'est ainsi que l'on vit l'apparition de la machine à vapeur en 1764 et les changements apportés à l'organisation de la production. Avec la révolution industrielle, c'est la naissance de l'usine comprenant tous les problèmes de gestion, tels que la recherche de personnes capables de gérer le manque d'ouvriers qualifiés, sans compter les problèmes de formation, de discipline et de motivation du personnel (Wren, 1979, p. 48).

Dans les années 1800, les éducateurs n'étaient pas seulement préoccupés par l'enseignement. En fait, jusqu'au début du XIXe siècle, l'administration de l'éducation fut caractérisée par l'influence de la philosophie (Button, 1966, p. 218). Comme nous l'avons mentionné précédemment, W.T. Harris et W.H. Payne sont les deux philosophes de l'éducation qui exercèrent la plus grande influence au cours de cette période. Comme le souligne Button, l'application des connaissances philosophiques à l'éducation avait comme avantage de justifier la pratique.

Selon Culbertson (1986, p. 5), l'administration au cours de la période de 1875 à 1900 était synonyme de la gestion de la classe et de la supervision scolaire. Cette conception de l'administration de l'éducation était illustrée par les ouvrages de Payne (1875) et de Raub

(1882). Alors que le premier ouvrage ne portait que sur la supervision scolaire, le second avait comme sujet principal la gestion et le contrôle des activités de la classe. Les idées de ces deux auteurs ont occupé les penseurs des années 1880 et 1890 (Culbertson, 1986, p. 6).

Pendant ce temps, les américains vivaient le début de leur révolution industrielle. Trois facteurs peuvent expliquer sa naissance : l'utilisation de l'énergie produite par la vapeur, le développement du transport par voies maritime et ferroviaire et, finalement, la croissance des moyens de communication (Wren, 1979, p. 90). Ce sont les administrateurs des chemins de fer qui ont fourni les premiers principes d'administration. Ainsi, McCallum, surintendant des chemins de fer de New York et d'Érié de 1854 à 1857, mit au point tout un système de règles de gestion qui devinrent de précieux principes pour les administrateurs de l'époque. L'un de ces principes portait sur la division des responsabilités alors que d'autres concernaient le contrôle des activités.

AUX ÉTATS-UNIS

Une conception scientifique (1901-1920)

Au cours de cette période, des auteurs ont offert, dans deux ouvrages très différents, leur conception de l'administration de l'éducation en différenciant davantage cette dernière de l'enseignement. D'abord, Chancellor (1904) se proposait de montrer son sujet à partir d'un nouveau point de vue concernant le gestionnaire et le superviseur. Pour lui, la supervision était une compagne étroite de l'administration. Son ouvrage traitait entre autres de la commission scolaire, du système scolaire, de la politique éducative du milieu et des rôles du directeur d'école et du superviseur (Culbertson, 1986, p. 8).

Le second ouvrage, celui de Dutton et Snedden (1908) dont le titre ne contenait même pas le mot *supervision*, offrait une perspective plus large que celui de Chancellor. Les auteurs y traitaient, par exemple, de l'environnement politique de l'éducation et de fonctions administratives spécifiques telles que le financement, l'amélioration des enseignants, l'administration des écoles normales et de l'enseignement aux adultes. Leur ouvrage a éventuellement servi de guide pour les futurs auteurs de manuel.

Au début du siècle, les industries américaines se retrouvèrent avec un travail hautement spécialisé, un manque de méthodes et de procédures standardisées et une quasi-absence de coordination, d'intégration et de systématisation du travail. De plus, selon Wren (1979, p. 119), la productivité au travail était très basse et le souci des administrateurs était de trouver la façon d'amener les ouvriers à travailler selon leur potentiel. Il n'en fallait pas plus pour que de nombreux entrepreneurs explorent et développent de nouvelles techniques de production.

Tout était en place pour l'arrivée de la direction scientifique des entreprises. Cette nouvelle approche est associée à Frederick Taylor, un ingénieur en mécanique muni d'une bonne expérience acquise dans différentes entreprises américaines. Taylor faisait face à des ouvriers inefficaces et à leur flânerie systématique. Il mit au point une organisation scientifique du travail qui devait assurer l'amélioration du travail exécuté par les ouvriers ; il recherchait l'efficience industrielle. Après avoir présenté ses principales idées devant ses collègues ingénieurs et les avoir appliquées, il les publiait dans un ouvrage en 1911 (Taylor, 1911).

Il n'est donc pas surprenant que de nombreux éducateurs américains, dont plusieurs se considéraient comme des réformateurs, se sentirent attirés par les idées de Taylor. Les administrateurs de l'éducation, en particulier, étaient sûrs que les principes de la direction scientifique des entreprises pouvaient convenablement s'appliquer à la gestion de l'éducation. C'est qu'au début du siècle, le système scolaire américain vivait au rythme de nombreuses critiques, de la croissance des effectifs et des coûts, sans compter l'émergence d'un mouvement en faveur d'études scientifiques de l'éducation (Campbell *et al.*, 1987, p. 28).

Dans les années 1910-1911, lorsque les principes de la direction scientifique des entreprises de Taylor furent connus et discutés pour la première fois, les administrateurs de l'éducation et les professeurs en éducation avaient déjà reconnu le besoin de mesures précises, l'importance de recueillir et d'analyser régulièrement des informations et l'utilisation de procédures scientifiques qui devinrent associées au système de Taylor. En ce qui concerne la conception de l'administration de l'éducation, tout favorisait l'utilisation d'éléments scientifiques en administration ainsi que celle d'une approche quantitative. C'est la période que Button (1966, p. 219) a qualifiée de « gestion des affaires ».

C'est aussi tôt qu'en février 1911 que les enseignants commencèrent à répondre aux demandes d'appliquer la direction scientifique au système scolaire. Des réunions d'associations d'enseignants, de commissaires scolaires et d'administrateurs servirent de tribunes pour répandre l'idée de la gestion scientifique. Les communications qu'on y présentait concernaient, par exemple, la gestion scientifique et l'efficience au secondaire, le déterminant de l'efficience scolaire, l'efficience dans le département des sciences de la gestion d'une école secondaire et les standards ou les tests grâce auxquels on peut mesurer l'efficience d'une école ou d'un système scolaire.

Deux évènements survenus en 1913 donnèrent un autre élan à la conception scientifique de l'administration de l'éducation. D'abord, en février 1993, la réunion annuelle des directeurs généraux sous le thème *l'amélioration des systèmes scolaires grâce à la direction scientifique*. Cette réunion prit toute son importance parce que les deux principaux conférenciers étaient reconnus comme des personnages de marque (Callahan, 1962, p. 64). La session fut ouverte par Paul Hanus de Harvard avec sa présentation intitulée *Les raisons profondes des principes de la direction scientifique*. Spaulding, directeur général de la commission scolaire de Newton au New Jersey, était le second conférencier. Sa présentation consistait à montrer comment il appliquait avec succès le système de Taylor dans sa commission scolaire.

Le second évènement de 1913 fut la parution de l'annuaire de la National Society for the Study of Education (NSSE), sous la direction de Bobbitt, Hallet et Wolcott (1913), qui avait pour titre *La supervision des écoles urbaines*. Professeur à l'Université de Chicago, Bobbitt indiquait, dans l'introduction de l'annuaire, qu'il avait soigneusement étudié le système de Taylor et énonçait les tâches en administration pour toute organisation, incluant les écoles. Bobbitt présentait ensuite ses 11 principes d'administration axés sur la mise en place de standards, de méthodes et de procédures. Il affirmait que dans toute organisation, que ce soit un commerce ou une manufacture, les tâches fondamentales de l'administration, de la direction et de la supervision étaient toujours à peu près les mêmes.

Bobbitt avait été choisi comme l'un des auteurs de cet annuaire en raison de son article, paru l'année précédente, portant sur la gestion scientifique en éducation (Bobbitt, 1912). Dans son article, il présentait et explicitait quatre principes de la gestion scientifique. Le premier principe consistait à utiliser tout l'équipement scolaire tout le temps alors que le second proposait de réduire le nombre d'employés à son minimum. L'élimination du gaspillage représentait son troisième principe et l'éducation d'un individu selon ses capacités était son dernier principe.

La personne qui a probablement le plus contribué à la conception de l'administration de l'éducation est Cubberley, doyen de la Faculté d'éducation de l'Université Stanford en Californie. Dans son ouvrage le plus consulté et le plus influent en administration de l'éducation, il écrivait que l'émergence des experts de l'efficience éducationnelle était « un des mouvements le plus significatif de toute l'histoire de l'éducation » (Cubberley, 1916, p. 325). Plus loin, il affirmait :

> Nos écoles sont, en un sens, des usines dans lesquelles les produits bruts (enfants) doivent être développés et formés afin de pouvoir faire face aux nombreuses demandes de la vie.

> Les spécifications industrielles proviennent des exigences de la civilisation du vingtième siècle. C'est le rôle de l'école de former ses élèves selon ces spécifications (p. 338).

Les éducateurs de l'époque ont fait plus que simplement parler de direction scientifique et d'efficience ; ils ont utilisé les nouvelles méthodes industrielles dans les écoles. Ce faisant, l'administration de l'éducation a été plus préoccupée par les aspects financiers de l'éducation que par les aspects relatifs à l'enseignement. Par conséquent, la conception de l'administration de l'éducation, de 1900 à 1930, a consisté à assurer l'efficience des écoles d'abord et ensuite la supervision des enseignants en évaluant « scientifiquement » leur rendement (Callahan, 1962, p. 103). L'œuvre importante de Barr et Burton (1926) sur la supervision de l'enseignement en témoigne.

L'un des critiques de l'approche de la gestion scientifique en administration de l'éducation fut John Dewey. Dans son ouvrage publié la même année que celui de Cubberley, il affirmait : « on parle beaucoup de la direction scientifique du travail. Il s'agit d'une vision étroite qui restreint la science qui assure les opérations efficientes des écoles » (Dewey, 1916, p. 85). Il s'en prenait à l'immense popularité des techniques de la gestion scientifique auprès des éducateurs et accentuait le besoin pour les administrateurs de l'éducation de rechercher le consentement de leurs subordonnés. Il prônait déjà une plus grande participation des enseignants.

Mais, en fait, l'effet de Dewey ne s'est fait sentir en administration de l'éducation que dans les années 1940 (Campbell *et al.*, 1987, p. 52). C'est à ce moment que ses idées de démocratie et de participation furent appliquées en administration de l'éducation. Elles furent promues par plusieurs organismes tels que la National Education Association (NEA). Même des anciens promoteurs de la gestion scientifique appliquée à l'éducation, tels que George Strayer (cité par Miller, 1942), se firent les défenseurs de ces nouvelles idées. À l'avenir, l'objectif ne serait plus de diriger les écoles d'une façon efficiente et économique, mais plutôt de renforcer la démocratie.

Il n'est pas alors surprenant de constater que l'annuaire de la National Society for the Study of Education (NSSE) de 1946, sous la direction de Henry, faisait écho aux approches suggérées par Dewey. La seconde partie de cet annuaire présentait les changements survenus dans l'étude de l'administration de l'éducation. Le contenu mettait surtout l'accent sur la démocratie appliquée au domaine des pratiques administratives d'alors telles que le financement, l'élaboration et la gestion du curriculum. Il est particulièrement intéressant de noter que la majorité des auteurs étaient des praticiens.

Une conception humaniste (1921-1960)

L'intérêt des éducateurs pour les idées administratives venant de l'industrie ne cessa pas même si l'influence de la gestion scientifique diminuait au début des années 1920 et qu'elle ne disparut pas, en fait, avant les années 1930. Au contraire, les pratiques industrielles ont continué à influencer la pensée administrative des professeurs d'administration de l'éducation, surtout après 1945 (Campbell *et al.*, 1987, p. 43). Cependant, très tôt au début des années 1920, les administrateurs industriels, les ingénieurs et les experts en sciences sociales qui les conseillaient reconnurent que l'élément humain dans les organisations ne pouvait plus être ignoré. Ce sera la tendance jusqu'au milieu de 1960.

Déjà, certains auteurs, tels que Munsterberg (1913), Gilbreth (1914) et Sheldon (1923), avaient mis en évidence l'importance de l'élément humain dans les organisations. Selon Wren (1979), la psychologie industrielle avait commencé avec Munsterberg (p. 211) qui, grâce à ses travaux dans son laboratoire à l'Université Harvard, étudiait les différences individuelles. L'année suivante, Gilbreth, une autre pionnière de la psychologie appliquée à l'administration, introduisait par son ouvrage l'élément humain dans l'administration. Quant à Sheldon, il avait comme défi la recherche d'un équilibre entre l'aspect technique de la production et l'aspect humain (Brassard, 1996, p. 123).

Follett, philosophe sociale qui prononçait des conférences durant les années 1920, a été une des premières personnes à s'opposer à la conception mécaniste de l'administration générale et à y suggérer un élément humain. Pour elle, l'administration devait reposer sur la science et un motif de rendre service (Metcalf et Urwick, 1940). À cette fin, l'administration devait privilégier trois valeurs : une pratique ingénieuse, une compréhension scientifique et des considérations éthiques

(Sergiovanni *et al.*, 1987, p. 109). Les travaux de Follett sont encore tellement d'actualité que l'on a décidé récemment de commémorer ses idées (Graham, 1996).

Mais c'est surtout la parution de l'œuvre de Roethlisberger et Dickson (1939), rapportant les expériences menées aux ateliers Hawthorne, qui fut à l'origine d'une nouvelle approche : celle des relations humaines. Les résultats de ces expériences, bien expliquées par Brassard (1996, p. 126), ont montré l'importance de tenir compte du facteur humain, l'attention à accorder au groupe de travail et aux relations humaines ainsi que la nécessité de la collaboration.

Selon Callahan et Button (1964, p. 89), la période de 1930 à 1950 a été une recherche de conception de l'administration de l'éducation. Ils soulignaient que durant les années 1930, en particulier, la conception du champ d'études changea à deux égards. D'abord, il y avait un intérêt renouvelé pour le but poursuivi par l'éducation publique, qui devenait une question propre au gestionnaire, et un attribut de l'organisation et de l'administration d'une école. En second lieu, il y eut moins d'intérêt pour la supervision et l'efficacité de l'enseignement.

À la lumière de tous ces problèmes, il n'est pas surprenant que les professeurs recommandèrent l'emploi d'une forme de gestion des écoles qui emploieraient des stratégies de coopération empruntées à la recherche industrielle. On croyait alors que l'utilisation des relations humaines pouvait aider à réguler la situation. Tyler (1941) fut le premier à attirer l'attention sur la pertinence des relations humaines en milieu scolaire. C'est ainsi que l'influence de Roethlisberger et Dickson s'est retrouvée dans l'annuaire de la NSSE de 1946 qui témoignait ainsi de l'acceptation de la nouvelle approche.

Certaines conditions que l'on trouvait, après la Deuxième Guerre mondiale (1945), à l'intérieur des organisations scolaires exigeaient que l'idée de démocratie des années 1920 soit accompagnée d'une autre approche. Le moral du personnel scolaire était alors particulièrement devenu un problème (Griffiths, 1957). On relevait, par exemple, des taux élevés d'absentéisme, de retard au travail et d'attrition chez les enseignants, taux qui avaient un effet sur le personnel qui demeurait à l'emploi des commissions scolaires.

Donc, après 1945, de nombreuses monographies et articles furent publiés, moussant l'utilisation des relations humaines en administration de l'éducation. Cette approche fut par la suite davantage popularisée par les ouvrages marquants de Yauch (1949), de Griffiths (1956) et de Mort et Ross (1957). Selon Campbell *et al.* (1987, p. 53), les approches de la démocratie et des relations humaines des années 1920 et 1930 étaient en fait une réaction à la gestion scientifique des écoles. Pour Cunningham, Hack et Nystrand (1977, p. 7), cette période des relations humaines représentait la troisième ère du développement de l'administration de l'éducation.

L'approche démocratique ainsi que celle des relations humaines semblaient par conséquent offrir des façons de redistribuer la prise de décision dans les organisations scolaires et d'aider les gestionnaires à mieux fonctionner avec les enseignants. En raison de l'accent mis sur le facteur humain, la réduction des conflits interpersonnels devint une préoccupation importante de la part des avocats des relations humaines (Campbell *et al.*, 1987, p. 62). Généralement, les auteurs en éducation, aussi bien que ceux de l'industrie, voyaient le conflit comme quelque chose qui devait être éliminé pour le bien de l'organisation.

L'approche des processus administratifs a également servi longtemps la conception de l'administration de l'éducation. Elle était inspirée par l'ingénieur français Henri Fayol qui avait publié en 1916 ses principes d'administration qui ne furent connus, en fait, aux États-Unis qu'en 1949 grâce à la traduction de son œuvre. Fayol écrivait qu'administrer, c'est prévoir, organiser, commander, coordonner et contrôler (p. 11). Entre temps, Gulick (1937), s'inspirant de Fayol, présentait son fameux POSDCORB (*Planning, Organizing, Staffing, Directing, Coordination, Reporting, Budgeting*). Urwick (1943), quant à lui, a rédigé un résumé des œuvres de Taylor et de Fayol dans lequel il suggérait 29 principes d'administration. Ces processus apparurent plus tard dans certains écrits en administration de l'éducation, en particulier chez Sears (1950) et chez Gregg (1957).

Aux débuts des années 1950, on considérait que le champ de l'administration de l'éducation était depuis ses origines bien défini et qu'il n'existait aucune controverse relative à son contenu (Griffiths, 1959, p. 1). Mais, selon Griffiths, dix ans plus tard, soit en 1959, une toute autre situation existait : le champ d'études n'était plus aussi clairement défini. Les ouvrages parus au cours des années 1950 ne ressemblaient en rien à ceux parus auparavant. Ils étaient caractérisés par «une recherche de substance en administration et d'une théorie susceptible de lier ensemble cette substance» (Griffiths, 1959, p. 2).

Déjà, en 1952, Getzels avait vécu cette nouvelle situation de recherche de substance. À sa première année à l'Université de Chicago, il fut invité à faire une présentation devant les étudiants en administration de l'éducation. Quelle ne fut pas sa surprise de réaliser à quel point les étudiants ne pouvaient faire référence à aucun cadre théorique. En 1980, Getzels décrivait ainsi la situation dans une lettre adressée à Culbertson (1988) :

> J'ai essayé de trouver chez les étudiants du séminaire quel cadre conceptuel ils adoptaient ; ils semblaient ne pas savoir de quoi je parlais. J'ai consulté quelques ouvrages en administration de l'éducation, mais je ne pouvais comprendre ce dont ils traitaient ; ils ressemblaient davantage à des manuels de dressage qu'à des traités conceptuels ou de recherche. J'ai donc fait un discours sur les cadres conceptuels et sur la recherche systématique (p. 15).

Après la rencontre, Getzels se rendit à son bureau et se mit à écrire un article qui fut éventuellement publié en 1952 et qui devint par la suite un des modèles théoriques les plus utilisés pour l'enseignement et la recherche en administration de l'éducation. Les nombreuses applications empiriques du modèle par les étudiants de l'Université de Chicago ont été publiées par Getzels, Lipham et Campbell (1968). Ce modèle consistait à concevoir l'administration de l'éducation comme un processus social tel qu'il est représenté par la figure suivante :

FIGURE 2

Le modèle de Getzels

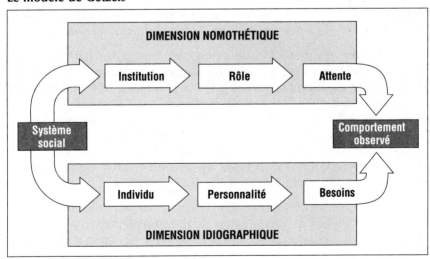

Source : J.W. Getzels (1952). «A Psycho-Sociological Framework for the Study of Educational Administration », *Harvard Educational Review*, vol. 22, n° 4, p. 235-246.

Des manuels d'enseignement de l'administration de l'éducation, comme celui de Campbell et ses collègues (1958) ainsi que celui de Morphet et ses collègues (1959), témoignaient également de la substance tant recherchée pour l'administration de l'éducation. Dans le cas de Campbell et ses collègues, les auteurs présentaient davantage une conception prescriptive reposant sur la pratique. Il s'agissait d'une introduction à l'administration de l'éducation qui s'adressait à des futurs gestionnaires. Les auteurs présentaient en particulier les tâches et les processus administratifs ainsi que les rôles des différents gestionnaires de l'éducation. Dans le cas de Morphet et ses collègues, l'ouvrage traitait des principes de base et des concepts émergents relatifs à l'organisation de l'éducation et à l'administration des divers aspects de la gestion scolaire.

Dans le numéro d'octobre 1952 de la *Review of Educational Research*, un chapitre portait sur la théorie en administration de l'éducation, signalant la phase prématurée de ce qui serait appelé le mouvement théorique (Gibson, 1979, p. 32). D'ailleurs, dès 1957, un séminaire organisé par le UCEA et tenu à l'Université de Chicago portait sur le rôle que pouvait jouer la théorie dans ce champ d'études. La plupart des présentations à ce séminaire, rapportées par Halpin (1958), reposaient sur des théories en administration empruntées à diverses disciplines (Culbertson, 1965, p. 8). Le mouvement de l'approche théorique reposait sur la croyance que l'administration de l'éducation était une application de la science sociale, que la recherche devait reposer sur la théorie et que les phénomènes administratifs pouvaient être étudiés empiriquement (Boyan, 1981 ; Halpin et Hayes, 1977).

Les ouvrages de Coladarci et Getzels (1955), de Griffiths (1959) et de Campbell et Lipham (1960) qui ont porté par la suite sur l'emploi de la théorie en administration de l'éducation sont très significatifs à cet égard. Toutefois, l'emploi de la théorie avait une perspective de système fermé (Hoy et Miskel, 1991, p. 24), quoiqu'au cours de la même période, la perspective ait graduellement glissé vers le système ouvert (p. 21). Il n'est pas surprenant que l'on ait annoncé, en 1967, la fin du mouvement de la théorie en administration de l'éducation (Gibson, 1979, p. 32).

Selon Griffiths (1959, p. 48), l'ouvrage de Mort et Ross (1957) représentait un des premiers essais de théorisation en administration de l'éducation. Les auteurs présentaient 14 principes qu'ils regroupaient selon les 3 catégories suivantes : humanitaires, de prudence (*prudential*) et situationnelles ou temporelles. Les auteurs faisaient la démonstration de la pertinence de chacun des principes pour l'administration de l'éducation. D'autre part, ils avouaient eux-mêmes que leurs principes étaient contradictoires et qu'ils n'étaient pas tous également applicables aux situations rencontrées dans la pratique administrative (Mort et Ross, 1957, p. 249). De plus, selon Griffiths (1965, p. 102), les concepts de valeurs, de sanctions culturelles, de critères et de principes étaient chez ces deux auteurs tous des synonymes.

Au cours de la même période, en guise de cadre de référence, un concept tridimensionnel de l'administration de l'éducation fut développé par le Cooperative Development of Public School Administration (CDPSA) de l'État de New York (1953). Le champ d'études comprenait alors les trois aspects suivants : l'emploi, la personne et l'environnement social. Chacune des dimensions était ensuite divisée selon les trois catégories suivantes : le contenu, le processus et la séquence. Le cadre de référence est présenté dans le tableau suivant.

TABLEAU 1

Le concept tridimensionnel de l'administration de l'éducation

Emploi	**Personne**	**Environnement social**
Contenu:	Capacité :	Contenu :
1. maintenir	1. physique	1. ressources physiques, humaines
2. améliorer	2. intellectuelle	2. systèmes de relations
3. obtenir	3. émotionnelle	3. réseau d'organisation
4. fournir	4. spirituelle	4. modèles de pensée, de croyances, de valeurs
Processus	**Comportement**	**Processus**
1. sentir le problème	1. sentir le problème	1. continuité et stabilité
2. relier le problème	2. inférer	2. nouveau et différent
3. décider	3. relier aux personnes	3. tensions et contraintes
4. Implanter et revoir	4. prédire et décider	4. résolution et réajustement
	5. implanter et revoir	
Séquence	**Séquence**	**Séquence**
1. passé	1. passé	1. traditions profondément ancrées
2. présent	2. présent	2. passé récent
	3. futur	3. présent et futur prochain
3. futur		4. futur à long terme

Source : D.E. Griffiths (1956). *Human Relations in Educational Administration*, New York, Appleton-Century-Crofts.

Une autre idée de l'administration générale qui eut un impact sur la conception de l'administration de l'éducation fut celle qui tentait de décrire un administrateur efficace. Katz (1955) proposa des habiletés qui reposaient sur ce qu'une « personne peut accomplir » (p. 33). Katz a réparti ces habiletés selon les trois groupes suivants :

> ➢ les habiletés conceptuelles. Ces habiletés permettent de voir l'entreprise ou l'organisation dans son ensemble ; elles amènent l'administrateur à saisir les relations qui existent entre chacune des fonctions d'une organisation ;

> ➢ les habiletés techniques. Ces habiletés permettent de comprendre une activité spécifique, particulièrement une activité qui implique des méthodes, des processus, des procédures ou des techniques ;

> ➢ les habiletés humaines. Ces habiletés permettent à un administrateur de travailler efficacement comme membre d'un groupe de personnes et de promouvoir la coopération entre les membres de l'équipe qu'il dirige.

L'ouvrage produit par la National Conference of Professors of Educational Administration (NCPEA), sous la direction de Campbell et Gregg (1957), présentait une autre conception de l'administration de l'éducation à partir cette fois de la pratique. Dans la deuxième partie de l'ouvrage, on trouve une communication sur les différentes tâches possibles du gestionnaire en éducation, sur les facteurs situationnels en administration de l'éducation, sur le processus administratif et sur les qualités individuelles qui étaient susceptibles d'être reliées au comportement administratif.

Dans cet ouvrage de Campbell et Gregg, Halpin (1957) a présenté sa conception de l'administration en général, c'est-à-dire de l'administration des affaires, des hôpitaux, de l'éducation ou du gouvernement à l'intention des personnes qui œuvraient en administration de l'éducation. Selon lui, l'administration représentait une activité humaine qui impliquait au minimum les quatre composantes suivantes :

> ➢ la tâche ;

> ➢ l'organisation formelle ;

> ➢ le groupe de travail ou les groupes de travail ;

> ➢ le leader ou les leaders (p. 161).

Du côté du monde des affaires, on assistait à ce moment-là à l'introduction de la théorie dite des deux facteurs de Herzberg, Mausner et Snyderman (1959). Selon eux, un individu était motivé par des aspects reliés au contenu de la tâche, alors qu'il était démotivé par l'absence des éléments reliés au contexte du travail. Pour sa part, McGregor (1960) croyait que les convictions qu'un gestionnaire entretenait à l'égard de ses subordonnés étaient importantes pour déterminer son style de gestion. Les ouvrages de ces deux auteurs ont contribué à concevoir l'administration centrée sur les besoins humains (Brassard, 1996) et à perpétuer l'approche des relations humaines. La parution d'ouvrages tels que celui de Barnard (1938), qui ne fut découvert que dans les années 1950 par les professeurs en administration de l'éducation (Campbell *et al.*, 1987, p. 10), et plus tard celui d'Argyris (1957) remettait en cause la conception mécaniste de l'organisation (Brassard, 1996, p. 166). Pour Barnard, l'organisation était un lieu où la coopération entre les acteurs devait primer tandis que Argyris dénonçait les propriétés organisationnelles de base qui contribuaient à préserver l'immaturité des individus et à entraver leur autoréalisation (Barnabé, 1987, p. 310). Argyris (1957) reconnaissait comme Barnard (1938) qu'il fallait tenir compte de deux dimensions afin de comprendre le comportement des individus au sein d'une organisation, à savoir l'individu et l'organisation.

La nature de l'interaction entre la personnalité du gestionnaire et l'organisation qu'il dirige devint la cible principale d'études (Sergiovanni *et al.*, 1987, p. 112). Cette conception de l'administration représentait, selon eux, une maturation de l'approche des relations humaines que certains auteurs, tels que Miles (1965), ont appelée l'approche des ressources humaines.

Depuis les années 1950, selon Griffiths et ses collègues (1988, p. 286), il n'y avait eu que très peu d'intérêt pour développer une perspective d'ensemble de l'administration de l'éducation. Avec les subventions de la Fondation Kellogg et l'intérêt porté par les experts des sciences sociales et les professeurs en administration de l'éducation, du temps et des efforts considérables furent déployés pour développer des concepts sophistiqués dans le domaine (Moore, 1957, p. 25). Les années 1950 et 1960 furent quand même une période particulièrement importante en ce qui concerne la conception de l'administration de l'éducation comme champ d'études.

Des conceptions hétéroclites (1961-1980)

En 1961, Likert publiait ses réflexions sur le leadership axé sur la participation. Ses recherches lui permirent de définir les quatre systèmes de gestion suivants : autoritaire exploitant, autoritaire bienveillant, consultatif et participatif. Likert prétendait que le participatif était le style de leadership à favoriser parce qu'à la longue, il était le plus efficace. Le phénomène de la participation en administration de l'éducation est éventuellement devenu important dans le domaine de l'administration de l'éducation.

Blake et Mouton (1964), pour leur part, proposaient deux aspects d'un modèle de direction qui pouvait être adopté par un dirigeant : la centration sur la tâche et la centration sur les personnes. Leur modèle a résulté en une grille qui permet de classer cinq styles de gestion : un style centré sur la tâche au détriment des personnes, un style centré sur les personnes au détriment de la tâche, un style centré à la fois sur la tâche et les personnes, un style de laisser-faire et un style de compromis entre la tâche et les personnes.

La parution de la seconde édition de l'ouvrage de Simon (1957), la première étant de 1945, permit aux formateurs en administration de l'éducation de découvrir l'importance de la prise de décision au point d'en faire le concept central de l'administration de l'éducation. Ils furent aidés en cela par Griffiths (1959) qui, inspiré par Simon, faisait de la prise de décision un concept important de l'administration. Sous l'influence de Simon, cette conception mettait en évidence en particulier, pour une des premières fois, l'importance des faits et des valeurs lors de l'évaluation des prises de décision au sein des organisations. D'ailleurs, très tôt, Hemphill, Griffiths et Frederickson (1962) entreprenaient une étude de 3 ans sur la prise de décision auprès de 232 directeurs d'école primaire. D'autre part, Culbertson (1964) affirmait que l'administrateur vu comme un exécutant efficient ou très habile dans les relations interpersonnelles n'était plus le but visé par les programmes de formation. Il s'agissait plutôt d'en faire un habile décideur bien doué dans l'analyse et l'application des concepts et des théories (p. 308).

Au cours des années 1960, on a d'abord continué à concevoir l'administration de l'éducation sur la base des sciences sociales et des sciences du comportement, donc de l'interdisciplinarité. Comme Tope *et al.* (1965, p. iii) le soulignaient, il existait alors un intérêt croissant pour les sciences sociales en administration de l'éducation. Selon eux, en même temps, de nombreux chercheurs en sciences sociales trouvaient que l'école était un excellent laboratoire pour la recherche. Déjà, en 1964, l'Université de l'Orégon tenait une session de trois jours sur les sciences du comportement (Center for the Advanced Study of Educational Administration, 1965).

Les années 1960 virent aussi l'introduction du concept de bureaucratie en administration de l'éducation, malgré l'ignorance alors de la part des professeurs de la contribution de Weber (1947). Bidwell (1965) fut le premier à comparer les écoles à des bureaucraties tout en précisant toutefois qu'elles n'étaient pas de pures bureaucraties. Il n'en fallait pas plus pour déclencher une série d'études sur le sujet. Par exemple, une des plus longues études et des plus complètes sur la bureaucratie en administration de l'éducation fut à cette époque celle d'Anderson (1968).

Cette conception bureaucratique de l'administration de l'éducation a donné lieu à de nombreuses critiques et à des études dont les résultats de recherche furent contradictoires (Campbell *et al.*, 1987, p. 78). Toujours selon Campbell *et al.*, elle mettait l'accent sur l'organisation et ses structures, en ignorant son environnement, au détriment des personnes qui y travaillaient (p. 145). Elle correspondait alors à un système fermé tout comme la gestion scientifique d'autrefois.

Depuis le début des années 1960, on ne parlait que de relations des organisations scolaires avec le milieu. Mais c'est au cours de cette période que l'on a vu apparaître l'influence des sciences politiques en administration de l'éducation. Déjà, en 1959, Eliot soulevait la possibilité que ces dernières puissent être utiles pour la conception de ce champ d'études. La même année, Walton (1959) publiait son ouvrage portant sur l'élaboration des politiques. La contribution de cette discipline à la conception de l'administration de l'éducation a connu une pérennité. Ainsi, 28 ans plus tard, à l'occasion d'une réunion des membres du UCEA, était tenu un symposium, sur les politiques en administration de l'éducation, dont les travaux ont fait l'objet de la publication de Layton et Scribner (1989).

L'approche systémique a représenté un apport très important à la conception de l'administration de l'éducation. Le nom de Bertalanffy est généralement associé à l'expression *théorie générale des systèmes*. Il introduisit cette notion lors d'un séminaire tenu à Chicago en 1937, mais ne publia sa communication qu'après la guerre (Bertalanffy, 1950). L'auteur croyait possible de développer un cadre théorique qui permettrait de décrire le monde réel et que différentes disciplines avaient assez de similarités pour qu'on puisse développer un modèle général des systèmes (Wren, 1979, p. 520). Griffiths (1963) a fortement moussé ce modèle et sa terminologie pour la recherche en administration de l'éducation.

Déjà, au milieu des années 1960, l'approche systémique était à l'ordre du jour dans les écrits et l'enseignement en administration de l'éducation. Cette approche, qui avait commencé à se répandre aux cours des années 1950, a surtout connu tout son élan grâce à la publication de Bertalanffy (1968). Il s'agissait alors de concevoir une organisation scolaire comme un système ouvert dont les composantes interdépendantes interagissent avec son environnement. Ce faisant, la conception du champ d'études délaissait de plus en plus l'approche mécaniste en faveur d'une approche beaucoup plus organique.

Selon Griffiths (1988), il y eut aussi pour la période allant de 1960 à 1970 un mouvement reposant sur les compétences désirées chez les gestionnaires de l'éducation, qui servit de conception de l'administration de l'éducation (p. 286). D'ailleurs, la National Association of Secondary School Principals (NASSP) s'était faite le champion de cette approche (McCarthy, 1999, p. 120). L'idée consistait à croire que la fonction administrative pouvait être décomposée en de larges compétences qui pouvaient être enseignées aux étudiants. Toujours selon Griffiths, Hart et Blair (1991), ce mouvement n'a pas contribué à l'avancement d'une conception de l'administration de l'éducation.

Getzels, Lipham et Campbell (1968) ont suggéré une conception de l'administration de l'éducation qui servit pendant plusieurs années de cadre théorique pour la recherche dans ce domaine. Pour eux, l'administration de l'éducation était conçue comme un processus social, et son contexte, comme un système social (p. 52). Les dimensions retenues pour leur conception étaient celles que Getzels avaient publiées en 1952 et que nous avons présentées à la figure 2 du présent chapitre.

Dans le domaine des affaires, on connaissait en 1970, avec en particulier les travaux de Lawrence et Lorsch (1967), la conception situationnelle de la gestion. Cette dernière contribuait à rejeter le modèle unique idéal de gestion que les conceptions mécanistes et centrées sur les besoins humains avaient tenté d'ériger (Brassard, 1996, p. 233). C'était également le début de la conception situationnelle du leadership avec la parution des ouvrages de Fiedler (1967) et de Reddin (1970). Enfin, on prenait connaissance de la conception socio-technique de la gestion grâce à Trist (1969).

Au début des années 1970, il y eut également une montée spectaculaire de la reddition de comptes en guise de conception de l'administration de l'éducation (Getzels, 1977, p. 13). Jusqu'en 1969, cet aspect de l'administration n'existait pas ; en 1974, 30 États américains avaient passé une loi exigeant une certaine forme de reddition de comptes. L'administration de l'éducation fut alors amenée à appliquer davantage des pratiques alors utilisées dans le monde des affaires, telles que des éléments de recherche opérationnelle comme l'arbre de décision et une plus grande quantification de ce qui était mesurable.

En 1971, le comité 1985 de la National Conference of Professors of Educational Administration (NCPEA) publiait sa conception futuriste de l'administration de l'éducation (NCPEA, 1971). Ohm (1971), au nom du comité, écrivait que le champ de l'administration générale, incluant celle de l'éducation en particulier, était susceptible, en 1985, de découler des conceptions courantes du processus et du futur développement conceptuel de l'étude de l'administration comme système social, comme un processus de planification, un processus d'élaboration des buts et un processus de résolution de conflit (p. 94). Ohm ajoutait que c'était aussi un processus de recherche et de formation (p. 102).

L'année 1974 a marqué une étape importante pour la conception de l'administration de l'éducation. Lors d'une rencontre internationale, Greenfield fit une intervention remarquée qui ramenait l'élément humain au centre de l'administration. Il présenta une communication dans laquelle il argumentait que les organisations étaient des artefacts culturels qui dépendent du sens spécifique qui est fourni par les individus qui y vivent et de leurs intentions (1974, p. 2). L'approche phénoménologique de la conception de l'administration de l'éducation venait de naître.

À peu près au même moment, deux nouvelles conceptions de l'administration de l'éducation survenaient. Il y eut tout d'abord l'argument selon lequel les organisations scolaires étaient des anarchies organisées (Cohen *et al.*, 1972). Selon eux, ces organisations possédaient des buts vagues et diffus, une technologie incertaine, des résultats incertains et une participation fluide de la part des partenaires. La prise de décision dans ces organisations ne pouvait être rationnelle ; elle suivait plutôt la modalité du *garbage can*. Ceci expliquerait, selon Hoy et Miskel (1991), pourquoi des solutions étaient proposées pour des problèmes qui n'existaient pas, pourquoi des choix étaient faits sans les résoudre, pourquoi les problèmes persistaient sans être résolus et pourquoi très peu de ces problèmes étaient résolus (p. 320). March (1974) signalait que les anarchies organisées n'étaient pas de mauvaises organisations et qu'elles étaient communes (p. 22).

La seconde conception était celle de Weick (1976) qui affirmait que les écoles étaient des couplages souples (*loosely coupled systems*). Cette conception prétendait que les composantes étaient sensibles les unes aux autres et qu'elles étaient liées entre elles. Mais, en même temps, elles l'étaient d'une façon « faible, non fréquente, sous le signe de la fragilité et avec un minimum d'interdépendance » (Deblois, 1988, p. 132). Par exemple, selon l'auteur lui-même de cette conception, les activités administratives n'étaient que très lâchement reliées aux activités d'enseignement (Weick, 1982).

Avec la parution du rapport *Work in America* (1970) et plus tard des ouvrages de O'Toole (1975) et de Cherns et Davis (1975) était lancé le mouvement de la qualité de la vie au travail (QVT). S'appuyant sur l'approche socio-technique, la QVT avait pour objectif le mieux-être des employés. Elle était une application de la philosophie humaniste qui suggérait une plus grande participation à la prise de décision et demandait une plus grande attention à la motivation des employés. De plus, elle visait à modifier un ou plusieurs aspects du milieu de travail dans le but d'accroître la satisfaction des employés et, éventuellement, l'efficacité de l'entreprise. Toutefois, la QVT n'a à peu près connu aucune application en éducation; par conséquent, elle n'a pu servir de conception de l'administration de l'éducation.

Toujours en administration générale, Hodgkinson (1978) proposait une conception de l'administration générale qui a influencé celle de l'éducation. Pour lui, l'administration était la philosophie appliquée à l'action (p. 3), c'est-à-dire le processus d'une pensée correcte et celui de la valorisation ; la rationalité, où la logique et les valeurs étaient pour lui les deux principaux éléments de sa conception. Pour lui, être un administrateur, c'était plus que d'être un technicien et un politicien. Hodgkinson proposait une distinction entre l'administration et la gestion. La première portait sur la formulation des buts, les questions chargées de valeurs et les composantes humaines d'une organisation tandis que la seconde s'occupait d'aspects plus routiniers, définitifs et sensibles aux méthodes quantitatives (p. 5).

En réponse à des échecs manifestes de la théorie et de la recherche administratives, certains auteurs, tels que Immegart et Boyd (1979), Erickson (1977 ; 1979) et Wirt (1979), pressaient le domaine de l'administration de l'éducation à mettre l'accent sur les études politiques (*policy studies*) et, selon Greenfield (1993), à tenir compte des questions pratiques (p. 46). Wirt déclarait que les études politiques constituaient « une poussée majeure pour la recherche et la formation en administration de l'éducation au cours de la prochaine décade »

(p. 148). Par contre, dès 1979, Greenfield exprimait des doutes sur cette nouvelle approche de l'administration de l'éducation. Sa principale crainte était que cette dernière ne soit pas plus efficace que les approches précédentes.

Des conceptions à la mode (1981-2000)

En juin 1980, la chaîne de télévision américaine NBC présentait une émission, intitulée *If Japan Can, Why Can't We?*, qui décrivait le travail accompli par Deming au Japon (Barnabé, 1995, p. 23). Ce que l'on a appelé faussement la qualité totale, car il faut plutôt parler de gestion totale de la qualité, était né. La gestion proposait la satisfaction du client et, pour y arriver, l'amélioration continue des processus de fonctionnement (Deming, 1986). Cette nouvelle philosophie de l'administration a connu une assez large application dans de nombreuses commissions scolaires américaines, comme le rapportait Barnabé (1997). Richardson, Flanigan et Lane (1993) en ont d'ailleurs présenté une application pour l'administration de l'éducation alors que Hoy et Miskel (1996) se contentaient d'en présenter seulement les principes.

Cette période a également vu apparaître des publications qui proposaient de nouvelles notions que l'administration de l'éducation a empruntées sans questionnement. Il y eut tout d'abord le concept d'excellence introduit par Peters et Waterman (1982). Les auteurs présentaient neuf principes suivis par les compagnies les mieux administrées. Cette publication a donné lieu à un important mouvement sur l'excellence en éducation résumé par Spady et Marx (1984) et promu comme approche de la gestion de l'éducation par des auteurs tels que Lewis (1986) et Éthier (1989).

La seconde notion empruntée à l'administration générale est celle de la culture organisationnelle introduite par Pettigrew (1979) et popularisée par les ouvrages de Deal et Kennedy (1982), de Kilman, Sexton et Serpa (1985) et de Schein (1985). L'idée était assez populaire pour que 19 % du programme de 1986 de la division A (administration de l'éducation) de l'American Educational Research Association porte sur la culture organisationnelle. La notion de culture amenait à concevoir l'administration de l'éducation comme un processus qui consistait à créer une culture et à la gérer (Deal et Peterson, 1990).

En 1981, on a vu apparaître une nouvelle conception de l'administration de l'éducation : le gestionnaire était le leader pédagogique de l'école. Cette conception reposait sur le postulat que les écoles ne peuvent être gérées comme des usines ou des manufactures et que l'aspect pédagogique doit primer sur l'aspect administratif. En d'autres mots, les écoles seraient plus efficaces si le directeur d'école accordait plus d'importance au rendement des élèves et fournissait un soutien pédagogique aux enseignants (Achilles, 1987). Par ailleurs, Greenfield (1988, p. 208) accusait cette conception de décrire trop étroitement le travail du directeur d'école.

En 1983, l'American Association of School Administrators (AASA, 1983) faisait connaître sa conception de l'administration de l'éducation en publiant ses lignes directrices sur la formation des gestionnaires scolaires. Elle proposait «un curriculum pour les cours préparant l'administrateur» (p. v). Les lignes directrices comprenaient trois parties : les buts à atteindre grâce au leadership, les compétences et les habiletés nécessaires à l'atteinte des buts et les éléments d'exécution du programme de formation. Hoyle, qui a écrit ces lignes directrices, les a présentées d'abord sous forme d'article (Hoyle, 1985) avant de publier un ouvrage plus élaboré (Hoyle *et al.*, 1985). Cooper et Boyd (1988, p. 265) ont exprimé de sévères critiques à l'égard de cet ouvrage. D'abord, pour eux, la publication contenait de vieilles idées et la liste d'habiletés était irréaliste. Ensuite, ils affirmaient que la conception reposait clairement sur un mode rationnel, scientifique et féru de contrôle. Enfin, ils mentionnaient que la conception était trop idéaliste.

Pendant ce temps, les réflexions personnelles de Blumberg (1984) le conduisaient à concevoir l'administration de l'éducation comme un métier plutôt que comme une science ou un art. Ses réflexions lui étaient venues à la suite d'une étude de huit directeurs d'école (Blumberg et Greenfield, 1980). Pour Blumberg, l'idée que l'administration de l'éducation puisse être une science ou un art ne tenait pas à l'analyse. Sans nécessairement le savoir, il annonçait le retour au mouvement fondé sur les habiletés nécessaires à l'efficacité du gestionnaire.

Achilles (1985 et 1988) a également offert sa conception de l'administration de l'éducation. Pour lui, cette dernière était à la fois un art, une science et un métier (1988, p. 51). En tant qu'art, elle devait répondre aux «pourquoi» en faisant appel aux humanités, à la théorie conceptuelle et aux idées relatives à la recherche. Elle était une science en ce qu'elle devait répondre aux «quoi» grâce aux sciences du comportement, à l'aspect technique de la théorie et à la recherche scientifique. Enfin, en répondant aux «comment», elle devenait un métier reposant sur la tradition, la pratique et la recherche par essai et erreur.

Griffiths, Hart et Blair (1991) discutaient de la théorie du chaos comme nouvelle conception possible de l'administration de l'éducation. Le terme *chaos* s'appliquait à l'exploration des exemples qui émergent d'évènements apparemment en désordre dans un système physique ou social (p. 432). Selon les auteurs, il existait deux volets à la théorie du chaos. Dans le premier, le chaos était vu comme le précurseur et le partenaire de l'ordre plutôt que l'opposé. Le second volet accentuait l'ordre caché qui existait dans des systèmes chaotiques. De plus, les systèmes chaotiques avaient cinq caractéristiques : la non-linéarité, des formes complexes, des symétries récurrentes, une sensibilité à des conditions initiales et des mécanismes de rétroaction (p. 433).

Appliquée à l'administration de l'éducation, la théorie du chaos pourrait aider un gestionnaire à comprendre certains phénomènes. Comprendre, par exemple, qu'un grand nombre d'aspects en administration ne peuvent être décrits, expliqués ou prédits par les théories connues. La théorie du chaos pourrait expliquer pourquoi les gestionnaires sont vexés lorsque des évènements mineurs et inoffensifs sont oubliés et reviennent tout à coup à la surface sous l'aspect de problèmes majeurs. Ces évènements représentent une forme de désordre qui apparaît régulièrement.

Cziko (1992) a été celui qui a le plus argumenté en faveur de l'application de la théorie du chaos dans les sciences sociales et en éducation. Il l'a surtout démontré en discutant la pauvreté de la recherche en éducation. Hunter (1996), quant à lui, a tenté de faire la démonstration que la théorie du chaos pouvait être utile en administration de l'éducation. À la suite d'une recension des écrits, il en arrivait à la conclusion que la théorie du chaos serait « utilisable plutôt comme une astuce imaginative pour améliorer des modèles de planification stratégique que comme un système pratique qui pourrait éclairer l'administration scolaire » (p. 9).

Blumberg revenait à la charge en 1994, tentant cette fois de convaincre le lecteur, dans un texte plus élaboré que son article de 1984, que l'administration de l'éducation était vraiment un métier. Le fond de son argumentation reposait sur le fait que les praticiens n'avaient que faire du travail « scientifique » accompli par le milieu universitaire. Selon lui, seuls les professeurs de ce champ d'études étaient les consommateurs de la production professorale (p. 58).

AU CANADA ANGLAIS

Les rares conceptions (1950-2000)

Il ne faut pas s'attendre à trouver au Canada de nombreuses conceptions de l'administration de l'éducation. En premier lieu, au moment où naissait ce champ d'études au Canada, les États-Unis avaient déjà une cinquantaine d'années d'expérience dans le domaine. En second lieu, les premiers professeurs ayant été formés au-delà du 49ᵉ parallèle ont tout simplement eu tendance à transporter ici ce qui se faisait là-bas. Comme l'affirmait Hickcox (1978 et 1981, p. 1), l'administration de l'éducation comme champ d'études est inextricablement liée aux cadres théoriques développés aux États-Unis. Seuls les problèmes discutés avaient une saveur canadienne. Greenfield (1981, p. 15) soulignait également qu'au Canada, on avait accepté sans questionnement les théories des organisations développées aux États-Unis.

Dès la création de la division d'administration de l'éducation à l'Université de l'Alberta en 1956, on y trouvait un début de conception de ce champ d'études. Au cours de l'année de planification de la division, il fut décidé que l'on préparerait des généralistes capables d'assumer une variété de responsabilités et de postes (Reeves, 1959; Swift, 1970, p. 44). Le personnel enseignant de la division était convaincu qu'il existait des principes, des concepts et des procédures suffisamment généraux qui possédaient un large degré d'application universelle (p. 45). En outre, ce champ d'études devait être interdisciplinaire.

Downey (1961) présentait sa conception du champ d'études en termes des quatre catégories d'habiletés suivantes que devait posséder un gestionnaire:

> ➤ des habiletés techniques-managériales;
> ➤ des habiletés humaines-managériales;
> ➤ des habiletés techniques-éducationnelles;
> ➤ des habiletés créatives-spéculatives.

Reeves (1962, p. 4), quant à lui, affirmait que l'administration de l'éducation était autant une science qu'un art.

Il a fallu attendre jusqu'en 1989 pour trouver au Canada une certaine conception de l'administration de l'éducation. Il s'agit de la discussion par Allison du futur du champ d'études universitaires. Il proposait alors que l'on enseigne l'histoire et la philosophie de l'administration de l'éducation, que de plus grands efforts soient déployés afin d'envisager les écoles comme des phénomènes uniques, que la nature du pouvoir et de l'autorité soit revue et qu'une attention plus spécifique soit accordée à la réalité subjective de la vie organisationnelle.

AU QUÉBEC

Les premières conceptions (1950-1970)

Comme on l'a vu dans le chapitre précédent, avant 1960, la majorité des écoles étaient dirigées par des communautés religieuses (Baudoux, 1994; Deblois, 1992; Mellouki, 1991). On se souviendra qu'en 1958-1959, 71 % du personnel de direction était religieux (Baudoux, p. 35). Selon Poirier (1981), c'est à défaut d'un religieux qu'on nommait un laïc. Il est donc malheureusement impossible de trouver pour la période 1950-1960 des notions qui ressembleraient le moindrement à une conception de l'administration de l'éducation, si ce n'est le vœu d'obéissance et le dévouement des personnes religieuses.

Filteau (1954, p. 198), par exemple, citait uniquement le règlement du Comité catholique qui obligeait les commissaires d'école à désigner un des professeurs comme principal ou directeur d'école lorsqu'une école comportait deux classes ou plus. Tremblay (1955), de son côté, déplorait l'absence d'administrateurs scolaires qualifiés. Encore en 1962, l'Association provinciale des inspecteurs scolaires, en parlant de la direction d'école, utilisait l'expression «éducateurs-dirigeants» (Barnabé, 1966).

La réflexion nécessaire à l'élaboration d'une conception de l'administration de l'éducation requérait que les premiers professeurs de ce champ d'études aient complété des études supérieures, ce qui n'était pas le cas avant le milieu des années 1960, et aient acquis une certaine expérience de recherche et d'enseignement dans ce champ d'études, ce qui nous mène aux débuts des années 1970. D'ailleurs, Deblois (1992, p. 361) situait la première phase de conception québécoise du champ d'études en 1965.

Au Québec, la conception de l'administration de l'éducation passe généralement par l'idée que l'on se fait de la direction d'école, du principal ou du directeur d'école lui-même. Le rapport Parent (1964-1966), décrivant l'administration du système scolaire, mettait alors l'accent sur la conception pédagogique du principal d'école tout en soulignant ses obligations administratives telles que la planification de l'année scolaire et l'entretien des édifices (p. 29). Le ministère de l'Éducation (1969) a renforcé cette notion en désignant le principal d'école comme un administrateur-pédagogue (p. 2).

La Fédération provinciale des principaux d'écoles (FPPE) semblait accepter cette conception. En effet, Boucher (1965) écrivait que le rôle du personnel de direction consistait avant tout à diriger, guider, former le personnel et ses élèves et à s'occuper par la suite des questions administratives. Le ministère de l'Éducation a encore contribué à encourager l'aspect administratif de l'administration de l'éducation. Par exemple, le document 21 (1968) du ministère, concernant les structures fonctionnelles, laissait sous-entendre que l'aspect administratif devait primer sur l'aspect pédagogique.

Les conceptions formelles (1971-2000)

La politique administrative et salariale (1971) notait que le directeur d'école avait la responsabilité de la gestion, au point de vue tant administratif que pédagogique, de l'ensemble des programmes et des ressources d'une école (p. 69). En 1972, un ancien sous-ministre de l'Éducation confirmait cette conception en déclarant : « la fonction du principal est composée essentiellement d'administration... Cette gestion se fait dans un cadre bien défini : l'école. Vous avez à administrer des activités pédagogiques et non à en faire, car ce sont les enseignants qui en sont chargés » (Robert, 1976).

À la suite des études de Ayotte (1972) et de Ayotte et Pelletier (1972), le ministère de l'Éducation favorisait la conception d'un spécialiste de l'administration. Cette conception de l'administration de l'éducation est présente dans le document n° 21 qui indiquait que le principal de l'école est un administrateur pédagogique plutôt qu'un pédagogue administrateur. De plus, comme le soulignaient Brunet *et al.* (1985), les programmes de formation et de perfectionnement qui avaient alors cours concevaient également le directeur d'école comme un administrateur au sens large et même comme un administrateur responsable d'une organisation au même titre que l'administrateur des autres types d'organisations (p. 23).

Selon Deblois (1992), de 1976 à 1985, l'administration de l'éducation représentée surtout par le directeur d'école était conçue comme une gérance (p. 361). Ce fut une période de restructuration et de réformes scolaires avec la loi 27 (1971), la publication de différents rapports (COMMEL, 1974 et POLY, 1974), le lancement en 1977 par le ministère de l'Éducation d'une vaste consultation sur l'enseignement primaire et secondaire, consultation qui a servi à la rédaction du Livre Vert (1977) et du Livre Orange (1979), la loi 71 (1979), la publication d'un Livre Blanc (1982) suivi de la loi 3 (1983). Toutes ces propositions de chambardement ont eu lieu sur une période de 12 ans.

Avec tout cela, il n'est pas surprenant que la conception de l'administration de l'éducation n'ait pas changé. Le groupe COMMEL (1974) affirmait que « le principal est un pédagogue quasi absent de la pédagogie et un administrateur débordé par le quotidien » (p. III). Le groupe POLY (1974) remarquait que les membres de la direction des écoles passaient beaucoup de temps à des tâches d'intendance. Les livres Vert (1977) et Orange (1979) passaient presque sous silence la conception de l'administration de l'éducation. Bref, « vers la fin de l'année 1979, on semble considérer que la direction de l'école comporte la gestion des divers types de ressources, l'administration et le leadership pédagogiques et la gestion des relations avec les parents » (Brunet *et al.*, 1985, p. 28).

Brassard (1974) rapportait les trois conceptions de l'administration de l'éducation qui prévalaient alors aux États-Unis tout autant qu'au Québec. La première la concevait comme la fonction qui servait à contrôler l'organisation en vue d'atteindre les objectifs définis et poursuivis. Le second modèle politique aidait à concevoir cette discipline comme constituant un réseau de forces plus ou moins intenses qu'il s'agit de contrôler sans égard à des orientations précises et cohérentes. Enfin, la dernière conception était représentée par la question de l'efficacité des systèmes scolaires (p. 14).

Deblois (1979) débattait des modèles appliqués à l'administration de l'éducation sous l'angle des paradigmes. Après une longue application dans ce champ d'études du paradigme positiviste et des modèles conceptuels mécaniste et organique, il était temps, selon lui, de passer à une autre conception de l'administration de l'éducation. Il proposait donc un paradigme alternatif qui devait davantage reposer sur de nouvelles croyances concernant la nature du monde social et de l'être humain. Ces croyances amèneraient des idées de libération, d'émancipation et de négociation de l'ordre social en mettant l'accent sur la variabilité culturelle, le changement social et la divergence (p. 5).

Deblois et Moisset (1981), à l'occasion d'une discussion sur la spécificité de l'administration de l'éducation, ont été amené à proposer une conception de ce champ d'études. Ils affirmaient, en premier lieu, qu'il était pertinent de penser que cette forme d'administration avait une spécificité et qu'elle devait avoir un mode de fonctionnement qui lui soit propre. Ils ajoutaient, en second lieu, que dans le domaine de l'éducation, l'acte ou le processus administratif doit faire partie intégrante du processus éducatif (p. 17). Plus tard, ils relevaient le fait que la littérature mettait en relief deux types d'administrateurs : un leader ou un manager (Deblois et Moisset, 1983, p. 11).

Au cours de la période 1986-1991, on a vécu au Québec comme ailleurs d'intensives critiques à l'égard de l'école publique (Deblois, 1979, p. 363). Le directeur d'école était souvent blâmé pour l'apparent échec de l'école. Les États Généraux tenus en 1986 furent une belle occasion pour faire connaître toutes les frustrations envers le système. Il n'en fallait pas beaucoup plus pour concevoir l'administration de l'éducation comme à la fois pédagogique et administrative. C'est peut-être cette situation qui a alors déclenché la publication de certaines conceptions de ce champ d'études de la part de certains universitaires.

Brassard (1987a) concevait l'administration de l'éducation comme une pratique sociale (p. 12) alors que Girard (1987) la concevait à la fois comme une science des connaissances et un art qui concerne l'action (p. 7). Ambroise (1987), pour sa part, concevait l'administrateur comme un agent de changement (p. 213). Brassard (1987b) affirmait également que « l'administration de l'éducation, comme champ d'études, se doit de propager la culture administrative prévalant et de développer une science de l'administration congruente, en quelque sorte, avec cette culture » (p. 148).

Deblois (1988) a recensé les principales composantes théoriques de l'administration de l'éducation en utilisant le concept de paradigme. Devant les nombreuses critiques qui avaient été exprimées précédemment à l'égard de ce champ d'études, l'auteur spéculait sur un changement possible de paradigme. Advenant un tel changement, il prédisait que le vocabulaire conceptuel s'enrichirait de concepts nouveaux mieux appropriés pour décrire la réalité nouvellement perçue (p. 210).

La Loi 107 sanctionnée en décembre 1988 a confirmé la conception pédagogique et administrative de l'administration de l'éducation, surtout en ce qui concerne le directeur d'école (article 44, p. 18). En effet, cet article 44 de ladite loi affirmait que ce dernier devait assurer la direction pédagogique et administrative de l'école et voir à l'application des dispositions qui la régissent. Selon Deblois (1992), il n'est pas indéniable que, par cet article, le gouvernement privilégiait l'aspect pédagogique en premier lieu et ensuite l'aspect administratif (p. 363).

La loi 180, sanctionnée en décembre 1997, a maintenu la conception pédagogique et administrative de l'administration de l'éducation (article 96.12, p. 19). La loi accordait à un conseil d'établissement créé dans chaque école des fonctions et des pouvoirs normalement dévolus à la commission scolaire. Le directeur de l'école se devait d'assurer l'application des décisions de son conseil d'établissement et des autres dispositions qui régissaient l'école.

Bouchard et Fortin (1997) ont présenté une conception de l'administration de l'éducation. Ils définissaient leur gestion intégrée à travers certaines caractéristiques opérationnelles qui leur apparaissaient fondamentales (p. 393). Parmi ces caractéristiques, ils retenaient la dynamique des acteurs de l'organisation, leurs intérêts divergents, le fait qu'une organisation était un construit social, la réconciliation et l'intégration des forces rationnelles et intuitives, cognitives et affectives des acteurs. Pour les auteurs, il s'agissait d'un modèle conceptuel visant à faciliter l'analyse de la pratique (p. 402).

Dans son avis au ministre de l'Éducation, le Conseil supérieur de l'éducation conclut que les amendements apportés à la loi et le régime pédagogique annoncé rendent la responsabilité pédagogique du directeur d'établissement secondaire incontournable (CSE, 1999, p. 38). Malgré l'appréhension exprimée par les directeurs lors des entrevues quant à la priorité à donner à leur rôle pédagogique, le Conseil renforce à nouveau la conception de l'administration de l'éducation en termes de leadership pédagogique lorsqu'il conclue que « les réformes actuelles exigeront que la direction exerce un leadership pédagogique de premier plan » (p. 59).

Résumé

Ce chapitre sur les conceptions de l'administration de l'éducation a fait le tour des façons importantes de concevoir ce champ d'études au cours de son évolution. Après avoir examiné les premières formes d'administration de l'éducation et les significations possibles de cette expression, nous avons décrit brièvement l'influence de la direction scientifique des entreprises élaborée par Taylor au début du siècle et la manière dont elle s'est répandue grâce aux premiers professeurs tels que Cubberley, Spaulding et Strayer.

Par rapport aux critiques de Dewey reprises dans l'annuaire de 1946 de la National Society for the Study of Education, les relations humaines ont remplacé graduellement la direction scientifique des entreprises et l'approche de l'efficience qu'elle proposait. Puis, dans les années 1950, on eut droit à de plus en plus de conceptions de l'administration de l'éducation, telles que celles de Getzels et de Katz. Les années 1960 ont connu d'autres conceptions, entre autres celle de la bureaucratie, des relations avec le milieu, des compétences, de l'approche systémique et de la prise de décision. Les conceptions depuis les années 1980 ont suggéré de mettre l'accent sur les habiletés et sur le gestionnaire comme leader pédagogique.

C'est au Québec, plutôt que dans le reste du Canada, que l'on a trouvé le plus grand nombre d'essais de conceptions de l'administration de l'éducation. En général, ces conceptions ont souvent reposé sur l'idée que l'on se faisait du rôle du directeur d'école. C'est ce qui explique que ce sont des regroupements de directeurs d'école qui, dans les années 1960, ont présenté les premières idées concernant ce rôle, avant que des professeurs fraîchement diplômés s'aventurent à proposer des façons de concevoir l'administration de l'éducation.

On a souvent alterné les conceptions de la direction d'école, le directeur devant être tantôt exclusivement pédagogue tantôt administrateur-pédagogue et même administrateur tout court. D'autres conceptions plus élaborées ont été proposées. L'une avançait que l'administration de l'éducation devait reposer sur les croyances concernant la nature du monde social et de l'être humain, une autre affirmait qu'elle était une pratique sociale tandis qu'une troisième la concevait comme ayant des caractéristiques opérationnelles.

Jusqu'ici, le lecteur a pu constater le chemin parcouru par l'administration de l'éducation depuis ses débuts et connaître l'idée que l'on s'est faite de ce champ d'études au cours de la même période. Le chapitre suivant décrira également des conceptions, mais cette fois des conceptions de la formation et du perfectionnement des gestionnaires scolaires. Il sera donc question, en particulier, des principales connaissances que les futurs praticiens devaient acquérir au cours de leurs études soit pour obtenir un diplôme en administration de l'éducation, soit pour se tenir à jour dans l'exercice de leur profession.

Références

ACHILLES, C.M. (1985). *Building Principal Preparation Programs on Theory: Practice and Research*, communication présentée au Annual Meeting of the National Conference of Professors in Educational Administration, Starkville.

ACHILLES, C.M. (1987). «A Vision of Better Schools», dans W.D. Greenfield (dir.), *Instructional Leadership. Concepts, Issues, and Controversies*, Boston, Allyn and Bacon, p. 17-37.

ACHILLES, C.M. (1988). «Unlocking Some Mysteries of Administration and Administrator Preparation: A Reflective Prospect», dans D.E. Griffiths, R.T. Stout et P.B. Forsyth (dir.), *Leaders for America's Schools. The Report and Papers of the Commission on Excellence in Educational Administration*, Berkeley, McCutchan Publishing Corporation, p. 41-67.

ALLISON, D.J. (1989). *Toward the Fifth Age: The Continuing Evolution of Academic Educational Administration*, communication présentée au Annual Meeting of the American Educational Research Association, San Francisco.

AMBROISE, A. (1987). «L'administrateur scolaire: un agent de changement», dans C. Barnabé et H.C. Girard (dir.), *Administration scolaire. Théorie et pratique*, Chicoutimi, Gaëtan Morin Éditeur, p. 213-237.

AMERICAN ASSOCIATION OF SCHOOL ADMINISTRATORS (1983). *Guidelines for the Preparation of School Administrators*, Arlington, The Association.

ANDERSON, J.G. (1968). *Bureaucracy in Education*, Baltimore, John Hopkins University Press.

ARGYRIS, C. (1957). *Personality and Organization*, New York, Harper and Row Publishers.

AYOTTE, R. (1972). *Les cadres des commissions scolaires. Leur profil socioprofessionnel, tome I, les cadres des commissions scolaires. Leurs modes de fonctionnement psychologique en situation administrative, tome II*, Québec, Ministère de l'Éducation.

AYOTTE, R. et R. PELLETIER (1972). *Les cadres des commissions scolaires. Leurs opinions sur le perfectionnement, tome III*, Québec, Ministère de l'Éducation.

BARNABÉ, C. (1966). *Le statut du directeur général des écoles*, Thèse de licence en pédagogie, Montréal, Université de Montréal.

BARNABÉ, C. (1987). «L'importance des valeurs dans la gestion des ressources humaines», dans C. Barnabé et H.C. Girard (dir), *Administration scolaire. Théorie et pratique*, Chicoutimi, Gaëtan Morin Éditeur, p. 310-318.

BARNABÉ, C. (1995). *Introduction à la qualité totale en éducation*, Cap-Rouge, Presses Inter Universitaires.

BARNABÉ, C. (1997). *La gestion totale de la qualité en éducation*, Montréal, Les Éditions Logiques.

BARNARD, C.I. (1938). *The Functions of the Executive*, Cambridge, Harvard University Press.

BARR, A.S. et W.A. BURTON (1926). *The Supervision of Instruction*, New York, Appleton-Century.

BAUDOUX, C. (1994). *La gestion en éducation. Une affaire d'hommes ou de femmes?*, Cap-Rouge, Presses Inter Universitaires.

BERTALANFFY, L. VON (1950). «The Theory of Open Systems in Physics and Biology», *Science*, vol. 3, p. 23-29.

BERTALANFFY, L. VON (1968). *General Systems Theory. Foundations, Development, Applications*, New York, George Braziller.

BIDWELL, C.E. (1965). « The School as a Formal Organization », dans J.G. March (dir.), *Handbook of Organizations*, Chicago, Rand McNally, p. 972-1022.

BLAKE, R.R. et J.S. MOUTON (1964). *The Managerial Grid*, Houston, Gulf Publishing Co.

BLUMBERG, A. et W.D. GREENFIELD (1980). *The Effective Principal*, Boston, Allyn and Bacon.

BLUMBERG, A. (1984). « The Craft of School Administration and Some Other Rambling Thoughts », *Educational Administration Quarterly*, vol. 20, n° 4, p. 24-40.

BLUMBERG, A. (1994). « Administering the Schools. Practicing a Craft », dans N.A. Prestine et P.W. Thurston (dir.), *Advances in Educational Administration. New Directions in Educational Administration: Policy, Preparation, and Practice*, Greenwich, JAI Press, p. 53-75.

BOBBITT, F.J. (1912). « The Elimination of Waste in Education », *Elementary School Teacher*, vol. 12, n° 6, p. 259-271.

BOBBITT, F.J., J.W. HALLET et J.D. WOLCOTT (1913). *The Supervision of City Schools. Some General Principles of Management Applied to the Problems of City School Systems*, The Twelfth Yearbook of the National Society for the Study of Education, 1re partie, Bloominton, University of Indiana.

BOUCHARD, M. et R. FORTIN (1997). « Vers un modèle de gestion intégrée », dans J.J. Moisset et J.P. Brunet (dir.), *Culture et transformation des organisations en éducation*, Montréal, Les Éditions Logiques, p. 385-404.

BOUCHER, R. (1965). « Le milieu scolaire », *Information*. vol. 3, n° 9, p. 17.

BOYAN, N.J. (1981). « Follow the Leaders: Commentary on Research in Educational Administration », *Educational Researcher*, vol. 10, n° 2, p. 6-13, 21.

BRASSARD, A. (1974). « Situation de l'administration de l'éducation dans les pays francophones », dans A. Brassard et A. Girard (dir.), *L'administration de l'éducation en pays francophones*, Montréal, Revue des sciences de l'éducation, p. 13-16.

BRASSARD, A. (1987a). « La problématique des relations entre l'administration de l'éducation et l'administration générale », dans A. Brassard (dir.), *Le développement des champs d'application de l'administration: le cas de l'administration de l'éducation*, Montréal, Les publications de la Faculté des sciences de l'éducation, Université de Montréal, p. 7-20.

BRASSARD, A. (1987b). « L'enjeu: le développement de l'administration de l'éducation », dans A. Brassard (dir.), *Le développement des champs d'application de l'administration: le cas de l'administration de l'éducation*, Montréal, Les publications de la Faculté des sciences de l'éducation, Université de Montréal, p. 141-154.

BRASSARD, A. (1996). *Conception des organisations et de la gestion*, Montréal, Éditions Nouvelles.

BRUNET, L. *et al.* (1985). *Le rôle du directeur d'école au Québec*, 1re partie, Montréal, Faculté des sciences de l'éducation, Université de Montréal.

BUTTON, H.W. (1966). « Doctrines of Administration. A Brief History », *Educational Administration Quarterly*, vol. 2, n° 3, p. 216-224.

CALLAHAN, R.E. (1962). *Education and The Cult of Efficiency. A Study of the Social Forces that have Shaped the Administration of the Public Schools*, Chicago, The University of Chicago Press.

CALLAHAN, R.E. et H.W. BUTTON (1964). «Historical Change of the Role of the Man in the Organization: 1865-1950», dans D.E. Griffiths (dir.), *Behavioral Science and Educational Administration*, The Sixty-Third Yearbook of the National Society for the Study of Education, 2ᵉ partie, Chicago, The University of Chicago Press, p. 73-92.

CAMPBELL, R.F. et R.T. GREGG (dir.) (1957). *Administrative Behavior in Education*, New York, Harper and Row, Publishers.

CAMPBELL, R.F., J.E. CORBALLY JR. et J.A. RAMSEYER (1958). *Introduction to Educational Administration*, Boston, Allyn and Bacon.

CAMPBELL, R.F. et J.A. LIPHAM (1960). *Administrative Theory As A Guide for Action*, Danville, Interstate Printers and Publishers, Inc.

CAMPBELL, R.F. *et al.* (1987). *A History of Thought and Practice in Educational Administration*, New York, Teachers College Press, Columbia University.

CENTER FOR THE ADVANCED STUDY OF EDUCATIONAL ADMINISTRATION (1965). *Perspectives on Educational Administration and the Behavioral Sciences*, Eugene, CASEA, University of Oregon.

CHANCELLOR, W.E. (1904). *Our Schools: Their Administration and Supervision*, New York, D.C. Heath and Company.

CHERNS, A.B. et L.E. DAVIS (dir.) (1975). *The Quality of Working Life*, New York, The Free Press.

COHEN, S. *et al.* (1972). «A Garbage Can Model of Organizational Choice», *Administrative Science Quarterly*, vol. 17, p. 1-25.

COLADARCI, A.P. et J.W. GETZELS (1955). *The Use of Theory in Educational Administration*, Stanford, Stanford University Press.

COMMEL (1974). *Rapport du groupe COMMEL*, Québec, Service général des personnels des organismes d'enseignement, Ministère de l'Éducation.

CONSEIL SUPÉRIEUR DE L'ÉDUCATION (1999). *Diriger une école secondaire: un nouveau contexte, de nouveaux défis*, Québec, Le Conseil supérieur de l'éducation.

COOPER, B.S. et W.L. BOYD (1988). «The Evolution of Training for School Administrators», dans D.E. Griffiths, R.T. Stout et P.B. Forsyth (dir.), *Leaders for America's Schools. The Report and Papers of the National Commission on Excellence in Rducational Administration*, Berkeley, McCutchan Publishing Corporation, p. 251-272.

COOPERATIVE DEVELOPMENT OF PUBLIC SCHOOL ADMINISTRATION (1953). *A Developing Concept of the Superintendency of Education. Resource Manual 1*, Albany, CDPSA Administration Center.

CUBBERLEY, E.P. (1916). *Public School Administration*, Boston, Houghton Mifflin Co.

CULBERTSON, J.A. (1964). «The Preparation of Administrators», dans D.E. Griffiths (dir.), *Behavioral Science and Educational Administration*, The Sixty-Third Yearbook of the National Society for the Study of Education, Chicago, The University of Chicago Press, p. 303-330.

CULBERTSON, J.A. (1965). «Trends and Issues in the Development of A Science of Administration», dans *Perspectives on Educational and the Behavioral Sciences*, Eugene, Center for the Advanced Study of Educational Administration, University of Oregon, p. 3-22.

CULBERTSON, J.A. (1986). «Administrative Thought and Research in Retrospect», dans G.S. Johnston et C.C. Yeakey (dir.), *Research and Thought in Administrative Theory Developments in the Field of Educational Administration*, Lanham, University Press of America, p. 3-23.

CULBERTSON, J.A. (1988). «A Century's Quest for A Knowledge Base», dans N.J. Boyan (dir.), *Handbook of Research on Educational Administration*, New York, Longman, p. 3-26.

CUNNINGHAM, L.L., W.G. HACK et R.O. NYSTRAND (1977). *Educational Administration. The Developing Decades*, Berkeley, McCutchan Publishing Corporation.

CZIKO, G. (1992). «Purposeful Behavior as the Control of Perception: Implications for Educational Research», *Educational Researcher*, vol. 21, n° 19, p. 10-17.

DEAL, T.E. et A.A. KENNEDY (1982). *Corporate Cultures*, Reading, Addison-Wesley.

DEAL, T.E. et K.D. PETERSON (1990). *The Principal's Role in Shaping School Culture*, Washington, Office of Educational Research and Improvement, U.S. Department of Education.

DEBLOIS, C. (1979). «Challenge to Administrative Theory», *The Canadian Administrator*, vol. 18, n° 8, p. 1-6.

DEBLOIS, C. et J.J. MOISSET (1981). *Administration de l'éducation. À la recherche d'une spécificité*, communication présentée à l'occasion d'un congrès de l'ACFAS, Sherbrooke.

DEBLOIS, C. et J.J. MOISSET (1983). «La préparation des administrateurs scolaires dans le Québec des années 1980», *Revue de l'Association canadienne d'éducation de langue française*, vol. 12, n° 1, p. 8-16.

DEBLOIS, C. (1988). *L'administration scolaire et le défi paradigmatique*, Québec, Les cahiers du LABRAPS, vol. 4, Faculté des sciences de l'éducation, Université Laval.

DEBLOIS, C. (1992). «School Administrator Preparation Programs in Quebec During A Reform Era», dans E. Miklos et E. Ratsoy (dir.), *Educational Leadership. Challenge and Change*, Edmonton, Department of Educational Administration, p. 355-368.

DEMING, W.E. (1986). *Out of the Crisis*, Cambridge, Massachusetts Institute of Technology, Center for Advanced Engineering Study.

DEWEY, J. (1916). *Democracy and Education*, New York, Macmillan and The Free Press.

DOWNEY, L.W. (1961). «The Skills of an Effective Principal», *The Canadian Administrator*, vol. 1, n° 3, p. 1-4.

DUTTON, S.T. et D. SNEDDEN (1908). *The Administration of Public Education in the United States*, New York, The MacMillan Company.

ELIOT, T.H. (1959). «Toward An Understanding of Public School Politics», *American Political Science Review*, vol. 53, p. 1032-1051.

ERICKSON, D.A. (1977). «An Overdue Paradigm Shift in Educational Administration. Or, How Can We Get that Idiot off the Freeway?», dans L.L. Cunningham, W.G. Hack et R.O. Nystrand (dir.), *Educational Administration. The Developing Decades*, Berkeley, McCutchan Publishing Corporation, p. 119-143.

ERICKSON, D.A. (1979). «Research on Educational Administration: The State-of-the-Art», *Educational Researcher*, vol. 8, n° 3, p. 9-14.

ÉTHIER, G. (1989). *La gestion de l'excellence en éducation*, Sainte-Foy, Presses de l'Université du Québec.

FAYOL, H. (1916). *Administration industrielle et générale*, Paris, Dunod.

FIEDLER, E.E. (1967). *A Theory of Leadership Effectiveness*, New York, McGraw-Hill Book Company.

FILTEAU, G. (1954). *Organisation scolaire de la Province de Québec*, Montréal, Centre de psychologie et de pédagogie.

GEORGE, C.S. JR. (1968). *The History of Management Thought*, Englewood Cliffs, Prentice-Hall.

GETZELS, J.W. (1952). «A Psycho-Sociological Framework for the Study of Educational Administration», *Harvard Educational Review*, vol. 22, n° 4, p. 235-246.

GETZELS, J.W., J.M. LIPHAM et R.F. CAMPBELL (1968). *Educational Administration as a Social Process. Theory, Research, Practice*, New York, Harper and Row, Publishers.

GETZELS, J.W. (1977). «Educational Administration Twenty Years Later, 1954-1974», dans L.L. Cunningham, W.G. Hack et R.O. Nystrand (dir.), *Educational Administration. The Developing Decades*, Berkeley, McCutchan Publishing Corporation, p. 3-24.

GIBSON, R.O. (1979). «An Approach to Paradigm Shift in Educational Administration», dans G.L. Immegart et W.L. Boyd (dir.), *Problem-Finding in Educational Administration*, Lexington, Lexington Books, p. 23-37.

GILBRETH, L.M. (1914). *The Psychology of Management*, New York, Sturgis and Walton Co.

GIRARD, H.C. (1987). «L'administration scolaire: champ d'étude ou science», dans C. Barnabé et H.C. Girard (dir.), *Administration scolaire. Théorie et pratique*, Chicoutimi, Gaëtan Morin Éditeur, p. 3-12.

GRAHAM, P. (dir.) (1996). *Mary Parker Follett. Prophet of Management*, Boston, Harvard Business School Press.

GREENFIELD, T.B. (1974). *Theory in the Study of Organizations and Administrative Structures: A New Perspective*, communication présentée au Third International Intervisitation Program on Educational Administration, Bristol, Angleterre.

GREENFIELD, T.B. (1979). *Research in Educational Administration in the United States and Canada*, communication présentée à la British Educational Administration Society, University of Birmingham, Angleterre.

GREENFIELD, T.B. (1981). «Who's Asking the Question Depends on What Answer You Get», dans R.G. Townsend et S.B. Layton (dir.), *What's So Canadian About Canadian Educational Administration?*, Toronto, OISE Press, p. 13-27.

GREENFIELD, T.B. (1993). «Research in Educational Administration In United States and Canada», dans T.B. Greenfield et P. Ribbins (dir.), *Greenfield on Educational Administration. Towards A Human Science*, New York, Routledge, p. 26-52.

GREENFIELD, W.D. (1988). «Moral Imagination, Interpersonal Competence, and the Work of School Administrators», dans D.E. Griffiths, R.T. Stout et P.B. Forsyth (dir.), *Leaders for America's Schools. The Report and Papers of the National Commission on Excellence in Educational Administration*, Berkeley, McCutchan Publishing Corporation, p. 207-232.

GREGG, R.T. (1957). «The Administrative Process», dans R.F. Campbell et R.T. Gregg (dir.), *Administrative Behavior in Education*, New York, Harper and Row Publishers, p. 269-317.

GRIFFITHS, D.E. (1956). *Human Relations in School Administration*, New York, Appleton-Century-Crofts Inc.

GRIFFITHS, D.E. (1957). «Toward A Theory of Administrative Behavior», dans R.F. Campbell et R.T. Gregg (dir.), *Administrative Behavior in Education*, New York, Harper and Row Publishers, p. 354-390.

GRIFFITHS, D.E. (1959). *Administrative Theory*, New York, Appleton-Century-Crofts.

GRIFFITHS, D.E. (1963). «Use of Models in Research», dans J.A. Culbertson et S.P. Hencley (dir.), *Educational Research : New Perspectives*, Danville, The Interstate Printers and Publishers, p. 129-140.

GRIFFITHS, D.E. (1965). «Research and Theory in Educational Administration», dans *Perspectives on Educational Administration and the Behavioral Sciences*, Eugene, Center for the Advanced Study of Educational Administration, University of Oregon, p. 25-46.

GRIFFITHS, D.E. (1988). «The Professorship Revisited», dans D.E. Griffiths, R.T. Stout et P.B. Forsyth (dir.), *Leaders for America's Schools. The Report and Papers of the National Commission on Excellence in Educational Administration*, Berkeley, McCutchan Publishing Corporation, p. 273-283.

GRIFFITHS, D.E., A.W. HART et B.G. BLAIR (1991). «Still Another Approach to Administration : Chaos Theory», *Educational Administration Quarterly*, vol. 27, n° 3, p. 430-451.

GULICK, L. (1937). «Notes on the Theory of Organizations», dans L. Gulick et L. Urwick (dir.), *Papers on the Science of Administration*, New York, Institute of Public Administration, Columbia University, p. 1-45.

HALPIN, A.W. (1957). «A Paradigm for Research on Administrative Behavior», dans R.F. Campbell et R.T. Gregg (dir), *Administrative Behavior in Education*, New York, Harper and Row Publishers, p. 155-199.

HALPIN, A.W. (1958). *Administrative Theory in Education*, New York, The Macmillan Company.

HALPIN, A.W. et A.E. HAYES (1977). «The Broken Iron, or, What Happened to Theory», dans L.L. Cunningham, W.G. Hack et R.O. Nystrand (dir.), *Educational Administration. The Developing Decades*, Berkeley, McCutchan Publishing Corporation, p. 261- 297.

HEMPHILL, J.K., D.E. GRIFFITHS et N. FREDERICKSON (1962). *Administrative Performance and Personality*, New York, Teachers College Press, Columbia University.

HENRY, N.B. (dir.) (1946). *Changing Conception in Educational Administration*, The Forty-Fifth Yearbook of the National Society for the Study of Education, 2ᵉ partie, Chicago, The University of Chicago Press.

HERZBERG, F., B. MAUSNER et B.B. SNYDERMAN (1959). *The Motivation to Work*, New York, John Wiley and Sons.

HICKCOX, E.S. (1978). *O Say Can You See Our Home and Native Land*, communication présentée au Annual Meeting of the American Educationa Research Association, Toronto.

HICKCOX, E.S. (1981). «Introduction : O Say You See Our Home and Native Land», dans R.G. Townsend et S.B. Layton (dir.), *What's So Canadian About Canadian Educational Administration?*, Toronto, OISE Press, p. 1-7.

HODGKINSON, C. (1978). *Toward A Philosophy of Administration*, Oxford, Basic Blackwell.

HOY, W.K. et C.G. MISKEL (1991). *Educational Administration. Theory, Research, and Practice*, 4ᵉ éd., New York, Random House.

HOY, W.K. et C.G. MISKEL (1996). *Educational Administration. Theory, Research, and Practice*, 5ᵉ éd., New York, McGraw-Hill.

HOYLE, J.R. (1985). «Programs in Educational Administration and the AASA Guidelines», *Educational Administration Quarterly*, vol. 21, n° 1, p. 71-93.

HOYLE, J.R., F.W. ENGLISH et B. STEFFY (1985). *Skills for Successful School Leaders*, Arlington, American Association of School Administrators.

HUNTER, D. (1996). «Chaos Theory and Educational Administration: Imaginative Foil or Useful Framework?», *Journal of Educational Administration and Foundations*, vol. 11, n° 2, p. 9-34.

IMMEGART, G.L. et W.L. BOYD (1979). «Education's Turbulent Environment and Problem-Finding: Lines of Convergence», dans G.L. Immegart et W.L. Boyd (dir.), *Problem-Finding in Educational Administration: Trends in Research and Theory*, Lexington, Lexington Books, p. 275-289.

KATZ, R.L. (1955). «Skills of an Effective Administrator», *Harvard Business Review*, vol. 33, n° 1, p. 33-42.

KILMAN, R.H., M.J. SEXTON et R. SERPA (1985). *Gaining Control of the Corporate Culture*, San Francisco, Jossey-Bass.

LAWRENCE, P.R. et J.W. LORSCH (1967). *Organization and Environment*, Homewood, R.D. Irwin Inc.

LAYTON, D.H. et J.D. SCRIBNER (1989). *Teaching Educational Politics and Policy*, Tempe, The University Council for Educational Administration.

LEWIS, J. JR. (1986). *Achieving Excellence in Our Schools*, Westbury, J.L. Wilkerson Publishing Company.

LIKERT, R. (1961). *New Patterns of Management*, New York, McGraw-Hill.

LOI 71 (1979). *Loi sur la restructuration scolaire*, Québec, Éditeur officiel du Québec.

LOI 3 (1984). *Loi sur l'enseignement primaire et secondaire public*, Québec, Éditeur officiel du Québec.

LOI 107 (1988). *Loi sur l'instruction publique*, Québec, Éditeur officiel du Québec.

LOI 180 (1997). *Loi sur l'instruction publique et diverses dispositions législatives*, Québec, Éditeur officiel du Québec.

MARCH, J.G. (1974). «Analytical Skills and the University Training of Educational Administrators», *The Journal of Educational Administration*, vol. 12, n° 1, p. 17-44.

MCCARTHY, M.M. (1999). «The Evolution of Educational Leadership Preparation Programs», dans J. Murphy et K. Seashore Louis (dir.), *Handbook of Research on Educational Administration*, 2ᵉ éd., San Francisco, Jossey-Bass Publishers, p. 119-139.

MCGREGOR, D. (1960). *The Human Side of the Enterprise*, New York, McGraw-Hill.

MELLOUKI, M. (1991). *L'évolution des personnels de l'enseignement du Québec. Une étude sociohistorique*, Les cahiers de LABRAPS, vol. 3, Québec, Faculté des sciences de l'éducation, Université Laval.

METCALF, H.C. et L. URWICK (dir.) (1940). *Dynamic Administration. The Collected Papers of Mary Parker Follett*, New York, Harper and Row, Publishers.

MILES, R.E. (1965). «Human Relations or Human Resources?», *Harvard Business Review*, vol. 43, n° 4, p. 148-163.

MILLER, W. (1942). *Democracy in Educational Administration*, New York, Bureau of Publications, Teachers College Press, Columbia University.

MINISTÈRE DE L'ÉDUCATION (1968). *Les structures fonctionnelles*, Document 21, Québec, Direction générale de la planification et direction générale de l'enseignement élémentaire et secondaire, Gouvernement du Québec.

MINISTÈRE DE L'ÉDUCATION (1969). *Le plan de rémunération et certaines conditions générales de travail*, Document n° 83, Québec, Direction générale de la planification, Gouvernement du Québec.

MINISTÈRE DE L'ÉDUCATION (1971). *La politique administrative et salariale concernant le personnel de direction des écoles des commissions scolaires*, Québec, Gouvernement du Québec.

MINISTÈRE DE L'ÉDUCATION (1977). *L'enseignement primaire et secondaire au Québec*, Livre Vert, Québec, Gouvernement du Québec.

MINISTÈRE DE L'ÉDUCATION (1979). *L'école québécoise, énoncé de politique et plan d'action*, Livre Orange, Québec, Ministère de l'Éducation.

MINISTÈRE DE L'ÉDUCATION (1982). *L'école. Une école communautaire et responsable*, Livre Blanc, Québec, Gouvernement du Québec.

MOORE, H.A. JR. (1957). *Studies in School Administration*, Washington, American Association of School Administration.

MORPHET, P.R., R.L. JOHNS et T.L. RELLER (1959). *Educational Organization and Administration. Concepts, Practices, and Issues*, Englewood Cliffs, Prentice-Hall.

MORT, P.R. et D.H. ROSS (1957). *Principles of School Administration. A Synthesis of Basic Concepts*, New York, McGraw-Hill.

MUNSTERBERG, H. (1913). *Psychology and Industrial Efficiency*, Boston, Houghton-Mifflin.

NATIONAL CONFERENCE OF PROFESSORS OF EDUCATIONAL ADMINISTRATION (dir.) (1971). *Educational Futurism 1985. Challenges for Schools and Their Administrators*, Berkeley, McCutchan Publishing Corporation.

OHM, R.E. (1971). «The School Administrator in 1985», dans National Conference of Professors of Educational Administration (dir.), *Educational Futurism 1985. Challenges for Schools and their Administrators*, Berkeley, McCutchan Publishing Corporation, p. 93-108.

O'TOOLE, J. (1975). *Work and the Quality of Life*, Cambridge, The Massachussets Institute of Technology.

PAYNE, W.H. (1875). *Chapters on School Supervision*, New York, Wilson, Hinkle, and Co.

PETERS, T.J. et R.H. WATERMAN (1982). *In Search of Excellence*, New York, Harper and Row.

PETTIGREW, A.M. (1979). «On studying Organizational Cultures», *Administrative Science Quarterly*, vol. 24, p. 570-581.

POIRIER, C. (1981). «Au directeur de la revue Information», *Information*, vol. 20, n° 9, p. 3-9.

POLY (1974). *Rapport du groupe POLY*, Québec, Service général des personnels des organismes d'enseignement, Ministère de l'éducation.

RAPPORT PARENT (1964). *Rapport de la commission royale d'enquête sur l'enseignement*, Québec, Gouvernement du Québec.

RAUB, A.N. (1882). *School Management*, Lockhaven, E.L. Raub and Company.

REDDIN, W.J. (1970). *Managerial Effectiveness*, New York, McGraw-Hill.

REEVES, A.W. (1959). « A Graduate Program in School Administration », *Canadian Education*, vol. 14, n° 2, p. 26-35.

REEVES, A.W. (1962). « Trends in Canadian School Administration », *The Canadian Administrator*, vol. 2, n° 1, p. 1-4.

RICHARDSON, M.D., J.L. FLANIGAN et K.E. LANE (1993). « Dewey Versus Deming : A New Theory Debate in Educational Administration ? », dans J.R. Hoyle et D.M. Estes (dir.), *NCPEA : In A New Voice*, Lancaster, Technomic Publishing Co., p. 263-275.

ROBERT, G. (1976). « Le principal d'école vu par un sous-ministre », *Information*, vol. 16, n° 2, p. 14-15.

ROBERT, P. (1972). *Le petit Robert*, Paris, Dictionnaire Le Robert.

ROETHLISBERGER, F.J. et W.J. DICKSON (1939). *Management and the Worker*, Cambridge, Harvard University Press.

SCHEIN, E.H. (1985). *Organizational Culture and Leadership*, San Francisco, Jossey-Bass.

SEARS, J.B. (1950). *The Nature of the Administrative Process*, New York, McGraw-Hill.

SERGIOVANNI, T.J. *et al.* (dir.) (1987). *Educational Governance and Administration*, 2ᵉ éd., Englewood Cliffs, Prentice-Hall, Inc.

SHELDON, O. (1923). *The Philosophy of Management*, London, Sir Isaac Pitman and Sons.

SIMON, H.A. (1957). *Administrative Behavior. A Study of Decision-Making Processes in Administrative Organization*, 2ᵉ éd., New York, The Free Press.

SPADY, W.G. et G. MARX (1984). *Excellence in Our Schools : Making it Happen. Status Report*, Arlington, American Association of School Administrators.

SWIFT, W.H. (1970). *Educational Administration in Canada. A Memorial to A.W. Reeves*, Toronto, Macmillan of Canada.

TAYLOR, F.W. (1911). *The Principles of Scientific Management*, New York, Harper and Brothers.

TOPE, D.E. *et al.* (dir.) (1965). *The Social Sciences View School Administration*, Englewood Cliffs, Prentice-Hall, Inc.

TREMBLAY, A. (1955). *Les collèges et les écoles publiques : conflit ou coordination*, Québec, Presses de l'Université Laval.

TRIST, E.L. (1969). « On Socio-Technical Systems », dans W.G. Bennis et R. Chin (dir.), *The Planning of Change*, New York, Holt, Rinehart and Winston, p. 269-282.

TYLER, R.T. (1941). « Educational Adjustments Necessitated by Changing Ideological Concepts », dans W.C. Reavis (dir.), *Administrative Adjustments Required by Socio-Economic Change*, actes de la Tenth Conference of Administrative Officers of Public and Private Schools, Chicago, The University of Chicago Press, p. 3-13.

URWICK, L. (1943). *The Elements of Administration*, New York, Harper and Row, Publishers.

WALTON, J. (1959). *Administration and Policy-Making in Education*, Baltimore, John Hopkins Press.

WEBER, M. (1947). *The Theory of Social and Economic Organizations*, New York, The Free Press.

WEICK, K.E. (1976). « Educational Organizations as Loosely Coupled Systems », *Administrative Science Quarterly*, vol. 2, p. 1-19.

WEICK, K.E. (1982). «Administering Education in Loosely Coupled Schools», *Phi Delta Kappan*, vol. 63, nº 10, p. 673-676.

WIRT, F.M. (1979). «The Uses of Political Science in the Study of Educational Administration», dans G.L. Immegart et W.L. Boyd (dir.), *Problem-Finding in Educational Administration. Trends in Research and Theory*, Lexington, Lexington Books, p. 133-154.

WORK IN AMERICA (1970). Washington, U. S. Office of Health, Education and Welfare.

WREN, D.A. (1979). *The Evolution of Management Thought*, New York, John Wiley and Sons.

YAUCH, W. (1949). *Improving Human Relations in School Administration*, New York, Harper and Brothers.

CHAPITRE 4

LES CONCEPTIONS DE LA FORMATION ET DU PERFECTIONNEMENT DES GESTIONNAIRES DE L'ÉDUCATION

Avant d'aborder les différentes conceptions de la formation des gestionnaires de l'éducation, il faut d'abord se souvenir que les débuts de l'administration de l'éducation ont surtout porté sur les directeurs généraux. On n'a qu'à consulter l'ouvrage classique de Callahan (1962) pour constater que lorsqu'il traitait des administrateurs scolaires, il s'agissait presque exclusivement des directeurs généraux. Culbertson (1986) mentionnait qu'avant 1900 l'accent était mis sur le rôle des directeurs généraux (p. 7). On ne sera donc pas surpris de voir que les premières conceptions portent sur la formation de ces gestionnaires.

Les conceptions de la formation en administration de l'éducation reposent sur deux éléments non nécessairement exclusifs. Premièrement, elles sont tributaires des conceptions entretenues à l'égard de l'administration générale. En effet, quoiqu'elles possèdent des aspects très particuliers, elles ont très souvent suivi, de manière parallèle ou avec un certain retard, le développement de l'administration du milieu des affaires. En second lieu, elles se sont appuyées sur la pratique des gestionnaires, à savoir leur rôle actuel ou idéal. Il faut prendre en considération que les premiers professeurs de ce champ d'études étaient d'anciens praticiens, comme on le verra plus loin.

Elles ont été surtout grandement inspirées par les définitions de l'administration de l'éducation. Dès 1960, par exemple, à l'occasion d'une présentation sur la formation des administrateurs scolaires, North (1960) proposait la définition très générale suivante : « le processus d'intégration du personnel et des matériels de façon à promouvoir l'entreprise éducationnelle » (p. 64). Il en suggérait une seconde plus descriptive : « la sélection, le placement, la stimulation, la direction et l'évaluation des ressources humaines dans une perspective d'un apprentissage efficace » (p. 64). Ceci ne signifie pas toutefois que toutes les conceptions de la formation aient nécessairement suivi les définitions proposées par North.

Avant de procéder à la description des différentes conceptions de l'administration de l'éducation, il convient aussi d'avoir à l'esprit les données suivantes concernant la situation de l'enseignement du champ d'études. Par exemple, en 1973, il y avait 362 établissements américains qui offraient des études de deuxième cycle en administration de l'éducation (UCEA, 1973, p. 6). Les étudiants avaient alors le choix entre 320 programmes de maîtrise et 140 de doctorat (Miklos, 1983, p. 155). Par contre, en 1988, on comptait 505 établissements qui offraient ces programmes (Griffiths, Stout et Forsyth, 1988, p. 20).

AUX ÉTATS-UNIS

D'une conception philosophique et mécaniste de la formation à une conception sociale et démocratique (1800-1950)

Sans vouloir refaire l'histoire de l'éducation aux États-Unis, il faut quand même remonter assez loin pour trouver les premières pratiques de l'enseignement de l'administration de l'éducation. Les débuts de cet enseignement coïncident avec l'apparition des premiers *superintendents of schools* (directeurs généraux). Après que l'État de New York eut nommé le premier *State superintendent of common schools* en 1812, on retrouve des directeurs généraux dans plus de 20 villes à la fin de la guerre civile (Mason, 1978). La plupart de ces directeurs généraux n'étaient pas tellement éduqués et formés professionnellement. Ils se voyaient davantage comme des érudits ou des hommes d'État que comme des hommes d'affaires (Campbell *et al.*, 1987, p. 128). Callahan (1962, p. 188) parle des directeurs généraux de la période 1865 à 1920 comme des éducateurs érudits.

Le Département de la surintendance de la National Education Association (NEA), l'ancêtre de l'American Association of School Administrators (AASA), fut fondé en 1866. Ce n'est qu'après 1870 que l'on trouve un semblant de doctrine en administration de l'éducation (Button, 1966, p. 217). Entre 1870 et 1885, les premiers directeurs généraux se voyaient avant tout comme des enseignants qui enseignaient aux autres enseignants. Balliet (1889, cité par Button), directeur général de la commission scolaire de Springfield au Massachusetts, affirmait qu'un directeur général devait être avant tout un enseignant de la pédagogie.

C'est vraiment au début du XXᵉ siècle que l'enseignement de l'administration de l'éducation a vraiment pris tout son essor. En 1900, aucun établissement américain n'offrait des études systématiques en administration de l'éducation (Murphy, 1993, p. 3). Comme bien d'autres nouveaux domaines d'études, l'administration de l'éducation a débuté comme une spécialité qui reposait sur d'autres champs d'études bien établis. Les premiers professeurs en administration de l'éducation étaient donc formés en éducation générale (en pédagogie, avant tout) avec un intérêt marqué pour la gestion des systèmes scolaires et des écoles (Campbell *et al.*, 1987, p. 173).

De 1885 à 1905, toujours selon Button (1966), c'était la période de l'administrateur-philosophe. La pensée du temps était que la vérité était éternelle et méritait d'être découverte. Il s'ensuivait que l'administrateur instruit, qui pouvait découvrir des vérités, était la meilleure autorité sur tous les sujets d'éducation et que le problème de l'administration consistait à appliquer aux écoles les connaissances philosophiques.

En 1905, le Teachers College of Columbia décernait les huit premiers doctorats en administration de l'éducation. Les diplômés ont eu une forte influence sur l'enseignement de ce domaine d'études entre 1910 et 1918. Au départ, ils étaient tous des praticiens, surtout des directeurs généraux. Parmi ces nouveaux docteurs, quatre devinrent professeurs en administration de l'éducation : George D. Strayer au

Teachers College, Ellwood P. Cubberley à Stanford, John F. Bobbitt à Chicago et Edward C. Elliott au Wisconsin. Leurs thèses de doctorat portaient sur les problèmes de financement scolaire ou la supervision scolaire. Toujours en 1905, un seul État exigeait une formation spéciale pour devenir directeur général.

Dans la mesure où la conception de la nature de l'administration de l'éducation, et surtout de la surintendance, était à l'ordre du jour, il est évident qu'un changement soit survenu avant que le mouvement de l'efficience prenne racine (Callahan et Button, 1964, p. 80). Dorénavant, soit après 1905, le directeur général était perçu comme un homme d'affaires. Ce changement de conception fut probablement dû à la croissance rapide des systèmes scolaires urbains, à l'admiration croissante que les gens entretenaient à l'égard des gestionnaires de l'industrie et à la tendance répandue d'appliquer à tous les domaines d'expérience humaine les concepts venant du monde des affaires (p. 81).

Il semble aussi que d'autres raisons plus pratiques peuvent expliquer ce changement de conception. Au début du siècle, l'éducation était devenue un sujet de critiques de la part du public. Le coût de la vie élevé, les années de publicité concernant la conservation et l'élimination du gaspillage et l'attitude envers une réforme de la part du public étaient à l'origine des critiques du système d'éducation (Callahan, 1962, p. 42). Les directeurs généraux devenaient de plus en plus vulnérables puisque leurs décisions reposaient idéalement sur une base fiscale. Les écoles devaient fonctionner à un coût minimum (Button, 1966, p. 219). Par exemple, Bobbitt (1915), professeur à l'Université de Chicago, publiait pour sa part les résultats de son étude, sur le contrôle des coûts, effectuée dans 25 écoles secondaires situées dans 7 États. Une de ses recommandations afin de réduire les coûts était d'augmenter le nombre d'élèves par classe dans certains cas et d'en réduire le nombre dans d'autres cas (Callahan, 1962, p. 163).

Cette conception de l'administrateur de l'éducation, qui a duré au moins une trentaine d'années, fut largement exprimée par des praticiens et des universitaires influents. Par exemple, Spaulding (1910), alors directeur général de la commission scolaire de Newton au Massachusetts, conseillait fortement de faire appel aux aspects pratiques de l'emploi pour que la formation d'un administrateur repose sur des principes d'affaires simples et solides. Par contre, il remarquait qu'il n'y avait eu, jusqu'alors, aucune occasion pour le futur gestionnaire scolaire de se préparer à sa tâche. La capacité des directeurs généraux ne reposait que sur leur expérience, leur tempérament, leur personnalité, leur perspicacité et leur sagesse innée (p. 5).

Cooper et Boyd (1988) ont souligné que les premiers enseigne-ments de l'administration de l'éducation étaient des « théories » basées sur l'action de leaders exemplaires tels que Harris et Payne (p. 255). Selon eux, la conception de la formation du champ d'études était avant tout pédagogique et reposait sur une recherche perpétuelle d'une éducation idéale. Il n'y avait pas de réflexion personnelle sur le rôle de leader, d'homme politique ou de gestionnaire.

Cubberley et Strayer sont les deux professeurs qui ont le plus influencé le développement de l'enseignement de l'administration de l'éducation. Leur grande influence vient surtout du fait qu'ils ont publié plus d'écrits que les autres diplômés du Teachers College, ont enseigné à un plus grand nombre d'étudiants, ont dirigé plus de recherches et ont vécu plus longtemps. Par exemple, la thèse de doc-torat de Strayer sur les aspects financiers des commissions scolaires urbaines était publiée dès sa graduation en 1905. Cubberley, pour sa part, a surtout publié plusieurs manuels, dont celui de 1916 qui fut le plus utilisé dans l'enseignement de l'administration de l'éducation (Cubberley, 1916).

Avec la dépression économique des années 1930 et le nouveau contrat social proposé par le gouvernement américain (New Deal de Roosevelt), le statut de l'homme d'affaires perdit énormément de sa popularité. La conception de l'administration de l'éducation prit alors une nouvelle direction. On vit d'abord renaître l'intérêt pour les fins de l'éducation à la suite de l'intérêt du public pour la planification sociale. Le réveil de la conscience sociale des administrateurs de l'édu-cation fut particulièrement mis en évidence par l'ouvrage de Newlon (1934) et l'annuaire du Département de la surintendance (NEA, 1935). La formation du directeur général devait être dorénavant axée sur sa préparation comme agent social.

En second lieu, l'ancienne croyance selon laquelle le but principal de l'école consistait à être efficiente et économique était remplacée par l'idée d'un renforcement de la démocratie. Puisque les écoles devaient servir la démocratie, elles devaient donc être démocratiquement orga-nisées et contrôlées ; les décisions devaient être prises par toutes les per-sonnes impliquées (Button, 1966, p. 221). Dans l'annuaire de 1946 de la National Society for the Study of Education (NSSE), Kefauver écrivait :

> Le rôle de l'administrateur peut ou pas impliquer l'introduction d'une idée déjà acceptée. Dans plusieurs situations, le rôle du leadership de l'administrateur sera d'encourager les autres à par-ticiper efficacement (p. 3).

Dans le même annuaire, Grace (1946, p. 177) mentionnait neuf recommandations pour la formation des administrateurs de l'éducation. Parmi celles-ci, il suggérait qu'un étudiant ait une profonde compréhension de la démocratie, être sympathique à cette idée et connaître les manières de vivre la démocratie. De plus, il conseillait au futur administrateur de toujours garder au premier plan les fins et les objectifs de l'éducation.

Une seconde génération de professeurs a influencé l'enseignement de l'administration de l'éducation au cours des années 1940 : Arthur B. Moehlman, diplômé de l'Université du Michigan en 1923, Jesse Sears et Paul Mort, tous les deux étudiants de Strayer et diplômés du Teachers College, le premier en 1920 et le second en 1924 (Culbertson, 1988, p. 12). Moehlman avait un grand intérêt pour les relations publiques et l'anthropologie. Mort avait développé des mesures précises pour analyser les besoins en éducation et s'intéressait aux études sociologiques ainsi qu'aux sciences politiques tandis que Sears s'intéressait à l'administration des écoles de villes, à l'anthropologie et aux sciences politiques. Il n'est donc pas surprenant d'avoir retrouvé des notions d'anthropologie, de sociologie et de sciences politiques dans les programmes de formation en administration de l'éducation.

Moehlman (1940), Mort (1946) et Sears (1950), qui adhéraient à de nombreuses idées exprimées par Dewey (1916), ont contribué par leurs visions à la conception de la formation des administrateurs de l'éducation (Culbertson, 1988, p. 12). Les visions de ces trois hommes marquaient la fin de l'ère prescriptive tirée de la pratique et laissaient entrevoir l'arrivée des sciences du comportement dans la formation des gestionnaires.

Ces trois professeurs, par leur enseignement et leurs publications, ont contribué à l'ère prescriptive précédente et à une étude spécialisée des fonctions administratives. Cependant, ce sont surtout les trois évènements marquants survenus en 1946 et 1947, qui ont été présentés dans le second chapitre du présent ouvrage, qui ont donné un important élan à l'enseignement de l'administration de l'éducation. Il s'agit de l'implication de la Fondation Kellogg et de l'American Association of School Administrators (AASA) dans la formation des administrateurs de l'éducation ainsi que de la création de la National Conference of Professors of Educational Administration (NCPEA).

Vers des conceptions de programmes plus théoriques (1951-1960)

Les différentes conceptions de la formation des gestionnaires ont dû également tenir compte des critiques exprimées à l'égard de l'éducation, venant de tous les quartiers et devenues plus virulentes, de l'utilisation croissante des sciences sociales dans la formation et de la nécessité de rendre la discipline plus « scientifique », prise dans son sens large. « Le gestionnaire vu comme un exécutant efficient ou le gestionnaire perçu comme une personne habile dans les relations interpersonnelles n'était plus la cible des programmes de formation » (Culbertson, 1964, p. 308).

Au début des années 1950, plusieurs concepts empruntés aux sciences sociales étaient devenus chose courante (Button, 1966, p. 222). En partie, selon Button, leur utilisation était une tentative honnête de redonner du prestige à la profession des gestionnaires de l'éducation. Le raisonnement était le suivant : si le statut de l'administration devait être haussé, il était nécessaire de le professionnaliser. La première étape de cette professionnalisation consistait à améliorer la préparation des futurs gestionnaires et à incorporer dans cette préparation des connaissances de base ; quoi de mieux que les sciences sociales (p. 222). Selon Goldhammer (1963), d'autres raisons militaient en faveur de l'utilisation des sciences sociales. Celles-ci permettaient d'envisager les problèmes de façon systématique, de mieux connaître le milieu, de donner un sens aux phénomènes observés, de mieux prédire les conséquences de l'action, de choisir les données pertinentes et de fournir des outils de recherche (p. 14).

Les concepteurs des programmes de formation en administration de l'éducation faisaient donc de plus en plus appel aux sciences sociales. Les directeurs généraux étaient formés pour devenir des *applied social scientists* (Cooper et Boyd, 1988, p. 260). Selon Culbertson (1964), « les responsables de la préparation des gestionnaires reconnaissaient les complexités inhérentes à l'administration et puisaient dans les sciences sociales à la recherche de concepts et de théories susceptibles d'illuminer ces complexités » (p. 308).

Comme il a été dit lors de la présentation des conceptions de l'administration de l'éducation, le mouvement pour l'incorporation de la théorie dans les programmes de formation est survenu en 1958 (Halpin, 1958). Déjà, en 1957, Griffiths sensibilisait les professeurs dans le domaine à l'utilité de la théorie dans la formation des gestionnaires. Pour lui, tous les auteurs qui avaient présenté des principes d'administration avaient, en fait, d'une certaine façon, théorisé (Griffiths, 1957, p. 367). Il suggérait alors comme illustration les travaux du Cooperative Development of Public School Administration (CDPSA, 1953 et 1954) et les ouvrages de Mort (1946) et de Sears (1950).

Les propositions faites en 1958 par l'American Association of School Administrators (AASA) pour une meilleure formation des gestionnaires de l'éducation est un autre exemple de cette période. L'AASA suggérait, entre autres, que la préparation soit la même quel que soit le poste occupé par l'étudiant ; qu'elle soit interdisciplinaire ; que l'étudiant soit formé comme un professionnel et non comme un chercheur ; que l'étudiant puisse participer à une étude du milieu ; et qu'un stage lui soit offert.

Miklos (1983) a bien résumé la période des années 1950. Selon lui, la recherche d'un fondement conceptuel plus large, entreprise au cours des années 1950, a mené les concepteurs de programmes de formation à considérer la place de la théorie dans l'étude de l'administration de l'éducation, la relation du champ d'études avec les sciences sociales et les humanités et, enfin, son caractère unique (p. 159). Ces considérations ont eu un effet certain sur la substance et la structure des programmes de formation.

Vers des conceptions de programmes plus flexibles (1961-1980)

Au début des années 1960, une des grandes questions débattues parmi les professeurs d'administration de l'éducation portait sur la formation de généralistes ou de spécialistes. Cette question faisait partie du septième séminaire organisé en novembre 1962 par le University Council for Educational Administration (UCEA) et l'Université de l'État du Michigan. Les prises de position de 16 professeurs furent publiées l'année suivante sous la direction de Leu et Rudman (1963). Cette question était encore d'actualité en 1972 (Miklos, 1972). L'ouvrage de Leu et de Rudman représente un autre point de repère de l'administration de l'éducation en ce qui regarde la conception de la formation.

Griffiths (1956) avait déjà souligné le fait qu'un des nouveaux problèmes en administration de l'éducation était d'avoir à travailler avec de plus en plus de spécialistes (p. 281). Boyan (1963) reprenait l'argument et proposait que le directeur général d'une commission scolaire soit à la fois un généraliste et un spécialiste qui saurait intégrer et stimuler l'éducation à l'intérieur de son organisation et dans le milieu où il œuvrait (p. 8). En outre, il affirmait que « plus les professeurs font appel aux sciences sociales pour comprendre le comportement administratif, plus les processus d'administration des écoles ressemblent aux processus d'administration des autres organisations » (p. 11).

Résumant le séminaire, Engleman (1963, p. 262) présentait une conception de la formation des gestionnaires de l'éducation. Selon elle, les éléments communs à tous les gestionnaires pouvaient être regroupés en trois catégories : les problèmes et questions de la culture américaine, la théorie et la pratique d'organiser, d'administrer et de planifier et, finalement, la recherche, l'évaluation, les expériences pratiques, les cas et les simulations. Relativement aux éléments spécialisés de la formation, Engleman proposait que le temps qui leur était consacré soit plus long pour les directeurs généraux que pour les directeurs d'école (p. 266).

Au cours des années 1960, il y eut également de nombreux développements indiquant un intérêt croissant pour l'incorporation des humanités dans le contenu des programmes de formation en administration de l'éducation. Tandis que les sciences sociales fournissaient prétenduement les assises pour traiter de « ce qu'est l'administration », les humanités permettraient de tenir compte de « ce qu'elle doit être » (Miklos, 1983, p. 161). Ce dernier avait déjà présenté un rationnel pour la présence des humanités dans la formation des gestionnaires de l'éducation (Miklos, 1978). Parmi les plus importants promoteurs de la présence des humanités dans le contenu des programmes de formation en administration de l'éducation, on doit reconnaître Blocker (1966) et Farquhar (1968).

Il y eut aussi au cours de cette période un mouvement en faveur d'une formation commune pour tous les étudiants en administration. Selon Miklos (1983, p. 162), il y avait alors des développements dans ce champ d'études qui militaient en faveur d'un programme commun pour les gestionnaires du monde des affaires, ceux du gouvernement et ceux de l'éducation. Lazarsfeld (1963) soulignait qu'il y avait de nombreux points communs chez les gestionnaires, qu'ils œuvrent dans des hôpitaux ou des écoles (p. 3). Miklos (1972) avait présenté les arguments en faveur d'une telle formation commune, les stratégies utilisées et les pratiques d'alors.

Au milieu des années 1960, la présence des sciences sociales dans les programmes de formation était acceptée comme un indicateur de grande qualité de ces programmes. Toutefois, les faits ont démontré que les étudiants ne recevaient qu'un minimum de notions de sciences sociales au cours de leur formation. Farquhar (1973a) observait que la plupart des universités tentaient d'incorporer les sciences sociales à leurs programmes de formation, mais que ces efforts étaient inégaux, inadéquats et pleins de problèmes. Miklos (1983) remarquait qu'une très petite proportion d'étudiants étaient finalement inscrits à des cours en sciences sociales.

Parmi les modifications apportées aux programmes de formation, il y eut d'abord celles qui permettaient aux étudiants d'acquérir un aperçu des disciplines appartenant aux sciences sociales et celles qui créaient des occasions pour les étudiants de se spécialiser dans des domaines spécifiques de l'une ou l'autre de ces disciplines. Il y eut ensuite l'introduction de séminaires portant sur l'application des sciences sociales à l'administration de l'éducation ainsi que la création de recherches, menées conjointement par des professeurs en éducation et en sciences sociales, auxquelles les étudiants pouvaient participer (Miklos, 1983, p. 160).

L'étude de Culbertson *et al.* (1969) fut importante puisqu'elle présentait une certaine conception de la formation en administration de l'éducation. Ils concluaient leur importante étude de la façon suivante quant à la structure et au contenu des programmes pour les années 1970. Concernant la structure, d'abord, ils affirmaient que :

➢ les départements d'administration de l'éducation auront besoin dans les années 1970 de différencier plus clairement que par le passé les programmes de formation des chercheurs, des « synthétiseurs », des développeurs et des administrateurs de l'éducation ;

➢ il y aura aussi un grand besoin de structurer les éléments des programmes de formation de ces spécialistes afin de s'assurer qu'ils soient guidés par des objectifs communs ;

➢ il faudra aider les futurs administrateurs de l'éducation à comprendre les valeurs, à la fois les leurs et celles des nombreux groupes de référence, ce qui représente une autre stratégie significative pour assurer l'intégration des programmes de formation.

Concernant le contenu des programmes de formation, ils concluaient que :

> le contenu venant des humanités et destiné à illuminer les questions des valeurs et le but de l'éducation et du leadership doit être étudié par les directeurs généraux, surtout la première année de formation ;

> un contenu qui fera en sorte que les futurs directeurs généraux adopteront une orientation futuriste et seront plus visionnaires dans leur façon de penser doit être incorporé dans les programmes de formation ;

> le contenu choisi dans les sciences politiques et économiques devra être plus important dans les programmes de formation des directeurs généraux ;

> le contenu destiné à illuminer le comportement organisationnel désiré de la part des directeurs généraux et les processus qu'ils utilisent doit faire partie des programmes de formation.

Au début des années 1970, de nouvelles approches furent donc mises de l'avant afin d'assurer une plus grande flexibilité dans les programmes de formation en administration de l'éducation (UCEA, 1973, p. 12). C'est que, selon Cooper et Boyd (1988, p. 260), l'approche des sciences sociales n'avait pas résolu le problème du contenu de la formation. Parmi les nouvelles approches privilégiées, on trouvait d'abord plus d'enseignement individualisé. Ainsi, l'Université du Massachusetts offrait un nombre substantiel de modules permettant aux étudiants de faire des choix personnels selon leurs besoins et leurs intérêts. Les nouvelles approches atténuaient ensuite les exigences de la possession d'une autre langue que l'anglais et réduisaient les critères d'admission au doctorat.

De passage à Montréal lors de la tenue d'un symposium, Culbertson (1970), alors directeur du UCEA, reprenait les conclusions de son étude de 1969 sous forme cette fois de recommandations en en ajoutant quelques-unes non comprises dans l'étude de 1969. Il recommandait, par exemple, que les programmes de formation soient structurés de telle façon qu'ils fassent plus que transmettre des connaissances, et que les étudiants puissent en fait démontrer un usage créatif de ces connaissances lors d'un diagnostic et d'une recherche de solutions aux problèmes éducationnels et sociaux (p. 5). Deighton (1971), par contre, proposait que les gestionnaires soient formés de façon à devenir des spécialistes interdisciplinaires avec des connaissances en gestion scientifique et en sciences appliquées au comportement (p. 89).

Lonsdale et Ohm (1971) exprimaient au nom de la National Conference of Professors of Educational Administration (NCPEA) les résultats du comité 1985 et sa vision future de la formation des gestionnaires. Les auteurs traitaient des objectifs, de l'organisation et du contenu des programmes, des professeurs, des étudiants, des anciens étudiants et des installations matérielles. Il serait trop long de présenter ici la liste des 67 recommandations. Seuls certains passages sont présentés.

Concernant les objectifs, le comité recommandait qu'en 1985 :

➢ les professeurs, les étudiants, les praticiens et toutes les personnes intéressées à la formation en administration de l'éducation devront participer à l'élaboration des buts, à la planification à long terme et à l'évaluation des programmes de formation ;

➢ les programmes de formation devront accorder une importance égale aux sciences sociales et aux sciences du comportement, aux humanités, aux mathématiques et aux sciences naturelles ;

➢ les programmes de formation devront refléter les changements sociaux, les conditions de l'éducation et les nouvelles connaissances.

Concernant le contenu, le comité recommandait :

➢ de fournir un programme de formation bien planifié de la socialisation à la profession ;

➢ de rendre évident les changements continuels des programmes de formation grâce à une fréquente modification des cours, à un fréquent abandon de certains cours et à l'introduction continue de nouveaux cours ;

➢ de fournir des expériences individuelles d'apprentissage au moins pour le tiers des programmes ;

➢ de fournir aux étudiants l'occasion de vivre un enseignement en équipe ;

➢ d'accorder une attention spéciale au processus d'apprentissage, incluant les nombreuses façons d'apprendre à tous les âges, de motiver et de stimuler les étudiants.

Knezevich (1972), à la demande de l'American Association of School Administrators, a mené une vaste étude dans 288 établissements offrant un programme de formation en administration de l'éducation. Parmi les 250 établissements qui retournèrent le questionnaire, 62,5 % avaient un programme de maîtrise et de doctorat. Les résultats de cette étude montraient que déjà l'on faisait l'expérience d'autres disciplines que l'éducation dans la formation des directeurs généraux (p. 12). Les étudiants étaient requis ou libres de suivre des cours en sociologie, en sciences politiques, en gestion des affaires, en psychologie et en économie.

Brandewie *et al.* (1972) ont expliqué le modèle et les lignes directrices d'un programme de formation en administration de l'éducation lors d'une conférence des membres de l'Association des directeurs d'école du secondaire tenue en avril 1971 à l'Université Purdue. La conférence, subventionnée par la Fondation Danforth, réunissait une vingtaine de directeurs d'école et de professeurs d'administration de l'éducation. Elle avait pour objectif, dans un processus de remueméninges, d'améliorer la préparation et le développement des administrateurs de l'éducation au secondaire.

Le résultat de cette conférence a donné un bon aperçu de la conception d'un programme de formation en administration de l'éducation qu'entretenaient les personnes présentes. En premier lieu, on concevait qu'un tel programme devait reposer sur quatre secteurs : le développement du programme éducatif, le développement personnel, les relations avec le milieu et la gestion de l'école (p. 28). Pour chaque secteur, le gestionnaire devait être préparé à utiliser quatre processus : le diagnostic, la prescription, l'implantation et l'évaluation.

Certains programmes de formation au cours de cette période étaient structurés de façon à offrir une solide préparation aux futurs spécialistes dans des domaines d'analyses quantitatives. Bruno et Fox (1973) rapportaient qu'au moins 6 universités, dont une canadienne, avaient comme objectif de former de tels spécialistes. Ils mentionnaient, d'autre part, que 16 universités offraient des cours portant sur les analyses quantitatives. Ces cours, inscrits dans les annuaires de ces universités portaient des titres tels que : Les théories de planification micro-éducationnelle, Les méthodologies quantitatives en planification de l'éducation ou La recherche opérationnelle pour les systèmes éducatifs.

Le University Council for Educational Administration de son côté publiait en 1973 les résultats de son étude sur les tendances historiques des programmes de formation en administration de l'éducation depuis les années 1960. On constatait alors que les programmes étaient de plus en plus caractérisés par la tendance à :

➢ énoncer leurs objectifs dans des termes plus opérationnels ;

➢ incorporer les idées et les résultats de recherche provenant des sciences sociales et des sciences du comportement dans le contenu des programmes ;

> former des gestionnaires de l'éducation et d'autres gestionnaires dans des programmes communs ;
> reconnaître l'importance des idées venant des humanités ;
> refléter les connaissances et les habiletés plus spécialisées et plus basées sur la discipline ;
> devenir plus flexibles ;
> définir plus clairement la struture d'un programme ;
> augmenter l'hétérogénéité des étudiants recrutés ;
> accroître la variété des approches pédagogiques utilisées ;
> augmenter la quantité et la variété des expériences.

Depuis les années 1950 que les programmes de formation en administration de l'éducation avaient mis l'accent sur les sciences sociales. Haller et Hickcox (1973) ont voulu savoir à quel point les sciences sociales étaient vraiment incorporées dans les programmes. S'inspirant des résultats de la thèse de doctorat de Stolworthy (1965), ils ont établi que 37 des 51 départements étudiés, soit 72 %, exigeaient quelques cours autres qu'en éducation au doctorat. De plus, se basant sur un examen des cours suivis par 74 étudiants inscrits au doctorat en 1968-1969 dans 35 universités, Haller et Hickcox ont été à même de constater que plus de 50 % d'entre eux avaient suivi moins de 10 % de leurs cours dans l'une des disciplines des sciences sociales (p. 41). Enfin, ils ont observé que les cours en sciences politiques étaient les plus populaires (p. 42).

Lutz et Ferrante (1972) ont souligné l'apport de deux organisations impliquées dans le perfectionnement des gestionnaires de l'éducation. Il s'agissait de l'American Association of School Administrators (AASA) et du University Council for Educational Administration (UCEA). Ces deux organismes ont d'ailleurs exprimé leur intérêt par la publication de deux ouvrages sur le sujet, l'un par l'AASA (1963) et l'autre par le UCEA (1965). Les deux publications déploraient à la fois le manque de recherches sur le sujet et réclamaient plus de recherches.

March (1974) posait cette question : « Qu'est-ce qu'un programme universitaire en administration de l'éducation devrait tenter d'enseigner ? » (p. 23). Selon lui, un programme de formation professionnelle devait fournir des occasions de croissance intellectuelle dans plusieurs dimensions qui sont liées seulement d'une façon souple aux habiletés administratives immédiatement utilisables. Les types d'habiletés qu'un programme universitaire en administration de l'éducation devrait enseigner sont, selon lui, des habiletés utiles qui peuvent être employées et qui peuvent être enseignées (p. 24). Il donnait alors la liste suivante d'habiletés analytiques qui lui semblaient essentielles :

> ➢ l'analyse d'expertise. La gestion des connaissances ;
> ➢ l'analyse des coalitions. La gestion des conflits ;
> ➢ l'analyse de l'ambiguité. La gestion des buts ;
> ➢ l'analyse du temps. La gestion de l'attention ;
> ➢ l'analyse de l'information. La gestion de l'inférence (p. 28).

Le Educational Research Service (ERS) a mené en 1974 une enquête afin de déterminer les types de programmes de perfectionnement qui étaient alors offerts aux gestionnaires scolaires, le temps et l'argent accordés à ces programmes, la variété des techniques utilisées pour les évaluer et les responsables de la planification et de la direction de ces programmes dans les commissions scolaires. Les deux tiers des 598 commissions scolaires qui avaient répondu au questionnaire offraient du perfectionnement à leurs gestionnaires.

Hills (1975) suggérait que les programmes de formation en administration de l'éducation devaient inclure, outre une importante composante comprenant des connaissances générales en éducation, le développement d'habiletés critiques-analytiques et de résolution de problèmes, les différents processus administratifs, un stage et le développement d'une philosophie administrative relativement consistante. Selon lui, le but d'un programme de formation était de produire des gens qui agissent, pas seulement des gens qui pensent. Les éléments intellectuels et pratiques de la formation devaient être unis de façon que chaque étudiant intériorise une série de guides pour l'action.

Greenfield (1975) affirmait que si les programmes de formation en administration de l'éducation devaient devenir plus efficaces, les fondements sur lesquels ces programmes reposaient devaient être changés. Il proposait alors qu'en plus d'inclure dans les programmes les connaissances venant des sciences sociales et des sciences du comportement, on utilise les mêmes connaissances dans la conception, la structure et l'opération des programmes (p. 22). Ces mêmes connaissances, selon lui, devaient aussi servir lors de la sélection des étudiants.

Griffiths (1977) faisait part à la communauté universitaire des implications concernant les changements survenus entre 1954 et 1974 pour la formation des gestionnaires scolaires. D'abord, selon lui, les programmes de formation en administration de l'éducation devaient avoir à la fois une composante générale et une composante spécialisée

(p. 430). Puis, il favorisait la présence initiale de praticiens et de chercheurs étudiant ensemble les fondements du champ d'études reposant sur les tâches administratives clarifiées par la recherche et la théorie (p. 432). Enfin, il recommandait que les habiletés soient enseignées sur une base individuelle et que, à cette fin, chaque département d'administration de l'éducation soit doté d'un centre spécial où ces habiletés seraient enseignées.

Farquhar (1977) lui aussi a recensé et rapporté les principaux développements, survenus de 1954 à 1974, concernant les programmes de formation des gestionnaires scolaires. Il note d'abord que l'orientation a changé, passant de l'information donnée au sujet des tâches et des processus administratifs à une formation permettant d'affronter les problèmes attendus (p. 345), puis que l'enseignement magistral traditionnel a été mis de côté en faveur de méthodes plus proches de la réalité. Il observe ensuite que les étudiants sont plus engagés dans la détermination de ce qu'ils doivent apprendre et enfin que le personnel enseignant du champ d'études est plus jeune, mieux éduqué et moins expérimenté.

De nombreux efforts ont également été déployés afin de mieux structurer les programmes de formation. On avait tendance à offrir des programmes élaborés selon la carrière future des étudiants, par exemple, la recherche ou l'administration. D'autres programmes étaient structurés selon les compétences nécessaires à l'efficacité administrative. Le programme de l'Université de l'État de New York à Buffalo (1978), par exemple, était structuré selon trois domaines de compétences reliés 1) aux contextes objectifs de l'action ; 2) aux contextes humains de l'action ; et 3) à l'action proprement dite. Le programme comprenait un mélange de cours et de modules. Gibson et King (1977) ont d'ailleurs présenté la raison d'être sous-tendant la structure de ce programme.

Hodgkinson (1978) soutenait que les problèmes au cœur de l'administration étaient d'ordre philosophique et que, par conséquent, ils étaient insolubles par seulement la recherche rationnelle et scientifique. Donc, selon lui, certaines composantes de la philosophie sont importantes pour le gestionnaire et devaient faire partie des programmes de formation en administration de l'éducation. Il mentionnait les trois composantes suivantes :

> ➤ un souci pour le langage et le sens des mots, puisque l'univers administratif est sémantique ;

> ➤ certaines disciplines appartenant à la logique formelle, puisque l'univers administratif est de plus en plus technologique ;

> des habiletés critiques, puisque l'univers administratif est de plus en plus infesté de faussetés ;
> un souci majeur pour les valeurs (p. 196-197).

L'étude de Silver et Spuck (1978), réalisée sous l'égide du UCEA auprès des 342 établissements susceptibles d'offir des programmes de formation en administration de l'éducation, est une autre étape importante en ce qui regarde la conception de ces programmes. Les réponses reçues des 258 chefs de départements d'administration de l'éducation, des 246 professeurs et des 904 étudiants ont apporté un autre aspect de la conception de ces programmes. Pour ce qui est de la maîtrise ès arts, par exemple, il est clair que le développement du curriculum et la théorie administrative sont les deux domaines qui étaient le plus souvent contenus dans les programmes des étudiants (Alkire, 1978). Suivaient la prise de décision et la législation scolaire.

Malgré tous les efforts déployés au cours de cette période pour développer une conception de la formation en administration de l'éducation, Silver (1966) et Goldhammer (1979) ont exprimé leurs désappointements. Silver se plaignait que l'on n'ait pas utilisé toutes les connaissances alors disponibles pour élaborer les programmes préparatoires à l'administration (p. 46). Quant à Goldhammer, il soulignait en particulier le manque de spécificité des connaissances empruntées aux sciences sociales et le désenchantement des étudiants quant aux programmes de formation d'alors (p. 175).

Le mouvement des écoles efficaces lancé par Rutter *et al.* (1979) et Brookover *et al.* (1979) a influencé la formation des administrateurs de l'éducation. Malgré des mises en garde comme celles de Cuban (1983) et de Rowan, Bossert et Dwyer (1983), le mouvement a renforcé les façons de former les directeurs d'école. En effet, les recherches sur les écoles efficaces mettaient constamment en relief le fait que le directeur d'école faisait une différence, surtout en raison de son comportement (Sweeney, 1982, p. 350).

Des conceptions de programmes plus pratiques (1981-2000)

Les critiques à l'égard des gestionnaires de l'éducation ont continué à fuser de toutes parts au cours des années 1980. On reprochait aux directeurs généraux leur timidité et leur attachement aux politiques et procédures qui permettaient le statu quo (Achilles, 1984). Les directeurs d'école, pour leur part, ne voulaient pas ou ne pouvaient pas assumer des positions de leadership actif et axé sur le futur (Martin et Willower, 1981). Griffiths *et al.* (1988) affirmaient que les

directeurs généraux et les directeurs d'école sont critiqués parce qu'ils
« manquent de leadership, de vision, d'habiletés modernes de gestion
et de courage pour entreprendre les actions nécessaires pour que les
écoles soient plus efficaces» (p. 285).

Cette situation a amené les chefs de file en administration de
l'éducation à apporter une attention toute nouvelle aux relations
actuelles et potentielles entre la pratique et l'étude de l'administration
de l'éducation (Campbell *et al.*, 1987, p. 15). Cette période présentait
de nouveaux défis avec les vagues de réformes qui avaient déferlé à la
suite de la publication de *A Nation at Risk* par la Commission nationale sur l'excellence en éducation (NCEEA, 1983). Cette situation a
donné lieu à de nouvelles conceptions de la formation en administration de l'éducation. Pour la première fois, certaines de ces conceptions ont trouvé leur origine à l'extérieur des facultés d'éducation, qui
jusqu'ici avaient assuré cette formation, et ont porté sur la formation
continue.

Selon Hallinger (1992, p. 301), la révolution de la formation
continue en administration de l'éducation a débuté avec la création
par Barth en 1981 du premier Principals' Center de l'Université
Harvard. Ce centre voulait répondre aux besoins exprimés par le personnel de direction d'école, au point que ce sont les directeurs d'école
eux-mêmes qui assumaient la responsabilité des activités d'apprentissage. Ces dernières étaient très diversifiées afin de répondre aux
besoins particuliers de chaque directeur d'école.

L'idée d'un tel centre s'est répandu, puisqu'en 1987, on en comptait
une centaine. Par exemple, l'État de New York, de 1985 à 1989, subventionnait les Principals' Centers qui utilisaient un modèle décen-
tralisé (Hallinger et Murphy, 1991, p. 516). Selon ce modèle, les centres
régionaux déterminaient les besoins locaux, définissaient les buts du
programme offert et établissaient ou sélectionnaient leur propre curriculum. Le fondateur du Principals' Center de Harvard, subventionné
par la Fondation Danforth, a développé un réseau national des directeurs de ces centres (Daresh et Playko, 1992, p. 182). Barth (1986) a
davantage expliqué le fonctionnement d'un tel centre.

Hoyle (1982), professeur prêté à l'*American Association of School
Administrators* (ASSA), présentait le contenu de base qui devait faire
partie d'un programme de formation en administration de l'éducation.
Selon lui, les sept sujets suivants étaient les principaux thèmes à inclure :

> ➤ la théorie de l'administration, de l'organisation politique et de
> l'apprentissage ;

> les domaines techniques de la pratique administrative ;
> les sciences sociales et les sciences du comportement ;
> les fondements de l'éducation ;
> la recherche ;
> les technologies avancées ;
> les principes éthiques de la profession (p. 11 et 12).

En 1983, le personnel du *Project on Instructional Management* au Far West Regional Laboratory de San Francisco décida d'intégrer ses méthodes de recherche ainsi que ses résultats à un programme de développement professionnel des directeurs d'école (Barnett, 1986, p. 174). Le programme, appelé *The Peer-Assisted Leadership* (PAL), permettait aux directeurs d'école de s'observer les uns les autres et par la suite de pouvoir discuter lors d'une entrevue réflexive des motifs et des effets de leurs comportements respectifs. Le programme aidait donc les directeurs d'école à apprendre les uns des autres en partageant leur travail et en le comparant (Barnett et Long, 1986, p. 672).

En 1984, Silver créait le Center for Advancing Principalship Excellence (APEX) à l'Université de l'Illinois à Urbana. Le premier objectif de ce centre de développement professionnel était d'encourager les directeurs d'école à la réflexion sur la nature de leurs responsabilités et sur les problèmes éprouvés dans leur pratique (Daresh et Playko, 1992, p. 181). Silver (1986) supposait que les personnes qui partagent leurs expériences seraient capables d'avoir une bonne connaissance d'elles-mêmes et de leurs écoles après avoir explicité leurs pensées et leurs actions sous forme d'un énoncé contenant les notes de leur cas. Depuis le décès de sa fondatrice, le centre est situé à l'Université Hofstra et mène ses activités sous l'égide du UCEA.

Dans le cadre de son projet APEX, Silver avait développé un système qui permettait de consigner la formulation d'un problème et les stratégies d'intervention des directeurs d'école. Il s'agissait d'une série de questions que ces derniers pouvaient utiliser pour documenter leurs processus et leurs actions réflexifs. Au moment de son décès, elle avait établi un réseau nord-américain de directeurs d'école et son centre avait accumulé plus de 1 000 descriptions de problèmes (Forsyth, 1999, p. 87).

Hoyle, English et Steffy (1985) ont publié une conception de la formation en administration de l'éducation qui découlait des lignes directrices de 1983 présentées par l'American Association of School Administrators (AASA, 1983) sur la formation des gestionnaires scolaires. L'ouvrage repose sur huit habiletés qui caractérisent un gestionnaire efficace. Chacune des habiletés nécessaires à l'atteinte des buts poursuivis y est décrite :

> ➢ habileté à concevoir, implanter et évaluer un climat de l'école ;
> ➢ habileté à obtenir l'appui à l'école de la part du public ;
> ➢ habileté à élaborer le curriculum ;
> ➢ habileté relative à la gestion pédagogique ;
> ➢ habileté à évaluer le personnel ;
> ➢ habileté à former le personnel ;
> ➢ habileté à répartir l'allocation des ressources ;
> ➢ habileté à la recherche, à l'évaluation et à la planification.

Le Northwest Regional Educational Laboratory a débuté l'élaboration en 1985 d'un programme appelé *Leadership for Excellence*. Il semble toutefois que ce ne soit qu'en 1988 qu'il ait été utilisé avec les directeurs d'école. L'objectif du programme était d'aider ces derniers à appliquer les résultats de la recherche faite auprès des directions d'école, indiquant ce qui détermine leur efficacité (Blum *et al.*, 1987, p. 25). Le programme avait retenu les cinq dimensions suivantes : une vision de l'école, le climat et la culture de l'école, l'implantation d'un curriculum et la gestion de la performance de l'école.

Le Congrès américain approuvait en 1985 un programme, d'une durée de six ans, qui prévoyait la mise sur pied, au sein de chaque État, d'un centre axé sur l'amélioration de la formation en administration de l'éducation. Le programme était connu sous le nom de *Leadership in Educational Administration Development* (LEAD). Les responsables du programme de chaque État avaient mis sur pied un réseau national connu sous le nom de National LEADership Network. Dans un rapport publié l'année suivante par un comité de ce réseau national, on pouvait lire que les programmes de formation devaient être changés à partir des habiletés, des dispositions et des comportements personnels que doivent posséder les gestionnaires de l'éducation (Mojkowski, 1991).

Beasley (1993), Bruce (1993) et Carver (1993) ont rapporté l'expérience du programme LEAD avec une commission scolaire de la Géorgie. Le programme exigeait de compléter 30 crédits de cours et un stage à temps plein. Les points forts du programme LEAD étaient un bon contenu portant sur les fondements en administration de l'éducation, une expérience d'apprentissage pratique et l'utilisation de la cohorte comme srtucture. Les participants avaient exprimé une grande satisfaction personnelle envers le programme qui, selon eux, avait contribué d'une façon significative à leur développement professionnel.

La National Association of Secondary School Principals (NASSP) publiait en 1985 un important rapport portant sur la formation des directeurs d'école. Ce rapport était le résultat d'un long travail d'étude et d'expérimentation sur la formation des gestionnaires en administration de l'éducation dans cinq universités. Le document mentionnait que la formation devait être de nature vraiment professionnelle, initiant les étudiants aux habiletés que doivent posséder les directeurs d'école, et faire place à un stage pratique.

La National Association of Elementary School Principals (NAESP) publiait en 1986 la première édition des habiletés nécessaires pour les directeurs d'école. L'Association en publiera deux nouvelles versions en 1991 et en 1997. Dans ce document, on trouvait la liste des habiletés dont la maîtrise était considérée comme nécessaire. Elles étaient regroupées en quatre domaines : la croissance et le développement de l'enfant, les processus d'enseignement et d'apprentissage, la formation générale et le climat de l'école. Le document de 1997 présentait les 64 habiletés de direction regroupées dans les 5 domaines suivants : la direction, la communication, les processus de changement, le curriculum et l'enseignement et l'évaluation. Quant aux 32 habiletés d'administration et de gestion, elles étaient regroupées selon 3 domaines : la gestion d'une organisation, la gestion financière et la gestion politique.

Achilles (1985) soumettait une conception de la formation des gestionnaires de l'éducation qu'il reprenait en 1988. Selon lui, les programmes de formation en administration de l'éducation devaient reposer à la fois sur la recherche, la théorie et la pratique (p. 50). Ils devaient inclure des connaissances générales (les humanités), les sciences du comportement et des expériences pratiques sur le terrain. Ils devaient être planifiés et séquentiels, c'est-à-dire allant des processus didactiques, afin d'avoir une compréhension conceptuelle, à une acquisition des habiletés et à un transfert de ces habiletés.

Les critiques exprimées à l'égard des programmes de formation en administration de l'éducation ont également amené la Fondation Danforth à s'intéresser au développement de l'administration de l'éducation. La Fondation effectua en 1985 une recension des écrits concernant les réformes suggérées en éducation. Elle constata alors que ces écrits ne traitaient pas du rôle que les directeurs d'école étaient appelés à jouer. En 1986, la Fondation annonçait une subvention importante dans le but d'améliorer les programmes universitaires de ce champ d'études. La Fondation a garanti les 4 efforts suivants destinés à assister les analyses et les améliorations en administration de l'éducation :

> la création du *Principal Preparation Program* afin d'améliorer les programmes de formation des futurs gestionnaires de l'éducation ;

> la création d'un programme pour les professeurs de ce champ d'études afin que les départements puissent répondre aux réformes demandées ;

> le déploiement d'efforts de recherche et de développement, tels que le projet d'apprentissage à partir de problèmes ;

> l'organisation de conférences et d'ateliers pour aider les professeurs à mettre en place les réformes concernant la formation des gestionnaires de l'éducation (Murphy et Forsyth, 1999, p. 27).

Le *Principal Preparation Program* cherchait à relier la pratique, les connaissances et la théorie dans les programmes de formation des directeurs d'école. Les principaux éléments de ces programmes étaient :

> des stages, des expériences pratiques sur le terrain ;

> un modèle de cohorte pour les participants ;

> une implication des praticiens et des membres importants du milieu lors de l'élaboration et de la conduite des programmes ;

> des stratégies ingénieuses de financement.

Le programme avait particulièrement les trois objectifs suivants :

> promouvoir le développement de relations de collaboration entre des universités choisies et les commissions scolaires environnantes dans le but de former de futurs directeurs d'école ;

> permettre aux personnes intéressées à une formation innovatrice de prendre des risques et de créer des activités d'apprentissage de nature à amener les futurs directeurs d'école à s'engager dans des activités d'apprentissage servant d'expériences ;

> fournir un soutien aux programmes de formation qui seraient sensibles aux besoins des femmes et des minorités, qui permettraient à des populations sous-représentées dans des rôles de leadership scolaire de poursuivre des carrières comme directeur d'école (Daresh et Playko, 1992, p. 175).

Pour l'année 1987-1988, la Fondation lançait auprès de trois universités un programme de formation spécifique pour les directeurs d'école. Un petit groupe d'établissements furent alors invités à participer grâce à une subvention non renouvelable. En 1992, 5 cycles du programme, comprenant 24 universités, avaient été complétés. Enfin, la Fondation créait en 1991 le Réseau Danforth pour la formation des directeurs d'école et publiait en 1992 son premier bulletin intitulé *Connections*.

La Fondation Danforth a donc été un exemple de programmes de formation centrés sur le directeur d'école. L'enquête menée auprès des 22 universités qu'elle subventionnait rapportait que les programmes de maîtrise comportaient généralement 36 crédits (Cordeiro *et al.*, 1991, p. 6). Par ailleurs, les responsables des programmes de la Fondation Danforth ont été appelés à évaluer l'importance de 17 sujets de leur curriculum. Le leadership, la communication, les habiletés interpersonnelles, la solution de problèmes et les questions multiculturelles furent parmi les sujets les plus importants (p. 5).

LaPlant (1986) proposait un modèle de perfectionnement pour les cadres scolaires mis au point par l'Institute for Development of Educational Activities (IDEA, 1982). L'Institut avait décidé de mettre l'accent sur l'école comme unité de changement et le directeur d'école comme l'ingrédient du processus d'amélioration de l'école (p. 186). Le programme était centré sur le développement professionnel, l'amélioration de l'école et le renouveau personnel continu grâce à la création et au maintien d'un groupe de soutien mutuel. Les directeurs d'école avaient formé des groupes de 6 à 10 personnes qui se rencontraient une fois par mois pendant 2 ans pour discuter d'un contenu décidé par les participants.

Pitner (1987), à partir de ses observations personnelles, offrait sa conception de la formation en administration de l'éducation. Elle préconisait l'acquisition d'habiletés cognitives et managériales, des compréhensions philosophiques et culturelles et des connaissances sur les théories des organisations, la prise de décision, le leadership, l'élaboration de politiques et la gestion du programme éducatif (p. 91). De plus, elle exigeait que la formation soit liée aux exigences de l'emploi et suffisamment spécialisée pour permettre d'occuper différents postes administratifs.

La National Commission on Excellence in Educational Administration (NCEEA) publiait son rapport en 1987 portant sur de nombreux aspects de la formation en administration de l'éducation. Le rapport et des travaux commandés par la commission auprès d'experts dans le domaine faisaient l'objet d'un ouvrage publié l'année suivante (Griffiths, Stout et Forsyth, 1988). Le rapport mettait de l'avant des propositions qui appelaient des changements majeurs. La formation des gestionnaires, selon la commission, devait comprendre les cinq composantes suivantes :

> l'étude de l'administration ;

> l'étude des techniques qui sont au centre de l'administration de l'éducation et l'acquisition d'habiletés administratives essentielles ;

> l'application des méthodes et des résultats aux problèmes de l'école ;

> une pratique supervisée ;

> une démonstration de la compétence (p. 16).

Ces composantes étaient ensuite détaillées et explicitées l'une après l'autre. Les auteurs mentionnaient qu'elles n'avaient pas besoin d'être séquentielles et que des cours relatifs à chacune des composantes pouvaient être suivis à l'extérieur du département de l'administration de l'éducation.

Greenfield (1988) mentionnait qu'un programme plus productif de formation en administration de l'éducation pourrait être réalisé grâce à des approches qui fonctionneraient auprès des praticiens. Le but serait de donner à ces derniers de bons aperçus de la nature de leur métier, de leurs dilemmes et de leurs possibilités grâce à une étude de ses réalités et à une réflexion sur ces dernières (p. 154). Il ajoutait que de nouveaux modèles devaient être recherchés, des modèles qui reconnaîtraient la responsabilité, le bon jugement et la réflexion comme une partie légitime et inévitable de l'action administrative.

Foster (1988) y allait aussi de ses recommandations à l'égard de la formation des gestionnaires scolaires. Quoique plutôt générales, elles sous-tendent quand même une conception de la formation en administration de l'éducation qui ne peut être ignorée. Il recommandait :

> que les programmes en administration de l'éducation sont devenus des avenues majeures pour l'éducation morale et intellectuelle des gestionnaires potentiels ;

> de redécouvrir l'université comme le lieu pour débattre des idées et pour développer des érudits ;

> de permettre et même d'encourager des programmes de formation innovateurs et expérimentaux ;

> d'encourager des institutions à incorporer des concepts venant de l'histoire, du droit et des sciences politiques ;

> de repenser les compétences, les objectifs et les autres critères adoptés par les agences de certification (p. 78).

Hallinger et Murphy (1991) notaient qu'avant 1980 les sessions de perfectionnement pour les administrateurs de l'éducation étaient laissées au hasard, sous-financées et limitées quant à leur portée et leur contenu (p. 516). Cette situation était sans doute due au fait que les gestionnaires percevaient le développement professionnel comme un luxe et non comme une nécessité. Ce n'est qu'au cours des années 1980 que le développement professionnel a connu une expansion sans précédent, au point de devenir obligatoire dans un plus grand nombre d'États.

Par exemple, les États du Texas, de la Caroline du Nord, du Maine, du Tennessee et de la Californie exigaient que leurs administrateurs de l'éducation suivent un certain nombre de cours de perfectionnement au cours d'un certain nombre d'années. Dans certains cas, les cours étaient laissés à la discrétion de l'individu et pouvaient être complétés par différents moyens. Dans d'autres États, tels que l'Illinois, la Caroline du Sud et la Virginie de l'Ouest, les gestionnaires étaient tenus de participer à des programmes de développement professionnel planifiés par l'État afin de promouvoir leur compétence dans des domaines choisis à partir de la pratique (Hallinger et Murphy, 1991, p. 516).

Le domaine de l'éducation vivait dans les années 1980 sous l'effet de nouvelles analyses de l'éducation qui furent à l'origine d'au moins deux vagues de réformes scolaires de 1983 à 1989 (Barnabé, 1993). La première vague (1983-1985) fut déclenchée par la publication du rapport de la National Commission on Excellence in Education (NCEE, 1983) qui remettait en cause la qualité de l'éducation. Deux études sont venues confirmer cette situation. La première, menée par Goodlad (1984), concluait que les écoles n'étaient pas des endroits très excitants. La seconde étude, celle de Sizer (1984), dénonçait l'existence de la bureaucratie hiérarchique dans les écoles. Cette première vague de réformes, selon Bacharach (1990, p. 3), plaçait les problèmes de l'imputabilité et du rendement parmi les priorités les plus importantes.

La seconde vague (1986-1989) naquit avec la parution de deux rapports. Le premier, présenté par un groupe de travail de la Fondation Carnegie (1986), portait exclusivement sur les enseignants. On y plaidait pour une plus grande professionnalisation de la profession enseignante. Certains des auteurs du second rapport, connus sous le nom de Holmes Group (1986), avaient travaillé à la rédaction du rapport précédent. On y proposait la création «d'écoles de développement professionnel» et une restructuration de la formation des maîtres.

Si la première vague voulait plus de contrôle, la seconde désirait au contraire plus d'autonomie (Boyd, 1990, p. 86). Appelée le mouvement de restructuration, la seconde vague proposait de restructurer l'organisation de l'enseignement (Barnabé, 1993, p. 575). Il convenait de s'interroger sur l'effet que ces vagues de réformes avaient pu avoir sur la formation des administrateurs de l'éducation. C'est ce que Murphy (1991) a tenté de savoir.

Dans son étude menée auprès des universités membres et non membres du UCEA, il reçut les questionnaires de 29 universités membres du UCEA et de 59 universités non-membres. Les résultats ont permis à Murphy de conclure qu'en général les chefs de département en administration de l'éducation affirmaient que les réformes avaient exercé une influence modérée sur la façon de former les administrateurs de l'éducation (p. 51). Parmi tous les sujets évalués, les chefs de département rapportaient que les seuls changements survenus portaient sur le curriculum et les expériences pratiques (p. 53).

Smith (1993) mentionnait un programme, mis en place en 1982 à l'Université Butler, destiné aux directeurs d'école. Le *Experiential Program for Preparing School Principals* (EPPSP) faisait reposer l'étude de l'administration sur un apprentissage expérientiel (p. 53). Le programme avait été établi et continuait de mener ses activités comme un centre andragogique d'apprentissage. Les étudiants travaillaient en équipes sur des projets, apprenaient par autodirection, capitalisaient sur leurs expériences et étaient impliqués dans des processus de pensée critique et réflexive.

À la suite de la parution de certains rapports tels que *A Nation At Risk* (National Commission on Excellence in Education, 1983) et *Time for Results* (National Governors' Association, 1986), certaines critiques portant sur l'état de l'administration de l'éducation se sont élevées. Elles portaient sur deux points. Premièrement, on prétendait que les administrateurs de l'éducation n'étaient pas aussi compétents que les administrateurs d'autres domaines. Deuxièmement, on croyait que les comportements des administrateurs de l'éducation n'étaient pas à la hauteur des attentes changeantes du public (Griffiths, Stout et Forsyth, 1988, p. 285). Ces critiques ont donné lieu à une nouvelle conception de la formation des administrateurs de l'éducation, incluant également une nouvelle conception de son enseignement. Les cours offerts par certaines universités illustrent bien le nouvel essor donné à l'enseignement de l'administration de l'éducation. À cet égard, le lecteur pourrait consulter Murphy (1993a). Des modules ou des expériences d'apprentissage nouvelles furent alors mises de l'avant par plusieurs universités.

Le National Policy Board for Educational Administration (NPBEA), créé à la suggestion de la NCEEA, publiait en 1989 un rapport critique portant sur la formation en administration de l'éducation (NPBEA, 1989 ; UCEA, 1989). Le rapport décrivait sept domaines qui devaient être communs à tous les programmes de formation. Ces domaines étaient les suivants :

> ➤ les influences sociales et culturelles en éducation ;
> ➤ les processus d'enseignement et d'apprentissage ainsi que l'amélioration de l'école ;
> ➤ les théories organisationnelles ;
> ➤ les méthodologies appliquées aux études organisationnelles et l'analyse politique ;
> ➤ le leadership ainsi que les processus et les fonctions de gestion ;
> ➤ les études des politiques et le jeu politique en éducation ;
> ➤ les dimensions morales et éthiques de l'éducation (p. 8 et 12).

Le National Policy Board for Educational Administration (NPBEA), dans sa publication de 1989, soumettait plusieurs recommandations :

> ➤ une réduction du nombre de programmes de formation en administration de l'éducation ;
> ➤ une plus grande différenciation entre le doctorat de recherche (Ph.D.) et le doctorat professionnel (Ed.D.) ;
> ➤ un accent plus prononcé sur les études doctorales dans la formation ;
> ➤ le maintien d'une masse critique d'au moins cinq professeurs à temps plein dans tous les programmes de formation (NPBEA, 1989).

Murphy et Hallinger (1989) ont décrit les pressions qui ont été exercées afin d'apporter des changements aux programmes de formation en administration de l'éducation. Contrairement aux changements survenus dans les années 1950, dont les professeurs étaient à l'avant-garde, ceux des années 1980 étaient dus à des pressions externes aux universités. Les auteurs relevaient les six pressions suivantes qui leur apparaissaient les plus significatives :

> ➤ le retour de l'idée que le gestionnaire de l'éducation était une clé importante pour l'amélioration d'une commission scolaire ;
> ➤ la réalisation de plus en plus grande que les gestionnaires sont souvent inaptes à accomplir des opérations techniques ;

> la prolifération de l'idéologie concernant la réforme scolaire ;
> un désenchantement croissant à l'égard de la théorie ;
> un mécontentement croissant à l'égard du modèle universitaire de formation ;
> une perception croissante du peu d'amélioration de la pratique administrative (p. 24-28).

Après la recension de onze approches récentes de la formation en administration de l'éducation, Murphy et Hallinger (1989) définissaient certains aspects communs à ces approches qui ont jeté une lumière sur les nouvelles conceptions de la formation. En premier lieu, ils remarquaient que le contenu des programmes de formation mettaient un plus grand accent sur les écrits concernant les effets des enseignants dans l'école, les recherches au sujet des écoles efficaces, l'amélioration de l'école et les descriptions du directeur d'école comme leader pédagogique (p. 32). Le contenu des nouvelles approches, selon eux, était fortement ancré sur des analyses descriptives, des expériences d'apprentissage et les besoins des étudiants.

Enfin, Murphy et Hallinger (1989) remarquaient qu'il existait de nouveaux diffuseurs en administration de l'éducation en ce qui a trait au perfectionnement des gestionnaires scolaires (p. 34). Ils soulignaient entre autres les associations professionnelles, de nombreuses commissions scolaires, des départements d'éducation, des centres de recherche et des laboratoires et des académies créées à cette fin. Enfin, les auteurs rapportaient que, au niveau local, l'école elle-même recevait de plus en plus d'attention comme lieu de perfectionnement.

Kuh et McCarthy (1989) rapportaient dans leur étude que 36 % des chefs de département d'administration de l'éducation avaient le sentiment que la qualité de leur programme de formation était excellente (p. 111). La réforme du curriculum et le maintien des liens avec les praticiens étaient les priorités des chefs de département à l'égard des programmes de formation. Les résultats de leur étude montraient par contre que les jeunes professeurs étaient moins satisfaits de l'excellence de leur programme de formation.

En mars 1990, l'Assemblée législative de l'État du Kentucky votait une loi entamant une réforme globale du système d'éducation, décentralisant la prise de décision. La loi exigeait une nouvelle formation des directeurs d'école. En 1992, l'Université de Louisville, en collaboration avec le Jefferson County Public School District, lançait le programme *Principals for Tomorrow*. Le programme avait pour objectif de permettre aux gestionnaires d'améliorer leurs habiletés administratives et de communication, d'accroître leurs connaissances et leurs habiletés pédagogiques, d'acquérir des compétences à l'égard des technologies et d'apprendre à utiliser les services du centre administratif de la commission scolaire (Kirkpatrick, 2000, p. 40). Il s'agissait d'une session de 12 jours répartie sur une période de 3 semaines au cours de l'été (Kirkpatrick, 2000, p. 38).

Le National Policy Board in Educational Administration (NPBEA) publiait, en 1990, le rapport d'une étude menée conjointement par la NAESP et la NASSP : *National Commission for the Principalship* (1990). Le rapport proposait un vaste cadre de référence comprenant 21 compétences ou critères de performance regroupés en 4 domaines concernant l'organisation et le fonctionnement d'une école. Ces domaines sont les suivants : les domaines fonctionnels, le curriculum, les domaines interpersonnels et les domaines contextuels. (Thomson, 1993).

Gursky (1992) publiait un article portant sur un programme de formation des directeurs d'école différent de ceux qui étaient offerts depuis 1990. Il décrivait le programme que la *School of Urban and Public Affairs* de l'Université Carnegie Mellon à Pittsburg avait imaginé pour les adultes qui aspiraient à une carrière en administration de l'éducation. Cette université n'ayant pas de faculté des sciences de l'éducation, il lui fallait offrir quelque chose pour ces personnes à l'intérieur de la maîtrise en administration publique. Les cours offerts portaient sur l'analyse financière et l'économie politique ainsi que sur la supervision scolaire et l'administration de l'éducation. De plus, les étudiants passaient deux jours dans un centre d'évaluation et faisaient un stage en milieu scolaire.

Owens et Shakeshaft (1992) mentionnaient que, avec les années, on avait davantage mis l'accent sur le leadership éducationnel dans les programmes de formation en administration de l'éducation (p. 7). Les programmes tenaient compte de plus en plus de l'école et de son directeur. Ce changement amenait en même temps, selon eux, un déplacement du centre d'intérêt de l'analyse bureaucratique vers une analyse plus sophistiquée.

Achilles (1994) a vérifié dans quelle mesure les problèmes et leurs solutions des années 1990 se comparaient avec ceux des années 1950. Son étude était basée sur les programmes de formation offerts ainsi que sur des études et des documents de réflexion. Il concluait que les refontes des programmes de formation en administration de l'éducation des années 1990 n'étaient pas des exemples de grandes visions ; elles étaient plutôt une représentation raffinée des idées exprimées précédemment, mais jamais réellement réalisées (p. 18). Il ajoutait que ces programmes semblaient avoir changé, mais très peu en dépit que le contexte ait grandement changé (p. 19).

Prestine (1995) mentionnait que si la pratique de l'administration de l'éducation était considérée comme une entreprise normative, alors le développement des programmes de formation devait également être pensé comme une entreprise normative et non descriptive (p. 270). Elle ajoutait de plus que ces programmes ne devaient pas être limités à la transmission de connaissances accumulées, mais plutôt devaient contenir une assistance accordée aux praticiens afin qu'ils puissent les utiliser pour réfléchir au sujet de leur pratique et mieux réussir (p. 272).

Travaillant en collaboration avec le National Policy Board in Educational Administration (NPBEA), le National Council for Accreditation of Teacher Education (NCATE) approuvait les lignes directrices pour l'évaluation des programmes de premier cycle dont l'objectif était la formation en administration de l'éducation (NCATE, 1996). Ces programmes furent connus sous le nom de *Educational Leadership Constituent Council* et regroupés autour de quatre dimensions : stratégie, pédagogie, organisation et politique et communautaire.

Bredeson (1996) faisait part de trois nouveaux programmes de formation qui illustraient les efforts sérieux pour améliorer les programmes. Il s'agissait du *Prospective Principals' Program* de l'Université Stanford, du programme de maîtrise de l'Université de la Caroline du Nord et du programme de doctorat professionnel de l'Université de l'Utah. Ces trois programmes avaient les points communs suivants :

> ➤ le contenu de chaque programme avait été redéfini en ajoutant les connaissances théoriques et empiriques dans des problèmes pratiques ;
>
> ➤ les expériences pratiques et celles sur le terrain n'étaient plus informelles. Elles faisaient partie intégralement de l'enseignement tout au cours du programme ;
>
> ➤ chaque programme était renforcé grâce à une étroite collaboration avec des praticiens, dont certains étaient des mentors et aidaient à superviser les stages ;
>
> ➤ chaque département avait conçu les programmes, pour des cohortes d'étudiants, à temps plein dans trois sessions d'été ou durant une année universitaire ;
>
> ➤ les programmes étaient axés sur des problèmes pratiques et les exigences traditionnelles pour le doctorat avaient diminué ;

> chaque programme prévoyait tout un arsenal d'outils d'évaluation, incluant le portfolio professionnel, dans le but de mesurer les apprentissages des étudiants (p. 269).

Kochan et Twale (2000) ont tenté de savoir dans quelle mesure les universités faisaient appel à un comité consultatif lors de changements apportés à leurs programmes de formation. Leur enquête révélait que parmi les 36 universités membres du UCEA qui avaient retourné le questionnaire, 19 n'avaient aucun comité consultatif, même informel. Les comités existants, formés de représentants des niveaux primaires et secondaires, avaient été constitués au cours des 5 dernières années.

Lauder (2000) publiait les caractéristiques des programmes révisés de formation en administration de l'éducation des directeurs d'école. Elle rapportait les sept tendances suivantes :

> les exigences d'entrée étaient alignées sur les préalables du principalat ;

> l'utilisation des modèles de cohortes ;

> la mise en place de standards reposant clairement sur la performance ;

> l'individualisation de l'enseignement ;

> le développement et l'évaluation des habiletés ;

> l'accent mis sur la pratique réflexive ;

> la révision continue du programme avec la participation des praticiens (p. 23-24).

AU CANADA ANGLAIS

Au Canada anglais, au milieu des années 1970, 30 universités offraient de tels programmes (Miklos, 1983, p. 156). Holdaway (1978) rapportait que, pour l'année universitaire 1976-1977 au Canada, 304 étudiants étaient inscrits à temps complet à la maîtrise dans 29 départements d'administration de l'éducation et que 2 637 y étaient inscrits à temps partiel (p. 19). Dix-sept de ces départements offraient une maîtrise professionnelle sans thèse et 10 assuraient une maîtrise professionnelle avec thèse. Seulement 7 départements offraient une maîtrise ès arts. Neuf départements dispensaient des études de doctorat (Miklos, 1983, p. 156).

Les conceptions albertaines de la formation (1950-1970)

Comme il a été expliqué précédemment, la division d'administration de l'éducation de l'Université de l'Alberta fut créée en 1956. Il est donc normal de retrouver, dans les annuaires des années 1955-1956 et 1956-1957, les mêmes cours qu'en 1954-1955. Ce n'est que dans l'annuaire de 1957-1958 que l'administration de l'éducation et de supervision apparaissait comme une spécialisation. Le nombre de cours offerts, souvent des séminaires ou des conférences, passait de 5 à 12. De plus, six professeurs, rattachés au nouveau département, et onze professeurs venant d'autres provinces assuraient l'enseignement.

Un étudiant ne suivait qu'un minimum de cours et complétait sa scolarité par des projets individuels ou de groupe. De fait, le programme de maîtrise ne contenait que neuf cours de trois crédits portant sur des sujets tels l'éducation au Canada, les concepts en administration de l'éducation, la planification scolaire, les finances scolaires, etc. (Swift, 1970, p. 46). Le programme de doctorat consistait en sept autres cours qui couvraient à peu près les mêmes sujets que ceux de la maîtrise, mais étaient étudiés plus en profondeur.

Comme pour la conception de l'administration de l'éducation, la conception de la formation n'a pu commencer au Canada qu'après 1956, date à laquelle son enseignement a débuté. C'est ainsi que l'on retrouve une première conception de ce champ d'études par Reeves (1967, p. 177). Il affirmait que tous les programmes devaient, dans leur tronc commun, mettre l'accent sur les sujets suivants : les fondements en éducation, l'étude des organisations et de l'administration, l'impact des sciences sociales, la logique et la méthodologie de la recherche et l'occasion d'entreprendre une recherche et de démontrer des habiletés administratives.

Reeves notait que la plupart des programmes de formation en administration de l'éducation ont été élaborés de façon à favoriser des directeurs généraux et des directeurs d'école. Il reconnaissait déjà la croissance du nombre de spécialistes au sein des commissions scolaires, croissance due, selon lui, à l'urbanisation et au développement de méga-commissions scolaires. Il proposait qu'une plus grande attention soit accordée aux cours spécialisés, tels que les cours sur les finances, sur les édifices scolaires, sur la supervision générale et sur le curriculum (p. 180).

Reeves (1967, dans Thomas, 1975, p. 43), s'adressant aux participants de la session annuelle organisée par la Canadian Education Association (CEA), expliquait le modèle qu'il préconisait et le rôle que la division d'administration de l'éducation de l'Université de l'Alberta devait jouer dans la formation des gestionnaires. Il s'agissait d'une série de séminaires portant sur les sujets suivants et formant le tronc commun de cours offerts :

> ➤ l'organisation et l'administration ;
> ➤ l'étude de problèmes administratifs ;
> ➤ l'individu au sein d'une organisation ;
> ➤ les forces extérieures à l'organisation éducative ;
> ➤ les méthodes de recherche et les habiletés d'interprétation ;
> ➤ les expériences connexes.

Enns (1969) présentait les trois catégories de sujets qui devaient être abordés dans un programme de formation en administration de l'éducation : 1) la perspicacité et les habiletés personnelles à comprendre la communication et le leadership ainsi que les habiletés conceptuelles ; 2) la théorie administrative incluant la théorie des organisations ; 3) d'autres aspects comme les études comparées en éducation et en administration de l'éducation.

De nouvelles conceptions (1971-2000)

La province de l'Ontario est bien connue pour son Ontario Council for Leadership in Educational Administration (OCLEA) qui s'intéresse particulièrement au perfectionnement en administration de l'éducation. Au moment de sa création en 1973, cet organisme jouissait d'une subvention de quatre ans de la Fondation W.K. Kellogg (Musella et Arikado, 1975). Le OCLEA comprenait trois programmes : un qui offrait des sessions de perfectionnement ; un second qui offrait des services d'information ; et un dernier qui encourageait la recherche et le développement.

Pour l'année 1991-1992, par exemple, le OCLEA offrait 78 activités différentes dont au moins une dizaine était destinée aux directeurs et directeurs adjoints d'école (OCLEA, 1992). L'organisme avait alors organisé pour cette période des ateliers d'une durée d'une journée sur divers sujets tels que le rôle du directeur d'école dans une situation de changement, l'implantation d'une école efficace ou l'efficacité de la communication. Il y avait aussi des ateliers d'une durée de deux jours sur d'autres sujets.

Coleman (1972) a proposé un programme de perfectionnement pour les directeurs d'école du Manitoba puisque le rôle de directeur avait, selon lui, changé. Ce rôle comprenait dorénavant la définition des buts, la coordination du travail de spécialistes et la responsabilité des relations extérieures. Le contenu du programme mettait l'accent avant tout sur le développement d'une bonne conception théorique des fonctions d'un gestionnaire scolaire et subséquemment sur les habiletés nécessaires à l'exercice de cette fonction. Le programme devait s'étaler sur 2 années et comprendre 900 heures de formation (p. 20).

Farquhar (1973b), à l'occasion de la réunion de l'Association canadienne pour l'étude de l'administration scolaire, mentionnait d'abord que les canadiens partageaient avec les américains le problème non résolu du choix des critères pour la sélection et l'évaluation des contenus des programmes de formation (p. 9). Il ajoutait que les programmes canadiens de formation n'étaient pas bien rationalisés et que leurs contenus reposaient sur «la logique, les idées, voire des ouï-dire». Farquhar proposait de se fier aux quatre perspectives développées par Culbertson et ses collègues (1973) et susceptibles de générer des critères de sélection de contenu :

> ➢ une perspective reposant sur la discipline à enseigner ;
> ➢ une perspective reposant sur la théorie ;
> ➢ une perspective reposant sur les problèmes de gestion ;
> ➢ une perspective reposant sur la carrière des étudiants.

Thomas (1975), à l'occasion de son passage au Canada, avait visité 12 universités canadiennes, dont deux québécoises. Ses visites lui avaient permis de rencontrer des professeurs, des étudiants et des praticiens. Il avait aussi assisté à des cours et à des séminaires. Il lui a semblé qu'en général les programmes de maîtrise contenaient les sujets suivants : une composante portant sur les théoriciens des organisations et de l'administration, une seconde portant sur la supervision du personnel éducatif, une troisième sur l'éducation au Canada et une dernière composante contenant des cours optionnels (p. 38).

Miklos et Nixon (1979), comparant les programmes de formation en administration de l'éducation de cinq pays, rapportaient que dans tous les programmes, y compris le Canada, on trouvait des cours sur la théorie administrative, le leadership et la prise de décision (p. 9). Ils ajoutaient qu'au Canada comme aux États-Unis, on maintenait un équilibre entre les trois sortes d'habiletés essentielles aux gestionnaires, à savoir les habiletés conceptuelles, humaines et techniques.

Ils soulignaient toutefois que les étudiants américains et canadiens percevaient que la formation était davantage axée sur les habiletés conceptuelles au détriment des habiletés techniques. Wickstrom (1980), directeur général de la commission scolaire de Vancouver Nord, confirmait cette perception (p. 3).

Hickcox (1981, p. 2) notait que les programmes canadiens de formation en administration de l'éducation différaient très peu de ceux offerts aux États-Unis. Il remarquait que dans un département canadien et dans un département américain de formation, les deux cours de base utilisaient à peu près le même matériel. Les autres cours traitaient également de sujets communs, à savoir, la politique en éducation, les finances scolaires, les relations humaines et le développement organisationnel, la méthodologie de recherche et les statistiques.

Leithwood et Avery (1987) ont réalisé une étude sur la situation du perfectionnement des directeurs d'école dans huit provinces canadiennes. Un questionnaire expédié dans 176 commissions scolaires généra des réponses de 129 d'entre elles (soit un taux de 73 %). Les résultats révélaient que les directeurs d'école étaient obligés ou fortement encouragés à participer aux sessions de perfectionnement organisées par leur commission scolaire, soit dans 75 % des cas (p. 139). En 1984-1985, les sessions duraient de deux jours à une semaine, soit dans 79,8 % des cas. Les sujets abordés lors de ces sessions étaient, en ordre décroissant, la planification du programme d'études, la supervision et l'évaluation du personnel et le leadership (p. 145).

Enfin, Goddard (1997) rapportait les résultats de son étude sur les besoins des gestionnaires de l'éducation de la Nouvelle-Écosse. Ces résultats reposaient sur les réponses de 193 directeurs d'école qui avaient retourné le questionnaire. Les sujets de développement professionnel les plus fréquemment mentionnés étaient les conseils d'école et la gestion décentralisée des écoles. Les réponses aux questions ouvertes révélaient que les répondants préféraient les cinq thèmes suivants pour des activités de développement professionnel : la gouvernance, le rôle du directeur d'école, les questions de personnel, la technologie et le curriculum et, finalement, les élèves.

AU QUÉBEC

C'est avant 1960, soit au cours de l'année scolaire 1953, à l'Université Laval, que les premiers cours en administration scolaire furent offerts. Ils s'intégraient alors à un programme conduisant à une licence en pédagogie. À Montréal, à l'Institut pédagogique Saint-Georges

(IPSG), on retrouvait une section de cours en administration scolaire dans l'annuaire de 1956-1957. À l'origine de l'enseignement de l'administration de l'éducation, la formation des gestionnaires de l'éducation était orientée vers la préparation de pédagogues-administrateurs. Selon Arguin (1971), en parlant de l'Université Laval, «les études étaient surtout axées sur la pédagogie et ce n'était qu'accidentellement qu'on y incorporait quelques notions d'administration scolaire» (p. 15). La même situation prévalait à Montréal.

Des conceptions de programmes axées sur la pédagogie (1960-2000)

Le comité de direction de la Fédération provinciale des principaux d'école (FPPE), de son côté, concevait que la formation des directeurs d'école devait reposer sur la supervision scolaire (entendre la supervision pédagogique). En effet, la Fédération créait, en 1962, le comité d'éthique professionnelle (CEP) chargé de mettre en place des cours de supervision scolaire. Elle obtenait, en 1963, du Comité catholique du Conseil de l'instruction publique la mise sur pied d'une série de cours sur la supervision scolaire pour les principaux d'école (Baudoux, 1994, p. 96). Les cours s'appelaient Cours du certificat d'aptitude à la direction des écoles et apparurent éventuellement à l'article 83 des Règlements du ministère de l'Éducation (Poirier, 1967). Le Conseil décernait un certificat d'aptitude à la direction des écoles.

En 1968, le Conseil supérieur de l'Éducation publiait un avis concernant l'administration de l'éducation. Cet avis révélait en grande partie sa conception de la formation en administration scolaire. Il recommandait que le ministère de l'Éducation décerne un diplôme en administration scolaire aux personnes qui auraient, avant le 1er septembre 1971, satisfait à certaines exigences universitaires et professionnelles. Selon Baudoux (1994), avec cette recommandation, de très nombreuses détentrices du brevet B n'étaient plus alors admissibles aux postes de direction (p. 131). En plus de recommander un diplôme en administration scolaire, le Conseil proposait un minimum de quatre cours, au choix, pour l'obtention de ce diplôme. Les nombreux cours parmi lesquels les personnes devaient faire leurs choix étaient de nature plus pédagogique qu'administrative. On ne suggérait pas, par exemple, un cours portant sur les principes ou les théories d'administration.

Le gouvernement du Québec (1972) faisait connaître sa conception de la formation des gestionnaires de l'éducation en publiant, dans le cadre de sa politique administrative et salariale, sa politique de développement des administrateurs de tous les niveaux du système scolaire. Le chapitre 5 de la politique, qui traitait des contenus et des programmes, présentait cette conception en affirmant qu'elle «doit en être une de système : tout système comprenant une structure (la statique) et une dynamique, ou, si l'on veut, une organisation administrative avec des modes de fonctionnement appropriés, dont le fonctionnement par équipes de gestion» (p. 23).

Lessard (1972), conseiller au ministère de l'Éducation, partageait avec des professeurs sa conception de la formation en administration de l'éducation. Il est d'autant plus important qu'il avait une forte influence au ministère en tout ce qui regardait la gestion des personnels du système scolaire. Pour lui :

> Le cadre doit avoir une formation polyvalente dans le domaine de la gestion ; le cadre doit connaître les principes, les théories et les techniques de la gestion ; il doit aussi tirer profit des différents modes et des différentes conceptions de la gestion dans des secteurs variés, privés et publics, le tout dans une perspective de système (p. 5).

Plus loin, Lessard se demandait s'il était nécessaire de concevoir des programmes de formation en administration scolaire. Il lui semblait que des programmes de formation en administration, tout court, répondraient davantage aux objectifs poursuivis (p. 7). Il ajoutait que la formation du futur administrateur devait être axée sur le développement des aptitudes et des habiletés de gestion, et aussi sur l'acquisition de connaissances et de techniques nécessaires à l'accomplissement de ses tâches d'administrateur.

Brassard (1972), pour sa part, a présenté une conception de la formation en administration de l'éducation en considérant chacun des objectifs qui, selon lui, devaient être poursuivis. Il le faisait sous la forme de propositions que nous avons reproduites intégralement :

> ➢ la formation doit préparer les administrateurs scolaires à accomplir des tâches et à résoudre des problèmes (prendre des décisions) ;
> ➢ la formation doit faciliter la transformation personnelle de l'administrateur scolaire de façon qu'il soit apte à remplir sa fonction ;
> ➢ la formation doit viser directement à développer la compétence interpersonnelle de l'administrateur scolaire et sa capacité de travailler en équipe ;
> ➢ la formation doit développer chez l'administrateur scolaire une capacité d'adaptation très grande ;
> ➢ la formation doit préparer l'administrateur à rechercher la santé de son organisation ;

> la formation doit préparer l'administrateur à affronter positivement les difficultés et les crises qui peuvent se présenter;
> la formation doit être suffisamment générale de telle sorte que l'administrateur scolaire puisse assumer toute responsabilité dans tout système scolaire;
> la formation devrait répondre aux différences individuelles qui peuvent exister chez les administrateurs scolaires quant à leur développement au plan de la compétence administrative, à leurs ressources individuelles et à leurs expériences antérieures.

Deblois (1992) écrivait qu'au Québec il n'y a eu que très peu de débats publics ou de discussions sur le genre d'administrateurs de l'éducation dont le système scolaire des années 1970 et 1980 avait besoin (p. 364). De plus, il affirmait que la formation universitaire pour les directeurs d'école avait été remplacée par une formation plus technique traitant de problèmes concrets et présentée dans de courtes sessions. Deblois concluait qu'à moins que les gestionnaires de l'éducation n'aient pris le temps de développer une philosophie personnelle de l'administration grâce à une formation universitaire, les effets des sessions de perfectionnement demeureront problématiques (p. 365).

En 1975, l'Université de Sherbrooke concevait deux programmes non crédités d'introduction à la direction d'école: le Programme d'introduction à la direction des écoles élémentaires (PIDEL) et celui pour les écoles secondaires (PIDES) (Bouchard, Fortin et Godin, 1993, p. 17). PIDES fut le premier offert. Au début, il s'agissait de programmes expérimentaux, mais ils furent tellement populaires qu'ils durèrent jusqu'en 1983. Ce n'est qu'en 1984-1985 que débuta un programme crédité: le Programme d'introduction à la direction d'une école (PIDEC). En 1991, le premier Programme d'introduction à la direction générale d'une commission scolaire (PIDIGECS) fut mis en place.

Le ministère de l'Éducation publiait en 1976 son document relatif à la formation des administrateurs et en 1981 son plan national de perfectionnement des administrateurs scolaires des commissions scolaires (Lévesque, 1976 et 1981). D'une part, Deblois et Moisset (1983) notaient qu'on attendait alors la politique globale et générale de formation pour les futurs administrateurs scolaires (p. 14). Deblois (1987) relevait toujours l'absence de politiques officielles de formation des administrateurs et l'orientation plutôt axée sur leur perfectionnement (p. 101).

Robert *et al.* (1976), dans une recension qu'ils faisaient de la formation des administrateurs de l'éducation qui existait en 1973-1974 dans les universités québécoises, révélaient le fait que l'administration scolaire était devenue une fonction ou plutôt un ensemble de fonctions à caractère administratif et que les habiletés de l'administrateur étaient puisées autant, sinon plus, dans les théories et les techniques administratives du monde économique que dans l'expérience. Ils ajoutaient que l'accent était mis sur la compétence et l'efficacité «managérielle» (p. 5 et 6). Les auteurs soulignaient les deux tendances majeures qui s'étaient alors développées dans la formation en administration de l'éducation : la tendance sociale et la tendance «management». À l'Université Laval, on concevait cette formation de façon qu'elle soit très ouverte sur les sciences sociales et quelque peu ouverte sur les sciences administratives alors qu'à l'Université de Montréal on la concevait d'une façon plus théorique ou fondamentale, cette dernière tendance étaient alors très forte au Québec (p. 7).

Des conceptions de programmes plus pratiques (1989-2000)

Laurin (1989) a réalisé une étude auprès de différentes catégories de gestionnaires de l'administration de l'éducation sur les besoins de perfectionnement à privilégier et les approches pédagogiques à utiliser. Les résultats indiquaient, au total, 36 thèmes de perfectionnement variant selon les catégories d'emplois. Ainsi, les directeurs généraux privilégiaient «la planification stratégique et opérationnelle» alors que les cadres et les gérants de la famille administrative et les directeurs et directrices d'école privilégiaient «la gestion de leur équipe» (p. 72). Un résumé de cette étude était publié l'année suivante (Laurin, 1990).

Laurin et Parent (1990) sont parmi les rares auteurs au Québec à avoir soulevé le problème et la nécessité de l'évaluation des programmes de formation en administration de l'éducation. Pour des fins d'analyse de fiabilité et de vérifiabilité, ils retenaient les trois objectifs normalement poursuivis par les programmes à savoir : la métaconnaissance d'une personne compétente ; la formation d'un gestionnaire efficace ; et la formation d'un chercheur (p. 5). Malheureusement, les auteurs ne proposaient pas de méthodes d'évaluation.

Corriveau (1993) a présenté une conception intégrée de formation et de perfectionnement en administration de l'éducation. Sa conception reposait sur une synthèse de trois modèles suggérés par des auteurs américains ainsi que sur son expérience personnelle d'enseignante de ce champ d'études. Les quatre principales étapes

FIGURE 3

**Le modèle intégré de formation et de perfectionnement
en administration de l'éducation**

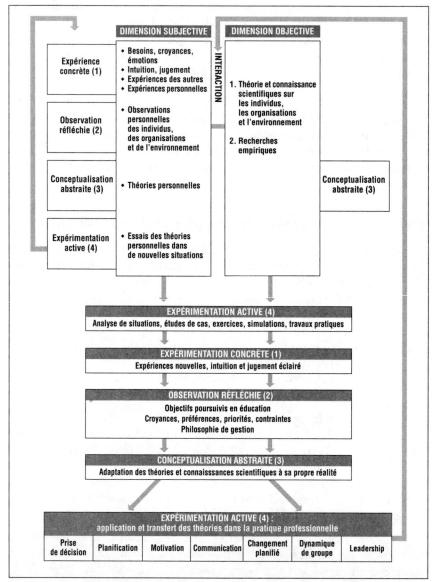

Source : L. Corriveau (1993). «Théories et pratiques en administration scolaire : entre le cœur
et la raison», dans A. Godin (dir.), *Pratiques et modèles de formation en administration
scolaire*, Sherbrooke, Éditions du CRP, p. 142.

d'apprentissage que sont l'expérience concrète, l'observation et la réflexion, la conceptualisation et l'expérimentation active constituaient les composantes de base de sa conception représentée par la figure 3.

Laurin (1993) rapportait une conception de la formation à distance en administration de l'éducation qu'il avait expérimentée à l'étranger et au Québec. Sa conception d'un programme de développement s'adressait aux directeurs et directrices d'école primaire. Elle tenait compte de l'environnement, de l'engagement des autorités de l'organisation à transformer le système, de la planification du programme en collaboration avec le milieu et l'université, de la réalisation du contenu en étroite relation avec les acteurs impliqués et de l'évaluation du programme (p. 74). La figure 4 illustre sa conception de la formation.

Bouchard, Fortin et Godin (1993) ont développé une conception de la formation en administration de l'éducation pour initier les nouvelles directions d'école. Il s'agissait du Programme d'introduction à la direction d'une école (PIDEC), une formation professionnelle sur mesure, qui reposait sur des principes ou des valeurs épistémologiques en tenant compte de l'impact sur les indidividus et de l'importance du groupe de pairs. Leur conception est représentée à la figure 5.

Le Conseil supérieur de l'Éducation, dans son rapport annuel 1991-1992, invitait les partenaires du milieu scolaire à réfléchir sur la gestion de l'éducation (CSE, 1993). Il remettait en question la conception de la formation en administration de l'éducation. En plus de relever des lacunes importantes dans la gestion actuelle de l'éducation, le Conseil proposait un fonctionnement plus souple et plus stimulant, plus ouvert et plus adapté aux exigences éducatives et une recherche de nouveaux consensus sur le sens de la mission éducative (p. 28 et 29). Il suggérait même une responsabilité partagée à l'interne comme à l'externe pour un partenariat plus actif.

Massé (1993) a présenté un schéma des quatre types de formation en administration de l'éducation offerts au Québec. Il y avait d'abord la formation fondamentale qui se traduisait par une structure de cours et ensuite une formation professionnelle qui, elle, se structurait autour des principaux champs de pratique d'un gestionnaire. Puis, on trouvait une formation fonctionnelle qui existe dans des programmes de courte durée qui offrent une grande flexibilité en ce qui a trait à la structure, aux contenus et à la méthodologie (p. 6). Enfin, il existait une formation développementale qui vise surtout une clientèle de

FIGURE 4

Conception d'un modèle de formation à distance du développement des administrateurs scolaires

Source : Adapté de P. Laurin (1993). « Le développement des administrateurs scolaires : paradigme et modèle de formation à distance », dans A. Godin (dir.), *Pratiques et modèles de
formation en administration scolaire,* Sherbrooke, Éditions du CRP, p. 80.

FIGURE 5

Tableau récapitulatif du programme PIDEC

L'ACTIVITÉ DE FORMATION	LA FORMATRICE, LE FORMATEUR
1. Mise en place de stratégies s'appuyant sur l'analyse de la pratique de gestion. 2. Recadrage et transformation par la confrontation des différentes logiques. 3. Thèmes de travail basés sur les intérêts actuels des participantes et des participants.	1. Exerce une médiation entre les personnes et les contenus. 2. Anime le groupe et provoque les interactions entre les membres du groupe. 3. Intervient comme personne ressource ou expert de contenu. 4. Évalue de façon formative ou sommative : la démarche/processus, les stratégies et le contenu. Note : Le groupe est lui-même formateur parce qu'il exerce aussi une médiation.

L'APPRENTISSAGE	LES PARTICIPANTES, LES PARTICIPANTS
S'effectue par : 1. La prise de conscience d'une vision personnelle de la réalité de gestion. 2. L'élargissement de cette vision en la confrontant à d'autres visions et à des études ou des théories. 3. La réorganisation des connaissances à l'aide des nouvelles informations. 4. Le réinvestissement dans la pratique. 5. Un retour sur ce réinvestissement.	1. Participent activement au choix des thèmes de travail, aux modalités définies (tâches, problèmes à résoudre, situation à analyser, etc.) et à l'évaluation (choix des critères et des modalités). 2. Interagissent entre eux et avec la ou le responsable de la formation. 3. S'engagent dans le choix des objets d'analyse à privilégier 4. Sont au centre de l'activité de formation.

Source : Adapté de M. Bouchard, R. Fortin et A. Godin (1993). « La formation des gestionnaires scolaires : aliénation ou développement ? », dans A. Godin (dir.), *Pratiques et modèles de formation en administration scolaire*, Skerbrooke, Éditions du CRP, p. 26.

gestionnaires expérimentés qui désirent faire une mise à jour de leurs connaissances et analyser leurs pratiques au contact d'autres praticiens (p. 7).

Par ailleurs, Massé (1993) a suggéré un modèle à partir duquel il déterminait et regroupait les compétences auxquelles répondaient les programmes en gestion de l'éducation et de la formation. Il s'agissait de quatre champs de pratique et d'une zone qui concernait le gestionnaire comme individu. Son modèle contenait les compétences suivantes :

> ➢ compétences reliées à la connaissance de soi et la gestion de soi et de ses pratiques ;
> ➢ compétences reliées aux processus organisationnels et inter-personnels ;
> ➢ compétences reliées à la mission de l'organisation ;
> ➢ compétences reliées à la gestion des ressources ;
> ➢ compétences reliées aux relations avec le contexte environnant (p. 7).

Massé (1994) a relevé le fait que bon nombre de programmes du niveau de la maîtrise et du doctorat pouvaient alors encore être qualifiés d'universitaires. Selon lui, la structure des activités et leurs contenus étaient largement déterminés à l'avance et offraient peu de lattitude à la clientèle (p. 289). De plus, Massé notait que les contenus étaient principalement structurés à partir des savoirs théoriques et que l'utilisation du vécu servait davantage à démontrer le bien-fondé ou les limites des connaissances existantes. Selon lui, le développement d'habiletés pratiques était secondaire et parfois même inexistant (p. 289).

Une étude menée par le ministère de l'Éducation (1995) portant sur la préparation à la direction d'un établissement scolaire laissait entrevoir la conception que se font les praticiens de la formation en administration de l'éducation (MEQ, 1995). Les résultats révélaient, au point de départ, que 87 % des répondants estimaient qu'un programme de formation initiale faciliterait l'acquisition de connaissances et le développement d'habiletés nécessaires à l'exercice de leur fonction (p. 10). D'ailleurs, 63,8 % d'entre eux jugeaient que leur formation était insuffisante au moment de leur entrée en fonction.

L'étude demandait aux répondants d'indiquer quel degré d'importance ils accordaient aux types de compétences suggérées. Ils avaient le loisir de suggérer eux-mêmes des compétences au-delà de la liste fournie dans le questionnaire. Dans la liste suivante, « autre », à la suite d'une compétence, signifie qu'elle fut suggérée par les répondants. Par ordre d'importance, les premières compétences les plus pertinentes furent :

> la facilité à entretenir de bonnes relations interpersonnelles, de communiquer et à entrer en relation avec les partenaires du milieu scolaire (autre) ;
> le processus de la supervision pédagogique ;
> l'analyse et la négociation des attentes des différents partenaires (autre) ;
> le mode de gestion (planification, organisation, direction, contrôle et évaluation) ;
> les théories et techniques de motivation et de gestion du personnel (autre).

Les conclusions de St-Germain et Corriveau (1997) ont fait part d'une formation appropriée tenant compte des nombreux enjeux démocratiques auxquels les gestionnaires de l'éducation faisaient face. Cette formation, selon eux, devait avoir les caractéristiques suivantes :

> apprendre aux gestionnaires à partager le pouvoir ;
> acquérir une connaissance des grilles disponibles pour interpréter la réalité et agir en fonction du contexte ;
> permettre la socialisation aux pratiques des milieux en fournissant aux gestionnaires des registres de communication et de comportements différents ;
> comprendre le comportement des individus (p. 336-337).

Violette (1999), faisant un examen général du système d'éducation en contexte de changement, mentionnait le fait que dorénavant la direction d'école déterminerait les besoins de l'école en matière de perfectionnement du personnel de l'école et qu'elle serait également responsable de l'organisation des activités de perfectionnement convenues avec ce personnel (p. 42). Elle ajoutait que le personnel enseignant participerait à la définition des activités de perfectionnement qui le concernent.

Brassard (2000) a décrit succinctement le programme révisé de formation en administration de l'éducation de l'Université de Montréal. L'objectif du programme était de développer l'habileté à gérer un organisme d'éducation ou à exercer une fonction de gestion au sein d'un tel organisme (p. 20). Quant aux activités de formation, elles étaient structurées en premier lieu selon le type d'habileté visée. En second lieu, elles comprenaient des cours qui portaient sur les sciences humaines, une fonction de gestion et la situation de gestion.

Ce chapitre avait pour objectif de présenter différentes conceptions de la formation en administration de l'éducation telle qu'elle a été enseignée aux États-Unis et au Canada, ainsi que les modes de perfectionnement des gestionnaires scolaires. Après s'être définis comme philosophes, puis comme homme d'affaires, les premiers directeurs généraux ont suivi les premiers cours offerts dans le domaine en 1910 et 1911. Ces cours avaient alors une couleur d'efficience suivant le mouvement de la direction scientifique des entreprises. Comme le souligne Brassard (2000, p. 26), c'était une conception de la formation qui considérait l'administration comme une pratique sociale régie par la norme d'efficacité.

En 1915, on a vu apparaître des programmes spécialisés de formation préconisant une approche mécaniste. Ce n'est qu'au cours des années 1950 que les sciences sociales, dites du comportement, ont fait leur apparition dans les programmes de formation. Au cours de cette même période, la formation des gestionnaires reposait davantage sur les aspects théoriques de l'administration que sur ceux de la pratique. La conception de la formation de généralistes et de spécialistes a provoqué un débat qui a commencé au début des années 1960 et qui a duré jusqu'au milieu des années 1970.

Les programmes offerts au cours des années 1970 présentaient une plus grande flexibilité ; ils étaient mieux structurés. Ils faisaient appel aux connaissances développées dans d'autres champs d'études. Les discussions sur la conception de la formation des gestionnaires qui assureraient les liens entre la théorie et la pratique ont eu lieu dans les années 1980. Les programmes de formation ont connu alors de nouvelles structures, surtout en ce qui a trait au perfectionnement des gestionnaires de l'éducation. Ce fut l'époque de la création de nouveaux diffuseurs tels que les *Principals' Centers*.

La conception de la formation des gestionnaires au Canada s'est limitée à reproduire celle des États-Unis. Toutefois, elle est plus axée sur un développement conceptuel que sur le développement d'habiletés de gestion. Par contre, au Québec, au début, la conception de la formation était davantage pédagogique qu'administrative au détriment de l'acquisition des habiletés de gestion. Il a fallu attendre les années 1990 pour trouver des modèles plus intégrés ayant un caractère pratique.

Le chapitre suivant abordera la certification des gestionnaires scolaires ainsi que les façons de recruter et de sélectionner les étudiants en administration de l'éducation. Le chapitre traitera aussi des manières qui ont jadis été utilisées pour transmettre les connaissances contenues dans les programmes de formation.

Références

ACHILLES, C.M. (1984). «Forecast: Stormy Weather Ahead in Educational Administration», *Issues in Education*, vol. 2, p. 127-135.

ACHILLES, C.M. (1985). *Building Principal Preparation Programs on Theory, Practice and Research*, communication présentée au Annual meeting of the National Conference of Professors of Educational Administration, Starkville.

ACHILLES, C.M. (1994). «Searching for the Golden Fleece: The Epic Struggle Continues», *Educational Administration Quarterly*, vol. 30, n° 1, p. 6-26.

ALKIRE, G. (1978). «Master's Programs in Educational Administration», dans P.F. Silver et D.W. Spuck (dir.), *Preparatory Programs for Educational Administrators in the United States*, Columbus, The University Council for Educational Administration. p. 52-82.

AMERICAN ASSOCIATION OF SCHOOL ADMINISTRATORS (1958). *Something to Steer by 35 Proposals for Better Preparation of School Administrators*, Washington, Committee for the Advancement of School Administration, The Association.

AMERICAN ASSOCIATION OF SCHOOL ADMINISTRATORS (1963). *The Education of a School Superintendent*, Washington, The Association.

AMERICAN ASSOCIATION OF SCHOOL ADMINISTRATORS (1983). *Guidelines for the Preparation of School Administrators*, Arlington, The Association.

ARGUIN, G. (1971). «L'enseignement de l'administration scolaire au Québec», *Information*, vol. 11, n° 1, p. 15-17.

BACHARACH, S.B. (1990). «Education reform: Making Sense of It All», dans S.B. Bacharach (dir.), *Education Reform: Making Sense of It All*, Boston, Allyn and Bacon, p. 1-6.

BALLIET, T.M. (1889). «The Work of the City Superintendent», *NEA Department of Superintendence Proceedings*, Washington, p. 182-184.

BARNABÉ, C. (1965). *L'enquête dans les universités américaines qui dispensent un enseignement en administration scolaire*, Montréal, Section d'administration scolaire, Université de Montréal.

BARNABÉ, C. (1993). «La pérestroïka scolaire américaine», *Revue des sciences de l'éducation*, vol. 19, n° 3, p. 569-584.

BARNETT, B.G. (1986). «Principals Creating Case Studies of one Another: The Peer-Assisted Leadership Program», *Peabody Journal of Education*, vol. 63, n° 1, p. 174-186.

BARNETT, B.G. et C. LONG (1986). «Peer-Assisted Leadership: Principals Learning From Each Other», *Phi Delta Kappan*, vol. 67, n° 9, p. 672-675.

BARTH, R.S. (1986). «Principal Centered Professional Development», *Theory Into Practice*, vol. 25, n° 3, p. 156-160.

BAUDOUX, C. (1994). *La gestion en éducation. Une affaire d'hommes ou de femmes?*, Cap-Rouge, Les Presses Inter Universitaires.

BEASLEY, J. (1993). *Participant Responses to Leadership Training and Internship*, communication présentée au Annual meeting of the American Educational Research Association, Atlanta.

BLOCKER, C.E. (1966). «Clinical and Humanistic Training as a Foundation for Effective Administration», *The Journal of Educational Administration*, vol. 4, n° 2, p. 103-111.

BLUM, R.E. *et al.* (1987). «Leadership for Excellence: Research Based Training for Principals», *Educational Leadership*, vol. 45, n° 1, p. 25-29.

BOBBITT, F.J. (1915). «High School Costs», *School Review*, vol. 23, p. 505-534.

BOUCHARD, M., R. FORTIN et A. GODIN (1993). «La formation des gestionnaires scolaires: aliénation ou développement?», dans A. Godin (dir.), *Pratiques et modèles de formation en administration scolaire*, Sherbrooke, Éditions du CRP, p. 17-29.

BOYAN, N.J. (1963). «Common and Specialized Learnings for Administrators and Supervisors: Some Problems and Issues», dans D.J. Leu et H.C. Rudman (dir.), *Preparation Programs for School Administrators. Common and Specialized Learnings*, East Lansing, College of Education, Michigan State University, Seventh Career UCEA Development Seminar, p. 1-23.

BOYD, W.L. (1990). «Balancing Control and Autonomy in School Reform: The Politics of Perestroika», dans J. Murphy (dir.), *The Educational Reform Movement of the 1980's*, Berkeley, McCutchan Publishing Corporation, p. 85-96.

BRANDEWIE, D. *et al.* (1972). «The Preparation and Development of Secondary School Administrators. A Summary», *The National Association of Secondary School Principals Bulletin*, vol. 60, n° 3, p. 24-41.

BRASSARD, A. (1972). «Les objectifs du «développement» des administrateurs scolaires», *Bulletin d'administration scolaire*, vol. 3, n° 1, p. 20-36.

BRASSARD, A. (2000). «L'institutionalisation du champ d'études de l'administration de l'éducation: une analyse critique de l'expérience québécoise», *Revue française de pédagogie*, n° 130, janvier-février-mars, p. 15-28.

BREDESON, P.V. (1996). «New Directions in the Preparation of Educational Leaders», dans K. Leitwood *et al.* (dir.), *International Handbook of Educational Leadership and Administration*, Boston, Kluwer Academic Publishers, p. 251-277.

BROOKOVER, W.B. *et al.* (1979). *School Social System and Student Achievement: School Can Make A Difference*, New York, Praeger.

BRUCE, R.E. (1993). *Leadership Enhancement and Development (LEAD): A Flourishing Product of School and University Collaboration*, communication présentée au Annual meeting of the American Educational Research Association, Atlanta.

BRUNO, J.E. et J.N. FOX (1973). *Quantitative Analysis in Educational Administrator Preparation Programs*, Columbus, The University Council for Educational Administration.

BUTTON, H.W. (1966). «Doctrines of Administration. A Brief History», *Educational Administration Quarterly*, vol. 2, n° 3, p. 216-224.

CALLAHAN, R.E. (1962). *Education and the Cult of Efficiency. A Study of the Social Forces that have Shaped the Administration of the Public Schools*, Chicago, The University of Chicago Press.

CALLAHAN, R.E. et H.W. BUTTON (1964). «Historical Change of the Role of the Man in the Organization: 1865-1950», dans D.E. Griffiths (dir.), *Behavioral Science and Educational Administration*, The Sixty-Third Yearbook of the National Society for the Study of Education, Chicago, The University of Chicago Press, p. 73-92.

CAMPBELL, R.F. *et al.* (1987). *A History of Thought and Practice in Educational Administration*, New York, Teachers College Press, Columbia University.

CARNEGIE TASK FORCE ON TEACHING AS A PROFESSION (1986). *A Nation Prepared*: *Teachers for the 21st Century*, New York, Carnegie Forum on Education and Economy.

CARVER, F.D. (1993). *The Effectiveness of LEAD Program Elements*, communication présentée au Annual meeting of the American Educational Research Association, Atlanta.

COLEMAN, P. (1972). *The Future Role of the School Administrator*, Occasional Paper n° 12, Winnipeg, The Manitoba Association of School Trustees.

CONSEIL SUPÉRIEUR DE L'ÉDUCATION (1968). « La recommandation du Conseil supérieur de l'Éducation. Ré : diplôme en administration scolaire », *Information*, vol. 7, n° 4, p. 14-15.

COOPER, B.S. et W.L. BOYD (1988). « The Evolution of Training for School Administrators », dans D.E. Griffiths, R.T. Stout et P.B. Forsyth (dir.), *Leaders for America's Schools. The Report and Papers of the National Commission on Excellence in Educational Administration*, Berkeley, McCutchan Publishing Corporation, p. 251-272.

COOPERATIVE DEVELOPMENT OF PUBLIC SCHOOL ADMINISTRATION (1953). *A Developing Concept of the Superintendency of Education. Resource Manual I*, Albany, CDPSA Administration Center.

COOPERATIVE DEVELOPMENT OF PUBLIC SCHOOL ADMINISTRATION (1954). *Toward Improved Preparation of Administrators for Education. Resource Manual 2*, Albany, CDPSA Administration Center.

CORBETT, H.D., W.A. FIRESTONE et G.B. ROSEMAN (1987). « Resistance to Planned Change and the Sacred in School Culture », *Educational Administration Quarterly*, vol. 23, n° 4, p. 36-59.

CORDEIRO, P.A. *et al.* (1991). *Taking Stock : A Summary Report on the Danforth Programs for the Preparation of School Principals*, St-Louis, The Danforth Foundation.

CORRIVEAU, L. (1993). « Théories et pratiques en administration de l'éducation : entre le cœur et la raison », dans A. Godin (dir.), *Pratiques et modèles de formation en administration scolaire*, Sherbrooke, Éditions du CRP, p. 141-153.

CUBAN, L. (1983). « Effective Schools : A Friendly but Cautionary Note », *Phi Delta Kappan*, vol. 64, n° 10, p. 695-696.

CUBBERLEY, E.P. (1916). *Public School Administration*, Boston, Houghton Mifflin Co.

CULBERTSON, J.A. (1964). « The Preparation of Administrators », dans D.E. Griffiths (dir.), *Behavioral Science and Educational Administration*, The Sixty-Third Yearbook of the National Society for the Study of Education, Part II, Chicago, The University of Chicago Press, p. 303-330.

CULBERTSON, J.A. *et al.* (1969). *Preparing Education Leaders for the Seventies*, Columbus, The University Council for Educational Administration.

CULBERTSON, J.A. (1970). « La préparation de chefs de file en éducation pour la décennie 1970-1980 : Recommandations succinctes », Montréal, Université de Montréal. Traduction du texte anglais : « Preparing Educational Leaders for the Seventies : Summary of Recommendations » par André Girard.

CULBERTSON, J.A. *et al.* (dir.) (1973). *Social Sciences Content for Preparing Educational Leaders*, Columbus, Charles E. Merrill Publishers.

CULBERTSON, J.A. (1986). «Administrative Thought and Research in Retrospect», dans G.S. Johnson et C.C. Yeakey (dir.), *Research and Thought in Administrative Theory Developments in the Field of Educational Administration*, Lanham, University Press of America, p. 3-23.

CULBERTSON, J.A. (1988). «A Century's Quest for A Knowledge Base, dans N.J. Boyan (dir.), *Handbook of Research on Educational Administration*, New York, Longman, p. 3-36.

DANFORTH FOUNDATION (1992). *Connections. Conversations on Issues of Principal Preparation*, St. Louis, The Newsletter of the Danforth Principal Preparation Network, The Danforth Foundation.

DARESH, J.C. et M.A. PLAYKO (1992). *The Professional Development of School Administrators. Preservice, Induction, and In-Service Applications*, Needham Heights, Allyn and Bacon.

DARESH, D.W. et B.G. BARNETT (1993). «Restructuring Leadership Development in Colorado», dans J. Murphy (dir.), *Preparing Tomorrow's School Leaders. Alternative Designs*, University Park, UCEA, p. 129-156.

DEBLOIS, C. et J.J. MOISSET (1983). «La préparation des administrateurs scolaires dans le Québec des années 1980», *Revue de l'Association canadienne d'éducation de langue française*, vol. 12, n° 1, p. 8-16.

DEBLOIS, C. (1987). «Évolution de la fonction de direction d'école au Québec: un cheminement particulier», dans A. Brassard (dir.), *Le développement des champs d'application de l'administration: le cas de l'administration de l'éducation*, Montréal, Faculté des sciences de l'éducation, Université de Montréal, p.95-104.

DEBLOIS, C. (1992). «School Administrator Preparation Programs in Quebec During A Reform Era», dans E. Miklos et E. Ratsoy (dir.), *Educational Leadership: Challenges and Change*, Edmonton, Department of Educational Administration, University of Alberta, p. 355-368.

DEIGHTON, L.C. (dir.) (1971). *Encyclopedia of Education*, vol. 1, New York, The Macmillan Company and The Free Press.

DEWEY, J. (1916). *Democracy and Education*, New York, Macmillan and The Free Press.

ECKEL, H. et P. COOP (1955). «An Experiment in Teaching Educational Administration», *Bulletin of the Bureau of School Service*, vol. 28, n° 1, Lexington, College of Education, University of Kentucky, p. 1-55.

EDUCATIONAL RESEARCH SERVICE (1974). *Inservice Programs for Educational Administrators and Supervisors*, Arlington, Educational Research Service.

ENGLEMAN, F.E. (1963). «Role Descriptions and Common Elements in the Preservice Preparation of Principals and Superintendents», dans D.J. Leu et H.C. Rudman (dir.), *Preparation Programs for School Administrators. Common and Specialized Learnings*, East Lansing, College of Education, Michigan State University, Seventh UCEA Career Development Seminar, p. 253-266.

ENNS, F. (1969). «The Promise of International Cooperation in the Preparation of Educational Administrators», dans G. Baron, D.H. Cooper et W.G. Walker (dir.), *Educational Administration: International Perspectives*, Chicago, Rand McNally, p. 300-320.

ÉTHIER, G. (2000). «Le rôle de l'ÉNAP et de la CECM dans la formation et le perfectionnement des gestionnaires de l'éducation», Montréal, Conversation téléphonique privée.

FARQUHAR, R.H. (1968). « The Humanities and Educational Administration : Rationales and Recommendations », *The Journal of Educational Administration*, vol. 6, nᵒ 2, p. 97-115.

FARQUHAR, R.H. (1973a). « The Social Sciences in Preparing Educational Leaders », dans J.A. Culbertson *et al.* (dir.), *Social Science Content for Preparing Educational Leaders*, Columbus, Charles E. Merrill Publishing Company, p. 411-436.

FARQUHAR, R.H. (1973b). *New Directions in the Content of Canadian Preparation Programs for Educational Administrators*, communication présentée au Annual conference of the Canadian Association for the Study of Educational Administration, Kingston.

FARQUHAR, R.H. (1977). « Preparatory Programs in Educational Administration, 1954-1974 », dans L.L. Cunningham, W.G. Hack et R.O. Nystrand (dir.), *Educational Administration. The Developing Decades*, Berkeley, McCutchan Publishing Corporation, p. 329-357.

FOSTER, W. (1988). « Educational Administration : A Critical Appraisal », dans D.E. Griffiths, R.T. Stout et P.B. Forsyth (dir.), *Leaders for America's Schools. The Report and the Papers of the national Commission on Excellence in Educational Administration*, Berkeley, McCutchan Publishing Company, p. 68-81.

FORSYTH, P.B. (1999). « The Work of UCEA », dans J. Murphy et P.B. Forsyth (dir.), *Educational Administration. A Decade of Reform*, Thousand Oaks, Corwin Press, p. 71-92.

GIBSON, R.O. et R.A. KING (1977). « An Approach to Conceptualizing Competency of Performance in Educational Administration », *Educational Administration Quarterly*, vol. 13, nᵒ 3, p. 17-30.

GODDARD, J.T. (1997). « Through the Eye of a Needle : Facilitating the Professional Development Needs of Principals », *The Canadian Administrator*, vol. 37, nᵒ 3, p. 1-8.

GOLDHAMMER, K. (1963). *The Social Sciences and the Preparation of Educational Administrators*, Edmonton, Division of Educational Administration, University of Alberta and UCEA.

GOLDHAMMER, K. (1979). « Implications for Change in Training Programs », dans T.L. Eidell et J.M. Kitchel (dir.), *Knowledge Production and Utilization in Educational Administration*, Columbus, University Council for Educational Administration and the Center for the Advancement Study of Educational Administration, University of Oregon, p. 174-184.

GOODLAD, J.I. (1984). *A Place Called School*, New York, McGraw-Hill Book Co.

GOUVERNEMENT DU QUÉBEC (1972). *La politique de développement des administrateurs*, Document numéro 7, Québec, Ministère de l'Éducation.

GRACE, A.G. (1946). « The Professional Preparation of School Personnel », dans N.B. Henry (dir.), *Changing Conceptions in Educational Administration*, The Forty-Fifth Yearbook of the National Society for the Study of Education, Chicago, The University of Chicago Press, p. 176-182.

GREENFIELD, T.B. (1988). « The Decline and Fall of Science in Educational Administration », dans D.E. Griffiths, R.T. Stout et P.B. Forsyth (dir.), *Leaders for America's Schools. The Report and Papers of the National Commission on Excellence in Educational Administration*, Berkeley, McCutchan Publishing Corporation, p. 131-159.

GREENFIELD, W.D. (1975). « Organizational Socialization and the Preparation of Educational Administrators », *UCEA Review*, vol. 16, n° 5, p. 21-25.

GRESSO, D.W. *et al.* (1993). « Time Is Not of the Essence When Planning for a Quality Education Program, East Tennessee State University », dans J. Murphy (dir.), *Preparing Tomorrow's School Leaders. Alternative Designs*, University Park, UCEA, p. 109-127.

GRIFFITHS, D.E. (1956). *Human Relations in School Administration*, New York, Appleton-Century-Crofts, Inc.

GRIFFITHS, D.E. (1957). « Toward A Theory of Administrative Behavior », dans R.F. Campbell et R.T. Gregg (dir.), *Administrative Behavior in Education*, New York, Harper and Row Publishers, p. 354-390.

GRIFFITHS, D.E. (1977). « Preparation Programs for Administrators », dans L.L. Cunningham, W.G. Hack et R.O. Nystrand (dir.), *Educational Administration. The Developing Decades*, Berkeley, McCutchan Publishing Corporation, p. 401-437.

GRIFFITHS, D.E., R.T. STOUT et P.B. FORSYTH (dir.) (1988). *Leaders for America's Schools. The Report and Papers of the National Commission on Excellence in Educational Administration*, Berkeley, McCutchan Publishing Corporation.

GURSKY, D. (1992). « At University Without School of Education. Principals Are Trained Like Business Leaders », *Education Week*, vol. 11, n° 20, p. 6-7.

HALLER, E.J. et E.S. HICKCOX (1973). « Incorporating the Social Sciences in Administrator Preparation Programs : Some Empirical Evidence », dans J.A. Culbertson *et al.* (dir.), *Social Science Content for Preparing Educational Leaders*, Columbus, Charles E. Merrill Publishing Company, p. 33-58.

HALLINGER, P. et J. MURPHY (1991). « Developing Leaders for Tomorrow's Schools », *Phi Delta Kappan*, vol. 72, n° 7, p. 514-520.

HALLINGER, P. (1992). « School Leadership Development. An Introduction », *Education and Urban Society*, vol. 24, n° 3, p. 300-316.

HALPIN, A.W. (dir.) (1958). *Administrative Theory in Education*, New York, The Macmillan Company.

HICKCOX, E.S. (1981). « Introduction : O Say You See Our Home and Native Land », dans R.G. Townsend et S.B. Layton (dir.), *What's So Canadian About Canadian Educational Administration ?*, Toronto, OISE Press, p. 1-7.

HILLS, J. (1975). « Some Comments on T.B. Greenfield Theory in the Study of Organizations and Administrative Structures », *CASEA Newsletter*.

HODGKINSON, C. (1978). *Towards A Philosophy of Administration*, Oxford, Basil Blackwell.

HOLDAWAY, E.A. (1978). *Educational Administration in Canada : Concerns, Research, and Preparation Programs*, communication présentée au Fourth International Intervisitation Program in Educational Administration, Montreal.

HOLMES GROUP (1986). *Tomorrow's Teachers : A Report of the Holmes Group*, East Lansing, Holmes Group.

HOYLE, J.R. (1982). *Administrator Preparation Guidelines : Can We Reach Consensus ?*, communication présentée au Annual meeting of the American Educational Research Association, Montreal.

HOYLE, J.R., F.W. ENGLISH et B. STEFFY (1985). *Skills for Successful School Leaders*, Arlington, American Association of School Administrators.

I/D/E/A/ (1982). *Principals' Inservice Program. An Overview*, Dayton, Charles F. Kettering Foundation.

INSTITUT PÉDAGOGIQUE SAINT-GEORGES. *L'annuaire 1956-1957 et 1959-1960*, Laval-des-Rapides, Mont-de-La-Salle.

KEFAUVER, G.N. (1946). «Reorientation of Educational Administration», dans N.B. Henry (dir.), *Changing Conceptions in Educational Administration*, The Forty-Fifth Yearbook of the National Society for the Study of Education, Chicago, The University of Chicago Press, p. 1-6.

KIRKPATRICK, R. (2000). «Recruiting and Developing Candidates for Principal», *National Association of Secondary School Principals Bulletin*, vol. 84, n° 617, p. 38-43.

KNEZEVICH, S.J. (1972). *Preparation for the American School Superintendency*, Washington, American Association of School Administrators.

KOCHAN, F.K. et D.J. TWALE (2000). «Advisory Groups in Educational Leadership Programs: Whose Voice Counts?», *UCEA Review*, vol. 41, n° 2, p. 1-3.

KUH, G.D. et M.M. McCARTHY (1989). «Key Actors in the Reform of Administrative Preparation Programs», *Planning and Changing*, vol. 20, n° 2, p. 108-126.

LaPLANT, J.C. (1986). «Collegial Support for Professional Development and School Improvement», *Theory Into Practice*, vol. 25, n° 3, p. 185-190.

LAUDER, A. (2000). «The New Look in Principal Preparation Programs», *National Association of Secondary School Principals Bulletin*, vol. 84, n° 617, p. 23-28.

LAURIN, P. (1989). *Identification des besoins de perfectionnement des gestionnaires scolaires et des modes de perfectionnement* (étude prospective), Québec, École nationale d'administration publique.

LAURIN, P. (1990). «Tendances des thèmes de perfectionnement à privilégier et les approches pédagogiques à utiliser chez les administrateurs scolaires du Québec», dans G.-R. Roy (dir.), *Contenus et impacts de la recherche universitaire actuelle en sciences de l'éducation*, Sherbrooke, Éditions CRP, p. 71-78.

LAURIN, P. et M. PARENT (1990). *Étude exploratoire de la fiabilité et de la «vérifiabilité» de la formation en administration scolaire*, communication présentée au 2ᵉ congrès des sciences de l'éducation de langue française du Canada, Sherbrooke.

LAURIN, P. (1993). «Le développement des administrateurs scolaires: paradigme et modèle à distance», dans A. Godin (dir.), *Pratiques et modèles de formation en administration scolaire*, Sherbrooke, Éditions du CRP, p. 67-84.

LAZARSFELD, P.F. (1963). «The Social Sciences and the Study of Administration», dans L.W. Downey et F. Enns (dir.), *The Social Sciences and Educational Administration*, Edmonton, Division of Educational Administration, University of Alberta, p. 3-12.

LEITWOOD, K.A. et C. AVERY (1987). «Inservice Education for Principals in Canada», dans K.A. Leitwood *et al.* (dir.), *Preparing School Leaders for School Improvement*, London, Croom Helm, p. 132-154.

LESSARD, J. (1972). *La formation des administrateurs*, texte présenté au symposium en administration scolaire, Université d'Ottawa.

LEU, D.J. et H.C. RUDMAN (dir.) (1963). *Preparation Programs for School Administrators. Common and Specialized Learnings*, East Lansing, College of Education, Michigan State University, Seventh UCEA Career Development Seminar.

LÉVESQUE, F. (1976). *La formation des administrateurs. Étude préliminaire des variables susceptibles d'influencer l'élaboration d'une politique de formation des administrateurs de l'éducation*, Québec, Service de la formation et du perfectionnement, Ministère de l'Éducation.

LÉVESQUE, F. (1981). *Plan national de perfectionnement des administrateurs des commissions scolaires*, Québec, Service de la formation du personnel scolaire, Ministère de l'Éducation.

LONSDALE, R.C. et R.E. OHM (1971). «Futuristic Planning: An Example and Procedures», dans National Conference of Professors in Educational Administration (dir.), *Educational Futurism 1985. Challenges for Schools and Their Administrators*, Berkeley, McCutchan Publishing Corporation, p. 109-128.

LUSTHAUS, C.S. (1982). *Administrative Training in Canada*, communication présentée au Annual Meeting of the Canadian Society for the Study of Education, Ottawa.

LUTZ, F.W. et R. FERRANTE (1972). *Emergent Practices in the Continuing Education of School Administrators*, Columbus, ERIC/CEM Series on Administrator Preparation, The University Council for Educational Administration.

MANILOFF, H. et D.L. CLARK (1993). «Preparing Effective Leaders for Schools and School Systems: Graduate Study at the University of North Carolina-Chapel Hill», dans J. Murphy (dir.), *Preparing Tomorrow's School Leaders: Alternative Designs*, University Park, PA, UCEA Inc., p. 177-203.

MARCH, J.B. (1974). «Analytical Skills and the University Training of Educational Administrators», *The Journal of Educational Administration*, vol. 12, n° 1, 17-44.

MARTIN, W.J. et D.J. WILLOWER (1981). «The Managerial Behavior of High School Principals», *Educational Administration Quarterly*, vol. 17, n° 1, p. 69-90.

MASON, R.E. (1978). *From Idea to Ideology: School Administration from 1820 to 1914*, communication présentée au Annual meeting of the American Educational Research Association, Toronto.

MASSÉ, D. (1993). *Management et encadrement en éducation et formation: fondements théoriques et pratiques: expérience de l'Université de Sherbrooke au Québec*, communication présentée dans le cadre d'un séminaire à l'Université Panthéon-Assas Paris II.

MASSÉ, D. (1994). «Les programmes de formation en administration scolaire au Québec et recherches connexes», dans M. Bernard (dir.), *Pour les sciences de l'éducation. Approches franco-québécoises*, Paris, Centre de coopération interuniversitaire franco-québécois, *Revue des sciences de l'éducation* et INRP, p. 281-296.

MIKLOS, E. (1972). *Training-In-Common for Educational, Public, and Business Administration*, Columbus, The University Council for Educational Administration.

MIKLOS, E. (1978). «Ethics Aspects of Administrative Action: Implications for Research and Preparation», *Administrator's Notebook*, vol. 26, n° 3, p. 1-4.

MIKLOS, E. et M. NIXON (1979). *Comparative Perspectives on Preparation Programs for Educational Administrators*, communication présentée au Annual Meeting of the Canadian Society for the Study of Education, Saskatoon.

MIKLOS, E. (1983). «Evolution in Administrator Preparation Programs», *Educational Administration Quarterly*, vol. 19, n° 3, p. 153-177.

MILSTEIN, M.M. (1999). «Reflections on the Evolution of Educational Leadership Programs», *Educational Administration Quarterly*, vol. 35, n° 4, p. 537-545.

MINISTÈRE DE L'ÉDUCATION (1995). *Préparation à la direction d'un établissement scolaire*, résultats d'un sondage, Québec, Gouvernement du Québec.

MOEHLMAN, A.B. (1940). *School Administration*, Boston, Houghton Mifflin Co.

MOJKOWSKI, C. (1991). *Developing Leaders for Restructuring Schools. New Habits of Mind and Heart*, Washington, A Report of the National Leadership Network Study Group on Restructuring Schools, United States Office of Education.

MORT, P.R. (1946). *Principles of School Administration*, New York, McGraw-Hill Book Co.

MURPHY, J. et P. HALLINGER (1989). «A New Era in the Professional Development of School Administrators : Lessons From Emerging Programs», *The Journal of Educational Administration*, vol. 27, nº 2, p. 22-45.

MURPHY, J. (1991). «The Effects of the Educational Reform Movement on Departments of Educational Leadership», *Educational Evaluation and Policy Analysis*, vol. 13, nº 1, p. 49-65.

MURPHY, J. (1993a). *Preparing Tomorrow's School Leaders. Alternative Designs*, University Park, PA, UCEA Inc.

MURPHY, J. (1993b). «Alternative Designs : New Directions», dans J. Murphy (dir.), *Preparing Tomorrow's School Leaders : Alternative designs*, University Park, PA, UCEA Inc., p. 225-253.

MURPHY, J. et P.B. FORSYTH (dir.) (1999). *Educational Administration : A Decade of Reform*, Thousand Oaks, Corwin Press.

MUSELLA, D. et M.S. ARIKADO (1975). «OCLEA : A Cooperative Venture in Leadership Development», *The Journal of Educational Administration*, vol. 13, nº 1, p. 61-69.

NATIONAL ASSOCIATION OF ELEMENTARY SCHOOL PRINCIPALS (1986). *Proficiencies for Principals : Kindergarten Through Eight Grade*, Alexandria, The NAESP.

NATIONAL ASSOCIATION OF SECONDARY SCHOOL PRINCIPALS (1985). *Performance-Based Preparation for Principals : A Framework for Improment*, Reston, A Special Report of the NASSP Consortium.

NATIONAL COMMISSION ON EXCELLENCE IN EDUCATION (1983). *A Nation At Risk*, Washington, Department of Education.

NATIONAL COMMISSION ON EXCELLENCE IN EDUCATIONAL ADMINISTRATION (1987). *Leaders for America's Schools. The Report and Papers of the Commission on Excellence in Educational Administration*, Tempe, The University Council for Educational Administration.

NATIONAL COUNCIL FOR ACCREDITATION OF TEACHER EDUCATION (1996). *Curriculum Guidelines for Advanced Programs in Educational Leadership for Principals, Superintendents, Curriculum Directors, and Supervisors*, Washington, The NCATE.

NATIONAL EDUCATION ASSOCIATION (1935). *Social Change and Education*, The Thirteenth Yearbook of the Department of Superintendence, Washington, The NEA.

NATIONAL EDUCATION ASSOCIATION, DEPARTMENT OF ELEMENTARY SCHOOL PRINCIPALS (1968). *The Elementary School Principalship in 1968*, Washington, The NEA.

NATIONAL GOVERNORS' ASSOCIATION CENTER FOR POLICY RESEARCH AND ANALYSIS (1986). *Time for Results : The Governors' 1991 Report on Education*, Washington, The Association.

NATIONAL POLICY BOARD FOR EDUCATIONAL ADMINISTRATION (1989). *Improving the Preparation of School Administrators. An Agenda for Reform*, Fairfax, The NPBEA.

NATIONAL POLICY BOARD FOR EDUCATIONAL ADMINISTRATION (1990). *The Preparation of School Administrators. A Statement of Purpose*, Fairfax, The NPBEA.

NEWLON, J.H. (1934). *Educational Administration as a Social Policy*, San Francisco, Charles Scribner's Sons.

NICOLAIDES, N. et A. GAYNOR (1992). «The Knowledge Base Informing the Teaching of Administrative and Organizational Theory in UCEA Universities: A Descriptive and Interpretative Survey», *Educational Administration Quarterly*, vol. 28, n° 2, p. 237-265.

NORTH, S.D. (1960). «Some Observations Regarding the Preparation of School Administrators», dans D.E. Tope (dir), *A Forward Look. The Preparation of School Administrators 1970*, Eugene, Bureau of Educational Research, University of Oregon, p. 64-69.

NORTON, M.S. et F.D. LEVAN (1988). «Doctoral Studies of Students in Educational Administration Programs in UCEA Member Institutions», dans D.E. Griffiths, R.T. Stout et P.B. Forsyth (dir.), *Leaders for America's Schools. The Report and Papers of the National Commission on Excellence in Educational Administration*, Berkeley, McCutchan Publishing Corp., p. 351-359.

OCLEA (1992). 78 *Distinguished Events for Educational Leaders. 1991-1992*, Toronto, OCLEA.

OWENS, R.G. et C. SHAKESHAFT (1992). «The New "Revolution" in Administrative Theory», *The Journal of Educational Administration*, vol. 30, n° 2, p. 4-17.

PITNER, N.J. (1987). «School Administrator Preparation in the United States», dans K.A. Leitwood *et al.* (dir.), *Preparing School Leaders for Educational Improvement*, London, Croom Helm, p. 55-104.

POIRIER, C. (1967). «Éditorial», *Information*, vol. 5, n° 9, p. 13-15.

PRATT, D. et R. COMMON (1986). «The Miseducation of Canadian Educational Administrators», *The Canadian Administrator*, vol. 25, n° 5, p. 1-8.

PRESTINE, N.A. (1995). «A Constructivist View of the Knowledge Base in Educational Administration», dans R. Donmoyer, M. Imber et J.J. Scheurich (dir.), *The Knowledge Base in Educational Administration. Multiple Perspectives*, Albany, The State University of New York Press, p. 269-286.

REEVES, A.W. (1967). «The Preparation of Educational Administrators», *Canadian Education and Research Digest*, vol. 7, n° 3, p. 173-183.

ROBERT, Y. *et al.* (1976). *La formation des administrateurs scolaires dans les universités du Québec*, Document inédit.

ROWAN, B.S., S.T. BOSSERT et D.C. DWYER (1983). «Research on Effective Schools: A Cautionary Note», *Educational Researcher*, vol. 12, n° 4, p. 24-31.

RUTTER, M.B. *et al.* (1979). *Fifteen Thousand Hours: Secondary School and Their Effects on Children*, Cambridge, Harvard University Press.

SEARS, J.B. (1950). *The Nature of the Administrative Process*, New York, McGraw-Hill Book Co.

SILVER, P.F. (1966). «Knowledge Utilization Within Administrator Preparation Programs», *The Journal of Educational Administration*, vol. 14, n° 1, p. 43-53.

SILVER, P.F. et D.W. SPUCK (dir.) (1978). *Preparatory Programs for Educational Administrators in the United States*, Columbus, University Council for Educational Administration.

SILVER, P.F. (1986). «Case Records: A Reflective Practice Approach to Administrator Development», *Theory Into Practice*, vol. 25, n° 3, p. 161-167.

SIZER, T.R. (1984). *Horace's Compromise: The Dilemma of the American High School*, Boston, Houghton Mifflin.

SMITH, J.M. (1993). «Preparing Administrators for the World of Practice: A Proactive View of Principalship Preparation», *Journal of School Leadership*, vol. 3, p. 45-58.

SPAULDING, F.E. (1910). «The Aims, Scope, and Methods of a University Course in Public School Administration», dans F.E. Spaulding, W.P. Burris et E.C. Elliott (dir.), *The Aims, Scope and Methods of a University Course in Public Administration*, document présenté pour discussion au meeting de la National Society for College Teachers of Education, Indianapolis, p. 3-62.

STATE UNIVERSITY OF NEW YORK AT BUFFALO (1963). *Program in Educational Administration*, Buffalo, SUNY.

STATE UNIVERSITY OF NEW YORK AT BUFFALO (1978). *Educational Administration Department Handbook*, Buffalo, Faculty of Educational Studies, SUNY.

STATE UNIVERSITY OF NEW YORK AT BUFFALO (1981). *Educational Administration Programs*, Buffalo, Faculty of Educational Studies, SUNY.

ST-GERMAIN, M. et L. CORRIVEAU (1997). «A la recherche d'une formation appropriée», dans L. Corriveau et M. St-Germain (dir.), *Transformation des enjeux démocratiques en éducation*, Montréal, Les Éditions Logiques, p. 335-342.

STOLWORTHY, R.L. (1965). *A Study of the Use of Academic Outside the Department of Education in Doctoral Programs of Educational Administration*, Thèse de doctorat, Brigham Young University.

SWEENEY, J. (1982). «Research Synthesis on Effective School Leadership», *Educational Leadership*, vol. 39, n° 5, p. 346-352.

SWIFT, W.H. (1970). *Educational Administration in Canada. A Memorial to A.W. Reeves*, Toronto, Macmillan of Canada.

THOMAS, A.R. (1975). «The Preparation of Educational Administrators in Canadian Universities: Laying on of the Hands», *The Journal of Educational Administration*, vol. 13, n° 1, p. 35-60.

THOMSON, S.D. (dir.) (1993). *Principals for Our Changing Schools Knowledge and Skill Base*, Lancaster, Technomic Publishing Company.

TILLMAN, L. (2001). «Point: Success for all Children: Implications for Leadership Preparation Programs», *UCEA Review*, vol. 52, n° 1, p. 10-12.

UNIVERSITÉ DE MONTRÉAL. *Les annuaires 1967-1968 et 1970-1971*, Montréal, Les Presses de l'Université de Montréal.

UNIVERSITÉ DE MONTRÉAL (2000). *Études supérieures*, Montréal, Bureau du secrétaire de la FSE.

UNIVERSITÉ LAVAL. *Les annuaires 1953-1954 et 1959-1960*, Québec, Faculté des sciences de l'éducation, Université Laval.

UNIVERSITÉ LAVAL. *Répertoire des programmes et des cours des deuxième et troisième cycles 2000-2001*, Québec, Administration et politiques scolaires, Faculté des sciences de l'éducation, Université Laval.

UNIVERSITY COUNCIL FOR EDUCATIONAL ADMINISTRATION (1965). *Continuing Education for School Administrators*, Columbus, UCEA.

UNIVERSITY COUNCIL FOR EDUCATIONAL ADMINISTRATION (1973). *The Preparation and Certification of Educational Administrators: A UCEA Commission Report*, Columbus, UCEA.

UNIVERSITY COUNCIL FOR EDUCATIONAL ADMINISTRATION (1989). «Improving the Preparation of School Administrators. An Agenda for Reform», *UCEA Review*, vol. 30, n° 3, p. 8-15.

VIOLETTE, M. (1999). «Examen général du système d'éducation en contexte de changement», dans P. Toussaint et P. Laurin (dir.), *L'accélération du changement en éducation*, Montréal, Les Éditions Logiques, p. 25-44.

WICKSTROM, R.A. (1980). *The Training of Administrators: A Perspective From the Field*, conférence présentée au Annual Meeting of the Canadian Society for the Study of Educational Administration, Montréal.

CHAPITRE 5

LA MISE EN PLACE
DES PROGRAMMES D'ÉTUDES

À la suite de la présentation de l'évolution historique des conceptions de la formation et du perfectionnement en administration de l'éducation, il
nous est apparu important et intéressant de jeter un
regard sur leur mise en œuvre dans les programmes
d'études. Dans ce chapitre, il sera ainsi question du
contenu des cours offerts dans les universités par le
passé ainsi que de celui des cours offerts maintenant. Il est normal de supposer que le contenu des
programmes d'études en administration de l'éducation doive refléter les nombreuses conceptions de
ce champ d'études présentées précédemment. Prenant en compte le fait que le contenu des programmes d'études était susceptible de se ressembler
d'une université à l'autre et qu'il ne s'agissait pas
d'être exhaustif, le chapitre n'expose donc qu'un

échantillon de cours offerts dans les différents programmes d'études de façon à en montrer l'évolution.

Pour les États-Unis, nous n'avons entrepris aucune étude particulière auprès des universités pour connaître leurs programmes d'études passés et courants; nous avons plutôt puisé l'information dans quelques ouvrages auxquels nous avions accès. Par contre, en ce qui concerne le Canada, nous avons expédié un bref questionnaire à 33 universités susceptibles d'offrir des programmes de formation en administration de l'éducation, leur demandant, par la même occasion, de nous faire parvenir une copie de leur annuaire ainsi qu'une liste des cours offerts pour l'année universitaire en cours. L'information a été complétée par une recherche sur Internet.

AUX ÉTATS-UNIS

Les premiers programmes d'études (1880-1920)

William Harold Payne, qui fut directeur général de la commission scolaire d'Adrian au Michigan de 1868 à 1878, créa en 1881 le premier cours de formation pour directeurs d'école et directeurs généraux à l'Université du Michigan (Culbertson, 1988, p. 4). En 1897, James Russell, doyen du Teachers College de l'Université Columbia, établit ce qui apparemment était le second cours de formation pour les administrateurs scolaires. Ce dernier demanda au directeur général de la ville de Newark au New Jersey s'il voulait bien donner ce cours à raison de deux heures par semaine durant une année universitaire complète. Il répondit qu'il pouvait enseigner tout ce qu'il savait en six semaines!

Des cours en organisation et en administration des écoles étaient offerts au premier cycle avant 1900 dans des départements d'éducation. Par exemple, en 1898, le Teachers College de l'Université Columbia offrait à ce niveau un séminaire en administration scolaire. Les études de deuxième cycle en éducation existaient avant 1900. De fait, le premier département en éducation (la future Faculté d'éducation) aux États-Unis fut créé en 1878 à l'Université du Michigan par Payne qui venait de se joindre au personnel. Mais des cours de deuxième cycle en administration de l'éducation étaient offerts comme une concentration assurée par des cours, mais surtout par le mémoire et la thèse.

La situation qui prévalait lors des débuts de l'enseignement de l'administration de l'éducation faisait dire à Farquhar et Martin (1972) que, au cours de ces années, il n'était pas peu commun pour un étudiant en administration de l'éducation au doctorat « d'écouter pendant plusieurs heures les anecdotes personnelles d'un ancien directeur général, de suivre sur les talons un seul praticien pendant une année académique, de compter les têtes lors d'une enquête de la population et de compléter une thèse sur un aspect de la plomberie de l'école ou un équipement sportif » (p. 26).

Après 1905, seulement quelques cours en administration de l'éducation furent introduits. Malgré cela, Cubberley (1916) affirmait que cette période était la plus importante et la plus formatrice de l'histoire de l'administration de l'éducation (cité par Callahan, 1962, p. 188). Toutefois, il ajoutait que depuis 1904 la nature des cours offerts avait commencé à changer. L'enseignement basé sur le type « praticien qui a réussi » passait à un enseignement plus scientifiquement organisé et plus spécialisé. On mettait plus d'accent sur la méthode statistique et on faisait une distinction entre les niveaux de l'administration scolaire : État, comté et ville (Callahan, 1962, p. 188).

En 1910, selon Callahan (1962), il n'existait aucun doute parmi les praticiens concernant la valeur des cours spécialisés en administration de l'éducation. Comme preuve, la réunion en mars de la même année de la National Society of College Teachers of Education (NSCTE) qui fut consacrée au problème de cet enseignement en milieu universitaire. À cette occasion, Spaulding présenta une charge intitulée *Les buts, la portée et les méthodes d'un cours universitaire en administration publique* (Spaulding, 1910). Il y dénonçait l'insuffisance de la préparation des praticiens.

Spaulding voyait la possibilité que certains cours plus ou moins distincts les uns des autres puissent être appelés des cours d'administration de l'éducation. Il croyait qu'il y avait plusieurs occasions de les différencier selon leur but, leur portée et leur méthode. Il proposait, par exemple, un cours d'histoire, un cours consacré à des études comparatives portant sur des faits administratifs. D'autres cours porteraient sur la théorie, les principes et des idéaux tandis que certains autres cours s'adresseraient aux commissaires d'école, aux citoyens, aux directeurs d'école et même aux enseignants (p. 5). Plus loin dans sa communication, il détaillait les sujets suivants qui devaient être abordés dans un cours en administration de l'éducation :

> ➢ les unités administratives ;
> ➢ l'organisation et l'administration des systèmes scolaires urbains (p. 32).

En réponse à Spaulding, Elliott (1910), professeur à l'Université du Wisconsin, présentait une autre conception du contenu possible d'un cours en administration de l'éducation. Le contenu comprenait trois parties. La première devait servir à sensibiliser l'étudiant aux forces et aux facteurs qui déterminent les tendances de l'éducation américaine (p. 81). La seconde partie du cours devait se concentrer sur les caractéristiques et les problèmes de l'école publique en tenant compte des conditions environnementales distinctives de la ville. Enfin, la dernière partie avait pour but de présenter les principes de fonctionnement et les standards de supervision de l'enseignement (p. 82).

Le contenu du cours était comme suit :

Partie A
➢ introduction ;
➢ la politique fédérale et les agences nationales ;
➢ la politique de l'État.

Partie B
➢ la politique municipale.

Partie C
➢ la supervision de l'enseignement (p. 83 et 87).

À New York, au Teachers College de l'Université Columbia, le premier cours enseigné par Strayer au cours de l'année 1910-1911 s'intitulait « L'organisation et l'administration des systèmes scolaires ». Le contenu du cours comprenait les problèmes d'organisation et de statut légal des systèmes scolaires ainsi que ceux du contrôle administratif de l'État et des systèmes scolaires municipaux. Un côté pratique du cours portait sur l'interprétation statistique, l'organisation d'un système de fiches scolaires et la présentation de l'information destinée au public grâce à la préparation de rapports efficaces.

Au cours de l'année universitaire suivante, 1911-1912, seulement deux cours étaient offerts : un travail pratique et un séminaire. À partir de 1914, le Teachers College commença à accorder plus d'attention aux méthodes et finances des affaires ainsi qu'à l'adaptation des méthodes de la gestion scientifique dans ses principaux cours en administration de l'éducation. Un cours composé de huit différents sujets fut également introduit. L'un de ces sujets, enseigné par Spaulding, était la fabrication des budgets en éducation. Au premier semestre de 1917, le programme comprenait huit cours, deux travaux pratiques et un séminaire. L'un des travaux pratiques s'adressait aux « directeurs généraux et aux directeurs d'école qui désiraient mener dans leur propre école des recherches afin d'accroître l'efficience » (Callahan, 1962, p. 198).

L'Université de Chicago, où enseignait Bobbitt, a suivi le même modèle. En 1912-1913, seulement 2 cours étaient offerts alors qu'en 1915-1916, on en offrait déjà 11. Quinze cours étaient offerts l'année suivante, dont trois enseignés par Bobbitt lui-même sur les sujets suivants : les enquêtes scolaires ; les aspects pédagogiques et l'administration de l'éducation ; les aspects généraux et ceux de la supervision. Parmi les autres cours offerts, il y avait des cours portant sur l'élaboration des programmes, les statistiques appliquées aux problèmes particuliers relatifs à l'éducation, la mesure en éducation et la psychologie éducationnelle.

Tout au cours de cette période, l'enseignement de l'administration de l'éducation consistait à apprendre aux étudiants à gérer les organisations scolaires selon les principes de la direction scientifique. La nature des cours offerts était déterminée en grande partie par les expériences vécues de la part des professeurs. La plupart des cours portaient presque exclusivement sur des problèmes financiers, organisationnels et mécaniques (Callahan, 1962, p. 180). Cooper et Boyd (1988) ont mentionné « qu'en 1913, les directeurs généraux qui n'étaient pas formés selon la philosophie de Taylor mouraient comme des mouches » (p. 258).

L'enseignement de l'administration de l'éducation se présentait donc sous la forme d'une concentration à l'intérieur d'un diplôme de deuxième cycle en éducation. L'année 1915, selon Callahan et Button (1964, p. 84), a marqué le développement graduel de réels programmes de deuxième cycle en administration de l'éducation. L'augmentation du nombre de cours offerts au Teachers College ainsi qu'à l'Université de Chicago justifiait un tel changement. D'ailleurs, la pression de la part de nombreux praticiens pour l'établissement de tels programmes avait commencé en 1914.

C'est au cours de cette période, soit vers les années 1915, que les programmes spécialisés en administration de l'éducation ont commencé. La conception de l'administration de l'éducation qui servait de support à l'enseignement était alors une approche mécaniste reposant sur l'utilisation de techniques administratives. Le directeur général était formé pour être « le directeur exécutif de la commission scolaire et en être ses yeux, ses oreilles et son intelligence » (Cubberley, 1916,

p. 132). Les premiers cours offerts en administration de l'éducation reflétaient cette conception. L'enseignement était pratique, appliqué et direct (Cooper et Boyd, 1988, p. 259).

Les premiers cours enseignés au Teachers College, à l'Université de Chicago et à l'Université Harvard portaient sur les problèmes vécus par les commissions scolaires et les écoles. De 1910 à 1920, les cours offerts par ces trois premiers départements d'administration de l'éducation reflétaient la conception scientifique de l'administration qui prévalait alors. Les étudiants devaient apprendre à gérer selon les principes de la direction scientifique. La seconde section du chapitre développe davantage cette situation d'enseignement.

Les programmes d'études (1921-1959)

L'Université Harvard, à sa nouvelle École supérieure d'éducation créée en 1920, offrait en 1922 une grande variété de cours très spécialisés en administration de l'éducation. Ces cours traitaient, entre autres, des matières suivantes :

> ➢ administration de l'enseignement professionnel ;
> ➢ gestion d'une école primaire ;
> ➢ administration de l'enseignement secondaire ;
> ➢ organisation et administration du jeu et de la récréation ;
> ➢ administration de l'éducation physique ;
> ➢ organisation des activités athlétiques et parascolaires ;
> ➢ enseignement commercial : organisation et administration.

C'est ainsi que pour l'année universitaire 1924-1925, le Teachers College offrait 29 cours regroupés sous les trois appellations suivantes :

> ➢ cours pour les administrateurs et enseignants des collèges ;
> ➢ cours en administration de l'éducation pour les directeurs généraux ;
> ➢ cours pour les enseignants, les superviseurs et les administrateurs des écoles normales.

Parmi les cours offerts, l'un s'intitulait La publicité en éducation dont l'objectif était de former les administrateurs à mener efficacement des campagnes de publicité. Un autre cours portait sur les principes d'administration de l'enseignement professionnel. Il y avait aussi pour la première fois des cours spécifiques aux ordres d'enseignement primaire et secondaire (Callahan, 1962, p. 198).

Le développement de certaines techniques d'administration développées au cours de la période précédente concernant les achats, la construction et l'entretien des édifices scolaires et la comptabilité appliquée à la fabrication du budget faisait maintenant du directeur général un « expert technique » (Button, 1966, p. 220). D'ailleurs, Strayer et Englehardt (1925), professeurs au Teachers College, croyaient que les étudiants en administration de l'éducation devaient savoir comment effectuer des graphiques, se servir de calculatrices et tenir la comptabilité.

Les tendances adoptées par les trois universités mentionnées précédemment (Teachers College, Chicago et Harvard) n'étaient pas des cas isolés, mais bien plutôt typiques des autres établissements américains. Vers 1930, le travail professionnel en administration de l'éducation en milieu universitaire avait atteint une certaine maturité et le genre de travail demandé aux milliers d'étudiants était bien établi. En examinant le contenu des cours offerts, les manuels utilisés, les sujets jugés importants par les professeurs et les thèses doctorales, il apparaît clairement que la nature du travail en administration de l'éducation était toujours inspirée de la philosophie de la gestion propre à l'efficience prônée par le monde des affaires (Callahan, 1962, p. 199). Par contre, en 1939, 25 États exigeaient une formation en administration ou en supervision pour occuper le poste de directeur général (Tyack et Cummings, 1977, p. 59). Ils ajoutaient que 32 % des directeurs généraux détenaient une maîtrise en 1923, en comparaison de 57 % en 1933.

Newlon (1934), citant la thèse de doctorat de Murphy (1931), a fourni un aperçu des sujets que les professeurs et les directeurs généraux jugeaient importants au cours des années 1930. Les jugements portés par les répondants montraient, selon Murphy, à quel point on se préoccupait d'affaires routinières, de l'application, du développement et de l'utilisation de techniques. Ces sujets montraient également ce que devait être alors le contenu des cours dans les programmes de formation. Le tableau 2 présente les résultats.

Halpin (1960) relevait le fait qu'avant la Deuxième Guerre mondiale la formation en administration de l'éducation était principalement composée d'éléments fondamentaux et substantiels concernant le contenu du champ d'études. Il y avait alors des cours portant sur la philosophie de l'éducation, le curriculum, les finances, le personnel et les édifices scolaires. On enseignait à partir de maximes et d'exhortations. Le matériel était spéculatif plutôt que théorique, la recherche

TABLEAU 2

**Les sujets jugés importants dans les années 1930
par les experts en administration de l'éducation**

Sujets	Professeurs	Directeurs généraux
Finances scolaires	94	88
Administration des affaires	80	90
Organisation et administration de la supervision	82	82
Organisation et administration du curriculum	82	76
Administration du personnel enseignant	82	74
Relations publiques et publicité	76	72
Organisation des écoles et du système scolaire	82	60
Édifices scolaires	76	62
Administration des élèves	74	46
Éducation et État	70	42
Applications pratiques, enquêtes et stages	68	36
Fonctions et devoirs officiels	66	36
Recherche	62	38
Bulletins scolaires et rapports	68	24
Relations professionnelles et l'éthique	46	46
Enquêtes scolaires	58	32
Lois scolaires et État	54	24
Éducation et gouvernement fédéral	52	24

Source : R.E. Callahan (1962). *Education and the Cult of Efficiency*, Chicago, The University of Chicago Press.

empirique était mince et les contributions des sciences du comportement et les recherches sur le personnel menées dans l'industrie étaient ignorées (p. 4).

Les programmes de formation des années 1950 ont suivi deux directions opposées : des programmes orientés vers la pratique ou vers la théorie. Les programmes basés sur la pratique reposaient sur la conception des années 1910 et 1920 qui croyait que l'administration de l'éducation demeurait très technique. Le contenu de ces programmes était emprunté aux expériences administratives des professeurs (anciens praticiens eux-mêmes) et était influencé par des praticiens consultés lors de l'élaboration de ces programmes.

D'autres programmes reposaient sur un enseignement plus théorique. On adhérait au bon vieux dicton : « Rien n'est plus pratique qu'une bonne théorie. » Les concepteurs de ces programmes croyaient que les praticiens de l'administration de l'éducation avaient besoin d'être sceptiques face aux situations rencontrées dans leur pratique.

Donc, ils devaient devenir plus familiers avec différentes théories susceptibles de les aider à comprendre ce qui se passait dans des circonstances particulières.

En 1953, le Cooperative Development of Public School Administration (CDPSA) de l'État de New York présentait, à la suite d'une réunion tenue à Buffalo, sa conception de la direction générale. Selon l'organisme, le directeur général d'une commission scolaire devait assurer de bonnes relations avec le milieu, améliorer les occasions d'apprentissage, obtenir et développer le personnel nécessaire, fournir ainsi que maintenir les fonds, les équipements et les installations et, finalement, assurer les opérations courantes.

Le Cooperative Development of Public School Administration (CDPSA) proposait en 1954 la structure d'un programme professionnel de base pour la formation des gestionnaires de l'éducation. On y trouvait, pour la première année de maîtrise, les cours suivis par tous les étudiants quels que soient les postes occupés. Il s'agissait des cours suivants :

➢ les concepts de l'administration ;
➢ la théorie et l'organisation de l'éducation aux États-Unis ;
➢ l'éducation et la loi ;
➢ l'administrateur et les relations avec le milieu ;
➢ l'administrateur et le curriculum ;
➢ l'administrateur et le personnel ;
➢ l'administrateur et les fonds, les équipements et les installations ;
➢ le processus administratif ;
➢ l'orientation et le counseling professionnel.

Un programme type d'études doctorales d'un étudiant en 1954, selon Farquhar (1977), se présentait comme suit :

➢ à peu près un tiers portait sur des cours généraux d'administration de l'éducation ;
➢ un quart portait sur l'administration primaire ou secondaire ;
➢ un sixième des cours portait sur des fondements tels que la philosophie, la psychologie et l'histoire ;
➢ un quart portait sur la recherche et les statistiques (p. 332).

En 1954, le Département d'administration de l'éducation de l'Université du Kentucky a mené une expérience de formation (Eckel et Coop, 1955). Le contenu utilisé comprenait surtout les problèmes, les besoins et les intérêts des étudiants. Dans un climat le plus permissif possible, les étudiants étaient libres de choisir les problèmes personnels et professionnels qui les intéressaient et d'utiliser le matériel, les ressources et les processus susceptibles de les aider à résoudre les problèmes choisis (p. 13). Toutefois, les trois cours suivants étaient offerts :

> la supervision de l'enseignement ;
> le principal à l'élémentaire ;
> le principal au secondaire.

En 1956, le Teachers College de l'Université Columbia offrait une séquence de quatre cours obligatoires pour tous les étudiants à la maîtrise en administration de l'éducation (Anderson et Lonsdale, 1957, p. 447). Ces cours étaient organisés autour des quatre domaines suivants et étaient inspirés des propositions du CDPSA de 1953 et 1954 :

> administration et le milieu ;
> administration et les possibilités éducatives ;
> administration du personnel ;
> administration des finances et des édifices.

Selon Anderson et Lonsdale (1957), plusieurs universités suivaient à peu près le même modèle de formation que celui proposé en 1953 et 1954 par le Cooperative Development of Public School Administration (CDPSA) de New York (p. 446).

Les programmes d'études (1960-2000)

L'Université de l'État de New York à Buffalo offrait en 1963 une maîtrise en administration de l'éducation de 32 crédits. Celle-ci comprenait les cours suivants :

> fondements de l'éducation ;
> introduction à l'orientation scolaire et aux services personnels aux élèves ;
> utilisation et interprétation des tests pédagogiques ;
> amélioration de l'enseignement : la supervision ;
> organisation du curriculum au primaire ;
> méthodes et matériel au primaire ;
> développement du curriculum au secondaire ;
> supervision : la planification du curriculum au secondaire ;
> administration de l'éducation. Phase I ;
> séminaire de recherche en éducation (p. 26).

En septembre 1965, un questionnaire fut envoyé à 118 universités américaines afin de connaître l'état de l'enseignement de l'administration de l'éducation aux États-Unis (Barnabé, 1965). Le questionnaire fut retourné par 70 universités. À partir de 33 universités qui avaient joint leur annuaire, l'auteur a pu dresser la liste des cours offerts par les universités répondantes. Les cours suivants étaient alors les plus souvent offerts :

➢ les finances scolaires ;

➢ les lois scolaires ;

➢ l'administration des systèmes scolaires ;

➢ le développement des édifices scolaires ;

➢ l'administration du personnel ;

➢ les relations avec le milieu et le public (p. 16).

Selon l'étude de Silver et Spuck (1978), un programme type de maîtrise en administration de l'éducation pour l'année universitaire 1975-1976 avait les caractéristiques suivantes :

➢ le programme de maîtrise mettait un accent égal sur l'acquisition des habiletés conceptuelles, humaines et techniques ;

➢ le programme offrait 42 crédits dont 75 % comprenaient des cours et 25 % des expériences pratiques et de la recherche ;

➢ parmi les cours obligatoires, 65 % portaient sur l'administration de l'éducation, 25 % étaient suivis ailleurs dans la faculté d'éducation et 10 % étaient suivis dans d'autres facultés du campus ;

➢ les cours de recherche et de statistiques étaient obligatoires (p. 53).

Selon leur étude, les cours offerts à la maîtrise portaient, en général, surtout sur les sujets suivants. Les cours sont présentés par ordre d'importance selon les réponses obtenues par les professeurs et les étudiants :

➢ le développement du curriculum ;

➢ la théorie en administration ;

➢ la supervision de l'enseignement ;

➢ le leadership ;

➢ les lois en éducation ;

➢ l'administration au primaire ;

➢ la prise de décision ;

➢ les relations humaines.

L'Université de New York à Buffalo avait conçu, dans les années 1980, un programme de formation dont la mission était de «diplômer des étudiants qui possèdent des habiletés intellectuelles et des habiletés de performance dont les résultats permettent un exercice supérieur du leadership en administration de l'éducation» (State University of New York, 1981). Le programme offrait trois composantes: apprentissages communs, concentrations et activités individuelles. Sous la catégorie «apprentissages communs», on trouvait les 14 domaines suivants:

> la recherche systématique en administration de l'éducation;

> la communication;

> l'analyse des valeurs;

> les relations humaines;

> l'analyse organisationnelle;

> la planification;

> l'évaluation;

> le changement;

> la prise de décision;

> l'élaboration des politiques en éducation;

> les environnements;

> l'allocation des ressources;

> la recherche opérationnelle;

> l'observation.

Les quatre concentrations suivantes étaient offertes aux étudiants sous formes de cours et de séminaires:

> la politique en administration de l'éducation;

> l'organisation éducationnelle;

> la planification et l'analyse des opérations;

> les systèmes d'enseignement: leur élaboration et leur gestion.

Une étude de Norton et Levan (1988) auprès de 78 universités membres du UCEA a révélé les cours suivis aux 2 doctorats en administration de l'éducation (Ph.D. et Ed.D.). Chacun des établissements devait faire parvenir aux chercheurs le programme d'un étudiant inscrit au Ph.D. et d'un autre inscrit au Ed.D. Le tableau de la page suivante présente les quatorze domaines couverts par les cours inventoriés.

TABLEAU 3

Distribution des cours offerts dans les programmes de doctorat dans les universités membres du UCEA

Cours	Ph.D.	%	Ed.D.	%
Organisation et administration	104	**32**	88	**28**
Personnel	43	**13**	27	**8**
Aspects légaux	27	**8**	35	**10**
Finance	23	**7**	26	**8**
Relations humaines et communautaires et facteurs sociaux	21	**6**	28	**8**
Gestion	17	**5**	12	**4**
Théorie	15	**5**	18	**5**
Principalat	15	**5**	20	**6**
Politique	15	**5**	8	**2**
Supervision	14	**4**	19	**6**
Édifices	14	**4**	25	**8**
Politiques	9	**3**	9	**3**
Leadership	9	**3**	13	**4**
Direction générale	2	**1**	3	**1**

Source: M.S. Norton et F.D. Levan (1988). «Doctoral Studies of Students in Educational Administration Programs in UCEA-Member Institutions», dans D.E. Griffiths *et al.* (dir.), *Leaders for America's Schools*, Berkeley, McCutchan Publishing Corporation, p. 354.

À noter que les quatre premiers sujets représentaient 60% des cours suivis au doctorat (Ph.D.) et 54% au doctorat (Ed.D.). Les auteurs mentionnaient que les cours de méthodes de recherche et de statistiques représentaient 16% des cours suivis au Ph.D. et 13% au Ed.D. (p. 355).

Nicolaides et Gaynor (1992) ont fait l'étude de 59 plans de cours utilisés dans 30 universités membres du UCEA dans le but de déterminer la base de connaissances qui inspirait les programmes d'études doctorales en administration de l'éducation. Les auteurs ont alors observé les cinq orientations suivantes dans les cours offerts:

> ➤ des cours d'introduction sur les fondements de l'administration (philosophie, sociologie, théorie, politique, recherche);
> ➤ des cours portant sur l'organisation et l'administration (théorie, recherche et pratique);
> ➤ des cours portant sur les processus organisationnels (changement en éducation et leadership);
> ➤ des séminaires (théorie et recherche);
> ➤ des cours portant sur l'administration des écoles (p. 244).

En étudiant de plus près le contenu à partir de 36 plans de cours, Nicolaides et Gaynor ont regroupé leur contenu sous les 5 concepts organisateurs suivants :

> leadership ;
> prise de décision ;
> théories des systèmes ;
> bureaucratie ;
> communication (p. 246).

L'Université du centre de la Floride offrait en 1990 un nouveau programme de maîtrise en coopération avec la Fondation Danforth. La première cohorte de 19 enseignants débuta le programme de 15 mois (Milstein, 1993, p. 67). Le contenu du programme était regroupé selon les quatre domaines suivants :

> trois cours de fondements : mesure, recherche et sociologie ;
> deux cours portant sur le curriculum : théorie et recherche ;
> sept cours en administration et supervision scolaires ayant les thèmes suivants : organisation et administration, planification et gestion des systèmes, fonctions de supervision, techniques de supervision, droit, programmes d'enseignement et finance ;
> un stage équivalent à un cours de trois crédits (p. 68).

L'Université de l'État de la Californie à Fresno a accueilli sa première cohorte d'étudiants dans son nouveau programme en coopération avec la Fondation Danforth à l'été 1991 (Milstein, 1993, p. 123). Les étudiants suivaient alors 2 cours par semestre pour une période de 18 mois incluant la session d'été. Les cours suivis en cohorte couvraient les sujets suivants :

> premier semestre : psychologie éducationnelle et gestion avancées ;
> deuxième semestre : curriculum et leadership ;
> troisième semestre : méthodes de recherche et supervision ;
> leadership situationnel et projet (p. 127).

Le programme de l'Université Stanford en 1993 était une maîtrise ès arts offerte aux directeurs d'école et avait pour objectif « de les préparer à mener des gens et à gérer des idées, des choses et soi-même afin d'obtenir des résultats auprès d'une population étudiante variée » (Bridges, 1993, p. 45). Les cours offerts pour réaliser cet objectif étaient les suivants et étaient suivis d'un travail pratique et d'un stage :

> l'enseignement à des populations socialement hétérogènes ;
> la compréhension des différences culturelles ;

> le rôle de la personnalité et des émotions dans les organisations ;
> l'analyse de l'enseignement ;
> le rôle des connaissances et de l'apprentissage dans l'enseignement ;
> les écoles efficaces : recherche, politique et pratique ;
> la prise de décision au niveau de l'école ;
> les politiques en éducation ;
> le curriculum : une cible politique (p. 47-48).

Le programme pour les directeurs d'école de l'Université de l'est de l'État du Tennessee en 1993 était articulé autour des quatre domaines proposés par le National Policy Board in Educational Administration (NPBEA) contenus dans le rapport de la National Commission for Principalship (1990). Les quatre domaines étaient organisés selon six thèmes qui reflétaient le programme (Gresso *et al.*, 1993). Les thèmes étaient les suivants :

> les relations interpersonnelles ;
> les besoins professionnels des individus et des groupes ;
> les nouvelles perspectives influençant l'école ;
> le développement des apprenants grâce au leadership ;
> l'atteinte des résultats ;
> le développement de la qualité et du caractère de l'établissement (p. 129).

Les professeurs chargés de la formation en administration de l'éducation à l'Université de Northern, Colorado, ont tenté de transformer une approche traditionnelle de cette formation, qui reposait normalement sur une série de cours obligatoires, en un programme de formation holistique du leadership reposant sur une série d'expériences d'apprentissage intégrées (Daresh et Barnett, 1993). Les cinq expériences pour l'année 1993-1994 étaient les suivantes :

> la compréhension de soi : le développement d'une vision personnelle du leadership en éducation ;
> l'utilisation de la recherche : la formulation de problèmes et la prise de décision compte tenu du leadership en éducation ;
> le développement des organisations : la gestion et le leadership en éducation ;
> la compréhension des gens : le développement professionnel et le leadership en éducation ;
> la compréhension des environnements : les influences sociales, politiques, économiques et légales (p. 138-139).

Le programme de maîtrise professionnelle offert en 1993 par l'Université de la Caroline du Nord à Chapel Hill avait pour objectif particulier de former les directeurs d'école et leurs adjoints. Celui-ci comprenait 36 crédits incluant 24 crédits portant sur le leadership éducationnel. Le programme contenait d'une façon séquentielle les cours suivants dont on peut trouver la description dans Maniloff et Clark (1993, p. 199-200) :

> ➢ séminaire sur l'école excellente ;
> ➢ le gouvernement de l'école ;
> ➢ l'amélioration de l'enseignement et le développement du personnel ;
> ➢ la gestion de l'école ;
> ➢ l'évaluation de l'école et la recherche ;
> ➢ séminaire sur le développement du leadership de l'école ;
> ➢ l'élaboration et la théorie du curriculum ;
> ➢ la réforme et le changement de l'école ;
> ➢ questions éthiques en éducation ;
> ➢ stage.

En 1993, l'Université de l'Alabama offrait une maîtrise destinée aux directeurs d'école. Le programme était subventionné par la Fondation Danforth et son contenu était dispensé sous la forme de modules enseignés par des praticiens ainsi que des professeurs du département et d'autres choisis à travers l'université. Les modules portaient sur les sujets suivants :

> ➢ habiletés et connaissances relatives à la direction d'école ;
> ➢ structure de l'éducation américaine ;
> ➢ traitement de texte ;
> ➢ séquence du curriculum ;
> ➢ évaluation du rendement en classe ;
> ➢ supervision clinique ;
> ➢ développement du personnel ;
> ➢ applications de l'ordinateur ;
> ➢ processus légal pour les étudiants ;
> ➢ documentation concernant le personnel ;
> ➢ gestion du temps ;
> ➢ gestion du stress ;
> ➢ prise de décision ;
> ➢ gestion du personnel de soutien ;
> ➢ administration des programmes de testage (Milstein, 1993, p. 44).

Tillman (2001) a pour sa part présenté le programme de formation des directeurs d'école de l'Université de la Nouvelle-Orléans. Elle avouait toutefois que ce programme représentait une approche plutôt traditionnelle de la formation en administration de l'éducation. Les cours offerts étaient les suivants :

➢ le leadership scolaire ;
➢ le gouvernement et l'organisation des écoles américaines ;
➢ les relations école-milieu ;
➢ la supervision de l'éducation ;
➢ la recherche en éducation ;
➢ les fondements du développement du curriculum ;
➢ la gestion centrée sur l'école ;
➢ l'amélioration scolaire ;
➢ le principalat à l'élémentaire et au secondaire (p. 10).

Tillman ajoutait que, en général, les programmes de formation en administration de l'éducation étaient similaires au point de vue de la philosophie et du contenu. Par exemple, selon elle, la plupart des programmes contenaient sur les aspects des cours suivants :

➢ introduction au leadership et à l'administration ;
➢ législation scolaire ;
➢ finances en éducation ;
➢ gestion du personnel scolaire ;
➢ direction générale ;
➢ stage (p. 10).

AU CANADA ANGLAIS

Holdaway (1978) a rapporté que le nombre de cours de deuxième cycle offerts par les départements canadiens d'administration de l'éducation variait de 6 à 44. Si l'on se fie aux choix de cours faits par les étudiants à la maîtrise et au doctorat, on obtient pour la même année universitaire les résultats que présente le tableau 4.

Lusthaus (1982) a présenté la situation de l'enseignement de l'administration de l'éducation au Canada. Son analyse des descriptions des cours offerts révélait une concentration plus grande sur le développement conceptuel plutôt que sur des habiletés managériales

TABLEAU 4

Pourcentages d'étudiants exprimant leur choix de cours

Programmes	Maîtrise (N=69)	Ph.D. (N=21)	Ed.D. (N=12)
Théorie des organisations	83	100	90
Statistiques	77	100	80
Théorie de l'administration	79	86	70
Supervision de l'enseignement	59	29	20
Curriculum	51	43	30
Politique de l'éducation	49	62	50
Finance de l'éducation	49	48	30
Sociologie de l'éducation	35	43	40
Histoire et philosophie	25	19	10
Psychologie de l'éducation	23	14	20
Autres	45	52	40

Source: E.A. Holdaway (1978). «Educational Administration in Canada: Concerns, Research, and Preparation Programs», communication présentée à la Fourth International Intervisitation in Educational Administration, Montréal, p. 23.

spécifiques. De plus, il ajoutait que les cours et les programmes préparaient les personnes pour l'administration générale plutôt que pour un rôle spécifique, tel que le principalat (p. 2). Enfin, Lusthaus présentait les 10 cours suivants comme ceux étant le plus fréquemment offerts dans les 15 plus importants programmes canadiens de formation:

➤ les principes de l'administration de l'éducation;

➤ la supervision de l'enseignement;

➤ les théories des organisations;

➤ l'élaboration des programmes;

➤ les politiques de l'éducation;

➤ l'économie en éducation;

➤ la gestion des ressources humaines;

➤ la mesure en éducation;

➤ la théorie et la recherche en administration de l'éducation;

➤ le contexte social, politique et économique de l'éducation.

Pratt et Common (1986) ont mené une enquête auprès de 72 gestionnaires de l'éducation (57 directeurs d'école et 15 directeurs adjoints) de l'Ontario, tous détenteurs d'une maîtrise en administration de

TABLEAU 5

Pourcentages des gestionnaires ayant inclus ces cours dans leur maîtrise

Rang	Sujets	Pourcentage
1	Théorie administrative	97
2	Lois scolaires	89
3	Leadership	86
4	Théorie des organisations	78
5	Relations humaines	75
6	Solution de problèmes	75
7	Gestion de l'école	70
8	Supervision de l'enseignant	67
9	Politique en éducation	58
10	Finances scolaires	56
11	Élaboration du curriculum	53
12	Gestion de l'enseignement	39
13	Implantation du curriculum	33

Source: D. Pratt et R. Common (1986). «The Miseducation of Canadian Educational Administrators», *The Canadian Administrator*, vol. 25, n° 5, p. 5.

l'éducation. Les auteurs leur avaient demandé d'indiquer les cours qu'ils avaient suivis dans leur maîtrise à partir d'une liste de cours présentée par les auteurs de la recherche. Les résultats illustrent en quelque sorte les conceptions de la formation offerte par les universités où les participants avaient étudié. Le tableau 5 présente les résultats de cette conception.

Pour l'ensemble des universités des provinces anglophones du Canada, nous avons pu établir la structure des programmes offerts en administration de l'éducation dans 16 universités du Canada anglais ainsi que la liste des cours offerts par 20 universités. Seulement 6 d'entre elles offrent une M.Ed. et une M.A. Les tableaux 6 et 7 qui suivent présentent les résultats. Le tableau 7 ne contient que les cours les plus nombreux.

Parmi les 20 universités du Canada anglais offrant le programme pour lequel nous avons examiné les cours de formation, 14 offraient des cours d'application pratique. Ces derniers portaient des vocables différents, tels que travail pratique, projet et rapport, stage et sujets spéciaux.

TABLEAU 6

Structure des programmes de formation offerts dans les universités du Canada anglais

Programmes	Nombre d'universités (N=16)
M.Ed. de 30 crédits avec mémoire	7
M.Ed. de 30 crédits sans mémoire	9
M.Ed. de 36 crédits avec mémoire	1
M.Ed. de 36 crédits sans mémoire	2
M.Ed. de 45 crédits avec mémoire	2
M.Ed. de 45 crédits sans mémoire	1
M.Ed. de 48 crédits avec mémoire	1
M.Ed. de 48 crédits sans mémoire	1
M.A. de 30 crédits avec mémoire	3
M.A. de 36 crédits avec mémoire	1
M.A. de 45 crédits avec mémoire	2

TABLEAU 7

Distribution des cours de formation les plus souvent offerts à la maîtrise professionnelle dans les universités du Canada anglais

Cours	Nombre d'universités (N=20)
Théories en administration	18
Étude des politiques	14
Lois scolaires	14
Supervision	13
Leadership	12
Curriculum	11
Finance	11
Planification	8
Changement	7

AU QUÉBEC

L'enseignement de l'administration de l'éducation a commencé dans les années 1950 à l'Université Laval et à l'Université de Montréal et en 1965 à l'Université McGill. Il s'agissait alors de quelques cours portant sur certains aspects de la supervision scolaire plutôt que de réels programmes de formation. Cet enseignement débutait en 1970 à l'Université de Sherbrooke et à l'Université du Québec à Trois-Rivières. Les autres constituantes de l'Université du Québec, à l'exception de l'Université du Québec à Montréal, ont offert par la suite un enseignement dans ce champ d'études, soit en Abitibi-Témiscamingue en 1972, à Hull en 1973, à Chicoutimi en 1975 et à Rimouski en 1978.

Les annuaires des universités nous ont permis de reconstituer l'évolution des programmes québécois de formation dans ce champ d'études. Nous les présentons selon deux dimensions : leur structure et leur contenu. Puisque l'enseignement de l'administration de l'éducation a débuté à l'Université Laval et à l'Université de Montréal, nous avons cru bon de présenter un peu plus en détail la structure et le contenu des premiers diplômes décernés par ces deux universités. Par la suite, notre analyse des programmes touche trois périodes allant de 1975 à 1996.

La structure des programmes

C'est dans les annuaires de 1953 à 1960 de l'École de pédagogie et d'orientation de l'Université Laval qu'apparaît pour la première fois une section comprenant des cours de supervision scolaire. Ces cours, faisaient partie de la licence en pédagogie. En 1953, cette licence comptait environ 40 crédits, dont 7 obligatoires. En 1960, elle comptait 60 crédits dont 18 obligatoires et 10 attribués à la rédaction du mémoire. Les cours s'adressaient aux inspecteurs, aux directeurs des études des collèges classiques et, plus tard, aux directeurs d'école. L'École offrait aussi un diplôme de supervision scolaire de 30 crédits suivis d'un stage pratique. En marge du stage, les candidats au diplôme devaient participer à deux séminaires (Université Laval, 1953 et 1959).

L'annuaire de 1956-1957 de l'Institut pédagogique Saint-Georges (IPSG), affilié à l'Université de Montréal, contenait une section de cours en administration scolaire à l'intérieur de la licence en pédagogie de 30 crédits avec mémoire. Il ne semble pas qu'on ait attribué un certain nombre de crédits au mémoire. La scolarité comprenait 10 crédits obligatoires, 6 crédits optionnels et un minimum de 14 crédits en administration scolaire pour satisfaire les exigences académiques (Institut pédagogique Saint-Georges, 1956 et 1959).

L'arrivée de Philippe Dupuis à l'Institut, en septembre 1962, favorisa la modification des cours offerts en administration de l'éducation. Fort de son expérience pratique de directeur d'école et de sa licence en pédagogie, option administration scolaire, il était le plus apte pour amorcer les changements souhaités. Une banque de cours de 26 crédits parmi lesquels un étudiant devait en choisir 20 était créée. L'Institut fut intégré à la nouvelle faculté des sciences de l'éducation de l'Université de Montréal en juin 1966. La licence en pédagogie, option administration scolaire, comprenait alors 30 crédits de cours obligatoires et 15 accordés à la rédaction d'un mémoire pour un total de 45 crédits.

L'année suivante (1967), la licence comprenait 60 crédits de cours dont 30 obligatoires en administration scolaire, 15 optionnels auxquels s'ajoutaient 15 crédits pour la rédaction d'un mémoire ou 3 séminaires de lectures de 5 crédits chacun, remplaçant le mémoire. Pour la première fois, la faculté introduisait une maîtrise en éducation (M.Éd.), option administration scolaire. Cette nouvelle maîtrise ne comprenait alors que 16 crédits de cours en administration scolaire. En 1968-1969, elle présentait 20 crédits de cours alors que l'année suivante leur nombre était diminué à 19. Les annuaires des années 1970-1973 contenaient une liste de cours avancés en administration de l'éducation, soit une banque de 81 crédits de cours. Un étudiant complétait sa maîtrise avec un minimum de 30 crédits (Université de Montréal, 1967 et 1970).

Comme l'a souligné Brassard (2000), les premiers types de programmes universitaires du champ d'études étaient une maîtrise (entendre licence) professionnelle comprenant dans la majorité des cas d'abord 36 crédits d'activités, puis 45 crédits, suivis à plein temps ou à temps partiel. De plus, ces programmes ressemblaient fortement à ceux qui existaient aux États-Unis et, plus particulièrement, à celui de l'Université de l'Alberta où la plupart des premiers professeurs avaient complété leurs études doctorales (p. 19).

Il nous faut signaler au passage l'intervention de l'École nationale d'administration publique (ENAP). Cette école a été un diffuseur important de sessions de perfectionnement des cadres scolaires. Créée en 1969, elle avait pour mission la formation et le perfectionnement des cadres de l'administration publique. L'école alors située dans la ville de Québec était chargée du perfectionnement des cadres scolaires pendant que le centre de perfectionnement de la Commission des écoles catholiques de Montréal (CECM) (devenue Commission scolaire de Montréal en 1999) jouait le même rôle pour la région de Montréal. Toutefois, lorsque l'ENAP ouvrit une succursale à Montréal en 1974, elle reprit à son compte le perfectionnement des cadres scolaires pour la région de Montréal, et la CECM continua le perfectionnement de ses propres cadres, selon les propos tenus par Éthier (2000).

Le Centre national de perfectionnement des cadres scolaires rattaché à l'École nationale d'administration publique (ENAP) a commencé ses sessions de perfectionnement en 1972. «En moins de cinq ans, chacune des quelque deux cents commissions scolaires du Québec se voyait offrir trois sessions de perfectionnement d'une durée de trois jours chacune» (Massé, 1994, p. 284). Ces trois sessions portaient respectivement sur le processus de gestion, la gestion des ressources humaines et la gestion des ressources matérielles et financières. Durant la fin des années 1980, il y eut une baisse générale de popularité de ces sessions (Massé, 1994, p. 285).

Dans toutes les universités québécoises, de 1975 à aujourd'hui, les programmes de formation en administration de l'éducation ont été une concentration ou une option dans le cadre d'une maîtrise professionnelle (M.Ed.) ou de recherche (M.A.) en éducation. Certaines universités ont offert une M.Ed. ou une M.A. selon deux profils : avec ou sans mémoire. Ce fut le cas de l'Université Laval dès 1975, de l'Université du Québec à Rimouski en 1985, de l'Université de Sherbrooke et de l'Université du Québec à Hull en 1995. Le tableau suivant montre l'évolution de la structure des programmes de 1975 à 1996.

Le tableau 8 nous révèle qu'en 1975-1976 la maîtrise professionnelle (M.Ed.) avec ou sans mémoire de 45 crédits demeurait le diplôme le plus souvent offert dans les universités québécoises. En 1985-1986, la M.Ed. avec mémoire avait disparu au bénéfice d'un plus grand nombre de maîtrises de recherche (M.A.). Enfin, c'est en 1995-1996 que tous les étudiants ont eu le choix entre une M.Ed. de 45 crédits sans mémoire ou une M.A. de quarante-cinq (45) crédits avec mémoire. C'est également en 1995-1996 que des universités ont offert pour la première fois un diplôme ou un certificat de 30 crédits.

Depuis 1975, seule l'Université Laval a exigé qu'un étudiant suive obligatoirement un certain nombre de crédits de cours choisis dans deux concentrations principales : les fondements sociaux et management et le comportement organisationnel en 1975 ; les sciences sociales, la planification et la gestion de l'éducation en 1995. L'Université de Sherbrooke offrait aux étudiants en 1995 de suivre les cours obligatoires dans un cheminement régulier ou par modules. Le nombre de crédits obligatoires a varié de 1975 à 1996 d'une université à une autre et d'un programme à un autre. Le tableau 9 fait état de cette variation pour les maîtrises professionnelles sans mémoire. La plus grande variation a existé pour l'année 1995-1996.

TABLEAU 8

Distribution de la structure des programmes de formation en administration de l'éducation de 1975 à 1996

	Diplômes					
Années	**M.Ed. 45 cr. avec mémoire**	**M.Ed. 45 cr. sans mémoire**	**M.A. 45 cr. avec mémoire**	**M.A. 45 cr. sans mémoire**	**Diplôme 30 cr.**	**Certificat 30 cr.**
1975-1976	UL UdeS UQTR UQAC	UL UdeM UdeS McG	UdeM McG			
1985-1986		UdeM UdeS McG UQTR UQAC UQAR UQAT UQAH	UL UdeM McG UQAR	UL		
1995-1996		UL UdeM UdeS McG UQTR UQAR UQAT	UL UdeM McG UQAR UQAT		UdeS McG UQTR	McG

Légende :

UL = Université Laval
UdeM = Université de Montréal
UdeS = Université de Sherbrooke
McG = Université McGill

UQAC = UQ à Chicoutimi
UQAR = UQ à Rimouski
UQAT = UQ en Abiti–Témiscamingue
UQAH = UQ à Hull
UQTR = UQ à Trois-Rivières

Le tableau 9 révèle qu'au cours des années le nombre de crédits de cours obligatoires à la maîtrise sans mémoire a varié, d'une université à une autre, de 9 crédits à 39 crédits. L'Université de Sherbrooke et l'Université du Québec à Trois-Rivières sont deux exemples de cette variation. À Sherbrooke, on est passé de 36 crédits de cours obligatoires en 1975 à 39 en 1985, à 30 en 1995 et à 21 en 1999. À l'Université du Québec à Trois-Rivières, 27 crédits étaient obligatoires en 1975, 36 en 1985 et 9 en 1995 et 1999. L'Université McGill exige 21 ou 27 crédits obligatoires selon le choix d'activités de synthèse effectué par l'étudiant.

TABLEAU 9

Distribution du nombre de crédits obligatoires à la maîtrise professionnelle sans mémoire dans les universités québécoises de 1975 à 1996

Années	Nombre de crédits						
	12 cr.	15 cr.	24 cr.	27 cr.	30 cr.	36 cr.	39 cr.
1975-1976	McG	UQTR UQAC			US		UdeM
1985-1986	McG	UQTR		UQAC			UdeM UdeS
1995-1996			UdeS	McG UQAT		UQTR	UdeM

Légende :

UdeM =	Université de Montréal	UQAC =	UQ à Chicoutimi
UdeS =	Université de Sherbrooke	UQAT =	UQ en Abitibi–Témiscamingue
McG =	Université McGill	UQTR =	UQ à Trois-Rivières

Le contenu des programmes

Nous avons mentionné antérieurement que dès ses débuts, la formation des gestionnaires de l'éducation était plutôt pédagogique qu'administrative. Il s'agit, pour s'en convaincre, de consulter les annuaires pour découvrir les cours alors offerts. Par exemple, l'annuaire de 1953-1954 de l'Université Laval proposait, pour la formation des gestionnaires scolaires, une section de cours de 7 crédits portant sur la supervision pédagogique (p. 32). Les cours comprenaient :

➢ la sélection académique ;
➢ la sélection et la direction du personnel enseignant ;
➢ la législation scolaire ;
➢ l'organisation académique ;
➢ l'autorité à l'école ;
➢ la démographie scolaire (p. 32).

Selon Arguin (1971), toujours à l'Université Laval, l'administration scolaire faisait l'objet d'une formation spécialisée à l'intérieur de la licence en pédagogie. Le nouveau programme s'adressait à des étudiants à temps plein qui recherchaient une formation dans ce champ d'études et à des étudiants à temps partiel. Ces derniers étaient soit des enseignants soit des administrateurs en exercice. On offrait pour l'année universitaire 1959-1960 les cours suivants :

➢ introduction à la supervision scolaire ;
➢ éléments d'administration scolaire ;

➤ mesure en éducation III (docimologie);

➤ inspection scolaire;

➤ direction des études;

➤ séminaire de lectures;

➤ thèse et séminaire de thèses (p. 35-36).

Pour l'année universitaire 1956-1957, dans le cadre de sa licence en pédagogie, l'Institut pédagogique Saint-Georges possédait une section «administration». Un étudiant devait alors suivre un minimum de 14 crédits parmi les 19 que comportait la section. Les cours de la section étaient alors les suivants:

➤ principes fondamentaux de l'administration scolaire;

➤ législation scolaire;

➤ principalat et techniques administratives;

➤ inspectorat et techniques administratives;

➤ sociologie scolaire;

➤ problèmes d'admission de l'école secondaire;

➤ éducation comparée;

➤ psychologie collective;

➤ méthodes modernes en éducation;

➤ méthodologie de l'étude;

➤ histoire de l'enseignement dans la Province de Québec (p. 11-12).

Toujours à l'IPSG, les cours étaient les suivants pour l'année universitaire 1962-1963:

➤ dynamique de groupe;

➤ principes d'administration scolaire;

➤ éducation comparée;

➤ éducation au Canada anglais;

➤ élaboration des programmes scolaires;

➤ principalat;

➤ inspection et supervision;

➤ droit et législation scolaire;

➤ système scolaire de la Province de Québec;

➤ sociologie scolaire;

➤ protection de l'enfance;

➤ financement de l'éducation;

➢ séminaire en administration scolaire ;

➢ séminaire en éducation comparée (p. 22).

En 1966, lors de l'intégration de l'IPSG à la nouvelle Faculté des sciences de l'éducation de l'Université de Montréal, les cours obligatoires étaient les suivants :

➢ relations humaines et dynamique de groupe I et II ;

➢ principes généraux d'administration scolaire ;

➢ analyse des tâches ;

➢ élaboration des programmes scolaires ;

➢ supervision de l'enseignement ;

➢ législation scolaire ;

➢ organisation scolaire au Canada ;

➢ sociologie scolaire ;

➢ économique de l'éducation I et II ;

➢ laboratoire de recherche en administration scolaire ;

➢ statistique complémentaire II ;

➢ stages pratiques en administration scolaire ;

➢ séminaire sur l'organisation scolaire au Canada (p. 31-32).

Le tableau suivant présente les cours de la maîtrise professionnelle sans mémoire de l'Université de Montréal pour les années 1967 à 1970.

TABLEAU 10

Distribution des cours offerts à la maîtrise professionnelle de l'Université de Montréal de 1967 à 1970

Cours	1967-1968	1968-1969	1968-1970
Théories d'administration scolaire	×	×	×
Administration de l'enseignement élémentaire et secondaire	×	×	×
Séminaire de recherche en administration scolaire	×	×	×
Psychologie de l'administration scolaire II	×	×	×
Financement scolaire	×	×	×

Les annuaires des années 1970-1973 contenaient une liste de cours avancés en administration de l'éducation parmi lesquels un étudiant devait choisir un minimum de 30 crédits. Le tableau suivant donne un aperçu de ces cours.

Cours offerts selon l'annuaire des années 1970-1973 de l'Université de Montréal

---

Séminaire de recherche
Théories d'administration scolaire
Organisation et administration de l'éducation des adultes
Séminaire de lectures en administration scolaire II
Gestion du personnel
Financement scolaire
Administration de l'enseignement présecondaire
Administration de l'enseignement secondaire
Étude comparée de l'administration scolaire
Principes d'aménagement scolaire
Analyse des tâches des enseignants
Administration des programmes scolaires
Supervision scolaire
Organisation scolaire au Canada
Sociologie de l'administration scolaire
Introduction à la planification scolaire
Planification scolaire et développement international

Pendant ce temps, l'Université de Sherbrooke offrait une maîtrise de type professionnel qui comprenait, pour l'année 1970-1971, les cours suivants :

Cours offerts selon l'annuaire des années 1970-1971 de l'Université de Sherbrooke

---

Principes d'administration scolaire
Gestion du personnel
Organisation des programmes scolaires
Problèmes administratifs du présecondaire, du secondaire, du collégial
Financement de l'éducation
Système scolaire du Canada
Sociologie de l'administration scolaire
Principes d'aménagement scolaire (p. 37-38).

Il n'a pas été facile de dresser un portrait des cours obligatoires offerts à la maîtrise professionnelle ou à la maîtrise de recherche après 1975. En premier lieu, certaines universités n'avaient pas de cours obligatoires ; elles avaient plutôt un certain nombre de crédits obligatoires. C'était le cas de l'Université Laval et de l'Université de Montréal. En second lieu, lorsque les cours obligatoires étaient précisés, ils variaient passablement d'une université à une autre et d'un programme à un autre. Nous avons alors décidé de présenter selon les universités une liste des cours obligatoires ou optionnels les plus fréquents. Le tableau 11 fait état de ces cours.

Ce tableau indique que les programmes de formation en administration de l'éducation des 9 universités québécoises contiennent, depuis 1985, un cours portant sur les méthodes de recherche et un autre sur la gestion des ressources humaines. Par contre, il est plutôt problématique de constater que très peu d'universités offrent un cours sur la prise de décision et un cours sur le leadership. Il nous semble que ces deux cours devraient même être obligatoires dans tout programme de formation dans ce champ d'études. Il se peut que ces deux concepts aient été abordés à l'intérieur d'un cours. Enfin, 3 universités, Laval, Montréal et McGill, ont dispensé de 1975 à 1996 entre 7 et 9 des 12 cours qui apparaissent dans ce tableau.

Tous les programmes québécois de formation en administration de l'éducation contiennent une ou plusieurs activités qui ont pour objet de permettre à l'étudiant, dans certains cas, d'appliquer ses connaissances à une problématique de son choix ou, dans d'autres cas, d'approfondir une question par des lectures dirigées par un professeur. L'une ou l'autre, et parfois plusieurs, de ces activités sont obligatoires et se situent en général vers la fin de la scolarité de l'étudiant. Le tableau 12 présente ces activités proposées dans les annuaires des universités, et nous permet de constater la variation des activités de synthèse d'une université à une autre.

On remarque en particulier que, depuis 1995, l'Université McGill et, depuis 1985, trois constituantes de l'Université du Québec offrent des choix à l'étudiant. L'Université McGill offre un choix entre une monographie, un projet spécial ou un practicum et les trois constituantes permettent de choisir un travail de recherche ou un stage en milieu éducatif.

Il faut mentionner ici le Programme d'introduction à la direction d'école (PIDEC), commencé en 1984-1985 à l'Université de Sherbrooke, qui couvrait alors le contenu de cinq cours de la maîtrise en administration de l'éducation alors offerte à cette université. Les cours suivis couvraient les aspects suivants:

➤ le processus administratif et la prise de décision;
➤ le changement organisationnel;
➤ les aspects humains des organisations;
➤ la gestion de l'activité éducative;
➤ les organisations scolaires et leur environnement.

TABLEAU 11

**Distribution des cours les plus souvent offerts
dans les maîtrises professionnelles au Québec de 1975 à 1996**

Cours	1975-1976	1985-1986	1995-1996
Administration et organisation scolaires	UQTR UQAC	UQTR	
Financement de l'éducation	UL UdeM UdeS McG	UL UdeM UdeS McG UQTR	UL UdeM UdeS McG
Gestion des ressources humaines	UdeM UdeS	UL UdeM UdeS McG UQTR UQAC UQAR UQAT UQAH	UL UdeM UdeS McG UQAR UQAT UQAH
Leadership	McG	UdeM McG UQAC	UdeM McG
Changement	UL UdeM	UL UdeM McG	UL UdeM
Méthodes de recherche	UL UdeM McG UQTR UQAC	UL UdeM UdeS McG UQTR UQAC UQAR UQAT UQAH	UL UdeM UdeS McG UQTR UQAC UQAR UQAT UQAH
Politiques en éducation	McG	UL UdeM McG UQAR UQAT UQAH	UL UdeM McG
Planification en éducation	UL McG	UL UdeS McG UQAC UQAR UQAT UQAH	UL UdeM McG UQAR UQAT UQAH

TABLEAU 11

**Distribution des cours les plus souvent offerts
dans les maîtrises professionnelles au Québec de 1975 à 1996** *(suite)*

Cours	1975-1976	1985-1986	1995-1996
Prise de décision	UL	UL	
	UdeM	UdeM	
	UdeS	UdeS	
	McG	McG	
		UQTR	
		UQAC	
Programmes d'études scolaires	UdeM	UdeM	UL
	McG	McG	UdeM
		UQTR	McG
		UQAC	UQTR
			UQAC
Supervision scolaire	UdeM	UdeM	UL
	McG	McG	UdeM
		UQTR	McG
		UQAC	UQTR
			UQAC
Théories en administration scolaire	UL	UdeM	UL
	UdeM	UdeS	UdeM
	McG	McG	McG
		UQAC	

Légende :

UL =	Université Laval	UQAC =	UQ à Chicoutimi
UdeM =	Université de Montréal	UQAR =	UQ à Rimouski
UdeS =	Université de Sherbrooke	UQAT =	UQ en Abitibi–Témiscamingue
McG =	Université McGill	UQAH =	UQ à Hull
		UQTR =	UQ à Trois-Rivières

Les grands thèmes les plus courants qui avaient cours dans les années 1990 dans le cadre des programmes de formation en administration de l'éducation ont été présentés en quelques lignes par Massé (1994, p. 291). Selon lui, on abordait les thèmes suivants :

➤ le management scolaire ;

➤ la gestion des activités pédagogiques et étudiantes ;

➤ la gestion des ressources humaines ;

➤ la gestion des relations avec le milieu ;

➤ la gestion des ressources matérielles et financières ;

➤ la recherche : son utilisation et sa démarche (p. 291-292).

TABLEAU 12

Distribution des activités de synthèse dans les programmes de maîtrise sans mémoire de 1975 à 1999

Activités	Années			
	1975-1976	1985-1986	1995-1996	1998-1999
Analyse de cas	UL	McG	UQTR	UQTR
		UQAR	UQAR	
		UQAT	UQAT	
		UQAH	UQAH	
Atelier d'étude d'une problématique			UQAR	
Atelier de synthèse sur les problématiques			UQAR	
Essai	UL	UL	UL	
	UdeS	UdeS	UdeS	
Lecture dirigée		UQAC	UQAC	
			UQAR	
			UQAH	
Monographie		McG	McG	
Travail pratique		McG	McG	
Projet de formation			UdeS	
Projet de milieu en gestion		UQAC	UQAC	
Projet spécial		McG	McG	
Rapport	UdeS			
Rapport d'intégration			UdeS	
Séminaire d'analyse de sa pratique professionnelle			UQAR	
Séminaire d'analyse et d'intégration de sa pratique professionnelle			UQAR	
Stage en milieu	UQAR	UQAR	UQAR	UQAH
	UQAT	UQAT	UQAT	
	UQAH	UQAH		
Travail de recherche	UL	UQTR	UQTR	UQTR
	UQAR	UQAR	UQAR	
	UQAT	UQAT	UQAT	
	UQAH	UQAH	UQAH	
Travaux dirigés	UdeM	UdeM	UdeM	UdeM

Légende :

UL =	Université Laval	UQAC =	UQ à Chicoutimi
UdeM =	Université de Montréal	UQAR =	UQ à Rimouski
UdeS =	Université de Sherbrooke	UQAT =	UQ en Abitibi–Témiscamingue
McG =	Université McGill	UQAH =	UQ à Hull
		UQTR =	UQ à Trois-Rivières

Résumé

Ce chapitre a fait état de la transposition pratique des conceptions théoriques de la formation en administration de l'éducation. Les cours des programmes d'études qui ont existé à un moment ou l'autre de l'évolution du champ d'études ainsi que ceux qui sont offerts maintenant ont été présentés. On a pu constater que de rares changements sont survenus au cours des années et que, en général, les contenus des programmes américains, canadiens et québécois, sauf quelques rares exceptions, sont semblables dans les différentes universités offrant un programme d'études dans ce champ.

Le chapitre suivant portera sur la certification des gestionnaires scolaires ainsi que sur les façons de recruter et de sélectionner les étudiants en administration de l'éducation. Le chapitre traitera aussi des manières qui ont été utilisées par le passé pour transmettre les connaissances contenues dans les programmes de formation, c'est-à-dire des méthodes pédagogiques.

Références

ANDERSON, W.A. et R.C. LONSDALE (1957). « Learning Administrative Behavior », dans R.F. Campbell et R.T. Gregg (dir.), *Administrative Behavior in Education*, New York, Harper and Row Publishers, p. 426-463.

ARGUIN, G. (1971). « L'enseignement de l'administration scolaire au Québec », *Information*, vol. II, nº 1, p. 15-17.

BARNABÉ, C. (1965). *L'enquête dans les universités américaines qui dispensent un enseignement en administration scolaire*, Montréal, Section d'administration scolaire, Université de Montréal.

BRASSARD, A. (2000). « L'institutionnalisation du champ d'études de l'administration de l'éducation : une analyse critique de l'expérience québécoise », *Revue française de pédagogie*, nº 130, janvier-février-mars, p. 15-28.

BRIDGES. E.M. (1993). « The Prospective Principal's Program at Stanford University », dans J. Murphy (dir.), *Preparing Tomorrow's School Leaders. Alternative Designs*, University Park, UCEA, p. 39-55.

BUTTON, H.W. (1966). « Doctrines of Administration. A Brief History », *Educational Administration Quarterly*, vol. 2, nº 3, p. 216-224.

CALLAHAN, R.E. (1962). *Education and the Cult of Efficiency. A Study of the Social Forces that have Shaped the Administration of the Public Schools*, Chicago, The University of Chicago Press.

CALLAHAN, R.E. et H. BUTTON (1964). «Historical Change of the Role of the Man in the Organization: 1865-1950», dans D.E. Griffiths (dir.), *Behavioral Science and Educational Administration*, The Sixty-Third Yearbook of the National Society for the Study of Education, Chicago, The University of Chicago Press, p. 73-92.

COOPER, B.S. et W.L. BOYD (1988). «The Evolution of Training for School Aadministrators», dans D.E. Griffiths, R.T. Stout et P.B. Forsyth (dir.), *Leaders for America's Schools. The Report and Papers of the National Commission on Excellence in Educational Administration*, Berkeley, McCutchan Publishing Corporation, p. 251-272.

COOPERATIVE DEVELOPMENT OF PUBLIC SCHOOL ADMINISTRATION (1953). *A Developing Concept of the Superintendency of Education, Resource Manual I*, Albany, CDPSA Administration Center.

COOPERATIVE DEVELOPMENT OF PUBLIC SCHOOL ADMINISTRATION (1954). *Toward Improved Preparation of Administrators for Education, Resource Manual 2*, Albany, CDPSA Administration Center.

CUBBERLEY, E.P. (1916). *Public School Administration*, Boston, Houghton Mifflin Co.

CULBERTSON, J.A. (1988). «A Century's Quest for a Knowledge Base», dans N.J. Boyan (dir.), *Handbook of Research on Educational Administration*, New York, Longman, Inc., p. 3-36.

DARESH, D.W. et B.G. BARNETT (1993). «Restructuring Leadership Development in Colorado», dans J. Murphy (dir.), *Preparing Tomorrow's School Leaders. Alternative Designs*, University Park, UCEA, p. 129-156.

ECKEL, H. et P. COOP (1955). «An Experiment in Teaching Educational Administration», *Bulletin of the Bureau of School Service*, vol. 28, nº 1, Lexington, College of Education, University of Kentucky, p. 1-55.

ELLIOTT, C.E. (1910). «University Courses in Educational Administration», dans F.E. Spaulding, W.P. Buris et E.C. Elliott (dir.), *The Aims, Scope, and Methods of a University Course in Public School Administration*, communication présentée au Meeting of the National Society for College Teachers of Education, Indianapolis, p. 73-94.

ÉTHIER, G. (2000). «Le rôle de l'ÉNAP et de la CECM dans la formation et le perfectionnement des gestionnaires de l'éducation», Montréal, Conversation téléphonique privée.

FARQUHAR, R.H. (1977). «Preparatory Programs in Educational Administration, 1954-1974», dans L.L. Cunnignham, W.G. Hack et R.O. Nystrand (dir.), *Educational Administration. The Developing Decades*, Berkeley, McCutchan Publishing Corporation, p. 329-357.

FARQUHAR, R.H. et M. MARTIN (1972). «New Development in the Preparation of Educational Leaders», *Phi Delta Kappan*, vol. 54, nº 1, p. 26-30.

GRESSO, D.W. *et al.* (1993). «Time Is Not of the Essence When Planning for A Quality Education Program», East Tennessee State University», dans J. Murphy (dir.), *Preparing Tomorrow's School Leaders. Alternative Designs*, University Park, UCEA, p. 109-127.

HALPIN, A.W. (1960). «Ways of Knowing», dans R.F. Campbell et J.M. Lipham (dir.), *Theory as a Guide to Action*, Chicago, The University of Chicago Press, p. 3-20.

HOLDAWAY, E.A. (1978). *Educational Administration in Canada* : *Concerns, Research, and Preparation Programs*, communication présentée à la Fourth International Intervisitation Program in Educational Administration, Montréal.

INSTITUT PÉDAGOGIQUE SAINT-GEORGES. *L'annuaire 1956-1957 et 1959-1960*, Laval-des-Rapides, Mont-de-La-Salle.

LUSTHAUS, C.S. (1982). «Administrative Training in Canada», communication présentée au Annual meeting of the Canadian Society for the Study of Education, Ottawa.

MANILOFF, H. et D.L. CLARK (1993). «Preparing Effective Leaders for Schools and School Systems : Graduate Study at the University of North Carolina-Chapel Hill», dans J. Murphy (dir.), *Preparing Tomorrow's School Leaders : Alternative Designs*, University Park, UCEA, p. 177-203.

MASSÉ, D. (1994). «Les programmes de formation en administration scolaire au Québec et recherches connexes», dans M. Bernard (dir.), *Pour les sciences de l'éducation. Approches franco-québécoises*, Paris, Centre de coopération interuniversitaire franco-québécois, *Revue des sciences de l'éducation* et INRP, p. 281-296.

MILSTEIN, M.M. (1993). *Changing the Way We Prepare Educational Leaders. The Danforth Experience*, Newbury Park, Corwin Press.

MURPHY, A.B. (1931). *Basic Training Programs for City School Superintendents*, thèse de doctorat, University of California.

NATIONAL COMMISSION FOR THE PRINCIPALSHIP (1990). *Principals for Our Changing Schools. Preparation and Certification*, Fairfax, The National Policy Board for Educational Administration.

NATIONAL POLICY BOARD FOR EDUCATIONAL ADMINISTRATION (1990). *The Preparation of School Administrators. A Statement of Purpose*, Fairfax, The NPBEA.

NICOLAIDES, N. et A. GAYNOR (1992). «The Knowledge Base Informing the Teaching of Administrative and Organizational Theory in UCEA Universities : A Descriptive and Interpretative Survey», *Educational Administration Quarterly*, vol. 28, n⁰ 2, p. 237-265.

NEWLON, J.H. (1934). *Educational Administration as a Social Policy*, San Francisco, Charles Scribner's Sons.

NORTON, M.S. et F.D. LEVAN (1988). «Doctoral Studies of Students in Educational Administration Programs in UCEA Member Institutions», dans D.E. Griffiths, R.T. Stout et P.B. Forsyth (dir.), *Leaders for America's Schools. The Report and Papers of the National Commission on Excellence in Educational Administration*, Berkeley, McCutchan Publishing Corporation, p. 351-359.

PRATT, D. et R. COMMON (1986). «The Miseducation of Canadian Educational Administrators», *The Canadian Administrator*, vol. 25, n⁰ 5, p. 1-8.

SILVER, P.F. et D.W. SPUCK (dir.) (1978). *Preparatory Programs for Educational Administrators in the United States*, Columbus, University Council for Educational Administration.

SPAULDING, F.E. (1910). «The Aims, Scope, and Methods of a University Course in Public School Administration», dans F.E. Spaulding, W.P. Burris et E.C. Elliott (dir.), *The Aims, Scope, and Methods of A University Course in Public Administration*, conférence présentée au Meeting of the National Society for College Teachers of Education, Indianapolis, p. 3-62.

STATE UNIVERSITY OF NEW YORK AT BUFFALO (1963). *Program in Educational Administration*, Buffalo, Faculty of Educational, SUNY.

STATE UNIVERSITY OF NEW YORK AT BUFFALO (1981). *Educational Administration Programs*, Buffalo, Faculty of Educational Studies, SUNY.

STRAYER, G.D. et N.L. Engelhardt (1925). *Problems in Educational Administration*, New York, Bureau of Publications, Teachers College Press, Columbia University.

TILLMAN, L. (2001). «Point: Success for al Children: Implications for Leadership Preparation Programs», *UCEA Review*, vol. 52, n° 1, p. 10-12.

TYACK, D.B. et R. CUMMINGS (1977). «Leadership in American Public Schools Before 1954: Historical Configurations and Conjonctures», dans L.L. Cunningham, W.G. Hack et R.O. Nystrand (dir.), *Educational Administration. The Developing Decades*, Berkeley, McCutchan Publishing Corporation, p. 46-66.

UNIVERSITÉ DE MONTRÉAL. *Les annuaires 1967-1968 et 1970-1971*, Montréal, Les Presses de l'Université de Montréal.

UNIVERSITÉ DE MONTRÉAL (2000). *Études supérieures*, Montréal, Bureau du secrétaire de la FSE.

UNIVERSITÉ LAVAL. *Les annuaires 1953-1954 et 1959-1960*, Québec, Les Presses de l'Université Laval.

UNIVERSITÉ LAVAL. *Répertoire des programmes et des cours des deuxième et troisième cycles 2000-2001*, Québec, Administration et politiques scolaires, Faculté des sciences de l'éducation, Université Laval.

CHAPITRE 6

L'ÉVOLUTION HISTORIQUE
DES PRATIQUES D'ENSEIGNEMENT

L'histoire des pratiques d'enseignement pourrait ne contenir que les façons de transmettre le savoir d'une matière donnée, ce dont il est question dans ce chapitre. Mais pour les auteurs de cet ouvrage, il y a plus que cela. Nous croyons qu'il n'y aurait pas de pratiques d'enseignement s'il n'y avait pas, au premier chef, des étudiants et des professeurs. Le chapitre commence par une brève présentation de la certification des gestionnaires de l'éducation avant de traiter de recrutement et de sélection des étudiants en administration de l'éducation. C'est ensuite que nous présentons la situation professionnelle des professeurs qui enseignent cette matière. Puis, nous proposons les méthodes pédagogiques utilisées par les professeurs.

On doit se rappeler que le University Council for Educational Administration, subventionné par la Fondation Kellogg, est probablement l'organisme qui a le plus contribué à l'avancement de la formation en administration de l'éducation. Sa contribution est d'abord caractérisée par ses nombreux projets de recherche portant sur les problèmes relatifs à un meilleur enseignement de la matière et par l'organisation de nombreux séminaires pour les membres. Elle s'est ensuite manifestée par la possibilité pour les universités, même si elles n'étaient pas membres du UCEA, d'emprunter différents matériels d'enseignement tels que des films, des vidéocassettess, des études de cas et du matériel de simulation. Enfin, le UCEA doit son succès à Jack Culbertson qui en a été le directeur pendant plus de vingt ans.

Le UCEA a tellement été impliqué dans l'enseignement de l'administration de l'éducation que, vers la fin des années 1980, l'organisme eut l'idée de développer un environnement informatique pour la formation des gestionnaires de l'éducation, le Information Environment for School Leader Preparation (IESLP), subventionné par la Fondation Danforth (Forsyth, 1999, p. 88). Il s'agissait d'une commission scolaire rurale virtuelle que les gestionnaires pouvaient utiliser afin de pratiquer leur prise de décision et recevoir une rétroaction immédiate de leurs décisions (Hart et Pounder, 1999, p. 121). Le IESLP devait être prêt pour utilisation en 1999 (Forsyth, 1999, p. 89).

Murphy (1999, p. 48) a remarqué dans son étude auprès des professeurs d'administration de l'éducation qu'il y avait un intérêt renouvelé pour l'enseignement de cette discipline. Par exemple, il rapportait qu'il y avait chez eux une augmentation importante de l'utilisation de la technologie de l'enseignement ainsi que de nombreuses relations avec les étudiants à l'extérieur de la classe. Enfin, il est bon de signaler la formation récente d'un groupe d'intérêt pour l'enseignement de l'administration de l'éducation à l'intérieur de la American Educational Research Association (AERA).

AUX ÉTATS-UNIS

La certification des gestionnaires de l'éducation

Une façon d'intervenir de la part des États américains dans la formation en administration de l'éducation est la certification et l'émission d'un permis. Aux États-Unis, un certificat est une licence qui ne garantit pas un emploi ; il est toutefois requis pour être embauché et être payé par une commission scolaire (Sparkman et Campbell, 1994,

p. 102). C'est un mécanisme de reconnaissance obligatoire, de la compétence d'une personne, défini dans un texte de loi (Legendre, 1993, p. 174) ou dans des règlements.

C'est parce que les individus étaient de plus en plus scolarisés et possédaient de plus en plus d'expérience professionnelle qu'un système de certification des gestionnaires de l'éducation était devenu nécessaire (Parker, 1978, p. 19). Ainsi, en 1905, un État exigeait déjà une certification administrative spéciale pour les directeurs généraux. En 1923, seulement 7 États distinguaient les certificats pour l'enseignement et ceux pour l'administration alors qu'en 1939, 27 États faisaient cette distinction (Koos *et al.*, 1940). James (1955, p. 2) rapportait la situation constatée par Woellner et Wood en 1939. Quarante États exigeaient alors que les directeurs généraux soient détenteurs d'un baccalauréat, 33 États exigeaient qu'ils aient une expérience dans l'enseignement et seulement 19 États requéraient que des cours de deuxième cycle soient complétés. En 1953-1954, selon Woellner et Wood (1954), tous les États exigeaient le baccalauréat, 41 États demandaient d'avoir complété des cours de deuxième cycle et 26 exigeaient d'avoir obtenu une maîtrise.

Gousha (1986) rapportait que 49 États possédaient des standards de certification pour les gestionnaires de l'éducation. L'étude de Gousha, LoPresti et Jones (1988), menée auprès de 39 États, nous en apprenait un peu plus sur les exigences des États pour la certification de ces gestionnaires. Les résultats révélaient que 38 États décernaient de tels certificats. Seize États spécifiaient les compétences nécessaires pour être certifié tandis que 32 États exigeaient une expérience dans l'enseignement. Par contre, seulement 6 États requéraient que la performance des candidats soit évaluée. Enfin, 21 États exigeaient que les candidats aient suivi un stage dans leur formation.

Leur étude révélait qu'un seul État, le Michigan, n'avait pas encore établi de normes de certification pour les gestionnaires scolaires. Gousha et ses collègues soulignaient que, dans 21 États, certaines activités de perfectionnement étaient obligatoires (p. 204). Par contre, selon Gooden et Leary (1995, p. 323), 12 États avaient des politiques alternatives de certification, c'est-à-dire que ces États avaient deux types de certificats en plus du certificat régulier. Il s'agissait d'un certificat provisionnel et d'un certificat spécial (p. 326).

Il y avait jusqu'à récemment trois méthodes utilisées par les États pour octroyer un certificat (Sparkman et Campbell, 1994, p. 104). La première impliquait une analyse soignée des relevés de notes par une agence du gouvernement et était utilisée par moins de la moitié des États. La seconde méthode reposait sur des recommandations émises à la suite de programmes de formation suivis au collège ou à l'université. La majorité des États empruntait cette méthode. La troisième méthode consistait à satisfaire des processus qui étaient uniques à un État. Très peu d'États suivaient cette méthode.

La certification des gestionnaires scolaires varie encore aujourd'hui grandement d'un État à l'autre, mais il existe des points communs à tous les États. La plupart d'entre eux exigent cinq ans d'expérience dans l'enseignement, au moins une maîtrise décernée par une université reconnue par l'État et des cours spécifiques en administration de l'éducation. Certains États peuvent exiger des examens écrits et des travaux sur le terrain supervisés tandis que d'autres requièrent que des évaluations soient faites par un centre spécialisé à cette fin (Gooden et Leary, 1995, p. 318).

Le National Policy Board for Educational Administration (NPBEA) a publié en 1990 une politique devant servir de ligne directrice pour les États qui désiraient examiner leurs critères de certification des gestionnaires de l'éducation. L'organisme suggérait les six critères suivants :

> ➢ la connaissance de l'enseignement et de l'apprentissage ;
> ➢ une expérience de leadership ;
> ➢ une formation au-delà du baccalauréat ;
> ➢ certaines qualités personnelles telles que des habiletés à communiquer par écrit et oralement ;
> ➢ une bonne connaissance des questions sociales et économiques courantes reliées à l'éducation ;
> ➢ la compréhension des procédures et des processus par lesquels les commissions scolaires et les écoles sont administrées ;
> ➢ l'aptitude à élaborer des politiques et à dispenser des programmes d'études aux étudiants (NPBEA, 1990).

Grégoire (1993) a décrit le nouveau système de certification mis en place par l'État du Kentucky à la suite de la loi entrée en vigueur en juillet 1990. Selon le système, le futur cadre d'une école devait, en particulier, effectuer une année de probation dans une école et, après 1994, réussir avec succès l'examen fourni par un centre d'évaluation des capacités et des compétences (*Assessment Center*) mis au point par la National Association of Secondary School Principals (p. 63). Tous les quatre ans, un directeur d'école doit demander le renouvellement de sa certification qui ne lui est accordée que s'il a réussi le programme de formation continue prescrit par le système de certification.

Grégoire a également décrit le système de certification des gestionnaires de l'éducation de l'État de la Californie (p. 71). La personne désireuse d'occuper un poste de directeur ou de directeur adjoint dans une école devait détenir un permis d'enseignement, une maîtrise, avoir au moins 3 années d'expérience dans l'enseignement et avoir réussi avec succès les 24 crédits de cours prescrits par l'État. La réussite de ces cours conduisait à l'obtention d'un premier certificat préliminaire. Après avoir occupé son poste pendant un minimum de 2 ans, le directeur ou le directeur adjoint d'une école devait obtenir un second certificat après avoir suivi un autre 24 crédits de cours.

De concert avec le National Policy Board for Educational Administration (NPBEA), le conseil des autorités supérieures des États formait en 1994 un consortium, le Interstate School Leaders Licensure Consortium (ISLLC), regroupant des représentants de 24 États, du District de Columbia et de 11 associations nationales. Les normes et critères pour accorder à une personne un permis pour devenir un administrateur de l'éducation étaient établis par le consortium et étaient publiés deux ans plus tard (Council of Chief State School Officers, 1996). Les critères mettaient un fort accent sur le comportement administratif nécessaire au succès scolaire de tous les étudiants (Hart et Pounder, 1999, p. 139).

La National Association of State Directors of Teacher Education and Certification (NASDTEC), dans son rapport de 1996, mentionnait que 46 États exigeaient plusieurs années d'expérience dans l'enseignement avant de pouvoir avoir droit à un premier permis en administration de l'éducation. Pour renouveler ce premier permis ou obtenir un certificat, 39 États requéraient d'avoir suivi quelques cours dans ce domaine. Dix-neuf de ces États exigeaient que ces cours soient suivis à l'université tandis que 15 autres États permettaient que ces cours soient suivis à l'université ou non.

Crawford (1998) a rapporté les changements survenus entre 1991 et 1996 concernant la certification des gestionnaires. En général, il constatait que les exigences reposaient sur l'acquisition des habiletés et des connaissances (p. 8). Par exemple, 19 États exigeaient en 1996 que les gestionnaires réussissent au moins l'un des cinq examens existant pour les fins de certification. Onze de ces États exigent le *National Teacher Exam* (NTE).

Le recrutement et la sélection des étudiants

Le recrutement

À l'instar de Farquhar et Piele (1972, p. 20), nous utilisons le mot *recrutement* pour signifier le processus par lequel des candidats possibles à des programmes de formation des gestionnaires scolaires sont choisis et persuadés d'entrer dans de tels programmes. Quant au mot *sélection*, il signifie la procédure d'évaluation du potentiel des candidats selon certains critères d'admission à des programmes, la détermination de ceux qui possèdent les caractéristiques désirées. Ces deux éléments sont traités séparément.

En 1947, très peu d'établissements universitaires étaient préoccupés par le recrutement et la sélection d'étudiants (Campbell, 1972, p. 12). La plupart des universités n'avaient pas alors d'aide financière à accorder aux étudiants. Alors, elles répondaient tout simplement positivement à toute personne qui désirait entreprendre des études en administration de l'éducation. Quelques universités pouvaient avoir procédé à une forme de recrutement en encourageant certains étudiants à faire une demande d'admission. C'est avec l'argent de la Fondation Kellogg que les pratiques de recrutement et de sélection ont vraiment débuté (Campbell, 1972, p. 12).

Le Cooperative Development of Public School Administration de l'État de New York, subventionné par la Fondation Kellogg, a été un des premiers à proposer un vaste programme de recrutement (CDPSA, 1954). L'organisme suggérait de repérer et d'attirer les candidats potentiels à tous les niveaux du système d'éducation. On y suggérait l'utilisation de contacts personnels à l'occasion d'activités telles que la tenue d'ateliers, de conférences ou de réunions professionnelles. On faisait allusion également à une offre d'aide financière qui pouvait être accordée à des candidats. Enfin, on soulignait que les commissions scolaires se devaient d'encourager des enseignants à poursuivre une carrière en administration de l'éducation.

À l'occasion de la révision de son programme de maîtrise en administration de l'éducation en 1955, l'Université de New York à Buffalo avait expédié des lettres à tous les gestionnaires des environs afin de leur faire connaître le programme et les inviter à recommander des étudiants talentueux (SUNY, 1963, p. 4). Par la suite, ils étaient invités à aider le département d'administration de l'éducation dans ses efforts de recrutement. Des contacts continus étaient aussi maintenus avec les anciens étudiants et les associations professionnelles pour les fins de recrutement.

Hall et McIntyre (1957) affirmaient qu'un processus de recrutement impliquait l'identification d'individus qui semblaient avoir tout ce qu'il fallait pour devenir de bons administrateurs de l'éducation et que cette reconnaissance devait même débuter dans les écoles secondaires (p. 402). Ils suggéraient alors de surveiller les jeunes étudiants du secondaire qui tranchaient au regard d'autres étudiants en ce qui regarde des comportements observables ou des caractéristiques mesurables qui semblaient être associés au succès en administration.

Culbertson (1964) faisait remarquer que, parmi tous les problèmes associés à la formation des gestionnaires scolaires, aucun n'était plus fondamental que de déterminer les critères pour recruter et sélectionner des administrateurs potentiels (p. 312). Quant à Culbertson *et al.* (1969, p. 190) et à Farquhar et Piele (1972, p. 20), ils affirmaient que probablement le document le plus important jamais publié portant sur le recrutement des candidats potentiels à un programme de formation en administration de l'éducation était celui du UCEA (1966). Ce document mettait en évidence les différentes dispositions prises par les universités membres de cet organisme concernant le recrutement. On trouvait dans le document ce qui suit :

> ➢ le besoin d'organiser le recrutement de candidats talentueux pour des postes de leadership scolaire est à la fois urgent et vaste ;
> ➢ peu importe que le besoin quantitatif soit grand, les efforts de recrutement doivent mettre l'accent sur la qualité et l'attraction d'individus les plus talentueux de la société ;
> ➢ les procédures pour identifier ces individus doivent être plus pointues ;
> ➢ tous les moyens de communication doivent être exploités afin d'atteindre les personnes les plus compétentes et d'obtenir un accroissement du soutien financier pour leur formation ;
> ➢ la tâche est si vaste et le défi si grand que seulement une attaque systématiquement planifiée du problème ne peut offrir un espoir de satisfaire le besoin (p. 20).

Culbertson *et al.* (1969) offraient des lignes directrices spécifiques en ce qui concerne le processus de recrutement des étudiants. Selon eux, ce processus devait être en place au cours des années 1970 dans les départements d'administration de l'éducation. Voici ce qu'ils proposaient :

> ➢ les responsables des programmes de formation auront besoin de se concentrer davantage sur les aspects non cognitifs du leadership ;

> les comportements associés au leadership qui doivent être recherchés lors du recrutement des étudiants et ceux qui doivent être développés principalement grâce aux expériences d'apprentissage fournies lors de la formation auront besoin d'être explicités davantage qu'ils le sont actuellement ;

> les responsables du recrutement des étudiants auront besoin de définir d'une façon plus spécifique des indicateurs des comportements stables que doivent posséder les candidats à des programmes de formation ;

> les universités auront besoin de faire des efforts spéciaux afin de d'identifier et de recruter d'excellents leaders parmi les groupes minoritaires ;

> les responsables de programmes de formation devraient créer des arrangements spéciaux afin d'identifier et de recruter des étudiants de premier cycle ;

> les universités devraient allouer plus de ressources et plus de personnel au recrutement d'étudiants (p. 270-271).

À partir de leur étude de 1969, Culbertson et Farquhar (1970) ont discuté des résultats obtenus concernant le recrutement et la sélection des étudiants en administration de l'éducation. Ils décrivaient trois changements majeurs survenus dans les universités membres du UCEA au cours de la période 1963-1968 :

> une expansion du réservoir de talents incluant de jeunes candidats, des membres de la minorité, des étudiants détenteurs d'un baccalauréat et des étudiants détenteurs d'une maîtrise dans un domaine autre que l'éducation, particulièrement en sciences sociales ;

> un plus grand effort pour recruter des candidats avec une expérience dans l'enseignement ou l'administration ;

> des approches plus agressives et plus systématiques d'identification des candidats potentiels (p. 10).

Les départements d'administration de l'éducation ont toujours rencontré certains obstacles à leurs efforts de recrutement d'étudiants. Un premier obstacle résidait dans le fait que le réservoir naturel de candidats se trouvait typiquement restreint aux personnes déjà en éducation, ce qui n'a pas aidé ! Cette limitation reposait sur le fait que l'on croyait toujours qu'une expérience dans l'enseignement était un préalable pour devenir un gestionnaire efficace, quoique cette croyance était loin d'être prouvée (Farquhar et Piele, 1972, p. 20).

Un autre obstacle a été la façon de recruter qui était laissée au hasard. Selon une étude sur le recrutement et la sélection, menée par Neagley (1953) pour le Cooperative Program in Educational Administration (CPEA) (Middle Atlantic Region), le recrutement souffrait des deux problèmes suivants :

➢ aucun programme organisé ou planifié de recrutement de talents capables de se préparer à une carrière en administration de l'éducation n'était mené par les établissements membres dans le Middle Atlantic Region ;

➢ les établissements dépendaient dans une large mesure de contacts accidentels ou occasionnels qui interviennent à l'occasion de conférences, de séminaires et d'instituts (p. 32).

Le manque d'information concernant la carrière en administration de l'éducation et les études dans ce domaine constituait un troisième obstacle. Hanson (1961), par exemple, témoignait déjà qu'il y avait peu de compréhension de son travail comme directeur général (p. 18). Baughman (1966), pour sa part, observait « qu'une pénurie d'information concernant l'administration de l'éducation comme carrière existait dans les écoles secondaires » (p. 41). Un quatrième obstacle existait parce que l'administration de l'éducation n'était pas attrayante comme carrière et que ce champ d'études n'avait pas un statut très élevé. Uzmack (1963), par exemple, dans son étude auprès d'étudiants du secondaire pour déterminer leurs perceptions de la direction générale d'une commission scolaire, a trouvé que les directeurs généraux jouissaient d'un statut peu élevé, en comparaison d'autres professionnels du milieu. Quant aux programmes de formation en administration de l'éducation, les praticiens n'avaient pas une très haute estime à leur égard. Griffiths (1965), quant à lui, déclarait que « le recrutement d'étudiants susceptibles d'entrer à l'école des études supérieures dans le but de se préparer à devenir directeur général des écoles est pratiquement non existant » (p. 53).

Culbertson *et al.* (1969) ont relevé les points forts et les faiblesses, concernant le recrutement, mentionnés alors par les directeurs généraux et les professeurs en administration de l'éducation. Les répondants indiquèrent que l'accent mis sur la recherche de candidats avec une expérience en administration était un des points forts tandis que la principale faiblesse reposait sur le fait que l'on espérait que des candidats fassent une demande d'admission. Par contre, un certain nombre d'universités avouaient avoir développé des stratégies de recrutement telles que des déjeuners, des distributions de brochures et la sollicitation auprès des diplômés (p. 217).

Certains auteurs ont présenté des pistes de solution à tous ces problèmes de recrutement. Culbertson (1972), par exemple, suggérait de concevoir plus clairement des programmes de formation diversifiés de façon à attirer des individus talentueux en administration de l'éducation. Stout (1973), par contre, faisait une proposition plutôt surprenante en suggérant de recruter parmi les enseignants et enseignantes infructueux en supposant que certains parmi eux pourraient apporter une contribution valable comme gestionnaires (p. 28). Campbell (1976), quant à lui, avançait l'idée de recruter des individus provenant d'autres champs d'études que celui de l'éducation. Tyack et Cummings (1977) signalaient que le recrutement d'étudiants n'était pas habituellement systématique tandis que Silver et Spuck (1978) laissaient entendre que, dans les années 1980, une plus grande compétition pour avoir des étudiants deviendrait un stimulant pour accroître les efforts de recrutement. De plus, ils soulignaient que plusieurs établissements avaient rapporté des changements en ce qui concerne le recrutement (p. 186).

Plus récemment, le recrutement était l'objet de certaines recommandations afin d'améliorer la recherche de candidats pour les programmes de formation en administration de l'éducation. Coleman et Achilles (1987), par exemple, suggéraient que l'on recherche des candidats qui possèdent des connaissances générales en éducation ainsi que des habiletés administratives. Le National Policy Boards for Educational Administration (NPBEA) recommandait l'adoption de stratégies vigoureuses afin d'attirer les candidats les plus brillants de toutes les ethnies et des deux sexes (1989, p. 10). Enfin, Mulkeen et Tetenbaum (1990) conseillaient d'inclure les commissions scolaires dans le processus de recrutement afin d'identifier les talents et de fournir des incitatifs aux individus identifiés à poursuivre des études en administration de l'éducation (p. 15).

Young, Galloway et Rinehart (1990) ont mené une étude expérimentale sur le recrutement des étudiants au doctorat. À 48 enseignants intéressés à des études doctorales, les auteurs ont soumis trois brochures que les participants avaient à évaluer. Chaque brochure avait un contenu différent : une première contenait les avantages psychologiques relatifs à des études doctorales alors qu'une seconde brochure contenait les avantages économiques de telles études. La dernière présentait les exigences universitaires. Les résultats ont démontré que les enseignants ont réagi plus positivement à cette dernière brochure.

Dans son étude auprès des 22 universités qu'elle subventionnait, la Fondation Danforth rapportait que la plupart de ces universités recrutaient leurs étudiants grâce à un système de nomination par le personnel des commissions scolaires, des directeurs d'école qui servaient de mentors pour le programme de la Fondation et des anciens étudiants (Cordeiro *et al.*, 1992, p. 11). Le programme de recrutement était complété par la diffusion de brochures et des efforts de relations publiques.

Sirotnik et Mueller (1993) rapportaient que, avant 1987, leur département n'avait déployé aucun effort de recrutement surtout en ce qui concerne des meneurs potentiels et des groupes sous-représentés tels que les Noirs, les ethnies et les femmes (p. 59). Par contre, après 1987, un programme de recrutement fut mis de l'avant. D'abord, la philosophie et la structure du nouveau programme étaient contenues dans des documents écrits et transmis aux gestionnaires scolaires en place lors de conversations formelles et informelles. Puis, des annonces et des campagnes furent entreprises auprès d'associations professionnelles. Enfin, les commissions scolaires furent encouragées à identifier, inciter et soutenir des enseignants talentueux, d'origine ethnique ou raciale diverse, à présenter une demande d'admission (p. 65).

Enfin, Murphy (1993b) a résumé les initiatives agressives de recrutement mentionnées dans différents chapitres de son ouvrage collectif. Les principales de ces initiatives étaient une large vente des programmes à des candidats potentiels, une explication claire de la philosophie d'un programme de formation, des échanges réguliers avec des gens responsables d'enjeux et l'institutionnalisation des stratégies de recherche afin de promouvoir une diversité ethnique et raciale (p. 228).

La sélection

Chaque année, les départements d'administration de l'éducation ont à choisir un certain nombre d'étudiants pour leurs programmes de formation. Le processus implique l'examen d'informations concernant les candidats par un certain nombre de professeurs. La sélection des étudiants peu comprendre deux processus : l'un consiste à choisir les meilleurs parmi un groupe de candidats tous d'excellent calibre et l'autre, à éliminer les plus mauvais candidats indépendamment de la qualité du groupe de candidats (Farquhar et Piele, 1972, p. 25).

Déjà, en 1954, le Cooperative Development of Public School Administration de l'État de New York proposait un vaste programme en ce qui concerne la sélection des étudiants en administration de l'éducation. On y suggérait, par exemple, d'exiger, en plus des lettres de recommandation, de soumettre les candidats à une batterie d'examens psychométriques tels que des tests d'aptitude, de personnalité et d'intérêt (CDPSA, 1954, p. 11). L'organisme affirmait qu'on devait sélectionner les personnes qui avaient le meilleur potentiel pour devenir administrateurs de l'éducation.

La sélection des étudiants n'a jamais semblé adéquate. McIntyre (1964) mentionnait que « l'autosélection est encore la seule sélection que l'on peut trouver dans plusieurs de nos établissements » (p. 4). De plus, il affirmait que « l'étudiant moyen en administration de l'éducation est tellement inférieur à un étudiant moyen d'autres champs d'études, en termes de capacités mentales et de performances académiques, que la situation est presque scandaleuse » (1966, p. 17). Les données rapportées par la American Association of School Administrators (AASA) confirmaient les dires de McIntyre : « il n'existe aucune indication claire qu'il existe un effort national concerté pour admettre à des programmes de formation seulement les personnes qui se situent dans le quartile supérieur en termes d'habiletés d'apprentissage » (1964, p. 23).

Selon Culbertson *et al.* (1969), il existait alors dans le milieu universitaire une grande insatisfaction envers le processus courant de sélection des étudiants. Cette insatisfaction était suggérée dans leur enquête par le fait qu'aucun professeur en administration de l'éducation ne percevait un point fort dans le processus utilisé par leur département. Les professeurs n'avaient mentionné que deux besoins pour améliorer le processus : l'un concernait les standards existants et l'autre les procédures.

Les critères de sélection peuvent être de deux ordres. Il y a les critères ultimes, c'est-à-dire les facteurs *pour lesquels* on sélectionne. L'efficacité comme gestionnaire est un exemple de critère ultime. En second lieu, il existe des critères actuels, ceux *sur lesquels* on se base pour sélectionner. Les succès obtenus au premier cycle, des lettres de recommandation et des caractéristiques personnelles des candidats sont des exemples de critères actuels. En général, comme on le verra ci-après, les départements d'administration de l'éducation ont eu par le passé tendance à n'utiliser que des critères actuels tout en se plaignant de la difficulté de mettre au point des critères ultimes.

Stout (1973) suggérait de placer les critères sur un continuum allant de critères universels ou objectifs, exempts de jugements de valeurs, à des critères spécifiques ou subjectifs, comportant des jugements de valeurs (p. 34). Ce continuum était utile pour expliquer les deux stratégies suivantes : une première consistait à adopter le modèle universel et à faire la sélection selon des critères universels tandis qu'une seconde continuait à utiliser des critères spécifiques, quitte à se retrouver avec des étudiants de calibre médiocre.

La American Association of School Administrators (AASA, 1963a) a présenté quatre critères de sélection des étudiants qui aspiraient à une formation en administration de l'éducation en vue d'occuper le poste de directeur général d'une commission scolaire. Il s'agissait uniquement de critères actuels de sélection. Ces critères étaient les suivants :

➤ le candidat devrait avoir démontré un savoir supérieur au premier cycle ;

➤ avant d'être admis à des études supérieures, le candidat devrait posséder une bonne formation en éducation ;

➤ avant d'être admis, le candidat devrait avoir démontré des habiletés de leadership grâce à des expériences avec des élèves, dans des associations professionnelles et avec le public ;

➤ le candidat devrait avoir démontré une maturité et une stabilité émotionnelles accompagnées d'une intelligence supérieure (p. 16).

McIntyre (1966) suggérait des exemples de procédures qui pouvaient être employées pour la sélection des étudiants en administration de l'éducation. Il mentionnait, entre autres, la sociométrie, un test situationnel de performance, une formation en laboratoire, l'emploi d'items biographiques ainsi que des mesures de réalisations passées pouvant prédire un comportement créatif (p. 10-11). Cunningham et Nystrand (1969), quant à eux, proposaient d'inclure des praticiens dans le processus de sélection.

Les répondants à l'enquête de Culbertson *et al.* (1969) mentionnaient au moins deux faiblesses associées à la sélection des étudiants. Une première concernait la dépendance excessive que certains départements éprouvaient à l'égard de quelques tests comme le *Graduate Record Examination* (GRE) et le *Miller Analogies Test* (MAT). La seconde faiblesse concernait le manque de validité prédictive du succès en administration (p. 217). Aucun professeur répondant à la même enquête n'a pu souligner un point fort concernant la sélection des étudiants.

Comme il a été mentionné précédemment, les critères utilisés depuis les débuts de l'enseignement de l'administration de l'éducation ont été davantage des critères actuels et subjectifs plutôt que des critères ultimes ou objectifs. L'étude de Trautmann (1977) rapportait que dans 81 établissements, on utilisait les critères suivants pour une admission au doctorat : la moyenne obtenue à la maîtrise, les résultats obtenus à des tests, des lettres de recommandation et des réalisations de carrière.

Le National Policy Board for Educational Administration (NPBEA) recommandait que les standards d'admission à des programmes de formation en administration de l'éducation soient plus élevés afin d'obtenir des candidats qui posséderaient de fortes habiletés analytiques, un haut potentiel pour l'administration et des succès évidents comme enseignants (1989, p. 10). Enfin, Murphy (1991) a montré que le recrutement comme la sélection des étudiants avaient été très légèrement affectés par les vagues de réformes de l'éducation des années 1980 (p. 52).

Dans le cadre des programmes de formation des directeurs d'école subventionnés par la Fondation Danforth, la sélection des étudiants n'était pas tellement différente. Les étudiants étaient généralement sélectionnés selon les critères mis de l'avant par les facultés des études supérieures de chacune des universités, à savoir les résultats obtenus à des examens standardisés, des lettres de recommandation, des entrevues et des échantillons de leur écriture (Cordeiro *et al.*, 1992, p. 11). Par contre, alors qu'un département admettait tous les étudiants recommandés par les commissions scolaires, un autre département exigeait de compléter certaines activités telles que des exercices de corbeille d'entrée (*In-Basket*), une solution de problème en groupe, une présentation individuelle, etc.

Sirotnik et Mueller (1993) mentionnaient que, avant 1987, leur département sélectionnait les étudiants selon des procédures traditionnelles, quoique formelles, et demeurait ritualiste (p. 59). Avec la mise en place d'un nouveau programme en 1987, la sélection était devenue plus stricte. Les candidats devaient soumettre un énoncé de leur philosophie et trois lettres de recommandation, l'une venant d'un directeur d'école, une autre d'un enseignant choisi par ce directeur d'école et une dernière rédigée par un collègue choisi par le candidat. De plus, les candidats devaient subir une entrevue d'une heure à laquelle pouvaient participer des étudiants actuellement inscrits (p. 65).

Murphy (1993b) faisait part des alternatives à la sélection traditionnelle des étudiants mentionnées par les auteurs inclus dans son ouvrage collectif. Parmi ces alternatives, on accordait beaucoup d'importance à une entrevue menée par plus d'un professeur ou par une équipe de professeurs. On trouvait également l'usage dans au moins une université d'une forme abrégée d'un centre d'évaluation du potentiel (*Assessment Center*), qui comprenait des entrevues, des items d'une corbeille d'entrée et des interactions en groupe observées par des évaluateurs (p. 229).

Par contre, Milstein, Bobroff et Restine (1991) ont rapporté la procédure de sélection des étudiants utilisée dans un des 22 sites universitaires offrant un programme de formation pour les directeurs d'école en collaboration avec la Fondation Danforth. Ainsi, à l'Université du Connecticut, les candidats devaient soumettre un échantillon de leur écriture, des recommandations provenant de leurs collègues enseignants, de leur directeur d'école et d'un gestionnaire de leur commission scolaire. De plus, ils devaient subir une entrevue menée par un comité de sélection composé d'un professeur et de praticiens. Le comité évaluait la motivation, les intentions et le leadership potentiel des candidats (Milstein, 1993, p. 102). L'étude de Hackmann et Price (1995) établissait que, en général, les départements d'administration de l'éducation exigeaient un score minimum de 1 000 aux sous-tests du *Graduate Record Examination* (GRE), une moyenne cumulative de 3,0 au premier cycle et de 3,23 au deuxième cycle, un énoncé personnel et une entrevue.

Lauder (2000) mentionnait les tendances concernant la sélection des étudiants dans les programmes de formation des directeurs d'école. Elle relevait le fait que l'on avait tendance à exiger une preuve d'exercice du leadership dans des expériences passées et réussies de leur vie d'adulte. On vérifiait également des qualités personnelles telles que la flexibilité, l'enthousiasme, le sens de l'humour, la compassion pour les enfants, le courage, la maturité émotionnelle, etc. (p. 24). Ces qualités étaient évaluées grâce à des tests standardisés.

Malgré tout cela, Fusarelli (2001) affirmait que la facette la plus ignorée des programmes universitaires de formation en administration de l'éducation était encore la sélection des étudiants, surtout pour ceux de la maîtrise (p. 13). Il relevait le fait que très peu d'universités se donnaient la peine d'interviewer les candidats à la maîtrise et acceptaient ces derniers uniquement sur la base de qualifications minimales. Étant donné que le nombre d'étudiants admis à la maîtrise représente des entrées importantes d'argent, expliquait-il, on suppose qu'il vaut mieux des candidats moins qualifiés plutôt que personne (p. 14).

Les professeurs du champs d'étude

Plusieurs études ont traité, depuis les années 1960, des caractéristiques, des activités et même des attitudes des professeurs en administration de l'éducation. Hills (1965), par exemple, a étudié 150 professeurs pour conclure que 75 % d'entre eux avaient été engagés dans un, ou plusieurs, projets de recherche dans les 5 dernières années (p. 59), que l'enseignement occupait 50 % du temps de 54 % des répondants et que 88 % d'entre eux avaient été des praticiens avant de devenir professeurs dans ce champ d'études.

Ce sont surtout des ouvrages écrits en collaboration qui nous ont fourni le plus de renseignements sur les professeurs en administration de l'éducation. À notre connaissance, il existe quatre de ces ouvrages. Ce sont ceux de Willower et Culbertson (1964), de Campbell et Newell (1973), de McCarthy *et al.* (1988) et de McCarthy et Kuh (1997). Il était difficile de bien résumer ici des études d'une telle ampleur. C'est pourquoi nous avons décidé de simplement signaler des aspects de ces études qui nous apparaissaient plus importants. De plus, pour certains de ces aspects, nous présentons une comparaison entre les résultats des autres études précédentes.

Campbell et Newell (1973) ont reçu 1 963 réponses à leur questionnaire expédié en 1972 dont 862 provenant de professeurs d'universités membres du University Council for Educational Administration (UCEA) et 1 101 provenant de professeurs d'universités non membres (p. 13). McCarthy *et al.* (1988) avaient recueilli leurs données en 1986 et reçu 1 307 réponses alors que McCarthy et Kuh (1997) réalisaient leur étude en 1994 avec 478 réponses à partir d'un échantillon de 940 professeurs. Les comparaisons entre les résultats obtenus par ces trois études porteront donc sur les années où les données furent recueillies, soit 1972, 1986 et 1994.

En 1972 et 1986, l'intérêt accordé aux étudiants et à l'enseignement était la raison première des répondants pour devenir professeur en administration de l'éducation. En 1994, la principale raison était leur intérêt pour les idées et l'accroissement des connaissances. Les jeunes professeurs (5 ans et moins d'expérience) invoquaient davantage cette raison que ceux qui avaient une plus longue expérience (11 ans et plus d'expérience), qui eux déclaraient être devenus professeurs en raison de leur intérêt pour les étudiants et l'enseignement (p. 220). Par contre, le nombre de professeurs titulaires avait évolué au cours des années. Alors que 50 % des professeurs occupaient ce rang en 1972 et 59 % en 1986, les résultats de 1994 montraient une diminution de leur nombre, puisque seulement 54 % d'entre eux étaient maintenant des professeurs titulaires. Enfin, le nombre de crédits enseignés par semestre, soit 6 crédits, par les professeurs n'a pas changé de 1972 à 1994.

De 1972 à 1994, entre 20 % et 29 % de leur temps était consacré à l'enseignement et au tutorat des étudiants. Leurs résultats montraient que plus l'expérience universitaire des professeurs était grande, plus ils consacraient du temps à l'enseignement. McCarthy et Kuh (1997) affirmaient que cela était surtout attribuable à l'augmentation du nombre de thèses de doctorat dirigées (p. 209). Quant à la recherche et aux publications, les professeurs y consacraient entre 10 % et 19 % de leur temps de 1972 à 1994. Toutefois, les résultats de 1994 montraient une augmentation du nombre de professeurs qui occupaient leur temps à ces deux activités. En effet, en 1986, alors que 75 % des professeurs s'occupaient de la recherche, on constatait qu'en 1994, 85 % des répondants étaient peu engagés dans la recherche et les publications (p. 102).

À l'égard des besoins importants du champ d'études de l'administration de l'éducation, les répondants indiquaient en 1972 que le développement des connaissances de base était le besoin le plus criant. En 1986, les professeurs plaçaient une réforme du curriculum en première place des besoins en administration de l'éducation alors que les répondants de 1994 préféraient une plus grande attention accordée aux problèmes pratiques. Cependant, 29 % des répondants de 1994 avaient mis presque sur un pied d'égalité l'attention qui devait être accordée aux problèmes pratiques et les liens étroits qui devaient être entretenus avec les praticiens comme les deux besoins les plus importants (p. 157-158).

McCarthy et Kuh (1997) ont soumis aux professeurs une liste de 29 énoncés concernant l'administration de l'éducation comme champ d'études. Entre 1972 et 1986, il y avait une diminution dans le pourcentage de répondants (23 % contre 11 %) qui étaient d'accord avec le fait que plus d'écrits dans le domaine devaient être plus théoriques, mais très peu de changement entre 1986 (11 %) et 1994 (8 %). Par contre, 22 % des professeurs en 1972 étaient d'accord avec le fait qu'ils devaient être plus préoccupés par le bien-être de leur université alors qu'en 1986 et 1994, seulement 15 % d'entre eux étaient d'accord avec un tel énoncé (p. 167-168).

Les professeurs avaient enfin à ranger par ordre d'importance une liste de 26 problèmes potentiels de la profession dont 12 qui n'apparaissaient pas dans l'étude de 1972 et 5 qui étaient absents de celle de 1986. Les perceptions des professeurs n'avaient pas tellement changé entre 1972 et 1994 concernant les problèmes qui apparaissaient dans les trois études. Cependant, alors que 15 % des professeurs en 1972 et 18 % en 1986 considéraient que le petit nombre de professeurs faisant partie des minorités noires était un problème très sérieux, 32 % des professeurs en 1994 trouvaient cette situation également très sérieuse (p. 160).

Campbell et Newell (1973) terminaient leur ouvrage par une analyse des conséquences pour différentes catégories de personnes et d'organismes. Pour les professeurs, par exemple, ils pensaient qu'il était important pour eux de mettre plus l'accent sur leur propre travail, en particulier faire plus de recherche (p. 145-146). Ils suggéraient que des programmes de formation en administration de l'éducation ne soient pas offerts dans toutes les universités et que si ces dernières voulaient offrir de tels programmes, elles devaient être prêtes à remplir les conditions nécessaires pour attirer et retenir des professeurs de haut calibre (p. 148-149).

McCarthy et Kuh (1997) concluaient, entre autres, que le nombre de professeurs dans chaque département d'administration de l'éducation ainsi que le nombre de programmes offerts par les universités étaient demeurés relativement stables de 1972 à 1994. Ils ont remarqué que les départements avaient vécu entre 1986 et 1994 un taux de roulement substantiel. Toutefois, selon les résultats de leur étude, 84 % des professeurs se disaient généralement satisfaits de leurs rôles, de leurs étudiants et de leurs programmes de formation. En 1986, 81 % des professeurs déclaraient être satisfaits des mêmes aspects (p. 180).

Les méthodes pédagogiques

Spaulding (1910) suggérait que l'étudiant apprenne à partir de sa propre expérience passée des conditions scolaires, de son observation immédiate des écoles et de leur administration et enfin des écrits sur le sujet (p. 42). Plus près de nous, Mulkeen et Tetenbaum (1990) et Murphy (1992) affirmaient, chacun dans ses propres mots, que l'enseignement de l'administration de l'éducation était alors trop livresque et trop rivé à la classe. Enfin, Fulmer (1994) remarquait que les méthodes d'enseignement de l'administration de l'éducation avaient subi maintes fois les critiques soit de la part des étudiants soit de celle des professeurs (p. 451).

Mulkeen et Tetenbaum (1990) notaient que «l'éternel problème de la formation des gestionnaires de l'éducation a été l'incapacité des professeurs à introduire dans la classe un réalisme suffisant pour permettre le transfert des apprentissages dans un contexte pratique» (p. 18). En réponse à toutes les critiques exprimées, les universités ont des modèles différents des méthodes traditionnelles d'enseignement de l'administration de l'éducation. Quelques-unes de ces alternatives ont même fait l'objet d'ouvrages, tels que ceux de Murphy (1992) et de Milstein (1993). Les pages suivantes font état de l'évolution des principales méthodes pédagogiques en usage en administration de l'éducation aux État-Unis.

Les analyses de cas

Un cas ou une analyse de cas est simplement un récit relatant soigneusement quelque chose qui est survenu réellement (Immegart, 1971, p. 31). Plus simplement, un cas est une description narrative d'un évènement (Wynn, 1972, p. 26). Un cas peut être écrit ou enregistré sur film, bande vidéo ou bande audio. Les cas peuvent être plus ou moins longs selon qu'ils sont simplement descriptifs d'un ou de plusieurs problèmes ou d'un évènement, ou substantifs, utilisés davantage pour la recherche, c'est-à-dire plus élaborés que la plupart des cas utilisés en classe (Bridges, 1965).

La méthode des cas a une longue histoire dans l'enseignement de certaines disciplines telles que la médecine, le droit et la gestion générale. Selon Wynn (1972), l'analyse de cas en médecine remontait aux débuts de la médecine et en droit à presque un siècle. Selon Culbertson (1964, p. 325), la première utilisation de l'analyse de cas en gestion aurait eu lieu à la Harvard Graduate School of Business Administration après la Première Guerre mondiale (p. 25), soit en 1919. À cette école, toutefois, il semble qu'un très petit nombre de professeurs en faisait usage (Immegart, 1971, p. 36). En administration de l'éducation, les analyses de cas furent introduites dans les années 1940, selon Culbertson (1964).

Avant 1950, quelques professeurs ici et là utilisaient des études de cas dans leur enseignement. Il n'existait alors que très peu de mécanismes de dissémination du matériel pédagogique et très peu de rencontres entre les professeurs en administration de l'éducation. Le premier ouvrage à paraître sur le sujet est celui de Sargent et Belisle (1955). Il servait de base à tout l'enseignement de l'administration de l'éducation à l'Université Harvard et demeure encore un point de repère important à cet égard. Griffiths (1956), Lloyd-Jones, Barry et Wolf (1956), Hamburg (1957) et Culbertson, Jacobson et Reller (1960) ont, par la suite, publié également des études de cas. Pour la première fois, les professeurs avaient alors accès à une variété de cas écrits.

Depuis ce temps, de nombreuses collections de cas ont été à la disposition des professeurs. Wynn (1972) mentionnait que le répertoire annuel du University Council for Educational Administration (UCEA) pour la formation des administrateurs de l'éducation contenait 66 annotations à l'égard des analyses de cas. Horvat *et al.* (1965) ont répertorié 211 cas en administration de l'éducation. Deux autres publications par le UCEA concernant les analyses de cas ont été importantes. Une première, par Horvat *et al.* (1965), décrivait un système d'emmagasinage et de recherche documentaire et une autre, par Immegart (1967), portait sur l'élaboration de cas à analyser en classe.

Au cours des années 1960, de nombreux efforts étaient déployés pour encourager les professeurs en administration de l'éducation à utiliser des analyses de cas dans leur enseignement ainsi que leurs recherches (Bridges, 1965). Contrairement aux années précédentes où le professeur était laissé à lui-même, les années 1960 ont vu l'introduction d'une analyse de cas plus structurée (Griffiths, 1963). Le professeur pouvait mener une discussion plus structurée grâce, entre autres, aux questions qui accompagnaient chacun des cas. Autrement dit, depuis les années 1960, selon Immegart (1971, p. 38), il y avait eu un progrès qui avait généré des applications plus raffinées de la méthode des cas.

Les directeurs généraux questionnés sur les méthodes d'enseignement utilisées au cours de cette période ont indiqué qu'ils appréciaient particulièrement les analyses de cas (Culbertson *et al.*, 1969, p. 219). Ils reprochaient en même temps qu'il y avait trop d'enseignement magistral avec une discussion centrée sur le professeur. Ils souhaitaient voir davantage l'utilisation de simulations, de séminaires et de discussions en petits groupes. Culbertson *et al.* (p. 193) mentionnaient toutefois que l'enseignement des années 1960 était caractérisé davantage par l'utilisation de simulations que par les analyses de cas. Selon Wynn (1972), au moins 65 universités faisaient déjà usage en 1964 de matériel de simulation.

Les stages

Culbertson (1964) observait que le stage était particulièrement approprié pour aider les administrateurs à faire la transition entre la formation et la pratique (p. 327). Toutefois, pour réaliser tout le potentiel de cette approche de la formation, il notait qu'il y avait encore beaucoup à faire pour atteindre les cinq buts suivants : plus de procédures raffinées pour la sélection des commissions scolaires afin de placer le stagiaire, des définitions adéquates et claires des apprentissages désirés, une supervision efficace et adéquate, des méthodes stables de financement et de la recherche afin d'améliorer les stages (p. 328). Un stage, selon Cronin et Horoschak (1973), est une expérience actuelle de travail qui complète le programme universitaire formel de l'étudiant. Le premier but du stage est de permettre au stagiaire d'acquérir l'expérience nécessaire à l'exercice des habiletés de sa profession sous la surveillance d'un praticien diplômé et expérimenté (Goldhammer, 1960, p. 88).

Le terme stage, tel qu'il est appliqué en administration de l'éducation, a été emprunté à la médecine, car le futur médecin devait démontrer ses connaissances et habiletés dans un hôpital. Le stage en médecine, comme en administration de l'éducation, est une expérience pratique qui est habituellement exigée du futur médecin ou du futur gestionnaire. Un élan pour le développement des stages en administration de l'éducation est survenu pour la première fois, selon Milstein et ses collègues (1991, p. 4), lors de la réunion de la National Conference of Professors in Educational Administration (NCPEA) en 1947. Seules les universités de Chicago et de Omaha avaient alors le stage comme exigence dans leur programme de formation. L'année suivante, 5 autres universités exigeaient un stage et, en 1950, 17 autres universités avaient une telle exigence (Wheaton, 1950). En 1962, selon Hencley (1963), leur nombre avait atteint 117.

Malgré la croissance plutôt rapide du nombre d'universités ayant l'exigence d'un stage et de l'acceptation de cette méthode dans le milieu universitaire, il y a eu très peu d'analyses pour montrer l'impact du stage dans la formation des gestionnaires de l'éducation (Milstein *et al.*, 1991, p. 5). La seule analyse existante sur le sujet est celle réalisée par Hencley (1963) au nom du University Council for Educational Administration. Daresh (1987) a indiqué qu'aucune analyse sérieuse n'a été entreprise depuis.

Pour montrer l'importance que l'on accordait aux stages, il convient de rapporter ici l'expérience menée par quatre universités de l'État de New York. Au cours de l'année 1961-1962, ces quatre universités ont joint leurs efforts pour mettre en place un séminaire commun afin d'améliorer le concept du stage. Subventionné par la Fondation Ford, le projet a permis à 24 stagiaires à temps plein de profiter de l'expérience. Cette dernière fut appréciée par tous les participants, étudiants, professeurs et praticiens (Holloway et Morgan, 1968).

Briner (1963) affirmait que, dans le milieu, il y avait un consensus sur le fait que le stage faisait partie intégralement d'un programme de formation en administration de l'éducation. À preuve, les données recueillies auprès des directeurs généraux par la American Association of School Administrators (AASA, 1963b et 1964) révélaient qu'à peu près quatre fois plus d'universités offraient un stage en 1962-1963 qu'en 1958-1959 (p. 45). Toutefois, Gregg (1969) notait qu'en 1962-1963 un très petit nombre d'étudiants étaient impliqués (p. 20). Pire encore, Briner soulignait qu'il semblait y avoir une insatisfaction élevée sur la façon dont les stages étaient implantés dans les commissions scolaires.

Le nombre d'universités qui offraient un stage a continué à croître ainsi jusque dans les années 1980. L'étude de Skalski *et al.* (1987) auprès de 252 universités a montré que 87 % d'entre elles, soit 220, offraient un stage. Ils ont également établi que 59 % des universités exigeaient que leurs étudiants s'inscrivent à un stage et que 64 % d'entre elles mentionnaient que la certification des gestionnaires de leur État exigeait un stage. Enfin, les auteurs de l'étude ont observé que, en moyenne, 165 heures étaient consacrées au stage, un semestre de stage était la norme et de 3 à 6 crédits lui étaient accordés.

Milstein et ses collègues (1991) ont fourni d'importantes suggestions concernant le développement et le maintien des programmes de stage. Leur ouvrage présente plusieurs aspects reliés au choix des participants aux stages, à leur structuration, à la relation qui devrait exister entre les stagiaires, aux connaissances à intégrer et à l'évaluation des stages. Les auteurs concluaient que les stages avaient à être développés, revus, démantelés et redessinés avec une régularité frustrante pour peu que l'on voulait qu'ils soient efficaces (p. 118).

La simulation

La simulation dans l'enseignement a été utilisée depuis longtemps par une variété d'occupations. En fait, selon Wynn (1972), on peut retrouver ses origines aussi loin que dans le début de l'usage des jeux de guerre (p. 31). Depuis longtemps, l'armée a utilisé des exercices stratégiques et tactiques simulés pour l'entraînement militaire. Les programmes modernes d'entraînement des astronautes ont fait appel à des simulations. La simulation a aussi été utilisée par le monde des affaires et le monde industriel. Enfin, la simulation a été appliquée dans les études gouvernementales et des relations internationales, en droit et en service social. Plusieurs auteurs se sont prononcés sur les avantages et les désavantages de la simulation. C'est le cas de Wynn (1964) et de Rogers et Kysilka (1970). Parmi les avantages mentionnés par ces auteurs, il y a la validité apparente de la simulation qui stimule l'intérêt et la motivation à apprendre et force les étudiants à résoudre les problèmes. Par contre, la simulation a le désavantage d'être coûteuse parce que le matériel nécessaire est dispendieux à produire et qu'il devient rapidement désuet.

L'enseignement de l'administration de l'éducation a réussi à garder un aspect pratique grâce à l'utilisation de cette méthode d'enseignement qu'est la simulation. En témoigne le développement de simulations grâce aux évènements suivants. D'abord, en 1957, le service de recherche coopérative du United States Office of Education (USOE) accorda une subvention de 250 000 $ pour le Development of Centers for Success in School Administration, connu sous le sigle DCS et rapporté par Hemphill, Griffiths et Frederickson (1962). L'étude était située au Teachers College de l'Université Columbia sous les auspices du University Council for Educational Administration (UCEA) (Bolton, 1971, p. 67). Plusieurs professeurs d'université participèrent à cette étude ainsi que des membres du personnel du Educational Testing Service (ETS) du New Jersey.

Afin de pouvoir étudier le comportement administratif et les facteurs de personnalité des directeurs d'école primaire, le personnel de recherche recueillit des renseignements auprès d'une commission scolaire réelle. Les informations recueillies servirent à bâtir la commission scolaire fictive appelée Jefferson Township Public Schools. La démarche est rapportée par Goldhammer et Ferner (1964). La Whitman Elementary School de la commission scolaire Jefferson a servi à la formation des administrateurs de l'éducation dans des cours et des ateliers. Cette première simulation fut connue à travers tous les États-Unis et même à travers le monde (Bolton, 1971, p. 6). Plus tard, le *Jefferson Township High School* fut ajouté au matériel de simulation. À l'été 1959, trois universités utilisaient ce nouveau matériel (Culbertson et Coffield, 1960).

En 1967, le UCEA publiait une nouvelle simulation remplaçant celle du *Jefferson Township* qui était devenue désuète (Wynn, 1972, p. 33). Il s'agissait du *Madison School District*. Cette simulation reposait sur une commission scolaire de banlieue. En 1970, le UCEA publiait une nouvelle simulation basée sur une commission scolaire urbaine appelée *Monroe City Urban*. Les deux matériels de simulation ont été largement utilisés aussi bien dans l'enseignement de l'administration de l'éducation que dans des ateliers de formation continue.

Une simulation bien connue du milieu de l'administration de l'éducation est celle de Bolton (1968), dont l'objectif était d'améliorer les habiletés des étudiants au cours des différentes phases de la sélection des enseignants. Le University Council for Educational Administration distribuait le matériel de cette simulation. Par contre, McIntyre (1971) décrivait dans Bolton (1971) une simulation du processus de sélection des administrateurs de l'éducation qu'il avait développée.

Il existe d'autres simulations moins connues, comme celle développée par Sage (1969) pour aider les étudiants à acquérir les habiletés à résoudre les problèmes auxquels faisaient face les gestionnaires de l'éducation spécialisée ou celle conçue par Stevens et ses collègues (1970) pour former des personnes à des postes de gestion dans le domaine des enfants retardés mentalement. Enfin, il existe d'autres activités qui sont souvent considérées comme des simulations. C'est le cas des jeux et des corbeilles d'entrée. Ces activités sont traitées séparément dans les pages suivantes.

Les années 1970 et 1980 ont vu apparaître des simulations assistées par ordinateur (Bessent, 1971; Silver, 1982). Bessent (p. 237) rapportait l'existence d'une telle simulation à l'Université du Texas à Austin. Un étudiant, utilisant une corbeille d'entrée, entrait dans l'ordinateur ses décisions. Ses réponses étaient évaluées par l'ordinateur qui, en retour, lui faisait part des résultats directement à l'écran. De cette façon, l'étudiant pouvait simuler plusieurs décisions différentes jusqu'à ce que l'ordinateur trouve la bonne décision.

Les expériences sur le terrain (Field Experiences)

Des expériences sur le terrain représentent une autre méthode d'enseignement qui a fortement été utilisée dans plusieurs universités. Certains auteurs, comme Culbertson *et al.* (1969) et Farquhar et Piele (1972), classaient les stages comme des expériences sur le terrain. Selon Cronin et Horoschak (1973), une expérience sur le terrain était une activité de formation, pour un ou plusieurs étudiants, qui avait lieu à l'extérieur de l'université, mais qui était supervisée par un membre du personnel enseignant (p. 1). Les stages ne faisaient pas partie de leur ouvrage. L'expérience sur le terrain peut être développée dans le but de servir les besoins d'un organisme scolaire, et les administrateurs locaux peuvent collaborer avec l'équipe de supervision d'une telle activité.

Les expériences sur le terrain existaient déjà dans les années 1950, mais elles n'ont pas connu le même essor que celui survenu au cours des années 1960. En effet, l'Université Harvard utilisait l'expérience sur le terrain comme méthode d'enseignement dès 1950. Tous les candidats de doctorat pour les administrateurs praticiens devaient suivre un cours appelé *les problèmes en administration et les méthodes adjacentes* et ensuite choisir une expérience sur le terrain, soit l'étude d'une commission scolaire ou l'étude d'un milieu social. En fait, il s'agissait de la conduite d'une recherche *survey*.

L'étude sur le terrain a connu un très grand succès. En effet, en 1952-1953, cet exercice a tellement attiré les étudiants qu'ils passaient la plus grande partie de leur temps à résoudre les problèmes de la commission scolaire de Boston. En fait, l'expérience les amena à se demander pourquoi les disciplines sociales enseignées par les professeurs ne pouvaient pas l'être grâce à l'implication de tous les professeurs dans les différents aspects de leur étude sur le terrain (Harvard University, 1954, p. 32). Il devint clair, selon Cronin et Horoschak (1973, p. 7), que les relations professeurs-étudiants furent moins formelles et reposèrent davantage sur des contributions mutuelles.

À l'Université de Chicago, les étudiants associés avec le Midwest Administration Center (MAC) ont eu également l'occasion de s'impliquer dans des études sur le terrain « conçues afin de vérifier les théories émergentes concernant les fonctions administratives, les rôles et les relations » (Université de Chicago, 1953, p. 4). On s'attendait à ce que les étudiants apprennent à utiliser un cadre théorique et à effectuer la planification de leur expérience sur le terrain en vue d'une collecte de données nécessaires à la rédaction de leur thèse de doctorat.

Les expériences sur le terrain pouvaient varier selon le sujet de l'étude, le type d'implication des étudiants dans le système scolaire étudié et les résultats de l'étude (Cronin et Horoschak, 1973, p. 18). Une étude pouvait se concentrer sur des activités spécifiques, des éléments d'un système scolaire ou sur le système entier. Les étudiants pouvaient demeurer des observateurs objectifs ou devenir intimement impliqués dans un processus délibéré de changement. Enfin, les résultats de l'étude pouvaient porter sur une analyse objective de la situation courante du système scolaire ou pouvaient procéder à un changement jusqu'à son achèvement.

Dans l'étude de Culbertson *et al.* (1969), on mentionnait certaines innovations à l'égard des expériences sur le terrain. Les répondants au questionnaire des auteurs plaçaient les activités suivantes parmi les expériences sur le terrain : les stages, des visites périodiques dans des commissions scolaires ou des organisations impliquées en éducation et des études dans des commissions scolaires. Les répondants soulignaient que les expériences sur le terrain étaient une exigence pour les étudiants au doctorat.

La corbeille d'entrée (In-Basket)

La technique de la corbeille d'entrée est en usage en administration de l'éducation depuis 1959 (Anderson, 1971, p. 65) où elle faisait partie du matériel de simulation du *Jefferson Township School System* dont il a été question précédemment. Typiquement, elle est un exercice structuré de prise de décision dans une commission scolaire où l'étudiant joue le rôle d'un décideur et où il est appelé à réagir aux items contenus dans la corbeille. L'utilisation la plus courante de la corbeille d'entrée exige que l'étudiant décideur réagisse individuellement par écrit aux items proposés et indique les raisons de ses décisions. La rétroaction fournie par le professeur et les autres étudiants représente un élément vital de cette technique.

En plus de la technique de la corbeille d'entrée utilisée dans les deux simulations *Jefferson* et *Madison*, le University Council for Educational Administration a publié d'autres exercices, incluant la corbeille d'entrée, qui n'exigeaient pas le même degré d'information que les simulations. C'est le cas de Shady Acres In-Basket, le Midville In-Basket et le Community College Presidency In-Baskets.

La technique de la corbeille d'entrée peut être utilisée à plusieurs fins. Son usage le plus fréquent réside dans la formation des gestionnaires de l'éducation comme méthode pédagogique. Elle peut servir à collecter des données concernant les participants, comme ce fut le cas lors du développement des deux simulations mentionnées précédemment. Il est aussi possible de s'en servir au moment de l'admission des étudiants comme une des techniques de sélection. Elle sert parfois comme une des méthodes de recherche. Enfin, la technique de la corbeille d'entrée fait partie des activités des centres d'évaluation du potentiel administratif dont il sera question plus loin.

La formation de laboratoire en relations humaines

L'utilisation de la formation de laboratoire en relations humaines remonte en 1919 à l'occasion des travaux de Moreno sur le psychodrame. La plupart des pionniers intéressés à la formation en relations humaines étaient des étudiants de Moreno (1964). Parmi eux, on connait Lewin et ses collègues, les trois fondateurs du *National Training Laboratories* (NTL). Au début, la formation en relations humaines était perçue comme une formation des chefs de file en fonction des besoins des organisations. Elle faisait appel à des lectures, des séminaires et des discussions.

En 1946, Lewin débuta la première formation de groupe T, une formation non structurée de groupe qui devint la base de la formation de la sensibilité du NTL au cours des années 1940 et 1950. La formation de groupe T était une nouvelle approche par laquelle un groupe non structuré étudiait ses propres dynamiques d'interaction. Les participants laissaient leurs responsabilités journalières et étaient immergés dans les activités du laboratoire pour deux ou trois semaines d'intensives interactions.

Le champ de l'administration de l'éducation a connu quelques rares exemples de différents types de laboratoire en relations humaines et de formation de groupe de la sensibilité. Par exemple, l'Université du Tennessee avait conçu au milieu des années 1960 un nouveau programme destiné à la formation des gestionnaires scolaires afin qu'ils deviennent des agents de changement. Le programme comprenait alors un laboratoire en relations humaines, une formation de groupe de la sensibilité. Deux semaines de travaux intensifs faisaient partie du laboratoire dirigé par des formateurs du NTL.

Un autre exemple est celui de la National Academy for School Executives (NASE) qui a fait un grand usage d'exercices de laboratoire pour son personnel et ses consultants dans les nombreux séminaires organisés par l'académie à travers tous les États-Unis. Selon Wynn (1972, p. 23), la plupart des exercices de laboratoire avaient été préparés dans le but de développer les habiletés conceptuelles et techniques plutôt que les habiletés humaines qui se trouvaient dans le contenu des exercices de laboratoire en administration de l'éducation. Cette méthode d'enseignement a été maintenant délaissée.

Les jeux

L'utilisation des jeux pour des fins d'enseignement peut nous ramener aussi loin qu'à l'entraînement militaire prussien de 1789 avec des jeux de guerre (Ohm, 1971 ; Wynn, 1972). Si les jeux ont été utilisés depuis de nombreuses années dans la formation des administrateurs du monde des affaires, leur utilisation dans la formation des administrateurs de l'éducation est plutôt récente et a connu une popularité croissante dans l'espoir de pouvoir introduire des changements dans le comportement des administrateurs. Il n'en demeure pas moins que la préparation de jeux en administration de l'éducation a toujours été une tâche ardue.

Dans l'exercice de simulation *Madison School District* préparé en 1967 par le UCEA il y avait deux jeux portant sur le leadership. Il s'agissait des *Elementary Principalship Games* et des *Secondary Principalship Games*. Les jeux exigeaient que les participants réagissent à des situations de conflit. Des lignes directrices accompagnaient les jeux afin de pouvoir donner une rétroaction aux étudiants et d'évaluer leurs réponses. Ces jeux étaient un exemple d'une compétition individuelle contre des standards normatifs plutôt qu'une compétition d'équipe contre la performance d'autres équipes.

Un des jeux les plus utilisés en administration de l'éducation est celui développé par Horvat (1968) portant sur les négociations collectives grâce au UCEA. Le jeu avait pour objectif d'aider à la formation des étudiants et des praticiens à l'égard de la théorie et de la pratique de la négociation collective avec un accent particulier sur le face-à-face, les aspects de la négociation de la part des participants.

Mentionnons que Lohman et Stow (1971) ont également créé un jeu de négociations collectives en éducation qui différait toutefois de celui de Horvat. Contrairement à ce dernier, le jeu de Lohman et Stow fournissait un exercice unilatéral (une seule équipe) plutôt que multilatéral, possédait des règles de jeu plus rigides et n'avait que 2 items négociables alors que le jeu de Horvat en contenait au moins 11. Une journée complète était nécessaire pour compléter le jeu de Lohman et Stow.

L'autodidactisme (Independent Study)

L'autodidactisme est vieux comme l'apprentissage lui-même. Il constitue une composante importante de tous les programmes de formation en administration de l'éducation. Les principaux avantages de cette méthode pédagogique sont l'économie de ressources et l'adaptabilité aux besoins et à la convenance des étudiants. Les désavantages viennent du fait que l'étudiant est limité dans l'identification de ses besoins et la localisation du matériel pédagogique.

Le *National Program for Educational Leadership* (NPEL) situé à l'Université de l'Ohio a été élaboré presque entièrement sur un autodidactisme non programmé (Wynn, 1972, p. 45). Des entrevues et une batterie de tests étaient utilisés dans le but d'aider l'étudiant à bien identifier ses besoins en relation avec sa carrière. Les principales activités comprenaient des lectures personnelles, des conférences présentées par des experts en éducation ou dans des domaines reliés à l'éducation, des visites dans différentes organisations éducatives, la participation à des enquêtes menées par des professeurs, etc. Chaque étudiant gardait un écrit décrivant chacune de ses activités et assistait à des séminaires hebdomadaires stimulant la réflexion personnelle.

L'Université de New York avait développé le *Individualized Learning System for Administrators* (ILSA). Ce programme était un système d'apprentissage très ouvert dans lequel différents éléments étaient rationalisés grâce à une intégration de la théorie en administration de l'éducation et de la théorie des systèmes. La participation à ce programme était facultative pour les professeurs et les étudiants à temps plein ; les étudiants pouvaient choisir le ILSA ou le programme conventionnel. L'étudiant qui optait pour le ILSA participait à des activités de son choix pour au moins la moitié de son programme.

Plusieurs matériels autodidactiques programmés ont été conçus au cours des années 1970. Parmi eux, il y avait, par exemple, le manuel programmé *PPBS, Education and You* créé par McGivney de l'Université de Syracuse (cité dans Wynn, 1972), l'unité programmée sur le droit scolaire *Federal Relations and Education : A Programmed Text* préparé par McKeegan et Wynn (cités dans Wynn, 1972). Au même moment, le UCEA possédait plus de deux douzaines de cassettes audio présentant les *Best Lectures* portant pour la plupart sur la théorie en administration de l'éducation.

Les regroupements en cohortes

Au cours des années 1990, on a vu naître une nouvelle façon d'organiser l'enseignement de l'administration de l'éducation : c'était le regroupement des étudiants en cohortes. Cette façon a été étudiée par Hill (1995) et Barnett *et al.* (2000). Les deux études arrivent à peu près aux mêmes résultats. Les cohortes ont comme avantage que les étudiants éprouvent un sentiment d'appartenance et de soutien mutuel. Par contre, elles produisent de la frustration autant chez les professeurs que parmi les étudiants.

Norris et Barnett (1994) ont examiné la méthode des cohortes en questionnant 51 étudiants de 4 universités. Ils concluent que les cohortes aidaient les étudiants à comprendre les bénéfices attachés aux interactions dynamiques qui existent dans une communauté d'apprenants. Ils affirmaient que « les cohortes en soi ne constituaient pas une innovation à moins qu'elles soient utilisées comme des laboratoires où le leadership de collaboration pouvait être examiné et raffiné » (p. 2).

Le Center for the Study of Preparation Programs du UCEA rapportait que la moitié des universités membres faisaient usage des cohortes à la maîtrise et 80 % en faisaient usage au doctorat (Norton, 1994). Dans une étude qui comprenait des universités membres et non membres du UCEA, McCarthy et Kuh (1997) soulignaient qu'en 1994 la moitié des étudiants du doctorat professionnel (Ed.D.) étaient regroupés en cohortes alors que le quart des étudiants du doctorat de recherche (Ph.D.) et de maîtrise l'étaient également.

Bredeson (1996) signalait qu'un changement important était survenu dans 18 programmes sur 22 subventionnés par la Fondation Danforth: l'adoption des cohortes d'étudiants. Barnett (1991) mentionnait un de ces programmes qui prenait place à l'Université de l'Indiana et dans quatre autres universités situées dans des États différents. Le programme suivait les règles suivantes :

- ➤ un groupe de professeurs étaient responsables du programme ;
- ➤ les étudiants suivaient sept cours ensemble en cohortes ;
- ➤ le programme durait une année universitaire, commençant à la session d'automne pour se terminer à la fin de l'été ;
- ➤ les dirigeants des commissions scolaires libéraient les participants pour au moins 30 jours avec salaire ;
- ➤ chaque participant était associé à un mentor, spécialement un directeur d'école de sa commission scolaire (p. 150).

Wesson *et al.* (1996) ont exploré les perceptions des étudiants concernant l'impact du regroupement en cohortes sur leur apprentissage. Les auteurs ont interviewé 42 étudiants inscrits au doctorat et regroupés en 4 cohortes. Les étudiants ont conclu que la cohésion que l'on trouvait dans le regroupement en cohortes, plutôt que la collusion, avait été une forme plus appropriée et plus productive qui avait facilité des niveaux plus élevés de traitement intellectuel et avait permis de nouvelles façons de développer les connaissances.

La pratique réflexive

Les dernières années 1980 et le début des années 1990 ont été témoins de l'apparition de la pratique réflexive comme une méthode pédagogique de plus en plus populaire. Elle faisait suite à la parution de l'ouvrage de Schön (1987) et à l'approche de la psychologie cognitive.

Schön (1987) suggérait que des problèmes uniques exigeaient des réponses uniques dans lesquelles le praticien doit aller au-delà des règles et des connaissances techniques et inventer des nouvelles méthodes de raisonner, de construire et de tester de nouvelles catégories de compréhension, des stratégies d'action et des façons de définir les problèmes. Prestine et LeGrand (1991) semblent avoir été les premiers à discuter des implications de la psychologie cognitive dans la formation des gestionnaires scolaires. Ils proposaient l'apprentissage cognitif qui mettait un important accent sur le contexte social et culturel dans lequel l'action d'apprendre a lieu (p. 68).

En administration de l'éducation, la pratique réflexive a été stimulée par l'écriture d'un journal personnel, l'interaction avec des mentors et le développement d'énoncés personnels de philosophie (Miklos, 1992, p. 25). Ce dernier ajoutait qu'un défi important, tant pour les professeurs que pour les étudiants, consistait à déplacer l'attention qu'ils accordaient à l'apprentissage d'un contenu spécifique destiné à aider un gestionnaire potentiel vers le développement de leur capacité à apprendre et à aborder les problèmes qu'ils rencontraient. Barth (1986) mentionnait que le thème de pratique réflexive était une cible majeure dans le mouvement des *Principals' Centers*.

En 1986, Silver parlait déjà de pratique réflexive. Elle explorait l'importance de faire usage de fiches d'observation personnelle dans la formation des gestionnaires de l'éducation, comme le faisaient d'autres professionnels tels que les médecins, les avocats, les ingénieurs et les architectes (p. 161). Il s'agissait pour les gestionnaires de prendre note des faits concernant des évènements en cours, de planifier un plan d'action et d'enregistrer par écrit les résultats de l'action. Cette façon de faire, selon elle, avait de nombreux avantages pour la réflexion pratique.

Hart (1990) affirmait qu'elle acceptait le lien qui pouvait exister entre la pensée et l'action et la valeur de la réflexion pour la pratique administrative (p. 153). Elle affirmait également que bien penser, spécialement développer l'habitude de réfléchir sur ce qu'une personne connaît avant et pendant l'action, pouvait améliorer la créativité quant aux choix à faire et contribuer éventuellement aux connaissances disponibles lors de choix subséquents. Elle arguait que pour devenir un gestionnaire plus efficace grâce à la pratique réflexive, il avait besoin d'utiliser de nouvelles et différentes sources d'information, de les intégrer et de traduire sa prise de conscience personnelle et organisationnelle dans l'action.

Barnett et Brill (1990) ont présenté un modèle de la pensée et de l'action réflexives. Leur modèle reposait sur la théorie de l'apprentissage expérientiel de Kolb (1984). Cette théorie proposait que les individus apprennent de leurs expériences au moment où ils vont s'engager dans quatre modes interreliés d'apprentissage : l'expérience concrète, l'observation réflexive, la conceptualisation abstraite et l'expérimentation active. Les auteurs décrivaient le nouveau programme de l'Université de l'Indiana, subventionné par la Fondation Danforth, qui faisait usage de l'apprentissage expérientiel de Kolb.

Short et Rinehart (1993) présentaient les résultats de leur recherche portant sur un processus destiné à favoriser la pratique réflexive. Leur étude a été effectuée auprès de dix étudiants au doctorat qui participaient à un séminaire sur le leadership centré sur le développement de la pratique réflexive. Les étudiants se retrouvaient, entre autres, quatre fois au cours de l'année universitaire dans un groupe plus large pour participer à une procédure de réflexion et écrivaient leur journal personnel. Les résultats de leur étude ont montré que le degré de réflexion et de complexité de la pensée avait changé chez les étudiants.

Dana Fitchman et Pitts (1993), quant à eux, ont étudié le cheminement d'un directeur d'école grâce à la pratique réflexive. Les auteurs ont aidé le directeur à articuler ses visions à l'égard du changement, développer et à implanter ses perspectives personnelles concernant le changement. Leur étude a montré l'évolution des métaphores utilisées par le directeur au cours de sa réflexion sur les réunions de son personnel. Les métaphores employées par le directeur allèrent, par exemple, de « faire fonctionner » à « faciliter » les réunions de son personnel.

Hart (1993) rapportait les résultats de sa recherche sur une méthode d'enseignement expérimentée à l'occasion d'un séminaire de réflexion structurée sur le leadership tenu à l'Université de l'Utah. Comme il a été mentionné précédemment, elle avait déjà réfléchi auparavant à la pratique réflexive comme méthode d'enseignement (Hart, 1990). Le but de son séminaire consistait à fournir des activités qui exigeaient que les étudiants puissent appliquer le contenu des connaissances acquises dans leurs cours traditionnels aux actions posées dans une école fictive (p. 342). Elle avait baptisée son expérience *Design Studio*. Les étudiants, qui jouaient le rôle de directeur d'école, réglaient un certain nombre de situations problématiques, étaient aidés par des gestionnaires d'expérience et discutaient avec le professeur de leurs plans d'action.

L'apprentissage par problèmes *(Problem-Based Learning)*

Une autre stratégie pédagogique des années 1990 a été l'approche par problèmes. Plusieurs auteurs revendiquaient qu'un curriculum basé sur les problèmes semblait très approprié pour la formation des gestionnaires scolaires même s'il exige une nouvelle réorganisation (Forsyth, 1992, p. 23). Bridges (1992) est reconnu comme le plus grand promoteur de cette approche pédagogique. Il a contribué à la définir et à la distinguer, en particulier, de la méthode d'analyse de cas.

Les principales différences entre l'apprentissage par problèmes et l'analyse de cas résident dans la nature du matériel utilisé, les processus pédagogiques qui dominent la majorité des activités et les rôles des étudiants et des professeurs (Hart et Pounder, 1999, p. 127). Premièrement, contrairement à l'analyse de cas, l'apprentissage par problèmes repose sur un projet qui est traité par jeux de rôle, ordinateurs, Internet, écrit ou audiovisuel. En second lieu, cette approche nécessite que le professeur, la bibliothèque, des experts praticiens et des milieux pratiques fournissent aux étudiants l'information au sujet des principes d'administration et de leadership. Enfin, les étudiants et le professeur doivent jouer des rôles très différents. Avec l'approche par problèmes, le professeur devient un observateur et une ressource pour l'équipe d'étudiants qui eux doivent trouver la solution aux problèmes choisis.

Bridges (1992, p. 5-6) a fourni les cinq caractéristiques suivantes qui servent à distinguer l'apprentissage par problèmes des méthodes traditionnelles et de l'analyse de cas :

➢ le point de départ de l'apprentissage est un stimulus pour lequel l'étudiant n'a pas de réponse toute faite ;

➢ le stimulus représente une situation que les étudiants sont susceptibles de rencontrer comme futurs professionnels ;

➢ les connaissances à acquérir sont organisées autour des situations pratiques plutôt qu'autour des disciplines universitaires ;

➢ la responsabilité de l'apprentissage et des activités est celle des étudiants ;

➢ les étudiants travaillent en équipes.

Autres méthodes pédagogiques

Wynn (1972, p. 2) affirmait que des progrès remarquables avaient été faits en ce qui concerne le développement des méthodes et du matériel d'enseignement depuis les années 1960. Ces progrès étaient caractérisés par l'usage de la formation en laboratoire, de la simulation, de l'analyse de cas et des jeux. La recherche de Silver et Spuck (1978, p. 59) leur permettait de noter que, d'une part, l'enseignement magistral au deuxième cycle avait diminué et que, d'autre part, l'autodidactisme était le type d'activité d'apprentissage prédominante.

Daresh (1986) a mené une enquête auprès de 47 universités membres du UCEA, leur demandant de l'information concernant leur usage d'expériences pratiques, du stage ou de toute autre activité d'apprentissage utilisée dans la formation en administration de l'éducation. Des réponses furent obtenues de la part de 36 établissements. Les résultats montraient d'abord que les expériences pratiques étaient avant tout une exigence de l'État dans 34 universités sur 36 plutôt qu'une décision collective des professeurs (p. 112). En second lieu, dans la plupart des universités (27 sur 34), un seul professeur était responsable de ces expériences. Enfin, les procédures et les structures qui servaient à les organiser étaient similaires dans les universités.

Parmi les 47 universités étudiées par Daresh (1986), l'enseignement dans l'une d'entre elles reposait sur la croyance que l'apprentissage, l'enseignement et la collégialité étaient des activités fondamentales des organisations scolaires. On faisait donc appel aux expériences de vie accumulées, aux questions de développement de l'adulte et au contexte socioculturel dans lequel les étudiants travaillaient et vivaient (Daresh et Barnett, 1993, p. 140). À l'Université du Tennessee, les étudiants formaient une cohorte pour un minimum et un maximum de quatre semestres et trois sessions d'été (Gresso, Burnett et Smith, 1993, p. 123). Deux universités exigeaient que les étudiants élaborent un portfolio professionnel.

Pitner (1987) mentionnait six modèles de formation en administration de l'éducation surtout utilisés pour le perfectionnement des cadres scolaires. Il s'agit des Assessment Centers (AC), du National Academy of School Executives (NASE), du Busy Public Schools Executive Fellows Program (BPSEFP), du Florida Academy for School Administrators (FASA), du Results-Oriented Management in Education (ROME) et du Project Leadership (PL). Une brève description de chacun de ces modèles mérite d'être brièvement présentée.

Le modèle des Assessment Centers (AC) découle de son utilisation dans l'industrie et, surtout, de la création de centres par la National Association of Secondary School Principals (NASSP) à l'été 1975 (Hersey, 1977). Au départ, ces centres étaient créés pour recruter et sélectionner les gestionnaires de l'éducation. Grâce à leur grande validité, ils finirent par être de plus en plus utilisés pour diagnostiquer les besoins de perfectionnement (DeMont et Hughes, 1984). Il s'agit d'une évaluation intensive faisant appel à plusieurs activités simulées et à des évaluateurs expérimentés. L'étude de Tracy et Schuttenberg (1991) a montré que les personnes qui avaient participé à un tel centre poursuivaient des activités de perfectionnement même si aucun programme à cet effet n'existait (p. 22).

La National Academy for School Executives (NASE) offrait exclusivement un programme de perfectionnement des cadres scolaires; seulement des praticiens reconnus par l'État étaient admissibles à ce programme. Ce dernier reposait fortement sur les problèmes pratiques que devaient affronter les gestionnaires de l'éducation. Le programme postulait que les praticiens pouvaient profiter d'un perfectionnement court et intensif. Il comprenait trois approches :

> ➤ de courtes sessions intensives d'une à quatre semaines au cours desquelles des questions courantes d'administration étaient présentées ;

> ➤ des sessions plus longues, de trois à neuf mois, avaient lieu sur le site de l'Académie ;

> ➤ un soutien était accordé au cours de sessions de réflexion auxquelles participent des personnes habilitées à suggérer des solutions aux problèmes administratifs ou des praticiens très connus pour leur pratique réussie (Pitner, 1987, p. 78).

Le *Busy Public Schools Executive Fellows Program* (BPSEFP) reposait sur l'idée que la pratique administrative pouvait être améliorée en transmettant aux participants les connaissances, les habiletés et les attitudes dans des domaines choisis qui incluaient les relations école-milieu, la comptabilité et les finances ainsi que la gestion des conflits. Les participants, limités à 25 personnes, recevaient 35 jours de perfectionnement sur une période de 18 mois. Ils devaient ensuite mettre en pratique les habiletés acquises en complétant un projet individuel axé sur la solution d'un problème survenu dans leur commission scolaire.

Le Florida Academy for School Administrator (FASA) offrait un programme mis au point par l'État de la Floride. Il servait à la fois de formation et de perfectionnement du personnel et avait pour but d'améliorer la pratique administrative et de rehausser le rendement des élèves. Le programme reposait sur le postulat qu'il existait une série de pratiques comportementales manifestées par un gestionnaire qui sont importantes pour promouvoir l'efficacité scolaire. Le contenu du programme comprenait la description de ces pratiques comportementales.

Le *Results-Oriented Management in Education* (ROME) reposait sur la croyance qu'une série de compétences associées à une bonne pratique administrative pouvaient être enseignées à des praticiens placés dans une situation concrète. Le programme servait à diagnostiquer des déficiences chez les praticiens et à y remédier grâce à des séminaires pratiques et à des superviseurs qui suivaient le progrès des participants.

Le *Project Leadership* (PL) était un programme conçu par l'Association des administrateurs de la Californie dans les années 1970. Ce programme était fondé sur l'évidence que les gestionnaires de l'administration de l'éducation portent en eux une tradition orale qui leur permet de se perfectionner les uns les autres. Le programme consistait à fournir aux directeurs d'école des occasions régulières d'échanger dans une atmosphère de confiance, espérant qu'ils reçoivent de l'information et des idées qui amélioreraient leur pratique. Les participants se réunissaient deux fois au niveau de l'État et de quatre à cinq fois au niveau régional.

Le *Research Based Training for School Administrators* (RBTSA) était un programme situé à l'Université de l'Orégon, subventionné par le National Institute of Education (NIE). Le programme servait surtout à surmonter les difficultés éprouvées par les gestionnaires de l'éducation à obtenir et à implanter les résultats courants de la recherche en éducation. Reposant sur un réseau de collègues et des ateliers, le programme cherchait à diffuser les recherches en cours et à améliorer la pratique professionnelle du gestionnaire.

Licata et Ellett (1990) rapportaient un projet pédagogique dans le cadre du programme *Leadership in Educational Administration Development* (LEAD) mis de l'avant par le Congrès américain en 1985. Il s'agissait des activités entreprises à l'Université de l'État de la Louisiane qui soutenait à son tour quatre autres universités de l'État. Les 15 nouveaux directeurs d'école, nommés par leur directeur général, étaient d'abord évalués sur leur performance et le climat de leur école. Chaque directeur assistait ensuite à un séminaire dont le sujet était la solution de problèmes et planifiait ensuite sa propre série de séminaires spéciaux répondant à ses besoins personnels (p. 6).

Barnett (1992) a discuté de deux stratégies d'enseignement utilisées pour l'évaluation des acquis d'un étudiant : la plate-forme éducationnelle et le portfolio (p. 142). D'abord, la plate-forme était une façon pour l'étudiant d'évaluer ses philosophies, croyances, valeurs et attitudes personnelles au sujet de l'éducation. Puis, le portfolio représentait un moyen viable de documenter la performance de l'étudiant, de révéler ses connaissances et ses habiletés acquises. Ces deux stratégies étaient utiles, selon lui, pour révéler les théories choisies (*espoused*) et les théories utilisées (*in-use*) par l'étudiant.

Fulmer (1994) a expérimenté à l'Université du nord de l'Illinois deux projets d'apprentissage expérientiel qui illustrent une fois de plus la théorie de Kolb (1984): le projet de rétention et le projet Deming. Dans le cas du premier projet, les étudiants avaient à se concentrer sur les sources de problèmes de rétention de la matière étudiée. Le second projet avait pour objectif d'aider les étudiants à déterminer la valeur des 14 points de Deming (1986), en les comparant avec les connaissances de base existantes, et à fournir des exemples actuels de projets individuels ou de groupe qui faisaient usage de contrôles statistiques des processus comme mesure de fonctionnement des écoles.

English (1994) a proposé l'usage de biographies ou de toute autre forme d'écriture d'une vie comme méthode d'enseignement de l'administration de l'éducation. Il reprenait la même idée en 1995. L'auteur suggérait que les étudiants puissent dans leurs cours se servir de leur journal intime, d'un cahier ou d'une brève esquisse pour décrire leurs activités ou leurs dilemmes personnels ou professionnels (p. 215). Enfin, English décrivait les arguments en faveur de l'utilisation des biographies dans l'enseignement de l'administration de l'éducation ainsi que les critères à utiliser pour le choix de biographies.

Ackerman et Maslin-Ostrowski (1995 et 1996) ont expérimenté des histoires de cas comme méthode pédagogique. Il s'agissait de demander aux étudiants d'écrire des histoires en utilisant leur expérience personnelle. L'expérience de 1995 fut conduite avec 60 étudiants et celle de 1996 avec 80 étudiants venant dans les 2 cas de 3 établissements différents. Les étudiants concluaient que l'expérience avait contribué à accroître leur compréhension et leur croissance professionnelle.

McCarthy (1999) a fourni un état de la situation qui prévalait en ce qui regarde les pratiques de l'enseignement de l'administration de l'éducation. En premier lieu, elle signalait que des professeurs réclamaient un changement de pédagogie qui mettrait l'accent davantage sur l'étudiant que sur le professeur, qui impliquerait l'étudiant dans son processus d'apprentissage, qui éliminerait l'anonymat et personnaliserait l'enseignement (p. 128). L'auteure soulignait aussi que plusieurs professeurs encourageaient des stratégies inductives reposant sur les problèmes éprouvés dans la pratique ancrée dans la théorie de l'enseignement aux adultes et la réalité des écoles. Elle mentionnait que dans la refonte de certains programmes, on faisait usage de séminaires à caractère réflexif ou de modules. Elle ajoutait qu'un des changements récents les plus répandus consistait à former des cohortes d'étudiants. Enfin, elle remarquait que certains programmes utilisaient l'enseignement en équipe (p. 128).

AU CANADA ANGLAIS

La certification des gestionnaires de l'éducation

Toombs (1962) rapportait les exigences canadiennes concernant la certification des directeurs d'école et des directeurs généraux des écoles. Selon lui, la situation était similaire à celle des États-Unis, quoiqu'il ait existé une grande différence à l'égard des exigences de formation universitaire et professionnelle (p. 60). Au Canada, dans plusieurs cas, une exigence n'était pas nécessairement une entité légale. « C'était seulement lors de l'émission des certificats (et ce certificat était une condition d'emploi) que les exigences prenaient un sens légal » (p. 60). L'auteur soulignait le fait que, au Canada, il existait très peu de contrôle sur les exigences pour devenir directeur d'école. Toutefois, dans la majorité des provinces, il apparaissait généralement acceptable pour les directeurs d'école d'avoir une formation qui allait au-delà du permis d'enseignement, normalement un baccalauréat, plus quelques études sur des sujets professionnels (p. 61). Deux provinces stipulaient la formation nécessaire pour le principalat dans des règlements. Pour les directeurs généraux, quatre provinces possédaient des règlements concernant le diplôme que devaient avoir obtenu ces personnes. Les règlements de deux provinces spécifiaient les matières académiques et professionnelles que devaient avoir étudiées les aspirants à la fonction de la direction générale.

En Ontario, par exemple, on pouvait avoir suivi des cours tels que la psychologie, la mesure de l'intelligence, la loi scolaire, la supervision, l'administration de l'éducation, l'histoire de la pensée moderne en éducation, etc. (Toombs, p. 62). Au Canada, toujours selon lui, il n'existait pas de règlements régissant le nombre d'années d'expérience dans l'enseignement pour devenir directeur d'école. Seule l'Ontario exigeait un minimum de cinq ans d'une telle expérience, quoique cette exigence n'ait pas été contenue dans les règlements. Dans la plupart des cas, la décision sur le nombre approprié d'années requises était laissée à la discrétion des commissions scolaires. Enfin, Toombs remarquait qu'il n'y avait pas deux provinces qui avaient les mêmes exigences concernant les postes de directeur d'école et de directeur général.

Holdaway (1978, p. 40) rapportait ce qu'étaient alors les exigences pour devenir un gestionnaire de l'éducation dans les dix provinces canadiennes. Dans le cas de trois provinces, une maîtrise était obligatoire pour les directeurs généraux alors que deux autres provinces exigeaient une année d'études de deuxième cycle. Pour les directeurs d'école, une seule province exigeait d'avoir suivi un cours en administration de l'éducation. Les autres provinces exigeaient de cinq à huit années d'expérience dans l'enseignement.

Renihan (1984) a rapporté les résultats d'une large étude réalisée auprès de 705 directeurs d'école, 1 236 enseignants, 74 directeurs et 196 commissaires d'école de la Saskatchewan. Plus de 50 % des répondants favorisaient la certification pour les directeurs d'école. Le plus grand nombre des répondants en faveur de cette certification étaient les directeurs (74 %) suivis des directeurs d'école eux-mêmes (67 %).

Afin d'avoir un portrait de la situation canadienne actuelle en ce qui regarde la certification des gestionnaires de l'éducation, nous avons demandé aux provinces canadiennes-anglaises et aux territoires de nous faire parvenir leur dernier règlement relatif à la certification des gestionnaires de l'éducation. L'envoi aux neuf provinces anglaises et aux deux territoires nous a fourni neuf réponses sur lesquelles repose la situation décrite ci-après. Notre description repose sur les documents fournis par les répondants, documents qui n'étaient pas toujours explicites et complets.

Comme on pouvait s'y attendre, les exigences d'admission à un poste de gestion varient passablement au Canada d'une province à une autre. Par contre, on doit constater qu'il n'existe à peu près pas de système canadien de certification des gestionnaires de l'éducation. En effet, par exemple, seulement deux provinces ont des préalables clairs à l'égard de la fonction de directeur général d'une commission scolaire. L'Alberta requiert une maîtrise reliée à la fonction tandis que la Saskatchewan exige une année d'études de deuxième cycle dans un champ relié à la fonction.

Dans le cas des directeurs d'école, il n'existe pas, dans la majorité des cas, d'exigences provinciales, si ce n'est le permis d'enseignement ; elles sont laissées à la discrétion de chacune des commissions scolaires. Cependant, les trois provinces suivantes possèdent des critères explicites concernant l'accession à la fonction :

> ➢ le Manitoba *encourage* les commissions scolaires à sélectionner les détenteurs d'un ou de deux certificats. Il s'agit d'un certificat pour la gestion et d'un certificat pour la direction d'école ;

> la Nouvelle-Écosse exige une maîtrise en éducation ou être admis à ce diplôme ainsi que cinq années d'expérience dans l'enseignement ;
> l'Île-du-Prince-Édouard requiert d'avoir suivi au moins un cours en administration de l'éducation et d'avoir au moins quatre ans d'expérience dans l'enseignement, dont deux dans le futur établissement à gérer.

Le recrutement et la sélection des étudiants

Le recrutement

À notre connaissance, au moment d'écrire cet ouvrage, nous n'avions trouvé qu'une seule étude portant sur le recrutement des étudiants en administration de l'éducation. Comme nous n'avons pas demandé d'information à ce sujet auprès des responsables de programme, nous étions dans la situation de supposer ce qui devait se passer dans la plupart des départements des universités des provinces anglaises. Nous avons donc imaginé que, d'une façon générale, très peu d'efforts étaient déployés pour attirer des candidats valables et que l'on se fiait tout simplement à ce que des personnes présentent une demande d'admission.

La seule étude que nous avons pu trouver était celle de Nixon et Miklos (1979). Seize chefs de département d'administration de l'éducation et des coordonnateurs des programmes ont servi de répondants, ainsi que cinq étudiants par programme. Les activités et procédures soulignées par les chefs de département incluaient la distribution d'information dans les écoles et les commissions scolaires, d'autres facultés d'éducation et départements d'administration de l'éducation et lors de conférences (p. 2). D'autres procédures consistaient en des annonces, des contacts personnels et la réputation du programme.

La méthode la plus efficace pour atteindre des candidats potentiels, selon 62 % des répondants, était le matériel distribué dans des écoles et des commissions scolaires. Les chefs de département suggéraient alors que la principale cible des activités de recrutement demeurait géographique. En fait, 69 % d'entre eux affirmaient qu'ils concentraient leur recrutement avant tout dans la province où se situait l'université tandis que 19 % des chefs de département mettaient l'accent sur la région métropolitaine immédiate.

Pour la même étude, on avait demandé aux étudiants de ranger les trois façons principales qui leur avaient permis de connaître les programmes dans lesquels ils étaient actuellement inscrits. Les résultats indiquaient qu'ils avaient découvert l'existence des programmes d'abord par eux-mêmes, puis à la suite de la recommandation d'un ami ou de celle d'un professionnel. En regroupant les résultats obtenus par les coordonnateurs de programme et les étudiants, la recherche personnelle d'un programme apparaissait comme la principale façon de connaître l'existence d'un programme.

Nixon et Miklos (1979) ont également demandé aux coordonnateurs de programme et aux étudiants de ranger les trois facteurs qui leur avaient permis de choisir l'université et le programme. Les étudiants ont indiqué que leur première raison était le type de programmes offerts. Par contre, alors que les étudiants de maîtrise indiquaient que le lieu de l'université venait en second lieu et l'horaire en troisième lieu, le rangement des étudiants du doctorat était complètement contraire. Les coordonnateurs de programme percevaient que le choix de l'université était en premier lieu en raison du lieu de l'université (p. 3).

La sélection

En ce qui regarde la sélection des étudiants, faute de plus d'information, nous avons posé l'hypothèse que les départements d'administration de l'éducation des provinces anglaises faisaient usage des mêmes critères de sélection que leurs collègues américains. Ils devaient donc exiger d'avoir enseigné un certain nombre d'années, de fournir un relevé de notes de leur diplôme de premier cycle ainsi que des lettres de recommandation. Ils utilisaient aussi probablement, dans certains cas, les résultats obtenus au *Miller Analogies Test* (MAT).

Thom et Hickcox (1975) ont mené une étude sur le sujet auprès de professeurs d'un département d'administration de l'éducation de l'Ontario, que nous supposons être le Ontario Institute for Studies in Education, de directeurs d'école et d'étudiants à plein temps dans le même département. On demandait à toutes ces personnes de prédire le succès académique, professionnel ou de gestionnaire de six candidats qui avaient été des étudiants de première année cinq ans auparavant à un programme d'administration de l'éducation. Les répondants à cette étude faisaient leurs prédictions à partir des documents fournis par les six étudiants lors de leur demande d'admission.

Les résultats obtenus par Thom et Hickcox révélèrent qu'en ce qui concernait la prédiction du succès académique des 6 candidats, les directeurs d'école obtenaient 63,2 % de leurs prédictions, les professeurs 61,9 % et les étudiants 61,6 % (p. 29). En ce qui regardait le succès professionnel, les étudiants obtenaient 63,9 % de leurs prédictions, les directeurs d'école 54,1 % et les professeurs 51,0 % (p. 30). Quant au succès des 6 candidats comme gestionnaire, les professeurs obtenaient 65,9 % de leurs prédictions, les étudiants 57,4 % et les directeurs d'école 53,4 %. Les auteurs concluaient que les trois catégories de personnes qui servaient à faire des prédictions peuvent être également utiles lors de la sélection des étudiants. Les résultats obtenus par leur étude leur permettaient d'affirmer que les relevés de notes obtenues au premier cycle, les scores obtenus lors de l'administration du *Miller Analogies Test* (MAT), des lettres de recommandation et un résumé biographique semblaient être également utiles dans un processus de sélection d'étudiants à un programme en administration de l'éducation (p. 32).

Holdaway (1978) a rapporté les différents critères utilisés lors des admissions des étudiants à des programmes de maîtrise et de doctorat en administration de l'éducation. L'étude portait sur 21 programmes de maîtrise et 8 de doctorat. En grande majorité, la moyenne obtenue lors des études de premier cycle et les lettres de recommandation étaient les deux critères privilégiés pour les deux programmes. L'expérience dans l'enseignement recevait plus d'attention à la maîtrise tandis qu'au doctorat une attention plus importante était accordée à l'expérience comme gestionnaire, aux résultats d'une entrevue et à l'écriture d'un essai spécial (p. 20).

Nixon et Miklos (1979), dans leur étude portant sur les admissions à un programme en administration de l'éducation, avaient demandé aux coordonnateurs de programme quels étaient les critères utilisés pour la sélection des étudiants (p. 3). Tous les coordonnateurs (100 %) indiquèrent le relevé de notes comme premier critère de sélection au doctorat suivi des lettres de recommandation (88 %). À la maîtrise, 95 % des coordonnateurs plaçaient ex æquo le relevé de notes et les lettres de recommandation, suivis de l'expérience dans l'enseignement (71 %).

Les professeurs du champ d'études

Afin de connaître les conditions professionnelles des professeurs canadiens en administration de l'éducation, nous leur avons fait parvenir à l'automne 2001 un questionnaire à ce propos. Le questionnaire a été expédié à 58 professeurs à temps plein dans ce champ d'études et membres de l'Association canadienne pour l'étude de l'administration scolaire (ACEAS). De ce nombre, 3 des questionnaires retournés non complétés furent éliminés, laissant 22 questionnaires utilisables, pour un taux de retour de 37,9 %.

Un intérêt pour les idées et le développement des connaissances en administration de l'éducation a été le facteur qui a le plus influencé les répondants à devenir un professeur dans ce champ d'études, suivi en second lieu de leur intérêt pour les étudiants et l'enseignement. Tous les répondants avaient plus de 41 ans, 63,7 % avaient entre 51 et 60 ans et 50 % d'entre eux étaient des titulaires. Près de 30 % des répondants affirmaient consacrer entre 21 % et 30 % de leur temps à l'enseignement et à la recherche. Il n'y avait aucun rapport entre l'expérience des professeurs et le temps consacré à ces deux activités.

Parmi les besoins les plus importants pour le champ d'études de l'administration de l'éducation, les professeurs ont rangé en premier lieu une base de connaissances plus étendue et plus de réformes de l'enseignement et des programmes en second lieu. Pour eux, le problème le plus sérieux de la profession est le manque de soutien de la part de l'université pour l'administration de l'éducation et la qualité du discours dans les congrès professionnels et scientifiques. Le lourd fardeau de la tâche ainsi que le bas niveau des salaires étaient deux problèmes plutôt sérieux.

La majorité des répondants (68,2 %) soutenaient que les programmes actuels de maîtrise en administration de l'éducation étaient plus orientés vers la formation de praticiens alors 55,6 % d'entre eux pensaient que les programmes actuels de doctorat étaient davantage orientés vers la formation de chercheurs et de professeurs. La grande majorité des professeurs (80,9 %) font appel aux moyens audiovisuels pour leur enseignement alors que 71 % utilisent la pratique réflexive. Près du tiers des répondants emploient plus de cinq méthodes pédagogiques.

Les méthodes pédagogiques

Thomas (1975, p. 44) signalait que s'il y avait passablement d'écrits au sujet de la formation des gestionnaires de l'éducation, on ne pouvait en dire de même concernant les fonctions et les méthodes pédagogiques des professeurs. En examinant les types de programmes offerts, l'auteur conclut qu'une variété de techniques existaient probablement. Par contre, ses visites des institutions lui ont quand même permis d'affirmer, par exemple, que l'utilisation de simulations était plutôt rare. Enfin, il lui a semblé que les professeurs n'étaient pas tellement préoccupés par les méthodes d'enseignement. La seule méthode d'enseignement à laquelle les professeurs semblaient donner quelque importance était l'individualisation de l'enseignement (p. 46).

Miklos et Nixon (1979) mentionnaient que les méthodes d'enseignement en usage au Canada étaient les suivantes : l'enseignement magistral, la discussion et l'étude individualisée. La seule forme de simulation utilisée se limitait à l'emploi d'analyses de cas (p. 10). Il n'est pas surprenant de constater que Wickstrom (1980, p. 3) suggérait d'utiliser, en plus des analyses de cas, la méthode des incidents critiques, les simulations et les stages pratiques. Nous ne rapportons que les méthodes pédagogiques pour lesquelles nous possédions de l'information.

Les stages

Hickcox et Power (1989) faisaient part de leurs expériences avec les stages en administration de l'éducation. Hickcox, d'abord, avec son expérience de 25 ans dans l'utilisation des stages, affirmait que la bonne forme de stage avait un immense potentiel pouvant influencer des individus en vue d'une meilleure pratique administrative (p. 5). Power, sortant de son expérience de stagiaire, mentionnait que son stage lui avait permis non seulement d'apprécier et de comprendre la complexité et la variété des besoins spéciaux des élèves, mais aussi d'examiner et d'évaluer les programmes mis en place par la commission scolaire afin de répondre à ces besoins (p. 8).

La simulation

McIntosh, Maynes et Mappin (1989) ont développé un système d'apprentissage pour la formation des gestionnaires de l'éducation. L'élément le plus important de leur système était l'utilisation d'une simulation qu'ils avaient développée : l'école primaire Pembina de la ville de Rutherford. Cette école simulée permettait aux étudiants de jouer le rôle de directeur d'école. Ils pouvaient ainsi participer à des exercices « *in-baskets* », recevoir une rétroaction, réfléchir sur le rôle du directeur d'école et assister à des sessions tutorisées permettant la discussion sur des questions découlant de ce rôle.

Maynes, McIntosh et Mappin (1996) ont répliqué en développant davantage leur simulation décrite précédemment. Il s'agissait cette fois d'une simulation de l'école primaire Pembina assistée par ordinateur. Chaque étudiant, dès le premier jour du cours, jouait le rôle de Stacey Mertzger, le nouveau directeur de cette école fictive (p. 585). Sur écran, l'étudiant recevait un message de son directeur général et de l'ancien directeur de l'école. Puis, il prenait une connaissance visuelle des dossiers de son personnel et de tous ses enseignants en interaction avec les élèves en classe. Pas plus tard qu'à la quatrième rencontre du cours, chaque étudiant débutait son rôle comme directeur de l'école.

Enfin, Maynes et ses collègues (1998) ont développé plus récemment une version sur papier d'une simulation pour une école du premier cycle du secondaire, l'école Aberhart. Dans cette nouvelle version, pas complètement satisfaits de la simulation de l'école primaire Pembina, les auteurs décidèrent d'améliorer leur simulation pour l'école Aberhart (p. 2). Ils y ont ajouté grâce à l'ordinateur une variété d'interruptions telles que des enquêtes, des promenades dans l'école et des visites de classes.

Les expériences sur le terrain

Richards *et al.* (1992) ont mis au point une méthode de formation dans le cadre d'un programme spécialisé pour les directeurs d'école à l'Université de l'Alberta. La méthode différait de l'enseignement traditionnel en ce qu'elle fut développée et menée en collaboration avec six commissions scolaires locales et en ce qu'elle mettait l'accent sur des expériences pratiques (p. 3). La première année du programme permettait aux étudiants de visiter jusqu'à huit écoles différentes. Le programme offrait un choix entre deux possibilités.

Dans la première possibilité, chaque étudiant passait trois lundis après-midi en compagnie du directeur d'école. Au cours de ses visites, l'étudiant observait le directeur d'école, préparait des questions à lui poser, rencontrait le directeur afin de lui poser ses questions et écrivait son expérience dans un cahier. Les visites étaient suivies d'un séminaire auquel assistaient les directeurs des écoles visitées. Selon la deuxième possibilité, les étudiants visitaient les écoles en groupe et assistaient au séminaire sur place. La seconde année était spécialement consacrée au mentorat. Les étudiants avaient jusqu'à 26 jours de temps libre accordés par leur employeur respectif. Dans certains cas, ce temps libre était passé complètement avec le même directeur d'école. Dans d'autres cas, un étudiant pouvait diviser ce temps libre auprès de trois directeurs d'école. Le choix des mentors était laissé à la discrétion de chaque étudiant.

La formation de laboratoire en relations humaines

Dans les dernières années 1960, sous la direction de Croft (non daté), le Ontario Institute for Studies in Education avait conçu deux cours utilisant l'expérience du laboratoire pour le développement des relations humaines. Le premier cours était intitulé *Skillful Personal Encounter* tandis que le second était nommé *Interpersonal Relations in School Systems*. Croft rapportait que la constante interaction entre les problèmes pratiques et les relations personnelles pouvait être la plus satisfaisante (p. 29).

Autres méthodes pédagogiques

Ryan et Drake (1992) ont esquissé quelques stratégies pratiques d'enseignement pour ceux qui enseignent l'administration de l'éducation. Au lieu des méthodes traditionnelles d'enseignement, ils préconisaient une approche narrative, croyant que ces dernières pouvaient « mieux préparer les administrateurs pour les réalités du monde post-moderne incertain et ambigu » (p. 13). Ils proposaient, en particulier, l'utilisation des arts, des narrations personnelles et organisationnelles ainsi que la métaphore.

Les données recueillies auprès des 21 responsables des départements d'administration de l'éducation dans les provinces anglaises nous ont permis de connaître les différentes méthodes pédagogiques en usage actuellement dans ces départements. Les résultats reposent sur les réponses de 12 responsables. L'enseignement magistral, la discussion et les analyses de cas demeuraient encore les méthodes les plus populaires dans les 12 départements. Il existait une légère tendance vers l'usage du journal personnel (10 départements), de la micro-informatique (10 départements) et du jeu de rôle (9 départements). Par contre, les modules (5 départements) et la corbeille d'entrée (4 départements) étaient encore peu utilisés.

AU QUÉBEC

La certification des gestionnaires de l'éducation

Au Québec, la certification des gestionnaires de l'éducation réfère aux conditions d'accessibilité à des postes de gestion. Ces conditions d'emploi, contenues dans un règlement, étaient émises par le gouvernement du Québec. Dans le cas des directions d'école, dans les années 1980, le règlement contenait les caractéristiques suivantes :

➢ détenir un diplôme universitaire de premier cycle dans un champ de spécialisation approprié ;

➢ avoir huit (8) années d'expérience pertinente ;

> avoir une autorisation permanente d'enseigner décernée par le ministère de l'Éducation ; ou occuper un emploi de directeur adjoint d'école (Gouvernement du Québec, 1985).

Ce règlement a depuis été modifié plusieurs fois par le ministre de l'Éducation dans des arrêtés ministériels. La toute dernière modification date du mois d'août 1999. Les conditions d'emploi d'un directeur d'école primaire ou secondaire, par exemple, étaient les suivantes :

> baccalauréat en sciences de l'éducation ou grade universitaire de 1er cycle dans un champ d'études approprié sanctionnant un programme d'études universitaires d'une durée minimale de 3 ans ou occuper un emploi de hors cadre ou de cadre, à l'exception de celui de gérant, dans une commission ou occuper un emploi de directeur adjoint d'école ;

> 8 années d'expérience pertinente ;

> autorisation permanente d'enseigner délivrée par le ministre ;

> à compter du 1er septembre 2001, programme d'études universitaires de 2e cycle comportant un minimum de 30 crédits en gestion pertinent à l'emploi de cadre d'école ;

> un minimum de 6 crédits doit être acquis avant la première affectation à un emploi de cadre d'école et le solde, au cours des cinq années qui suivent cette affectation ;

> exceptionnellement, la commission peut diriger vers un comité de sélection un candidat qui n'a pas accumulé 6 crédits en administration ;

> un cadre qui ne complète pas la scolarité de 30 crédits en administration dans le délai prescrit peut exceptionnellement bénéficier d'une prolongation, sinon il est relocalisé dans un emploi de cadre, de gérant, d'enseignant ou de professionnel disponible et compatible avec sa compétence (Ministre de l'Éducation, 2000, p. 3).

Les conditions d'emploi d'un directeur adjoint d'école primaire ou secondaire étaient sensiblement les mêmes, sauf en ce qui regarde le nombre d'années d'expérience. Pour un directeur adjoint, cinq années d'expérience dans un emploi d'enseignant ou de professionnel non enseignant étaient exigées (p. 4).

Le recrutement et la sélection des étudiants

Le recrutement

Au moment d'écrire cette section de l'ouvrage, il n'existait pas d'écrits au Québec sur le recrutement des étudiants en administration de l'éducation. Ce que l'on en sait nous vient plutôt de la «tradition orale». À notre connaissance, il n'existe aucun document écrit décrivant des stratégies de recrutement qui auraient pu être utilisées par des départements de formation en administration de l'éducation. Il va sans dire que l'on n'a pas pu découvrir une étude portant sur le sujet. Cette situation témoigne du peu d'intérêt accordé à ce sujet, par ailleurs important, par le personnel enseignant de ce champ d'études.

La sélection

Comme dans le cas du recrutement, il n'existait aucune étude sur la sélection des étudiants en administration de l'éducation. La situation est toutefois légèrement différente de celle concernant le recrutement. Au moins, dans le cas de la sélection, les annuaires des universités nous ont fourni des indications concernant ce processus peut-être encore plus important et crucial que celui du recrutement. Ces indications étaient les exigences d'admission et servaient de critères de sélection.

On se rappellera qu'en 1953-1954, l'École de pédagogie et d'orientation de l'Université Laval offrait quelques cours de supervision pédagogique dans le cadre d'une licence en pédagogie. Selon l'annuaire de l'année, les conditions d'admission étaient alors les suivantes :

➢ ou bien avoir subi avec succès les examens du baccalauréat en arts ;

➢ ou bien avoir obtenu le diplôme d'études secondaires modernes ;

➢ ou bien avoir obtenu le diplôme supérieur d'École Normale ;

➢ ou enfin avoir réussi l'examen spécial d'admission (p. 20).

Dans l'annuaire 1959-1960 de la même école, on exigeait exclusivement un baccalauréat en pédagogie équivalant à celui que décernait l'Université Laval depuis juin 1955 comme condition d'admission à la licence en pédagogie.

On se rappellera également que c'est au début de l'année 1956-1957 que l'on trouvait une section «administration» de 19 crédits dans le cadre d'une licence en pédagogie à l'Institut pédagogique Saint-Georges. La seule condition d'admission était alors d'avoir obtenu le baccalauréat en pédagogie de l'Université de Montréal, soit à l'Institut, soit à la Faculté des arts ou un baccalauréat en pédagogie équivalent accepté par la Commission d'immatriculation (p. 10).

Cette condition d'admission est demeurée la même jusqu'en 1965-1966 où il y eut, pour la première fois, une personne responsable de la section administration. De nouvelles conditions d'admission en administration scolaire étaient mises de l'avant. Pour être admis, il fallait :

> ➢ être porteur d'un baccalauréat en pédagogie ;

> ➢ avoir, de préférence, de l'expérience dans l'enseignement ;

> ➢ subir avec succès l'examen d'admission (un examen écrit et une entrevue avec le responsable de la section) ;

> ➢ fournir les documents exigés pour l'ouverture du dossier (certificat de naissance, notes du baccalauréat, lettre de recommandation, photo récente) (p. 25).

En 1967-1968, lorsque la maîtrise professionnelle en éducation fut introduite dans la nouvelle Faculté des sciences de l'éducation, les conditions d'admission furent modifiées. Pour être admis, l'étudiant devait :

> ➢ être détenteur d'un baccalauréat ès sciences (éducation) de l'Université de Montréal, obtenu avec une moyenne de 70 % sur l'ensemble des cours, ou de son équivalent agréé par le Conseil de la Faculté et le Bureau d'immatriculation ;

> ➢ être accepté par un professeur de la Faculté autorisé à le diriger dans un programme approprié de recherche et de cours avancés (p. 31).

À partir de l'année 1970-1971, l'exigence de la moyenne de 70 % sur l'ensemble des cours disparaissait. Pour la maîtrise professionnelle, on exigeait le fait d'avoir occupé dans un organisme éducatif un poste administratif ou pédagogique (p. 17).

La sélection des étudiants en administration de l'éducation a évolué depuis 1975 à peu près de la même façon dans les universités du Québec. Elle reposait, selon les universités, sur les critères suivants :

> ➢ l'obtention avec succès du diplôme de premier cycle (soit une moyenne cumulative de 70 % ou de 3,0) ;

> ➢ une expérience d'au moins deux (2) ans dans l'enseignement ou l'administration ;

> ➢ les résultats obtenus à un examen écrit ou oral d'admission ;

> ➢ une entrevue.

Dans de rares cas, un comité de sélection était mis sur pied à cette fin. Contrairement à la situation décrite aux États-Unis et dans le reste du Canada, on ne faisait usage au Québec d'aucun test standardisé pour la sélection des étudiants.

Les professeurs du champ d'études

Compte tenu du petit nombre de professeurs québécois en administration de l'éducation, nous leur avons tous fait parvenir en octobre 2001 le même questionnaire que celui envoyé au même moment aux professeurs du Canada anglais. Trente-quatre questionnaires furent expédiés et neuf ont été retournés, soit un retour de 26,4 %.

L'intérêt pour les idées et le développement des connaissances en administration de l'éducation a été le premier facteur qui a le plus influencé la décision des professeurs à devenir un professeur dans ce champ d'études. La liberté académique arrivait au deuxième rang. Le grade de professeur titulaire était occupé par les deux tiers des répondants, et plus de la moitié d'entre eux avaient plus de 61 ans. Pendant que les deux tiers des répondants déclaraient consacrer entre 31 % et 40 % de leur temps à l'enseignement, le tiers des répondants le consacraient à la recherche.

Malgré le petit nombre de répondants, les résultats ont révélé qu'une plus grande attention accordée aux problèmes pratiques constituait le besoin le plus important pour le champ d'études, suivi de l'admission d'étudiants plus capables. Le manque de soutien de l'université et le calibre des étudiants admis étaient, pour un tiers des répondants, les deux problèmes très sérieux de la profession.

Pour plus de la moitié des répondants, le programme actuel de maîtrise en administration de l'éducation était orienté vers la formation de praticiens et le programme actuel de doctorat, vers la formation de chercheurs et de professeurs, selon les deux tiers des répondants. Les moyens audiovisuels étaient utilisés par plus de 80 % des professeurs dans leur enseignement, et plus de 70 % d'entre eux employaient la pratique réflexive. Plus de deux méthodes pédagogiques étaient utilisées par 70 % des professeurs.

Les méthodes pédagogiques

Il y a peu d'universitaires qui ont écrit sur la pédagogie à utiliser dans la formation en administration de l'éducation. Deblois (1992) mentionnait le peu d'intérêt pour les questions pédagogiques de la part des personnes qui œuvraient dans le domaine de l'administration de l'éducation (p. 364). Laurin (1973) est un des rares à l'avoir fait, et pour cela, il mérite d'être cité textuellement :

> Le professeur livresque qui tente de faire passer un message théorique à une centaine d'étudiants à la fois est révolu ; de même celui qui a l'habitude de présenter à ses étudiants les notes de cours colligées durant ses études de doctorat à l'étranger semble dépassé. Il faut plutôt développer une nouvelle pédagogie universitaire comme l'auto-instruction, et s'orienter vers une nouvelle forme d'université, l'université électronique, l'université à cassette, la télé-université... (p. 20).

Toujours préoccupé par la pédagogie à privilégier en administration de l'éducation, le lecteur ne sera pas surpris de voir Laurin rappliquer sur ce sujet. Dans son étude sur les tendances des thèmes de perfectionnement, Laurin (1990) a demandé à des répondants d'indiquer les modes de perfectionnement qu'ils désiraient privilégier au cours des cinq prochaines années. D'une part, les résultats montraient que les gestionnaires veulent être des partenaires actifs relativement à leur perfectionnement, qu'ils souhaitent participer à la planification des programmes de perfectionnement ainsi qu'à leurs activités (p. 74). D'autre part, les répondants indiquaient une grande variété de méthodes pédagogiques. On y trouvait, par exemple, des colloques, de la formation à distance, des visites d'écoles, etc.

Massé (1994) a utilisé deux dimensions pour qualifier les diverses approches pédagogiques retenues par les diffuseurs des programmes. Ses deux dimensions étaient, d'une part, la dimension de l'imprégnation et, d'autre part, le niveau de flexibilité d'un programme de formation. La première, selon lui, fait référence au fait que la démarche pédagogique est axée davantage sur les problématiques, les pratiques et le vécu des participantes et des participants tandis que la seconde fait référence tant à la prédétermination de la structure des activités qu'à leurs contenus (p. 289). Les rares méthodes pédagogiques qui suivent appartiennent à l'une ou l'autre de ces deux dimensions.

Les analyses de cas

St-Germain (1993) traitait de l'utilisation de la méthode des cas dans son enseignement en administration de l'éducation. Pour lui, cette méthode permettait la recherche d'une dimension concrète pour les différents concepts et permettait aussi d'utiliser le dynamisme pédagogique lié à la discussion et à l'analyse de cas réels (p. 177). L'auteur avait décidé d'écrire des cas avec ses étudiants de façon à recueillir une quarantaine de cas couvrant l'ensemble des facettes du comportement organisationnel. Il concluait que les étudiants avaient trouvé l'activité fort intéressante tout en l'ayant trouvée difficile (p. 189).

Les stages

Les stages sont cette période de formation pratique qui se situe soit en cours d'études soit entre la fin des études et le début de l'activité professionnelle. Dans les années 1960 et 1970, au Québec, plusieurs tentatives ont été entreprises par certaines universités pour mettre en place des stages. Malheureusement, les efforts n'ont pas connu de succès. Comme il s'agissait souvent de stages à temps plein, la plupart des organisations scolaires n'étaient pas prêtes à recevoir des étudiants comme stagiaires.

Depuis déjà une vingtaine d'années, l'Université de Montréal a mis en place des stages d'observation et de synthèse. Dans le premier cas, il s'agit pour l'étudiant, dès le début de sa scolarité, d'avoir un contact avec l'exercice de la fonction de direction d'établissement en examinant les principales opérations et les principaux dossiers sur lesquels une nouvelle direction d'établissement doit consacrer son énergie et son temps durant les 100 premiers jours d'une année scolaire, et en étudiant le fonctionnement du Conseil d'établissement durant la première année scolaire. Le lieu du stage est normalement l'établissement de travail de l'étudiant. L'étudiant doit soumettre à la fin du semestre un Journal de bord contenant les résultats de ses observations.

Dans le cas du stage de synthèse qui survient vers la fin de la scolarité, il a pour objectif de permettre à l'étudiant d'être sensibilisé à différents aspects de l'administration de l'éducation, de vérifier l'opérationnalisation des modèles présentés dans le programme d'études ou de permettre l'exercice d'abstraction de la pratique à la théorie. Pour l'étudiant en fonction administrative, il s'agit de rationaliser sa tâche ; pour celui qui n'est pas en fonction administrative, il s'agit de tâches à expliquer, à rattacher aux modèles théoriques. Des séminaires sont prévus dans le cadre de ce stage. L'étudiant doit tenir un journal de bord et soumettre un rapport final.

La simulation

Barnabé semble être un des rares professeurs d'administration de l'éducation à avoir développé une expérience de simulation sur le sujet de la sélection des enseignants. Utilisée dans son cours sur la gestion des ressources humaines en éducation, la simulation exigeait que les étudiants rangent individuellement dix enseignants fictifs à partir de leur dossier. En deuxième lieu, les étudiants regroupés en comité de sélection devaient également ranger les dix candidats. Enfin, toujours en comité, les étudiants visionnaient trois entrevues structurées de vingt-cinq minutes chacune afin de procéder à un choix final. Les résultats de cette simulation ont été rapportés à l'intention des directeurs d'école (1973 et 1976). On doit souligner ici l'utilisation à l'ENAP de la simulation appelée Appréciation par simulation (APS).

Le questionnaire expédié auprès des directeurs de département d'administration de l'éducation portait sur les méthodes d'enseignement qui étaient alors utilisées dans leur département. Six directeurs de département sur les huit départements existants ont retourné le questionnaire. Les résultats ont révélé une situation semblable à celle qui prévalait dans les provinces anglaises. Au Québec, l'enseignement magistral, la discussion et les analyses de cas étaient les méthodes privilégiées dans six départements. Il existait une légère tendance en faveur du jeu de rôle et de simulation dans cinq départements. Par contre, la corbeille d'entrée (2 départements) et surtout les modules (1 département) étaient très peu en usage.

Les regroupements en cohortes

Il existe au Québec quelques exemples de regroupements en cohortes. Selon le projet de diplôme d'études supérieures spécialisées conjoint en administration scolaire pour le réseau de l'Université du Québec (2000, p. 21), il y avait alors «onze cohortes d'environ vingt personnes chacune réparties un peu partout au Québec». Le même projet affirmait que l'Université du Québec à Rimouski comptait cinq cohortes totalisant environ quatre-vingt individus.

Le chapitre avait pour objectif de présenter l'évolution historique des pratiques de l'enseignement de l'administration de l'éducation. Nous avons d'abord souligné la contribution de professeurs célèbres à l'enseignement de cette discipline. En second lieu, la certification des gestionnaires américains de l'éducation a brièvement été expliquée. Le principal constat fut qu'elle varie grandement d'un État à l'autre, au point qu'on ne puisse en déduire une application générale.

Le recrutement et la sélection des étudiants en administration de l'éducation ont aussi été traités dans ce chapitre. Il est apparu que, en général, les départements d'enseignement de cette discipline n'ont pas toujours déployé les efforts nécessaires pour attirer les meilleurs candidats et que, en conséquence, ils ont dû se contenter de former des étudiants qui, au départ, étaient plutôt faibles.

La troisième partie du chapitre a exposé la situation vécue par les professeurs américains en administration de l'éducation. Les résultats de trois études principales les concernant ont été présentés, discutés et comparés. D'une façon générale, les professeurs consacraient peu de temps à la recherche, et le temps dévoué à l'enseignement augmentait proportionnellement au nombre d'années d'expérience à l'université. Enfin, les professeurs étaient satisfaits de leurs rôles, de leurs étudiants et de leurs programmes de formation en administration de l'éducation.

En ce qui regarde les méthodes pédagogiques utilisées par les professeurs américains en administration de l'éducation, elles ont été nombreuses et variées tout au cours de l'évolution historique du champ d'études. Même si elles n'ont pas toujours été leur première préoccupation, il n'en demeure pas moins que les écrits traitant des méthodes pédagogiques ont été relativement nombreux au cours des années. Par contre, les critiques ont toujours soulevé leur manque de réalisme restreignant ainsi le transfert des apprentissages dans un contexte pratique.

Les informations disponibles sur la certification des gestionnaires de l'éducation pour l'ensemble du Canada dataient de 1962. Les exigences étaient alors similaires à celles des États-Unis et variaient d'une province à l'autre. Il existait très peu de renseignements au Canada sur le recrutement et la sélection des étudiants pour des programmes de formation en administration de l'éducation. Ces deux processus ressemblaient à ceux suivis aux États-Unis. Quant à la situation québécoise, aucun écrit sur le sujet nous a permis de décrire la situation. En général, ces deux processus ont suivi les procédures traditionnelles.

Notre brève incursion dans la situation professionnelle des professeurs d'administration de l'éducation aux États-Unis et au Canada nous a permis de constater qu'ils avaient décidé de devenir professeurs dans ce champ d'études en raison de leur intérêt pour les idées et l'accroissement des connaissances. Dans les deux pays, plus de la moitié des professeurs étaient titulaires. Aux États-Unis comme au Canada, les professeurs passaient sensiblement le même temps à l'enseignement (entre 20 % et 40 %) et à la recherche (entre 21 % et 30 %).

Les professeurs américains et québécois considéraient qu'une plus grande attention à porter aux problèmes pratiques était le besoin le plus important du champ d'études. Pour ceux du Canada anglais, il s'agissait d'une base de connaissances plus étendue. Quant au problème le plus sérieux de la profession, les professeurs des deux pays mentionnaient le manque de soutien de leur université pour l'enseignement de l'administration de l'éducation.

Les méthodes pédagogiques n'ont pas tellement préoccupé les professeurs canadiens ou québécois en administration de l'éducation. Les stages, la simulation et les expériences sur le terrain étaient les principales activités pédagogiques utilisées par les professeurs des provinces anglaises. Les autres méthodes pédagogiques ne semblaient pas faire partie de l'enseignement dispensé par les professeurs. Au Québec, les professeurs suivaient la tendance américaine et canadienne en ne se préoccupant que très peu des questions pédagogiques et en publiant très peu sur le sujet.

Références

ACKERMAN, R. et P. MASLIN-OSTROWSKI (1995). *Developing Case Stories: An Analysis of the Case Method of Instruction and Storytelling in Teaching Educational Administration*, communication présentée au Annual meeting of the American Educational Research Association, San Francisco.

ACKERMAN, R. et P. MASLIN-OSTROWSKI (1996). *Real Talk: Toward Further Understanding of Case Story in Teaching Educational Administration*, communication présentée au Annual meeting of the American Educational Research Association, New York.

AMERICAN ASSOCIATION OF SCHOOL ADMINISTRATORS (1963a). *The Education of A School Superintendent*, Washington, The Association.

AMERICAN ASSOCIATION OF SCHOOL ADMINISTRATORS (1963b). *Inservice Education for School Administration*, Washington, The Association.

AMERICAN ASSOCIATION OF SCHOOL ADMINISTRATORS (1964). *The Professional Preparation of School Superintendents of Schools*, Washington, The Association.

ANDERSON, D.P. (1971). «In-Basket Techniques», dans D.L. Bolton (dir.), *The Use of Simulation in Educational Administration*, Columbus, Charles E. Merrill Publishing Company, p. 65-87.

BARNABÉ, C. (1973). «La sélection des enseignants: une expérience de simulation», *Information*, vol. 12, n° 6, p. 4-8.

BARNABÉ, C. (1976). «La sélection des enseignants: une expérience de simulation», *Information*, vol. 15, n° 7, p. 17-22.

BARNETT, B.G. et A.D. BRILL (1990). «Building Reflection Into Administrative Training Programs», *Journal of Personnel Evaluation in Education*, vol. 3, p. 179-192.

BARNETT, B.G. (1991). «School-University Collaboration: A Fad or the Future of Administrator Preparation?», *Planning and Changing*, vol. 21, n° 3, p. 146-157.

BARNETT, B.G. (1992). «Using Alternative Assessment Measures in Educational Leadership Preparation Programs: Educational Platforms and Portfolios», *Journal of Personnel Evaluation in Education*, vol. 6, p. 141-151.

BARNETT, B.G. *et al.* (2000). «Cohorts in Educational Leadership Programs: Benefits, Difficulties, and the Potential for Developing School Leaders», *Educational Administration Quarterly*, vol. 36, n° 2, p. 255-282.

BARTH, R.S. (1986). «Principal Centered Professional Development», *Theory Into Practice*, vol. 25, n° 3, p. 156-160.

BAUGHMAN, M.D. (1966). «Sharpening the Image of School Administrators», *Illinois School Research*, mai.

BOLTON, D.L. (1968). *Variables Affecting Decision Making in the Selection of Teachers, Final Report, Project n° 6-1349*, Washington, U.S. Office of Education.

BOLTON, D.L. (dir.) (1971). *The Use of Simulation in Educational Administration*, Columbus, Charles E. Merrill Publishing Company.

BREDESON, P.V. (1996). «New Directions in the Preparation of Educational Leaders», dans K. Leithwood *et al.* (dir.), *International Handbook of Educational Leadership and Administration*, Boston, Kluwer Academic Publishers, p. 251-277.

BRIDGES, E.M. (1965). «Case Development in Educational Administration», *The Journal of Educational Administration*, vol. 3, n° 1, p. 54-61.

BRIDGES, E.M. (1992). *Problem-Based Learning for Administrators*, Eugene, The University of Oregon Press.

BRINER, C. (1963). «The Role of Internships in the Total Preparation Program for Educational Administration: A Frontier Perspective», dans S.P. Hencley (dir.), *The Internship in Administrative Preparation*, Columbus, University Council for Educational Administration, p. 5-21.

CAMPBELL, R.F. (1972). «Educational Administration. A Twenty-Five Year Perspective», *Educational Administration Quarterly*, vol. 8, n° 2, p. 1-15.

CAMPBELL, R.F. et L.J. NEWELL (1973). *A Study of Professors of Educational Administration*, Columbus, University Council for Educational Administration.

CAMPBELL, R.F. (1976). *Improving the Performance of Educational Administrators as Planners, Mediators, and Power Brokers*, communication présentée au University Council for Educational Administration Career Development Seminar, University of Virginia.

COLEMAN, D.G. et C.M. ACHILLES (1987). «An Agenda for Program Improvement in Education Administration Preparation», *Planning and Changing*, vol. 18, n° 2, p. 120-127.

COOPERATIVE DEVELOPMENT OF PUBLIC SCHOOL ADMINISTRATION (1954). *Towards Improved Preparation of Administrators for Education. Resource Manual 2*, Albany, CDPSA Administration Center.

CORDEIRO, P.A. *et al.* (1992). *Taking Stock: A Summary Report on the Danforth Programs for the Preparation of School Principals*, St. Louis, Danforth Foundation.

COUNCIL OF CHIEF STATE SCHOOL OFFICERS (1996). *Interstate School Leaders Licensure Consortium. Standards for School Leaders*, Washington, CCSSO.

CRAWFORD, J.R. (1998). « Changes in Administrative Licensure : 1991-1996 », *UCEA Review*, vol. 39, n° 3, p. 8-10.

CROFT, J.C. (non daté). « Skillful Personal Encounter and the Development of the Educational Administrator », inédit.

CRONIN, J.M. et P.P. HOROSCHAK (1973). *Innovative Strategies in Field Experiences for Preparing Educational Administrators*, Eugene, ERIC Clearinghouse On Educational Management, UCEA Series on Administrators Preparation.

CULBERTSON, J.A., P.B. JACOBSON et T.L. RELLER (1960). *Administrative Relationships : A Casebook*, Englewood Cliffs, Prentice-Hall.

CULBERTSON, J.A. et W. COFFIELD (1960). *Simulation in Administrative Training*, Columbus, University Council for Educational Administration.

CULBERTSON, J.A. (1964). « The Preparation of Administrators », dans D.E. Griffiths (dir.), *Behavioral Science and Educational Administration*, The Sixty-Third Yearbook of the National Society for the Study of Education, 2e partie, Chicago, The University of Chicago Press, p. 303-330.

CULBERTSON, J.A. *et al.* (1969). *Preparing Education Leaders for the Seventies*, Columbus, University Council for Educational Administration.

CULBERTSON, J.A. et R.H. FARQUARH (1970). « Recruiting and Selecting Candidates for Administrative Preparation », *UCEA Newsletter*, vol. 12, n° 1, octobre.

CULBERTSON, J.A. (1972). *Alternative Strategies of Program Adaptation Within the Future Time Frame of the Seventies*, communication présentée au University Council for Educational Administration Career Development Seminar, University of Minnesota.

CUNNINGHAM, L.L. et R.O. NYSTRAND (1969). « Toward Greater Relevance in Preparation Programs for Urban School Administrators », *Educational Administration Quarterly*, vol. 5, n° 1, p. 6-23.

DANA FITCHMAN, N. et J.H. PITTS JR. (1993). « The Use of Metaphor and Reflective Coaching in the Exploration of Principal Thinking : A Case Study of Principal Change », *Educational Administration Quarterly*, vol. 29, n° 3, p. 323-338.

DARESH, J.C. (1986). « Field-Based Educational Administration Training Programs », *Planning and Changing*, vol. 17, n° 2, p. 107-118.

DARESH, J.C. (1987). *Administrative Internships and Field Experiences : A Status Report*, communication présentée au Annual meeting of the University Council for Educational Administration, Charlottesville.

DARESH, J.C. et B.G. BARNETT (1993). « Restructuring Leadership Development in Colorado », dans J. Murphy (dir.), *Preparing Tomorrow's School Leaders. Alternative Designs*, University Park, UCEA, p. 129-156.

DEBLOIS, C. (1992). « School Administrator Preparation Programs in Quebec During A Reform Era », dans E. Miklos et E. Ratsoy (dir.), *Educational Leadership : Challenge and Change*, Edmonton, Department of Educational Administration, University of Alberta, p. 355-368.

DEMING, W.E. (1986). *Out of the Crisis*, Cambridge, Massachusetts Institute of Technology, Center for Advanced Engineering Study.

DEMONT, R.A. et L.W. HUGHES (1984). «Assessment Center Technology: Implications for Administrator Training Programs», *Planning and Changing*, vol. 15, n° 4, p. 219-225.

ENGLISH, F.W. (1994). *Biography as a Focus for Teaching Leadership*, communication présentée à l'American Educational Research Association, New Orleans.

ENGLISH, F.W. (1995). «Toward A Reconsideration of Biography and Other Forms of Life Writing as A Focus for Teaching Educational Administration», *Educational Administration Quarterly*, vol. 31, n° 2, p. 203-223.

FARQUHAR, R.H. et P.K. PIELE (1972). *Preparing Educational Leaders: A Review of Recent Literature*, Columbus, ERIC/CEMUCEA Series on Administrators Preparation, The University Council for Educational Administration.

FORSYTH, P.B. (1992). «Redesigning the Preparation of School Administrators: Toward Consensus», dans S.D. Thompson (dir.), *School Leadership*, Newbury Park, Corwin Press, p. 23-33.

FORSYTH, P.B. (1999). «The Work of UCEA», dans J. Murphy et P.B. Forsyth (dir.), *Educational Administration. A Decade of Reform*, Thousand Oaks, Corwin Press, p. 71-92.

FULMER, C.L. (1994). «Redefining Teaching and Learning in Educational Administration», *Journal of School Leadership*, vol. 4, p. 451-460.

FUSARELLI. L.D. (2001). «Counterpoint: Administrator Preparation Programs: Reforming Again, Again, and Again», *UCEA Review*, vol. 52, n° 1, p. 12-15.

GOLDHAMMER, K. (1960). «Field Experience in the Preparation of School Administrators», dans D.E. Tope (dir.), *A Forward Look. The Preparation of School Administrators 1970*, Eugene, Bureau of Educational Research, University of Oregon, p. 84-90.

GOLDHAMMER, K. et F. FERNER (1964). *The Jackson County Story. A Case Study*, Eugene, Center for the Advanced Study of Educational Administration, University of Oregon.

GOODEN, J.S. et P.A. LEARY (1995). «The Status of Alternative Certification for School Administrators: A National Study», *Journal of School Leadership*, vol. 5, p. 316-333.

GOUSHA, R.P. (1986). *Where Are We and Where Are We Going in School Administrator Preparation in the United States?*, communication présentée au Annual meeting of the American Educational Research Association, San Francisco, CA.

GOUSHA, R.P., P.L. LOPRESTI et A.H. JONES. (1988). «Report on the First Annual Survey Certification and Employment Standards for Educational Administrators», dans D.E. Griffiths, R.T. Stout et P.B. Forsyth (dir.), *Leaders for America's Schools. The Report and Papers of the National Commission on Excellence in Educational Administration*, Berkeley, McCutchan Publishing Corporation, p. 200-206.

GOUVERNEMENT DU QUÉBEC (1985). Règlement modifiant le *Règlement sur les conditions d'emploi des directeurs d'école et des directeurs adjoints d'école dans les commissions scolaires pour catholiques, Décret 859-85*, Québec, Éditeur officiel du Québec.

GREGG, R.T. (1969). «Preparation of Administrators», dans R. Eibel (dir.), *Encyclopedia of Educational Research*, 4ᵉ éd., New York, Macmillan, p. 993-1004.

GRÉGOIRE, R. (1993). *La formation du personnel de direction de l'école. Un aperçu de son organisation et de son orientation aux États-Unis et dans deux provinces canadiennes*, Québec, Ministère de l'Éducation, Direction de la formation du personnel scolaire et de la dirrection générale de la formation et de ses qualifications.

GRESSO, D.W., C.W. BURNETT et P.L. SMITH (1993). « Time is NOT of the Essence When Planning for a Quality Education Program : East Tennessee State University », dans J. Murphy (dir.), *Preparing Tomorrow's School Leaders. Alternative Designs*, University Park, UCEA, p. 109-127.

GRIFFITHS, D.E. (1956). *Human Relations in School Administration*, New York, Appleton-Century-Crofts Inc.

GRIFFITHS, D.E. (1963). « The Case Method of Teaching Educational Administration : A Re-Appraisal », *The Journal of Educational Administration*, vol. 1, n° 2, p. 81-89.

GRIFFITHS, D.E. (1965). « Research and Theory in Educational Administration », dans *Perspectives on Educational Administration and the Behavioral Sciences*, Eugene, Center for the Advanced Study of Educational Administration, University of Oregon, p. 25-48.

HACKMANN, D. et W. PRICE (1995). *« Preparing School Leaders for the 21st Century : Results of a National Survey of Educational Leadership Doctoral Programs*, communication présentée au National Council of professors of Educational Administration, San Francisco.

HALL, R.M. et K.E. McINTYRE (1957). « The Student Personnel Program », dans R.F. Campbell et R.T. Gregg (dir.), *Administrative Behavior in Education*, New York, Harper and Row Publishers, p. 393-425.

HAMBURG, M. (1957). *Case Studies in Elementary School Administratration*, New York, Bureau of Publications, Teachers College Press, Columbia University.

HANSON, E. (1961). « What is a School Superintendent », *Saturday Post*, vol. 234, avril.

HART, A.W. (1990). « Effective Administration Through Reflective Practice », *Education and Urban Society*, vol. 22, n° 2, p. 153-169.

HART, A.W. (1993). « Reflection : An Instrumental Strategy in Educational Administration », *Educational Administration Quarterly*, vol. 29, n° 3, p. 339-363.

HART, A.W. et D.G. POUNDER (1999). « Reinventing Preparation Programs : A Decade of Activity », dans J. Murphy et P.B. Forsyth (dir.), *Educational Administration. A Decade of Reform*, Thousand Oaks, Corwin Press, p. 115-151.

HARVARD UNIVERSITY (1954). *Proposal for a Revised Doctorate Program in Educational Administration*, document ronéotypé, Cambridge, Graduate School of Education.

HEMPHILL, J.K., D.E. GRIFFITHS et N. FREDERICKSON (1962). *Administrative Performance and Personality*, New York, Teachers College Press, Columbia University.

HENCLEY, S.P. (dir.) (1963). *The Internship in Administrative Preparation*, Washington, The Committee for the Advancement of Educational Administration.

HERSEY, P.W. (1977). « NASSP's Assessment Center. From Concept to Practice », *The National Association of Secondary School Principals Bulletin*, vol. 64, n° 410, p. 74-76.

HICKCOX, E.S. et M. POWER (1989). *Preparation Programs and Internships*, communication présentée au Annual meeting of the Canadian Association for the Study of Educational Administration, Quebec.

HILL, M.S. (1995). « Educational Leadership Cohort Models : Changing the Talk to Change the Walk », *Planning and Changing*, vol. 26, n°s 3/4, p. 179-189.

HILLS, J. (1965). «Educational Administration: A Field in Transition», *Educational Administration Quarterly*, vol. 1, n° 1, p. 58-66.

HOLDAWAY, E.A. (1978). *Educational Administration in Canada: Concerns, Research, and Preparation Programs*, communication présentée au Fourth International Intervisitation Program in Educational Administration, Montréal.

HOLLOWAY, E. JR. et T.D. MORGAN (1968). *A Final Report to the Ford Foundation of the Interuniversity Program. Project II. The Administrative Internship Program in Education*, Buffalo, State University of New York at Buffalo.

HORVAT, J.J. *et al.* (1965). *Case Studies in Educational Administration. An Information Storage and Retrieval System*, Columbus, University Council for Educational Administration.

HORVAT, J.J. (1968). *Professional Negotiations in Education: A Bargaining Game with Supplementary Materials*, Columbus, Charles E. Merrill Publishing Company.

IMMEGART, G.L. (1967). *Guides for the Preparation of Instructional Case Materials in Educational Administration*, Columbus, University Council for Educational Administration.

IMMEGART, G.L. (1971). «The Use of Cases», dans D.L. Bolton (dir.), *The Use of Simulation in Educational Administration*, Columbus, Charles E. Merrill Publishing Company, p. 30-64.

INSTITUT PÉDAGOGIQUE SAINT-GEORGES. *Les annuaires 1953-1954 et 1959-1960*, Québec, Laval-des-Rapides.

JAMES, H.T. (1955). «The Certificate to Administer a School System», *Administrator's Notebook*, vol. 3, n° 9, p. 1-4.

KOLB, D.A. (1984). *Experiential Learning: Experience as the Source of Learning and Development*, Englewood Cliffs, Prentice Hall.

KOOS, J.C. *et al.* (1940). *Administering the Secondary School*, New York, American Book Co.

LAUDER, A. (2000). «The New Look in Principal Preparation Programs», *National Association of Secondary School Principals Bulletin*, vol. 84, n° 617, p. 23-28.

LAURIN, P. (1973). «Quelques réflexions sur la formation des administrateurs scolaires», *Bulletin d'administration scolaire*, vol. 3, n° 2, p. 17-25.

LAURIN, P. (1990). «Tendances des thèmes de perfectionnement à privilégier et les approches pédagogiques à utiliser chez les administrateurs scolaires du Québec», dans G.-R. Roy (dir.), *Contenus et impacts de la recherche universitaire actuelle en sciences de l'éducation*, Sherbrooke, Éditions du CRP, p. 71-78.

LEGENDRE, R. (1993). *Dictionnaire actuel de l'éducation*, 2e éd., Montréal, Guérin.

LICATA, J.W. et C.D. ELLETT (1990). «LEAD Program Provides Support, Development for New Principals», *National Association of Secondary School Principals Bulletin*, vol. 74, n° 525, p. 5-10.

LLOYD-JONES, E., R. BARRY et B. WOLF (1956). *Case Studies in Human Relationships in Secondary School*, New York, Teachers College Press, Columbia University.

LOHMAN, A.A. et D. STOW (1971). *BANG: A Bargaining and Negotiation Game*, Ann Arbor, School of Education, University of Michigan, document ronéotypé.

MASSÉ, D. (1994). «Les programmes de formation en administration scolaire au Québec et recherches connexes», dans M. Bernard (dir.), *Pour les sciences de l'éducation. Approches franco-québécoises*, Paris, Centre de coopération interuniversitaire franco-québécois, *Revue des sciences de l'éducation* et INRP, p. 281-296.

MAYNES, B., R.G. MCINTOSH et D. MAPPIN (1996). « Computer-Based Simulations of the School Principalship : Preparation for Professional Practice », *Educational Administration Quarterly*, vol. 32, n° 4, p. 579-594.

MAYNES, B., D. MAPPIN et R.G. MCINTOSH (1998). « Preparing for School Leadership : Experiential Learning Through Simulation », *The Canadian Administrator*, vol. 37, n° 5, p. 1-12.

MCCARTHY, M.M. *et al.* (1988). *Under Scrutiny : The Educational Administration Professoriate*, Tempe, University Council for Educational Administration.

MCCARTHY, M.M. et G.D. KUH (1997). *Continuity and Change : The Educational Administration Professoriate*, Columbus, University Council for Educational Administration.

MCCARTHY, M.M. (1999). « The Evolution of Educational Leadership Preparation Programs », dans J. Murphy et K. Seashore Louis (dir.), *Handbook of Research on Educational Administration*, 2e éd., San Francisco, Jossey-Bass Publishers, p. 119-139.

MCINTOSH, R.G., B. MAYNES et D. MAPPIN (1989). « Preparation for Professional Practice », *The Canadian Administrator*, vol. 28, n° 7, p. 1-5.

MCINTYRE, K.E. (1964). « The Current Scene : How We Are Now Instructing Tomorrow's Educational Administrators », dans M.P. Thomas Jr. (dir.), *Strategies in the Preparation of School Administrators : New Perspectives*, Lincoln, Teachers College Press, National Conference of Professors of Educational Administration, University of Nebraska.

MCINTYRE, K.E. (1966). *Selection of Administrators*, Columbia, OH : The University Council for Educational Administration.

MCINTYRE, K.E. (1971). « Simulating the Process for Selection of Administrators », dans D.L. Bolton (dir.), *The Use of Simulation in Educational Administration*, Columbus, Charles E. Merrill Publishing Company, p. 149-170.

MIKLOS, E. et M. NIXON (1979). *Comparative Perspectives on Preparation Programs for Educational Administration*, communication présentée à la réunion annuelle de la Canadian Society for the Study of Education, Saskatoon.

MIKLOS, E. (1992). « Administrator Preparation. Educational », dans M.C. Alkin (dir.), *Encyclopedia of Educational Research*, vol. 1, 6e éd., New York, Macmillan Publishing Company. p. 22-29.

MILSTEIN, M.M., B.M. BOBROFF et L.N. RESTINE (1991). *Internship Programs in Educational Administration. A Guide to Preparing Educational Leaders*, New York, Teachers College Press, Columbia University.

MILSTEIN, M.M. (1993). *Changing the Way We Prepare Educational Leaders. The Danforth Experience*, Newbury Park, Corwin Press.

MINISTRE DE L'ÉDUCATION (2000). « Arrêté du ministre de l'Éducation concernant le Règlement sur les conditions d'emploi des gestionnaires des commissions scolaires », Québec, *Gazette officielle du Québec*, n° 10, 8 mars.

MOISSET, J.J. (1993). « La formation des administrateurs scolaires du Québec à l'aube de l'an 2000 », dans A. Godin (dir.), *Pratiques et modèles de formation en administration scolaire*, Sherbrooke, Éditions du CRP, p. 103-117.

MORENO, J.L. (1934). *The First Psychodramatic Family*, Beacon, Beacon House.

MULKEEN, T.A. et T.J. TETENBAUM (1990). « Teaching and Learning in Knowledge Organizations : Implications for the Preparation of School Administrators », *The Journal of Educational Administration*, vol. 28, n° 3, p. 14-22.

MURPHY, J. (1991). « The Effects of the Educational Reform Movement on Departments of Educational Leadership », *Educational Evaluation and Policy Analysis*, vol. 13, n° 1, p. 49-65.

MURPHY, J. (1992). *The Landscape of Leadership Preparation: Reframing the Education of School Administrators*, Newbury Park, Corwin Press.

MURPHY, J. (dir.) (1993a). *Preparing Tomorrow's School Leaders: Alternative Designs*, University Park, UCEA, Inc.

MURPHY, J. (1993b). « Alternative Designs: New Directions », dans J. Murphy (dir.), *Preparing Tomorrow's School Leaders: Alternative Designs*, University Park, UCEA Inc., p. 225-253.

MURPHY, J. (1999). « The Reform of the Profession: A Self-Portrait », dans J. Murphy et P.B. Forsyth (dir.), *Educational Administration. A Decade of Reform*, Thousand Oaks, Corwin Press Inc., p. 39-68.

NATIONAL ASSOCIATION OF STATE DIRECTORS OF TEACHER EDUCATION AND CERTIFICATION (1996). *Manual of Certification and Preparation of Educational personnel in the U.S. and Canada*, Dubuque, Kendall/Hunt.

NATIONAL POLICY BOARD FOR EDUCATIONAL ADMINISTRATION (1989). *Improving the Preparation of School Administrators. An Agenda for Reform*, Fairfax, NPBEA.

NATIONAL POLICY BOARD FOR EDUCATIONAL ADMINISTRATION (1990). *The Preparation of School Administrators: A Statement of Purpose*, Fairfax, The NPBEA.

NEAGLEY, R.L. (1953). *Recruitment and Selection of School Administrators*, New York, Cooperative Program in Educational Administration (Middle Atlantic Region),Teachers College Press, Columbia University.

NIXON, M. et E. MIKLOS (1979). « Admission Practices and Placement Patterns in Educational Administration Programs », *The Canadian Administrator*, vol. 18, n° 4, p. 1-6.

NORRIS, C.J. et B.G. BARNETT (1994). *Cultivating a New Leadership Paradigm: From Cohorts to Communities*, communication présentée au Annual meeting of the University Council for Educational Administration.

NORTON, M.S. (1994). *Department Organization and Faculty Status in Educational Administration*, Tempe, UCEA Center for the Study of Preparation Programs, The University Council for Educational Administration.

OHM, R.E. (1971). « Some Applications of Game Theory to Administrative Behavior », dans D.L. Bolton (dir.), *The Use of Simulation in Educational Administration*, Columbus, Charles E. Merrill Publishing Company, p. 171-197.

PARKER, J.C. (1978). *From Conventional Wisdom to Concept: School Administration, 1934-1945*, communication présentée au Annual meeting of the American Educational Research Association.

PITNER, N.J. (1987). « School Administrator Preparation in the United States », dans K.A. Leithwood *et al.* (dir.), *Prepararing School Leaders for Educational Improvement*, London, Croom Helm, p. 55-104.

PRESTINE, N.A. et B.F. LeGRAND (1991). « Cognitive Learning Theory and the Preparation of Educational Administrators: Implications for Practice and Policy », *Educational Administration Quarterly*, vol. 27, n° 9, p. 61-89.

RENIHAN, P. (1984). « Certification for Principals. Weighing the Pros and Cons », *The Canadian School Executive*, vol. 4, n° 2, p. 3-6.

RICHARDS, D. *et al.* (1992). « Becoming A Principal. Part I: An Innovative Preparation Program », *The Canadian School Executive*, vol. 11, n° 9, p. 3-5.

ROGERS, V.M. et M. KYSILKA (1970). « Simulation Games. What and Why », *The Instructor*, vol. 34, p. 94-95.

RYAN, J. et S.M. DRAKE (1992). « Narrative and Knowledge : Teaching Educational Administration in a Postmodern World », *The Journal of Educational Administration*, vol. 7, n° 2, p. 13-26.

SAGE, D.D. (1969). *SEATS GAME Instructor's Manual*, Syracuse, Division of Special Education and Rehabilitation, Syracuse University.

SARGENT, C.G. et E.L. BELISLE (1955). *Educational Administration. Cases and Concepts*, Boston, Houghton Mifflin.

SCHÖN, D.A. (1987). *Educating the Reflective Practitioner*, San Francisco, Jossey-Bass.

SHORT, P.M. et J.S. RINEHART (1993). « Reflection as a Means of Developing Expertise », *Educational Administration Quarterly*, vol. 29, n° 4, p. 501-521.

SILVER, P.F. et D.W. SPUCK (dir.) (1978). *Preparatory Programs for Educational Administrators in the United States*, Columbus, University Council for Educational Administration.

SILVER, P.F. (1982). « Administrative Preparation », dans H.E. Mitzel, (dir.), *Encyclopedia of Educational Research*, 5ᵉ éd., New York, The Free Press, p. 49-59.

SILVER, P.F. (1986). « Case Records : A Reflective Practice Approach to Administrator Development », *Theory Into Practice*, vol. 25, n° 3, p. 161-167.

SIROTNIK, K.A. et K. MUELLER (1993). « Challenging the Wisdom of Conventional Principal Preparation Programs and Getting Away with It (So Far) », dans J. Murphy (dir.), *Preparing Tomorrow's School Leaders : Alternative Designs*, University Park, UCEA, p. 57-83.

SKALSKI, J. *et al.* (1987). *Administrative Internships*, communication présentée au Annual meeting of the American Educational Research Association, Washington.

SPARKMAN, W.E. et R.F. Campbell (1994). « State Control and Certification Programs », dans N.A. Prestine et P.W. Thurston (dir.), *Advances in Educational Administration. New Directions in Educational Administration. Policy, Preparation, and Practice*, vol. 3, Greenwich, JAI Press, p. 99-133.

SPAULDING, F.E. (1910). « The Aims, Scope, and Methods of a University Course in Public Administration », dans F.E. Spaulding, W.P. Burris et E.C. Elliott (dir.), *The Aims, Scope, and Methods of A Course in Public School Administration*, communication présentée au Meetings of the National Society of College of Education, Indianapolis, p. 3-62.

STATE UNIVERSITY OF NEW YORK AT BUFFALO (1963). *Program in Educational Administration*, Buffalo, SUNY.

ST-GERMAIN, M. (1993). « L'utilisation de la méthode des cas », dans A. Godin (dir.), *Pratiques et modèles de formation en administration scolaire*, Sherbrooke, Éditions du CRP, p. 177-190.

STEVENS, G.D. *et al.* (1970). « Simulating Leadership in Vocational Education », *National Association of Secondary School Principals Bulletin*, vol. 52, p. 114-119.

STOUT, R.T. (1973). *New Approaches to Recruitment and Selection of Educational Administrators*, Eugene, ERIC/CEM-UCEA Series on Administrator Preparation, University of Oregon.

THOM, D.J. et E.S. HICKCOX (1975). « The Selection of New Graduate Students for an Educational Administration Program », *The Journal of Educational Administration*, vol. 13, n° 1, p. 23-34.

THOMAS, A.R. (1975). «The Preparation of Educational Administration in Canadian Universities: Laying on of the Hands», *The Journal of Educational Administration*, vol. 13, n° 1, p. 35-60.

TOOMBS, W.N. (1962). «Administrative Requirements of Principals and Superintendents», *Canadian Education and Research Digest*, vol. 2, n° 1, p. 55-65.

TRACY, S.J. et E.M. SCHUTTENBERG (1991). «Do Assessment Centers Promote Educational Administrators Development? An Initial Study», *Planning and Changing*, vol. 21, n° 1, p. 13-25.

TRAUTMANN, R.D. (1977). «Residence and Admission Requirements for the Doctorate in Administration at Eighty-One Institutions», *Phi Delta Kappan*, vol. 59, n° 1, p. 208-209.

TYACK, D.B. et R. CUMMINGS (1977). «Leadership in American Public Schools Before 1954: Historical Configurations and Conjonctures», dans L.L. Cunningham, W.G. Hack et R.O. Nystrand (dir.), *Educational Administration. The Developing Decades*, Berkeley, McCutchan Publishing Corporation, p. 46-66.

TYACK, D.B. et E. HANSOT (1982). *Managers of Virtue. Public School Leadership in America, 1820-1980*, New York, Basic Books.

UNIVERSITY COUNCIL FOR EDUCATIONAL ADMINISTRATION (1966). *The Selective Recruitment of Educational Leaders*, Columbus, Central Staff of UCEA.

UNIVERSITÉ DE MONTRÉAL. *Les annuaires 1967-1968 et 1970-1971*, Montréal, Les Presses de l'Université de Montréal.

UNIVERSITÉ DE MONTRÉAL (2000). *Études supérieures*, Montréal, Bureau du secrétaire de la FSE.

UNIVERSITÉ DU QUÉBEC (2000). *Projet de diplôme d'études supérieures spécialisées (DESS) conjoint en administration scolaire*, Québec, Université du Québec.

UNIVERSITÉ LAVAL. *Les annuaires 1953-1954 et 1959-1960*, Québec, Les Presses de l'Université Laval.

UNIVERSITÉ LAVAL (2000). *Répertoire des programmes et des cours des deuxième et troisième cycles*, Québec, Faculté des sciences de l'éducation.

UNIVERSITY OF CHICAGO (1953). *The Third Year of CPEA in the Midwest, Annual Report, 1951-1952*, Chicago, Midwest Administration Center.

UZMACK, J.H. JR. (1963). *High School Students' Perceptions of the Chief School Administrators*, thèse de doctorat inédite, Pennsylvania State University.

WESSON, L.H. *et al.* (1996). *Cohesion or Collusion: Impact of a Cohort Structure on Educational Leadership Doctoral Students*, communication présentée au Annual meeting of the American Educational Research Association, New York.

WHEATON, G.A. (1950). *A Status Study of Internship Programs in School Administration*, New York, Teachers College Press, Columbia University.

WICKSTROM, R.A. (1980). *The Training of Administrators: A Perspective From the Field*, communication présentée au Annual meeting of the Canadian Association for the Study of Educational Administration», Montreal.

WILLOWER, D.J. et J.A. CULBERTSON (dir.) (1964). *The Professorship in Educational Administration*, Columbus, University Council for Educational Administration.

WOELLNER, R.C. et M.A. WOOD (1939). *Requirements for Certification of Teachers, Counselors, Librarians, and Administrators, for Elementary Schools, Secondary Schools, and Junior Colleges*, Chicago, The University of Chicago Press.

WOELLNER, R.C. et M.A. WOOD (1954). *Requirements for Certification of Teachers, Counselors, Librarians, and Administrators, for Elementary Schools, Secondary Schools, and Junior Colleges*, 19ᵉ éd., Chicago, The University of Chicago Press.

WYNN, R. (1964). « Simulation : Terrible Reality in the Preparation of School Administrators », *Phi Delta Kappan*, vol. 46, n° 4, p. 170-173.

WYNN, R. (1972). *Unconventional Methods and Materials for Preparing Educational Administrators*, Columbus, ERIC Clearinghouse on Educational Management, UCEA Series on Administrator Preparation.

YOUNG, I.P., C.M. GALLOWAY et J. RINEHART (1990). « The Effects of Recruitment Brochure Content and Gender of the Reactor for Doctoral Programs in Educational Administration », *Educational Administration Quarterly*, vol. 26, n° 2, p. 168-182.

7

L'ÉVOLUTION HISTORIQUE
DE LA RECHERCHE

Aucun champ d'études ne peut prétendre évoluer sans l'apport soutenu de la recherche, et l'administration de l'éducation ne fait pas exception. Très tôt, après ses débuts, avec la pression de la gestion scientifique, les gestionnaires de l'éducation ont dû rendre des comptes au moins une fois l'an aux commissaires d'école. D'abord sous la forme d'enregistrements et de rapports, la recherche a ensuite pris son essor. Il a fallu attendre toutefois les premiers diplômés en administration de l'éducation pour que la recherche devienne le moindrement plus sérieuse.

Les premiers directeurs généraux Payne et Harris s'étaient plaints dans les premières années de 1870 de la rareté et de la pauvreté de la recherche. Il va sans dire que tel était aussi le cas en administration de l'éducation. Même les premiers ouvrages sur la gestion et la supervision ne contenaient que des extraits de décisions légales, des citations latines et poétiques. Ils ne comprenaient aucun résultat de recherche concernant le champ d'études (Culbertson, 1986, p. 15). Le volume de Chancellor (1904), par exemple, ne contenait aucune référence puisqu'il ne faisait que décrire et analyser des expériences.

LES DÉBUTS DE LA RECHERCHE : LES ENQUÊTES SCOLAIRES (1900-1930)

Ayres (1909) semble être un des premiers chercheurs à avoir présenté l'école comme une usine et appliqué les valeurs et les pratiques du monde des affaires. Il semble également être le premier à avoir effectué une recherche digne de ce nom. Elle portait sur le retard que certains élèves accusaient à l'école. Ses données provenaient des archives et des rapports conservés dans les écoles et des statistiques fournies par des agences gouvernementales. En examinant le progrès annuel normal des écoles, il développa un index d'efficience pour chacune d'entre elles.

Les gestionnaires de l'éducation furent critiqués par Ayres (1909) parce qu'ils ne conservaient pas d'archives et ne produisaient pas de rapports. Face aux nombreuses critiques exprimées à l'égard des écoles entre 1911 et 1912, ils furent donc pressés d'accorder plus d'attention aux archives et aux rapports. Ils continuèrent par ailleurs à recevoir ce conseil de la part du Comité sur l'uniformité des archives et des rapports. Les gestionnaires n'eurent pas d'autres choix que de répondre à toutes ces pressions. Ayres (1912) rapportait qu'entre mai 1911 et mai 1912, le nombre de commissions scolaires qui utilisaient des rapports uniformes passait de 15 à 418.

Selon Callahan (1962, p. 156), lorsque les éducateurs à cette époque parlaient de rapports, ils avaient généralement à l'esprit les rapports annuels que les directeurs généraux présentaient à leurs commissaires d'école. La présentation de tels rapports avait pour motif principal de justifier les dépenses et de préparer le public à des demandes de fonds additionnels. Enfin, les premiers professeurs d'administration de l'éducation, tels que Cubberley et Strayer, vantaient l'importance des rapports annuels présentés par les directeurs généraux aux commissaires d'école.

Tyack et Hansot (1982) ont décrit la situation de la recherche aux États Unis lors des débuts de l'administration de l'éducation. Dès 1910, certaines fondations, telles que la Russell Sage Foundation, la

Carnegie Foundation et le John D. Rockefeller's General Education Board, s'intéressaient au système d'éducation (p. 163). Ces fondations fournissaient l'argent nécessaire à la réalisation d'études de nature à améliorer le système d'éducation. Parfois, certaines d'entre elles entreprenaient elles-mêmes des études (p. 156).

Une activité associée à la recherche qui occupa les éducateurs de cette époque et qui les identifiait à l'ère de la gestion scientifique fut le mouvement des enquêtes effectuées sur les écoles (*School Surveys*). La procédure consistait généralement à faire appel à un ou des experts extérieurs, habituellement des professeurs d'université, qui examinaient les écoles et faisaient rapport aux commissaires d'école. Judd et Smith (1914) publiaient, au nom de la National Society for the Study of Education (NSSE), l'annuaire portant sur ces enquêtes, mettant en évidence les aspects financiers et mécaniques de l'éducation (Callahan, 1962, p. 117). Entre 1912 et 1916, on a répété aux gestionnaires de l'éducation que les enquêtes menées sur les écoles représentaient le meilleur moyen de faire face aux critiques hostiles. Entre 1911 et 1925, des centaines d'enquêtes furent réalisées. Elles étaient tellement nombreuses qu'il a semblé qu'aucun État ou qu'aucune commission scolaire n'eut été enquêté (Callahan, 1962, p. 112). La croissance du nombre de ces enquêtes suivait la force de croissance du mouvement axé sur l'efficience et les critiques à l'égard des écoles après 1911.

Selon Caswell (1929), théoriquement, les enquêtes réalisées sur les écoles informaient le public au sujet des conditions existantes, l'éduquaient à l'égard des standards appropriés et inspiraient les citoyens à améliorer les écoles (p. 39). Ce genre de recherche était en harmonie avec la notion du leadership expert qui devenait dominant dans les programmes de formation en administration de l'éducation et avec les approches élitistes des réformes urbaines. Les études ainsi réalisées aidaient les déterreurs de scandales à dénoncer le personnel des fondations et les bureaucrates gouvernementaux.

Caswell (1929) a dénombré 181 enquêtes réalisées entre 1910 et 1927 auprès de 50 commissions scolaires. Il recensa également les changements survenus après ces enquêtes ; il observa que 34 commissions scolaires avaient effectué des changements dans leur curriculum. Le mouvement de ces enquêtes devint tellement populaire qu'il suscita la publication d'un ouvrage sur le sujet (Sears, 1925). Caswell concluait que les standards et les méthodes de mesure développés à l'occasion de ces enquêtes avaient influencé tout le développement de l'administration de l'éducation (p. 106).

Ces enquêtes auprès des écoles étaient généralement descriptives, limitées par des techniques peu systématiques, dont l'objet était l'étude de certains éléments d'une école ou d'une commission scolaire (Campbell *et al.*, 1987, p. 173). Les enquêtes les plus populaires portaient sur les édifices et la situation scolaire. Ce mouvement des enquêtes sur les écoles a stimulé le développement des études en administration de l'éducation. En effet, plusieurs de ces enquêtes recommandaient une meilleure formation des gestionnaires.

Plusieurs raisons peuvent expliquer l'impact considérable qu'ont eu les études sur les écoles. En premier lieu, les professeurs d'administration de l'éducation enseignaient les techniques de recherche qui étaient dirigées vers les décisions immédiates que les gestionnaires scolaires devaient prendre. Puis, la recherche était souvent conçue comme un instrument de publicité, pour promouvoir des changements spécifiques tels que le besoin de réformer la gestion. Troisièmement, on se servait de telles études pour justifier l'emploi de nouveaux employés. Quatrièmement, l'apparente objectivité des nombres et des faits fournissait aux gestionnaires devenus vulnérables une défense contre les critiques. Enfin, les études sur les écoles représentaient un avantage financier pour ceux qui les menaient (Tyack et Hansot, 1982, p. 154).

Dès les débuts de l'enseignement de l'administration de l'éducation, de nombreuses occasions furent données aux étudiants pour étudier les problèmes auxquels ils devaient faire face dans leur pratique. C'est ainsi que de nombreuses études furent effectuées à l'occasion d'études doctorales entre 1914 et 1930 au Teachers College. Selon Callahan (1962, p. 187), aucun détail du travail du gestionnaire n'était considéré comme inapproprié pour un sujet de thèse de doctorat. Des sujets très particuliers, tels que l'analyse du service d'entretien d'une école primaire, les problèmes administratifs d'une cafétéria d'une école secondaire ou la technique d'estimation des coûts des équipements, ont fait l'objet de recherches doctorales.

Tyack et Hansot (1982) rapportaient plus précisément les sujets abordés dans les thèses soumises par les étudiants du doctorat. De 1910 à 1933, les auteurs ont compté 290 thèses; de ce nombre 55 portaient sur la fiscalité, 34 sur l'administration des affaires, 29 sur les élèves, 29 sur la gestion du personnel, 24 sur les provisions légales et 19 sur les édifices et l'équipement (p. 154). De plus, ils affirmaient que le nombre de thèses avait constamment augmenté. Ainsi, leur nombre passait de 53 en 1918 à 189 en 1927 (p. 156).

Une autre activité de recherche fit son apparition au cours de cette période. Avec des commissaires d'école provenant du monde des affaires, les gestionnaires de l'éducation devaient en quelque sorte leur prouver que des économies pouvaient être réalisées. Ainsi est née une approche de comptabilité reposant sur le prix de revient et des études s'y rattachant. Harris (1914), par exemple, effectua une étude de 19 écoles secondaires afin de déterminer les coûts par élève. Ses résultats montraient de grandes différences entre chacune des écoles. L'année suivante, Bobbitt (1915) faisait le même genre d'étude auprès de 25 écoles secondaires dans 7 États.

Cette première période de la recherche se termine au moment de la pire crise économique de l'histoire américaine (Callahan, 1962, p. 243). En 1929, 48 millions d'Américains avaient un emploi ; en 1933, 30 % des travailleurs étaient au chômage. Les usines fermaient, les revenus personnels diminuaient, des résidences étaient perdues, etc. Le besoin d'économies en éducation ne diminua pas, au contraire, il devint encore plus important. Les économies possiblement réalisables furent alors la préoccupation principale des gestionnaires.

Selon Callahan (1962, p. 202), Newlon (1934, p. 99-100) avait compilé une liste d'à peu près toutes les thèses de doctorat soumises dans les universités américaines entre 1910 et 1933. Il en comptait 290 dont plus de la moitié avait été réalisée au Teachers College. La liste complète de Newlon est reproduite dans Callahan. Le tableau 13 ne présente qu'une partie de cette liste.

TABLEAU 13

**Distribution des thèses de doctorat soumises
dans les universités américaines de 1910 à 1933**

Sujets	Nombre
Administration fiscale	55
Administration des affaires	34
Personnel écolier	29
Gestion du personnel	29
Provisions légales	24
Édifices et équipement	19
Programmes d'études et manuels scolaires	12
Aspects étatiques	12
Commission scolaire	10

Source : R.E. Callahan (1962). *Education and the Cult of Efficiency*. Chicago, The University of Chicago Press, p. 202.

VERS DES RECHERCHES PLUS FORMELLES (1931-1960)

La capitulation des gestionnaires de l'éducation face aux pressions d'économies à réaliser provoqua des développements malheureux (Callahan, 1962, p. 240). Dans leur recherche de moyens pour réduire leurs dépenses, les gestionnaires dirigèrent en grande partie leur attention sur des sujets insignifiants dus à leur formation reçue. Par exemple, il est important de rappeler que Strayer et Englehardt (1925), comme professeurs au Teachers College, étaient de ceux qui acceptaient que n'importe quel sujet puisse faire l'objet d'une thèse de doctorat. Avec une telle idée, les gestionnaires de l'éducation cessaient d'entreprendre des recherches sur la substance de l'éducation et portaient plutôt leur attention exclusivement sur des mécanismes d'administration.

Cette attitude à l'égard de sujets sans importance fut de plus encouragée par le leadership de Cooper (cité par Callahan, 1962, p. 240) alors secrétaire américain à l'éducation (l'équivalent d'un ministre). Ce dernier publiait en 1933 son ouvrage dans lequel il expliquait aux gestionnaires de l'éducation comment l'argent pouvait être épargné grâce à des mécanismes administratifs. Un de ces mécanismes consistait à consolider les commissions scolaires et un autre à augmenter l'effectif d'une classe. L'année suivante, Linn (1934) publiait son ouvrage portant également sur les économies à réaliser en éducation.

Il est vrai que, après 1930, l'opposition énergique des éducateurs, tels que Newlon (1934) et Counts (1934), et le désenchantement partiel envers le leadership d'affaires qui accompagnait la crise économique ont aidé à réduire l'extrême accentuation de la gestion du monde des affaires en administration de l'éducation. Selon Callahan (1962, p. 242), même en 1938, l'importance accordée aux aspects financiers et mécanistes de l'administration de l'éducation était toutefois encore manifeste.

Gibson (1979, p. 31) rapportait que « l'institutionnalisation croissante de la recherche se réfléchissait dans l'organisation en 1915 de la National Association of Directors of Educational Research qui devint plus tard la American Association of Educational Research » (AERA). En 1930, cette association s'associait à la National Education Association (NEA) et lançait sa publication officielle : la *Review of Educational Research*. Le premier numéro parut en janvier 1931 et fut remplacé, en 1973, par la *Review of Research in Education* (p. 32).

Le soutien à la recherche en éducation aux États-Unis dans les années 1950 était insignifiant (Tyler, 1965, p. 10). À l'exception d'études spéciales subventionnées par des fondations privées, la vaste majorité des recherches étaient menées par des professeurs en éducation, sans subvention et durant leur temps libre. En fait, ce n'est qu'en 1956 que fut créé le programme de recherche coopérative du United States Office of Education (USOE). Ce programme donnait un élan incomparable au soutien à accorder à la recherche en éducation dans les universités, surtout dans les facultés d'éducation (Boyan, 1968, p. 25).

Le mouvement de l'emploi de la théorie en administration de l'éducation dans les années 1950 portait, selon Charters (1977), les messages suivants entrelacés et bien perceptibles pour la recherche dans le domaine :

> l'étude de l'administration a sa propre valeur ;

> les explications des choses doivent être confrontées à des faits et, ce faisant, un soin inhabituel doit être accordé afin de se protéger contre des erreurs d'inférence ;

> le « est » doit être séparé de ce qui « doit » ou le « doit » ne doit pas cacher le « est » ;

> il est utile pour le professeur en administration de l'éducation de formuler un phénomène particulier qui l'intéresse dans des termes plus abstraits ;

> le chercheur doit se soucier de ses explications d'une série de faits ;

> les sciences du comportement peuvent aider à débuter une étude (p. 363-364).

Immegart (1977) rapportait que, en 1954, on pouvait estimer approximativement à 310 le nombre de recherches annuelles, soit 250 thèses de doctorat et 60 recherches menées par les professeurs en administration de l'éducation (p. 300). En second lieu, l'auteur affirmait que la majorité de ces recherches portait sur des aspects de la tâche des gestionnaires. Finalement, Immegart a observé deux types de méthodologies utilisées par les chercheurs, soit l'étude de documents ou de données déjà existantes et une enquête menée à l'aide de questionnaires ou d'entrevues.

Greenfield (1988) a examiné les fondements des promoteurs d'une science en administration de l'éducation (p. 132). Selon lui, la prise de conscience d'une science dans ce champ d'études a commencé en 1957 (p. 132) après avoir découvert l'ouvrage de Simon (1945) et surtout à la suite de la parution de celui de Halpin (1958). Greenfield affirmait que c'est à ce moment que les méthodes de la science positiviste furent établies comme les seules méthodes grâce auxquelles on pouvait obtenir des connaissances fiables à l'égard des réalités administratives.

Halpin (1957) avait déjà proposé pour la recherche sur le comportement administratif un paradigme qui reposait sur deux postulats stratégiques : 1) l'administration est la même que ce soit en éducation, en affaires, en milieu hospitalier, et c'est ce qui mériterait d'être étudié ; 2) de grands pas seraient faits si les efforts de recherche se concentraient sur le comportement des administrateurs plutôt que sur le comportement administratif (p. 159). Son paradigme comprenait les quatre variables suivantes :

> ➤ la tâche organisationnelle définie en termes de comportement « désirable » ou des produits du comportement ;
> ➤ le comportement de l'administrateur ;
> ➤ les variables associées au comportement de l'administrateur : le comportement des collègues, l'impact de ce comportement sur les collègues, les conditions selon lesquelles l'administrateur et les collègues doivent travailler, les facteurs du milieu, etc ;
> ➤ les critères d'efficacité de l'administrateur. Deux sortes de critères sont posés en postulat : les critères immédiats tels que l'évaluation ou les notations du comportement de l'administrateur et les résultats de son comportement mesuré par les produits de l'organisation et les changements réalisés sur ces produits (p. 174).

Campbell (1957) a recensé ce qu'il croyait être alors des recherches importantes en administration de l'éducation portant sur des variables situationnelles que lui-même considérait comme significatives. Ces variables étaient le milieu, la commission scolaire, l'organisation scolaire et finalement la profession. L'auteur fournissait des généralisations, des implications pour le comportement administratif et exprimait certains besoins de recherches futures. Il notait la pauvreté de la recherche en administration de l'éducation, la quasi-absence de conceptualisation et la nécessité d'inclure plus de variables reliées aux situations étudiées (p. 266).

Griffiths et Iannaccone (1958) ont recensé plus de 400 références couvrant les recherches réalisées de 1955 à 1958. Leur recension a permis de constater qu'il y avait un intérêt croissant pour la théorie et les recherches relatives à l'administration. Ils ont également noté qu'une approche plus globale de l'administration remplaçait graduellement la théorie des rôles (p. 334). De plus, ils remarquaient que de nouvelles orientations théoriques, telles que la prise de décision, la

perception et les concepts organisationnels relatifs aux buts poursuivis, servaient de base dorénavant aux recherches recensées. Leur
recension révélait que les recherches effectuées entre 1955 et 1958 sur
la théorie administrative, les relations interpersonnelles et la formation
exposaient les problèmes suivants :

> ➤ qui doit participer et à quelles facettes de l'administration ;
> ➤ quels sont les effets des niveaux hiérarchiques des postes sur les
>   personnes occupant ces postes ;
> ➤ l'effet de l'environnement sur l'organisation et les petits groupes ;
> ➤ les perceptions convergentes au sujet des attentes de rôle et des
>   conflits ;
> ➤ la relation entre l'organisation formelle et informelle ;
> ➤ la relation entre l'attitude et la productivité ;
> ➤ la recherche de critères d'efficacité (p. 335).

Les auteurs concluaient que le postulat qui sous-tendait toutes
les recherches recensées était que les personnes étaient importantes
dans toute organisation et qu'il existait une plus grande tendance à
dépendre des approches sociologiques et théoriques. Ils soulevaient
aussi le problème de la trop grande confiance accordée à l'utilisation
des questionnaires. Enfin, Griffiths et Iannaccone terminaient leur
recension par la présentation de tendances claires et évidentes de la
recherche en administration de l'éducation. Selon eux, la recherche
semblait s'orienter vers la recherche en équipe et considérer le comportement administratif comme cible particulière (p. 352).

Campbell *et al.* (1960) affirmaient que les résultats des recherches
en sciences sociales n'étaient d'aucune aide pour le gestionnaire et
qu'ils ne pouvaient être appliqués directement et immédiatement à
son monde pratique (p. 177). Ils ne pouvaient être utiles pour prédire
un problème. La principale raison pour leur manque d'application,
selon eux, était que ces recherches ne traitaient que d'une petite
parcelle du milieu complexe du gestionnaire.

LES FAIBLESSES DE LA RECHERCHE DÉNONCÉES (1961-1980)

Hall (1963) avertissait les chercheurs en administration de l'éducation de la tendance au nombrilisme qui risquait, selon lui, de cris-
talliser prématurément la pensée au sujet de ce champ d'études

(p. 21). Parmi les indicateurs de cette tendance, l'auteur avait soulevé les trois suivants :

> ➢ l'application immédiate des résultats des recherches servait à déterminer le contenu, la méthodologie et le soutien de la recherche ;
> ➢ l'obstination à faire de la recherche qui reposait sur des postulats qui n'avaient pas encore été vérifiés restreignait la vision de l'administration de l'éducation ;
> ➢ on s'était trop longtemps empêtré dans un système de critères internes ou fermés.

De plus, Hall ajoutait que les priorités en administration de l'éducation ne pouvaient être déterminées tant et autant que ce champ d'études n'aurait pas été mieux défini (p. 29).

En 1964, le gouvernement américain créait le programme de recherche et de développement. Ce programme marquait tout un bond en ce qui a trait au soutien financier accordé par le gouvernement à la recherche et au développement en éducation (Boyan, 1968, p. 25). La loi de 1965 sur l'éducation au primaire et au secondaire eut un impact important sur la recherche. Elle renforçait l'éducation à tous les niveaux dans plusieurs milieux institutionnels et incluait la formation du personnel (p. 26). La quatrième partie de la loi amendait et prolongeait le programme coopératif de recherche du United States Office of Education. Enfin, la loi fournissait les fondements conceptuels et fiscaux d'un nouvel établissement : le laboratoire régional en éducation. Malgré tout cela, Halpin et Hayes (1977) affirmaient que, de 1965 à 1970, le professeur qui s'intéressait à la recherche fondamentale avait peu de fonds pour soutenir des étudiants.

Immegart (1977), pour sa part, rapportait qu'il y avait, en 1964, à peu près 558 études, que ce soit des thèses de doctorat ou des études réalisées par des professeurs en administration de l'éducation, mais aussi par des professeurs d'autres disciplines (p. 301). Les sujets abordés par ces recherches, selon Immegart, étaient encore en majorité les aspects de la tâche des gestionnaires avec quelques essais sur des questions reliées aux influences sociales. Les méthodologies utilisées n'étaient pas différentes de celles employées en 1954, soit en majorité l'utilisation des questionnaires comme instrument de collecte de données.

Déjà, en 1964, Jenson et Clark (p. 83) affirmaient que la recherche en administration de l'éducation avait été jusque-là de type historique ou normatif et que ce qui était alors connu à l'égard de l'administration de l'éducation était dans une phase de transition (p. 83). Pour eux, la recherche était encore dans un état primitif et statique plutôt que dynamique. Ils relevaient que ce que l'on connaissait concernant l'administration de l'éducation était dû aux recherches récentes qui portaient sur le comportement administratif, le leadership et l'influence du milieu dans le champ d'études.

Griffiths (1965) a présenté une virulente critique de la recherche en administration de l'éducation telle qu'elle était menée dans les années 1960. Il soulignait d'abord que l'on devait reconnaître que la recherche n'était qu'une occupation à temps partiel de la part d'une poignée de personnes. En second lieu, il accusait les chercheurs de provincialisme, de naïveté statistique et de fixation sur les données. Sans aucun doute, ajoutait-il, la plus grande faiblesse de la recherche en administration de l'éducation résidait dans l'absence de théories. Enfin, affirmait-il, « en administration de l'éducation, nous n'avons généralement pas soumis nos résultats au test de la fidélité. En conséquence, nous avons publié d'interminables listes de principes qui sont actuellement un peu plus que des listes d'opinions non vérifiées » (p. 35).

Campbell et Layton (1967) ont également porté un jugement sur les recherches publiées dans la principale revue qui s'adresse aux gestionnaires de l'éducation, soit le *Educational Administration Quarterly*. Ils ont remarqué d'abord que la majorité des articles avaient pour auteurs des professeurs en administration de l'éducation. Ils relevaient aussi le fait que la plupart des recherches avaient un caractère empirique, qu'elles empruntaient les modèles des sciences sociales et que parfois, dans certaines de ces recherches, des techniques statistiques étaient appliquées à des problèmes qui avaient peu de conséquences (p. 4). Campbell (1967, p. 278), quant à lui, suggérait de déclarer un moratoire sur les études utilisées pour évaluer les gestionnaires et de se concentrer plutôt sur une comparaison des alternatives disponibles pour eux. L'année suivante, Boyan (1968, p. 29) affirmait que, au cours des quinze années précédentes, il lui semblait que l'administration de l'éducation était demeurée davantage une situation de recherche qu'un domaine bien développé de recherche.

En ce qui concerne les thèses de doctorat en administration de l'éducation, Haller (1970) notait que pour 80 % d'entre elles, on n'utilisait que le questionnaire comme outil de collecte des données. Kiley (1973), pour sa part, a constaté que 58 % des étudiants au doctorat faisaient usage de questionnaires développés par eux-mêmes et que seulement 23 % utilisaient des instruments déjà existants. Enfin, Haller (1979) affirmait que « les thèses de doctorat étaient moins instructives qu'elles ne pourraient l'être et que, par conséquent, les fondements des connaissances de notre champ d'études sont moins solides, compte tenu des efforts déployés » (p. 48).

Gibson et Stetar (1975), après avoir recensé quelques thèmes contextuels qui semblaient guider la recherche en administration de l'éducation, ont analysé les recherches parues dans la revue *Educational Administration Quarterly* depuis sa fondation en 1965. Ils ont relevé que ces recherches étaient divisées en deux camps : des recherches empiriques non théoriques et des recherches théoriques non empiriques. Quelques recherches théoriques-empiriques représentaient un troisième petit groupe. Leur principale conclusion mettait en lumière le fait que la recherche dans ce champ d'études était encore à une jeune étape de maturation (p. 18).

À partir de ses observations, Charters (1977) soulignait trois situations relatives à la recherche des années 1970 en administration de l'éducation. Il relevait d'abord le fait que les chercheurs ne portaient pas beaucoup d'attention à ce que les collègues produisaient. Ensuite, il déplorait que les chercheurs glorifiaient la théorie ainsi que des conceptualisations ampoulées et levaient le nez sur les faits. Enfin, il commentait sur les résultats impraticables des recherches qui étaient dus, selon lui, à la désillusion envers les sciences du comportement (p. 371).

En 1977 se tenait à Rochester, New York, un séminaire organisé conjointement par l'Université de Rochester et le University Council for Educational Administration (UCEA). Il s'agissait d'une première évaluation collective et systématique de la recherche en administration de l'éducation depuis 1959, où le UCEA et le Bureau américain d'éducation avaient organisé une série de trois séminaires régionaux portant sur la recherche dans le domaine. Les résultats du séminaire de 1977 ont fait l'objet d'un ouvrage édité par Immegart et Boyd (1979). Dans l'introduction de leur ouvrage, Immegart et Boyd remarquaient qu'un certain nombre de chercheurs avait tenté de découvrir ce qui se passait en administration de l'éducation. Les auteurs arrivaient généralement à deux conclusions : l'accent mis sur la recherche était plus prétendu que pratiqué et la qualité de la recherche avait besoin d'être améliorée. Au même séminaire, Griffiths (1979), pour sa part, déclarait que la recherche en administration de l'éducation, comparativement à celle de 1959, n'était pas une «adolescente robuste» (p. 41).

Haller (1979) a examiné un modèle pour expliquer la prédominance de l'emploi du questionnaire pour les thèses de doctorat en administration de l'éducation. L'auteur a utilisé les données recueillies auprès de 272 étudiants venant de 57 universités. Les résultats de l'étude suggéraient que les décisions de la part des étudiants pour l'utilisation du questionnaire pour leur thèse de doctorat ne dépendaient pas seulement de la nature des problèmes de recherche étudiés, ni des contraintes de temps et de financement, mais plutôt indirectement des caractéristiques personnelles des étudiants et de l'idée qu'ils se faisaient de la valeur de la thèse elle-même (p. 60).

Erickson (1979) discutait de la situation de la recherche en administration de l'éducation à titre de président de la Division A de l'American Educational Research Association (AERA). Il profita de cette occasion pour exposer au moins deux faiblesses de la recherche de ce champ d'études. Il relevait d'abord le fait que les chercheurs avaient tendance à oublier d'examiner les variables reliées à la classe et à l'enseignement (p. 10). La deuxième faiblesse de la recherche, selon lui, résidait dans le fait que les chercheurs ignoraient les variables reliées à l'école et à la commission scolaire (p. 12).

Greenfield (1979) a porté toute une charge contre la recherche en administration de l'éducation aux États-Unis et au Canada. Cette charge fut reproduite en 1993 (Greenfield, 1993). Sa prise de position repassait d'une façon critique les principales recherches sur lesquelles le champ d'études avait reposé depuis ses origines. Il soulignait en conclusion que l'élaboration d'une science en administration de l'éducation était devenue une fin en soi et que les recherches du passé n'avaient pas tellement amélioré la pratique.

Kuh et McCarthy (1980) ont évalué les orientations des étudiants au doctorat à l'égard de la recherche. Les auteurs désiraient savoir si leurs expériences doctorales et certaines variables personnelles pouvaient être reliées à leurs orientations de recherche. L'étude menée auprès des universités membres du *UCEA* a permis de joindre 1 897 étudiants. Les résultats de l'étude montraient que plus les étudiants étaient impliqués dans des activités de recherche, plus leurs intérêts pour la recherche augmentaient au cours de leurs études.

Boyan (1981) commentait l'état de la recherche en administration de l'éducation. Il constatait que la majorité des recherches étaient inspirées par les problèmes pratiques des gestionnaires et qu'elles provenaient à 80 % des thèses de doctorat. Il soutenait que la dépendance des chercheurs du champ d'études vis-à-vis de plusieurs spécialisations disparates en sciences sociales fournissait une toile de fond utile pour examiner différentes propositions susceptibles de faire avancer le niveau de rendement du domaine de l'administration de l'éducation (p. 8). De plus, il affirmait que, grâce à cette dépendance, on pouvait s'attendre à ce que les recherches bénéficient d'une importante amélioration mais d'une façon seulement graduelle et relativement tranquille (p. 13).

Bridges (1982) a recensé 322 recherches, menées entre 1967 et 1980, incluant des thèses de doctorat (168) et des articles de revues professionnelles (154). Le rôle du directeur d'école et du directeur général était le centre de la majorité des études recensées. Il rapportait que près de 80 % des études n'utilisaient que le questionnaire et que 60 % étaient descriptives. Bridges affirmait aussi que « lamentablement la recherche en administration de l'éducation avait peu de fondement théorique et peu de pertinence pratique » (p. 17). Il concluait qu'après une analyse de toutes ces recherches, « on reste avec le sentiment distinct que les études en administration de l'éducation sont des évènements intellectuellement laissés au hasard » (p. 22).

Plusieurs auteurs ont critiqué les recherches réalisées au cours des périodes 1970 et 1980 (Miskel, 1990, p. 36). Boyan (1981) et Griffiths (1983) pensaient que la recherche était pauvrement accomplie tandis que Greenfield (1979) avait le sentiment que la recherche était mal fondée, peu judicieuse, étroite et fausse. Haller (1979) et Miskel et Sandlin (1981) concluaient que les méthodologies de recherche étaient trop dépendantes des enquêtes pauvrement conçues. Enfin, Bridges (1982) affirmait que la recherche avait procuré peu d'avancement qui ait une valeur théorique ou pratique pour le champ d'études.

LES PROBLÈMES DE RECHERCHE CONTINUENT (1981-2000)

Miskel et Sandlin (1981) ont mené une étude sur les articles portant sur des recherches publiées dans les deux revues principales d'administration de l'éducation, soit l'*Educational Administration Quarterly* et le *Journal of Educational Administration*. Ils notaient en particulier le manque de rigueur dans les méthodologies utilisées. Ils relevaient, par exemple, que l'unité d'analyse était l'individu sans évidence d'agrégation quant à la classe, à l'école ou à la commission scolaire, que des imperfections existaient relativement à la qualité des mesures utilisées et, enfin, que la mention et la description de la validité des études étaient particulièrement faibles dans l'une des deux revues, sans la nommer (p. 17).

Owens (1982) a noté que deux paradigmes de recherche existaient en administration de l'éducation pour l'étude des phénomènes sociaux et organisationnels. Le plus utilisé au cours de l'histoire du champ d'études a été le paradigme rationaliste. Il était associé à la logique positiviste faisant appel à la pensée déductive. L'autre, de plus en plus utilisé depuis les années 1970, était le paradigme naturaliste associé à l'approche phénoménologique faisant appel à la pensée inductive (p. 3). McCarthy (1986) a également noté l'intérêt croissant pour le paradigme naturaliste. Elle reconnaissait toutefois l'avantage d'utiliser l'un ou l'autre de ces deux paradigmes, voire les deux pour une même étude (p. 6).

Griffiths (1983) revint à la charge en recensant cette fois les recherches menées dans les années 1950 et au début des années 1960 par quatre chercheurs renommés et celles menées dans les années 1970 et au début des années 1980 par quatre autres chercheurs également renommés. Il a remarqué qu'il était plus facile d'identifier une philosophie de la science dominante pour la période 1950-1960 que pour celle de 1970-1980. La première philosophie était dominée par le mode positiviste ; dans la seconde, il pouvait difficilement discerner un mode post-positivisme (p. 207). Il concluait que la méthodologie de recherche était similaire dans les deux périodes et que les chercheurs des deux périodes s'appuyaient sur la théorie structuro-fonctionnelle (p. 216).

Murphy, Hallinger et Mitman (1983) ont relevé quatre problèmes méthodologiques dans les recherches en administration de l'éducation, dont on devait se départir, selon eux, si l'on désirait améliorer les futures recherches (p. 297). Ces problèmes étaient la généralisation limitée des résultats, le manque de modèles explicatifs, le manque d'indicateurs comportementaux de leadership et l'application précoce des résultats de recherche.

Boyan (1988, p. 78) affirmait que, en 1980, la thèse de doctorat demeurait encore la plus grande production en termes de recherches. Il notait également que seulement quelques professeurs avaient appris à intégrer leur propre travail à celui de leurs étudiants dans un cadre de recherche faisant partie d'un programme significatif. Bridges (1982), qui a recensé 322 recherches menées entre 1967 et 1980, conclut que les sujets abordés et les méthodologies utilisées n'avaient pas tellement changé depuis les années 1950.

Greenfield (1988), dans une autre de ses nombreuses attaques contre la recherche positiviste en administration de l'éducation, affirmait que la science administrative était en déclin (p. 150) et présentait sa conception de la recherche dans ce domaine. Ce qui était nécessaire, selon lui, c'était d'être honnête face au désarroi intellectuel du champ d'études et d'avoir le courage de changer le mode de recherche (p. 153). En second lieu, il fallait trouver une nouvelle définition de l'administration qui tiendrait compte du fait que les valeurs pénétraient tout le domaine de l'administration au point qu'elles devraient constituer le vrai sujet de toute étude (p. 155).

Griffiths (1991) a réussi à réunir une douzaine de chercheurs afin de publier dans l'*Educational Administration Quarterly* une série d'articles sur les approches non traditionnelles de la recherche en administration de l'éducation. Les articles couvraient en particulier les approches postpositiviste, féministe et sémiotique, la théorie critique et celle du chaos. Il ne s'agissait pas du rejet des approches traditionnelles, mais plutôt d'une autre façon d'aborder les problèmes, de les décrire et de les résoudre (p. 263).

Achilles (1991) a résumé les problèmes relatifs à la recherche en administration de l'éducation et suggéré des pistes de solution. Le tableau 14 présente les principaux problèmes observés par l'auteur et les pistes de solution proposées.

Il n'est pas surprenant de constater que dans ce contexte la American Association of School Administrators (AASA), qui habituellement accorde trois prix pour des recherches remarquables à sa réunion annuelle, n'a pu en 1991 trouver une recherche en administration de l'éducation (mémoires, thèses, recherches réalisées par des professeurs ou des praticiens) qui méritait le prix (AASA, 1991).

Robinson (1994) a discuté d'un certain nombre de raisons pour lesquelles la recherche critique avait de la difficulté à donner ses promesses pratiques et a suggéré quelques changements de nature à lui permettre de connaître plus de succès (p. 57). L'intérêt pour la recherche critique, selon elle, remonte à 1977 alors que les chercheurs étaient plutôt sympathiques à cette nouvelle approche de la recherche. L'auteur attribuait son peu de succès, en partie, à une mauvaise alliance entre certaines caractéristiques de la théorie critique, du moins telles qu'elles étaient interprétées à l'occasion de certains projets, et les exigences conduisant à son efficacité (p. 73).

Rowan (1995) a proposé un plan d'action pour les futures études en administration de l'éducation. Partant de l'idée que les chercheurs de ce champ d'études avaient accordé par le passé une attention insuffisante aux questions d'apprentissage et d'enseignement, l'auteur a présenté une série de quatre articles sur le sujet dans l'*Educational Administration Quarterly*. Les articles ont suggéré des étapes concrètes et des modèles afin que ce genre de recherches aboutisse. La première étape du plan de Rowan consistait pour les chercheurs à se familiariser avec les concepts, les théories et la recherche dans le domaine de l'apprentissage et de l'enseignement (p. 348). Murphy (1999) a proposé à peu près la même idée.

TABLEAU 14

La recherche en administration de l'éducation selon Achilles

Problèmes	Solutions possibles
La recherche a peu d'utilité pratique ; peu d'intérêt porté aux problèmes des écoles ; les praticiens n'utilisent pas les résultats de la recherche.	Cibler les problèmes pratiques ; utiliser les résultats dans les programmes de formation ; intéresser les praticiens.
Un pauvre plan de recherche, suremploi des questionnaires ; manque de recherche et de développement ; les professeurs ont de pauvres habiletés de recherche.	Assurer des séminaires par des chercheurs expérimentés pour d'autres professeurs sur les méthodes de recherche ; employer des équipes d'étudiants et de professeurs pour mener des études.
La recherche est ad hoc avec peu d'attention accordée à l'intégration des résultats à une théorie ou un modèle qui ferait avancer les futures recherches ; de pauvres concepts de recherche en administration (p. ex., au sujet des administrateurs).	Le plan (a priori) des études est sujet aux comparaisons et à des approches méta-analytiques ; l'accent de la recherche peut être développé selon des cadres organisateurs.
La base systématique de données en administration de l'éducation n'est pas substantielle ; peu de recherches portent sur les programmes de formation.	Des efforts coordonnés sur des sujets majeurs ; les professeurs ajoutent à la base de données avec des séries d'études.
La recherche manque de vision et néglige les problèmes et les intérêts ; les bonnes idées, les problèmes importants et la recherche substantielle ne sont pas la norme.	Mettre l'accent sur le genre, la démographie et les forces nouvelles et futures ; utiliser les praticiens pour déceler les problèmes.
Manque d'attention aux progrès des autres champs d'étude, des autres disciplines ; les professeurs devraient lire des revues portant sur la recherche.	Intéresser des représentants aux résultats des autres études en administration de l'éducation.

La Division A de la American Association of Educational Research (AERA), qui regroupe les professeurs en administration de l'éducation, a formé en 1997 un groupe d'étude avec le mandat de suggérer des moyens d'améliorer la recherche et la production de connaissances en administration de l'éducation. Le groupe d'étude publiait en l'an 2000 ses recherches dans un numéro spécial de la revue *Educational Administration Quarterly* (EAQ). Les quatre recherches suivantes paraissaient dans ce numéro spécial de la revue.

Ogawa, Goldring et Conley (2000) ont étudié les sujets de recherche des professeurs en administration de l'éducation. Pour ce faire, ils ont examiné, entre autres, le *Educational Administration Abstracts* (EAA) de 1995 et de 1996. Selon les résultats de leur étude, les structures et les processus administratifs étaient les sujets le plus souvent abordés suivis de l'école en rapport avec le milieu et la société (p. 343). Les auteurs concluaient que les professeurs avaient tendance à concentrer leurs recherches sur les mêmes sujets quoiqu'ils changent rapidement (p. 350).

Tschannen-Moran *et al.* (2000) ont exploré les différences possibles entre 50 chercheurs chevronnés très productifs et 200 professeurs membres de la Division A de la American Educational Research Association (AERA). Les deux groupes différaient au regard de production de recherches. Les chercheurs chevronnés publiaient une moyenne de 2,90 articles par année tandis que les professeurs en publiait en moyenne moins de deux (1,93). Toutefois, ils ne différaient pas en ce qui concerne les difficultés de la recherche dans le champ d'études, à savoir le manque de qualité et de rigueur, de consensus sur les questions importantes et les méthodes appropriées pour étudier ces questions et les problèmes associés à la production des connaissances dans un champ appliqué comme l'administration de l'éducation.

Riehl *et al.* (2000) ont exploré les conceptions communes et nouvelles de la recherche en administration de l'éducation. Ils proposaient une perspective intégrée selon un espace multidimensionnel défini par trois dimensions : pourquoi la recherche est faite, qui la mène et comment elle est réalisée (p. 400). La recherche productive, intéressante et générative peut se retrouver n'importe où sur ces dimensions (p. 391). De plus, ils présentaient les cinq suggestions suivantes pour la recherche en administration de l'éducation :

➢ la recherche doit présenter de nouvelles connaissances aux intéressés ;

> la recherche doit être pertinente pour l'identification, l'analyse, et la solution des problèmes significatifs de l'éducation ;
> la recherche doit fournir des garanties appropriées pour ses affirmations et conclusions ;
> la recherche doit être communiquée d'une façon efficace aux principaux intéressés ;
> la recherche doit être assujettie à une évaluation de la part du public (p. 402-406).

Anderson et Jones (2000) ont exploré le potentiel pour des praticiens de générer des connaissances à partir de leur situation vécue. Les auteurs ont procédé à une analyse de contenu de 50 thèses de doctorat soumises par des praticiens qui avaient étudié leur propre milieu, d'autres recherches réalisées par des praticiens. Ils ont aussi interviewé 10 praticiens impliqués dans des recherches-actions de leur milieu. La plupart des praticiens avaient centré leur recherche sur des questions de leadership, de changement social et de développement professionnel (p. 435).

À l'occasion de la réunion des membres de la Division A de la American Educational Research Association de l'an 2000, tel qu'il avait été convenu, le groupe d'étude sur la recherche dans ce domaine remettait son rapport. Il était alors recommandé ce qui suit :
> accentuer la qualité et l'utilité de la recherche ;
> accroître la rigueur, la profondeur et l'inclusion dans le développement des chercheurs ;
> développer une recherche plus coordonnée et soutenue lors de l'étude des questions importantes relatives à la politique et à la pratique ;
> rendre la recherche plus accessible (AERA, 2001).

Un des principaux problèmes de la recherche en éducation qu'a souligné Pallas (2001), au cours des derniers 25 ans, a été la prolifération des épistémologies. Il mentionnait la cacophonie des épistémologies : positivisme, naturalisme, postpositivisme, empirisme, relativisme, féminisme, fondamentalisme, postmodernisme, etc. Cette remarque s'applique également en bonne partie à la recherche en administration de l'éducation. Pallas soulevait que le problème de formation de jeunes chercheurs pour une telle diversité d'épistémologies est devenu le plus grand défi des professeurs du champ d'études.

AU CANADA ANGLAIS

La recherche en administration de l'éducation au Canada n'a vraiment commencé qu'avec la naissance du premier programme de formation en Alberta en 1956. Elle est évidemment tributaire des problèmes éprouvés par les gestionnaires dans leur pratique journalière. Elle dépend également en bonne partie des intérêts des professeurs, étudiants et praticiens. De plus, les sujets traités ont été similaires à ceux recherchés aux États-Unis. Il nous est apparu important d'abord de présenter l'état général de la recherche en éducation au Canada avant d'aborder spécifiquement la recherche en administration de l'éducation.

Il faut, d'autre part, accepter que la recherche ne signifie pas uniquement des études dites scientifiques. En effet, tout mouvement ou toute activité orienté vers la recherche a une place valable et mérite d'être rapporté. C'est le cas, par exemple, de certains rapports d'organisations vouées à l'éducation de même que des thèses de maîtrise et de doctorat. Ces documents représentent souvent une bonne illustration du genre de recherches qui étaient réalisées puisqu'ils révèlent à la fois les problèmes éprouvés et les sujets privilégiés par les chercheurs. Il faut enfin tenir compte du fait que la majorité des recherches réalisées au Canada ont été le fruit des efforts déployés par les professeurs et les étudiants (Ayers, 1962).

Un bref historique de la recherche en éducation et en administration de l'éducation (1950-1970)

Au début des années 1950, on peut affirmer que la recherche au Canada en administration de l'éducation était nulle. Quelques raisons peuvent expliquer cette absence. D'abord, aucun programme de formation n'existait encore dans ce domaine, de sorte qu'il n'y avait pas de professeurs détenteurs d'un doctorat susceptibles d'entreprendre des recherches dans ce champ d'études. En second lieu, puisqu'il n'existait aucune tradition de recherche, le gouvernement fédéral autant que les gouvernements provinciaux ne sentaient pas encore le besoin de subventionner des recherches en éducation et encore moins en administration de l'éducation.

Dunlop (1953) avait insisté pendant plusieurs années sur le fait qu'il y avait trop peu de recherches en éducation. Il ajoutait que ce n'était pas parce que l'on manquait de chercheurs compétents, c'était plutôt parce qu'il y avait un manque d'intérêt pour la recherche en éducation et très peu d'occasions de publier les résultats (p. 42).

D'autre part, Brehaut et Francœur (1956) relevaient le fait que seulement deux universités canadiennes offraient alors, sur une base régulière, des cours sur les méthodes de recherche.

Jackson (1957) rapportait que, pour la période 1953-1958, la majorité des thèses écrites dans les universités canadiennes, soit 80 %, portaient en premier lieu sur la psychologie et la mesure et en deuxième lieu sur l'administration et la supervision. Brehaut et Jackson (1962) remarquaient alors l'inverse, l'administration et la supervision faisaient l'objet du plus grand nombre de thèses. Nash (1962) affirmait que les méthodes utilisées pour ces thèses étaient descriptives, quantitatives, expérimentales ou faisaient appel à l'observation (p. 161). Brehaut (1969), couvrant les thèses soumises pour la période 1962-1967, trouvait à nouveau la psychologie et la mesure en première place et l'administration et la supervision en seconde place. Plus de la moitié (52 %) d'entre elles étaient encore du genre recherche *survey*.

Jackson (1957), alors directeur du département de recherche en éducation du Ontario College of Education, publiait un résumé de la recherche au Canada dans la *Review of Educational Research* publiée par l'American Educational Research Association. Il faisait alors mention que la recherche au Canada traînait derrière la recherche en sciences sociales malgré le fait que, 50 ans auparavant, l'Université de Toronto avait mis sur pied un département de recherche en éducation (Edwards, 1968, p. 307).

Au plan national, Jackson (1957, p. 27) soulignait qu'aucune organisation formelle n'existait alors malgré le fait que certaines organisations étaient directement intéressées par la recherche en éducation. C'était le cas de la Education Division of the Bureau of Statistics, de la Canadian Teachers' Federation (CTF) et de la Canadian Education Association (CEA). Cette dernière, par exemple, créait en 1958 une division de la recherche et lançait l'année suivante la publication du *Canadian Research Digest*, le seul organe national rapportant alors les recherches réalisées au Canada. Cet organe devint en 1961 le *Canadian Education and Research Digest*.

Swift (1958) a été capable de rapporter certains développements au sujet des recherches réalisées au cours des dix années précédentes. Il mentionnait le fait qu'en 1953, un directeur de la recherche à temps plein avait été nommé à la Federation of Teachers' Association alors qu'une petite division de la recherche était créée. il citait également la recherche de LaZerte (1955) sur les finances scolaires menée pour la Canadian School Trustees' Association et le British Columbia Department of Education Division of Tests and Research.

Brehaut (1959-1960) rapportait les résultats de son étude des thèses acceptées dans les universités anglaises du Canada pour la période 1930-1955. La majorité des thèses portaient d'abord sur la psychologie et la mesure et ensuite sur l'administration et la supervision (p. 176). Dans ce dernier cas, l'organisation et la structure des systèmes d'éducation remportaient la palme des sujets traités (p. 143). Plus de la moitié des thèses étudiées étaient du genre recherche *survey*. La principale faiblesse de ces thèses tenait au fait que plus de la moitié d'entre elles ne présentaient pas de suggestions spécifiques pour de futures recherches (p. 181).

Selon Katz (1960, p. 4), plusieurs organisations présumément intéressées à la recherche et à l'utilisation de ses résultats, qui n'avaient pas de division ou de département de recherche, discutaient de la formation d'une organisation qui coordonnerait toutes les organisations de recherche en éducation au Canada. C'était le cas de l'Association canadienne des éducateurs de langue française (ACELF), de la Canadian Association of Professors of Education (CAPE), de la Canadian Home and School and Parent-Teacher Federation *(CHSPTF),* de la Canadian Education Association (CEA), de la Canadian School Trustees' Association (CSTA) et du National Advisory Committee on Educational Research (NACER). Leurs efforts concertés menèrent à la création du Canadian Council for Research in Education (CCRE).

Brehaut et Jackson (1962, p. 235) mentionnaient que la création du Canadian Council for Research in Education (CCRE) en 1960 n'a pas été facile. Elle représentait les efforts d'une génération de chercheurs. L'histoire avait débuté en 1939 avec la formation du Canadian Council for Educational Research (CCER) grâce à une subvention de la Fondation Carnegie. C'était aussi grâce aux efforts de la Canada and Newfoundland Education Association (CNEA) et de la Canadian Teachers' Federation (CTF). Avec la fin de la subvention en 1945, le CCER fut abandonné et le CNEA prit la relève. Ce n'est qu'en 1959 que toutes les organisations canadiennes intéressées à la recherche décidèrent enfin de créer le Canadian Council for Research in Education (CCRE).

Au plan provincial, dès 1953, des pressions s'exercèrent sur la Faculté d'éducation de l'Université de l'Alberta pour qu'elle joue un rôle majeur dans l'organisation de la recherche dans cette province. Non seulement la faculté a-t-elle aidé financièrement la recherche, mais elle lançait en 1954 le *Alberta Journal of Educational Research* qui permit la publication des résultats de recherche. Une recension de tous les numéros de la revue a permis de constater qu'il n'existait aucun article portant sur l'administration de l'éducation. On doit rappeler qu'il n'y avait avant 1954 aucune revue canadienne rapportant les résultats des recherches en éducation (Edwards, 1968, p. 308). En 1960, la nouvelle division d'administration de l'éducation de l'Alberta lançait *The Canadian Administrator* qui permettait à son tour de publier un résumé des recherches réalisées en Alberta portant sur ce champ d'études.

En Ontario, le Department of Educational Research du Ontario College of Education de l'Université de Toronto menait des recherches pour le compte du Ontario Department of Education et avait développé des tests d'intelligence et de rendement scolaire (Edwards, 1968, p. 308). Le département de la faculté se rendit quelque peu célèbre par les deux études majeures réalisées par Fleming (1957 et 1961). En 1958, le département lançait sa propre revue, le *Ontario Journal of Educational Research*. En Colombie-Britannique, le Département d'éducation de l'université de cette province avait une Division de tests, de standards et de recherche. L'accent était mis sur l'élaboration de normes pour le système provincial d'éducation et sur l'évaluation des effets des examens sur différents programmes (Katz, 1960, p. 4). Une importante attention était aussi accordée à une coopération avec une branche du département qui s'occupait du curriculum.

Les Provincial Home and School and Parent-Teacher Associations et les Provincial School Trustees' Associations ont mené, dans certains cas, leurs propres études. Ces organisations soutenaient la recherche par l'entremise du Alberta Committee on Educational Research, du British Columbia Educational Research Council et du Ontario Research Council. Malgré que ces trois derniers organismes aient pu différer quelque peu, leur objectif consistait à assurer une meilleure collaboration entre les organisations d'éducation qui avaient un intérêt à faciliter la recherche.

En 1960, il existait au Canada une importante institution qui s'intéressait à la recherche. Il s'agissait de la Commission Royale, une sorte de tribunal impartial, formée par le gouvernement fédéral dans le but de s'enquérir des causes sociales, politiques, économiques ou éducatives des problèmes significatifs. C'est ainsi que l'on trouva de telles Commissions Royales dans au moins trois provinces. Chacune de ces commissions pouvait entreprendre des études afin d'évaluer toute théorie ou pratique en opération dans le système d'éducation. Selon Katz (1960. p. 5), les résultats des études entreprises par ces commissions peuvent être considérés comme une partie importante de la recherche en éducation au Canada.

Brehaut (1960 et 1963) a examiné quelque 291 thèses de maîtrise et de doctorat. Il constatait alors que sur les 98 thèses acceptées de 1956 à 1958, seulement 13 pouvaient être classées dans la catégorie d'études expérimentales et que plus de la moitié de ces thèses (52) étaient du genre recherche *survey*. Sa recension de 1963, portant sur les thèses acceptées de 1959 à 1961, soulignait que les trois quart des 191 thèses étudiées étaient de ce genre. D'autre part, elles contenaient des faiblesses évidentes, variant d'une université à l'autre. Par exemple, il notait que le tiers de ces thèses ne contenait aucune recension des écrits et que, dans plusieurs d'entre elles, il n'y avait aucune liste de références. Par contre, Andrews (1961) mentionnait que le nombre de thèses dans ce domaine dépassait celui de tous les secteurs de l'éducation, malgré la nouveauté de l'administration de l'éducation (p. 61).

Andrews (1961) présentait aux chercheurs canadiens réunis en congrès ce qu'il considérait comme les principaux besoins de recherche en administration de l'éducation au point de vue contenu, méthodologie et organisation. En ce qui regarde le contenu, les recherches devaient selon lui s'intéresser à la sélection et la formation des gestionnaires, au fonctionnement administratif, à l'école et au programme éducatif. Quant aux méthodologies, la recherche devait s'appuyer sur l'interdisciplinarité et sur une base théorique. Enfin, au point de vue organisationnel, Andrews optait pour un plus grand soutien financier et humain.

Miklos (1964) décrivait la situation des études théoriques et de la recherche en administration de l'éducation. Il affirmait que «les problèmes d'éducation et d'organisation très concrets qui se posent aux administrateurs et les nombreux changements qui se produisent dans le domaine de l'éducation demeurent les principaux stimulants de la recherche en administration de l'éducation» (p. 69). C'est ainsi que, en 1964, la recherche s'intéressait tout particulièrement, selon lui, au comportement de l'administrateur et de l'organisateur, à l'organisation scolaire, à la répartition des ressources, à l'organisation de la commission scolaire et à l'école et son milieu.

L'état de la recherche

Au Canada anglais, la satisfaction au travail a été un sujet de recherche privilégié par les professeurs en administration de l'éducation. Les études de Gosine et Keith (1970), de Wickstrom (1973), de Holdaway (1977) et de Knoop (1981) portant sur la satisfaction des enseignants ont été particulièrement connues. Celles de Friesen, Holdaway et Rice (1981) et de Gunn et Holdaway (1985) portant sur la satisfaction des directeurs d'école ont également suscité de l'intérêt.

La Canadian Education Association, en collaboration avec la Canadian Educational Researchers' Association, tenait en 1977 une conférence sur la recherche et l'élaboration de politiques. Les 16 travaux présentés lors de cette conférence furent publiés l'année suivante (1978). Les sujets abordés portaient sur les relations entre la recherche et l'élaboration de politiques en éducation au niveau provincial ou local. Infailliblement, les travaux traitaient directement ou indirectement de l'administration de l'éducation. Par exemple, deux présentations s'intitulaient « Research and Policy Formation in a Large Urban School Board » et une autre « Contract Research : An Administrator's Perspective ».

Holdaway (1978) relevait certaines difficultés éprouvées par les chercheurs en administration de l'éducation. Deux ans plus tard, il répétait les mêmes problèmes (Holdaway, 1980, p. 34). Parmi les difficultés fréquemment mentionnées par les chercheurs, on trouvait les suivantes :

➢ le financement insuffisant ;
➢ un climat de soutien inadéquat ;
➢ une pauvre communication ;
➢ des procédures inadéquates d'évaluation des projets de recherche ;
➢ une accentuation excessive de la recherche transversale ;
➢ une difficulté de prise de décision ;
➢ les changements de carrière des chercheurs.

L'auteur présentait également les sujets traités à l'occasion des thèses de maîtrise ou de doctorat soumises au Canada au cours de la période 1973-1977. La majorité des thèses portaient sur les tâches administratives, les processus d'administration et les variables organisationnelles. Plus spécifiquement, les sujets abordés étaient le curriculum et l'enseignement ainsi que les structures organisationnelles et le comportement des groupes.

Holdaway (1978, p. 34) mentionnait également les différentes méthodologies de recherche utilisées pour les thèses. La méthodologie la plus commune demeurait l'utilisation du questionnaire suivie de l'analyse de cas et de l'entrevue. Toutefois, pour plusieurs thèses, on faisait usage d'une combinaison de méthodologies. Par exemple, dans le cas des thèses traitant du curriculum et de l'enseignement, le questionnaire et l'analyse de cas étaient utilisés. Dans tous les autres cas, l'utilisation du questionnaire dominait comme méthodologie privilégiée par les étudiants.

Il est intéressant pour l'évolution de la recherche au Canada de jeter un regard sur les recherches réalisées par les professeurs en administration de l'éducation. Holdaway (1978) rapportait les sujets traités par les professeurs pour la période 1973-1977. Ces sujets étaient les mêmes que ceux des thèses soumises par les étudiants, à savoir les tâches administratives, les processus d'administration et les variables organisationnelles. Contrairement aux sujets spécifiques traités par les étudiants, les professeurs privilégiaient en premier lieu le personnel et son développement.

Miklos (1984), pour sa part, rapportait les résultats d'une analyse de 215 thèses déposées à l'Université de l'Alberta durant 25 ans, soit de 1958 à 1983. Son analyse lui a permis d'affirmer en premier lieu que l'étude de l'administration de l'éducation consistait avant tout en des études descriptives et en des études examinant les relations entre des variables (p. 7). En second lieu, il notait que les thèses reposaient sur un nombre limité de cadres conceptuels, la plupart s'appuyant sur les sciences sociales et d'autres études réalisées dans le même domaine. Enfin, il notait que la recherche *survey* et l'utilisation du questionnaire dominaient. L'auteur concluait sa présentation par des commentaires portant sur certains problèmes que son analyse lui suggérait. D'abord, il affirmait que la recherche en administration de l'éducation était fragmentée, changeante et variée (p. 9). Il trouvait, en second lieu, qu'il existait une incertitude entre la recherche et la pratique ; les résultats de la recherche n'étaient pas toujours probants pour la pratique. Enfin, les approches du développement du champ d'études augmentaient la distance entre l'administration de l'éducation et l'éducation en général.

Chaque année, lors de la réunion des membres, l'Association canadienne pour l'étude de l'administration scolaire (ACEAS) proposait un thème pour le congrès. Ce thème, selon Bergen et Quarshie (1987), découlait des sujets traités dans les communications présentées par les membres dans les ateliers. Ces thèmes constituent une bonne synthèse des sujets de recherche privilégiés par les professeurs en administration de l'éducation. Voici quelques-uns de ces thèmes avec, entre parenthèses, l'année du congrès :

> ➢ la préparation des administrateurs de l'éducation (1974) ;
> ➢ l'administration dans des situations de crise (1976) ;

> les politiques éducationnelles et la sélection des enseignants (1978) ;
> les problèmes en administration de l'éducation au Canada (1980) ;
> l'administration de l'éducation, hier, aujourd'hui et demain (1982) ;
> l'enseignement de l'administration de l'éducation et la formation des administrateurs de l'éducation (1984) ;
> l'efficacité organisationnelle et la supervision (1986).

Dès sa fondation en 1973, l'Association canadienne pour l'étude de l'administration scolaire (ACEAS) distribuait de temps en temps à ses membres des travaux appelés *Occasional Papers* et réalisés par l'un d'entre eux. Ces travaux révèlent la préoccupation de recherche des professeurs canadiens en administration de l'éducation. Les sujets abordés en 1973 étaient, par exemple, les programmes de formation en administration de l'éducation et les structures organisationnelles. Par la suite, on trouve des sujets variés tels que le financement de l'éducation et le modèle de leadership de Fiedler (Bergen et Quarshie, 1987, p. 14-15).

L'Association a également commencé à distribuer à ses membres une collection de travaux sur le même sujet, appelés *The Yellow Papers*, avec l'objectif d'échanger des idées et de susciter des discussions. Ces échanges permettaient également de révéler les intérêts de recherche des membres. Les plus récents portaient sur le directeur d'école (1983), l'évaluation des enseignants (1983), la recentralisation de l'éducation au Canada (1984) et l'administration et la moralité (1985).

Par contre, il est très révélateur pour la recherche de jeter un regard sur les communications présentées à la réunion annuelle de l'association. De 1974 à 1986, les sujets les plus souvent traités par les professeurs lors de ces rencontres étaient les suivants :

> l'étude des structures organisationnelles ;
> l'étude des activités d'une province ou d'une commission scolaire ;
> le directeur d'école et les enseignants ;
> le développement de la théorie et l'administration de l'éducation comme champ d'études ;
> les programmes de formation ;
> la pratique de la gestion.

Miklos (1992) a procédé à une étude exhaustive des thèses de doctorat déposées à l'Université de l'Alberta entre 1958 et 1991. En dépit qu'il s'agisse d'une étude portant sur une seule université, elle demeure importante car l'Alberta est la première province canadienne à avoir octroyé des diplômes de troisième cycle en administration de l'éducation. Ces thèses constituent un bon échantillon de l'évolution historique de la recherche au Canada et de la nature des recherches menées en administration de l'éducation. Parmi les 330 thèses étudiées, Miklos a constaté que 46,4 % étaient descriptives alors que 22,4 % étaient descriptives et relationnelles. Il notait que le pourcentage des thèses descriptives était passé de 31,8 % pour la période 1958-1971 à 60,9 % pour la période 1982-1991. Pour près de 85 % de ces thèses, soit 84,8 %, on faisait usage de la recherche *survey* ou de l'analyse de cas. Le questionnaire demeurait encore dominant, soit dans 58,2 % des thèses, suivi de l'entrevue dans 56,7 % des cas. Enfin, les sujets abordés dans ces thèses étaient les suivants :

> l'individu et l'organisation (19,7 %) ;

> l'analyse organisationnelle (17,0 %) ;

> le développement et l'implantation de politiques (17,3 %) ;

> le changement en éducation et dans les organisations (13,6 %) ;

> le contexte de l'administration de l'éducation (12,4 %) ;

> la prise de décision (11,2 %) ;

> les administrateurs et l'administration (8,8 %).

La province de l'Ontario a pu compter, au cours des années 1990, sur sept centres de recherche dont le Centre for Leadership Development (CLD) pour l'administration de l'éducation, tous situés au Ontario Institute for Studies in Education (OISE). Le CLD a toujours travaillé en étroite collaboration avec le département d'administration de l'éducation de l'OISE. Ce Centre de recherche a publié régulièrement des articles ainsi que les résultats d'études. De plus, le centre organisait chaque année des rencontres pour les directeurs d'école ou d'autres gestionnaires.

Dans un questionnaire envoyé aux responsables des départements d'administration de l'éducation, nous leur avons demandé de nous faire parvenir la liste des mémoires et des thèses soumis à leur université au cours des dix dernières années (1990-2000). Sept universités ont répondu à notre appel. La plupart des thèses de doctorat (95,8 %) ont été soumises à l'Université de l'Alberta. Les sujets abordés étaient très variés : les politiques (9 thèses), le rôle d'expert (6 thèses) et la prise de décision (7 thèses). Les tableaux suivants présentent le nombre de thèses et de mémoires soumis dans chacune des universités qui ont répondu à notre questionnaire.

TABLEAU 15

Distribution du nombre de mémoires de maîtrise soumis dans les universités du Canada anglais (1990-2000)

Universités	Sujets	Nombre de mémoires
Université de l'Alberta	– satisfaction – gestion des conflits – changement	83
Université de Brandon	– contrôle local – choix des parents	11
Université de la Colombie-Britannique	– stress des administrateurs – recherche-action	4
Université de Moncton	– participation – rôle du directeur d'école	2
Université d'Ottawa	– leadership	1
Université Queen's	– évaluation des enseignants – rôle du principal – formation des gestionnaires	3
Total		**104**

TABLEAU 16

Distribution du nombre de thèses de doctorat soumises dans les universités du Canada anglais (1990-2000)

Universités	Sujets	Nombre de thèses
Université de l'Alberta	– politique – prise de décision – attentes pour le poste de principal	140
Université de la Colombie-Britannique	– négociations collectives – supervision	4
Université d'Ottawa	– relations enseignants / directeurs – pouvoir	5
Université de Regina	– interaction maître / élève – immersion	2
Total		**151**

AU QUÉBEC

Les quatre premières recherches (1950-1970)

Joly (1961) mentionnait qu'il n'existait, avant 1955, à peu près aucune recherche importante à signaler, si ce n'est les thèses des étudiants (p. 32). Il citait les quatre recherches importantes qui furent entreprises au cours de ces années que les plus vieux ont peine à se rappeler et que les plus jeunes ignorent. Même s'il s'agit de recherches à caractère pédagogique, il est sûrement intéressant ici de les présenter et de les commenter, d'autant plus qu'elles semblent avoir été les premières recherches en éducation entreprises au Québec.

En 1955, le bureau de la recherche du ministère fédéral de la Défense, la Fondation Carnegie et l'Association d'éducation du Québec accordaient une subvention de 200 000 $ à Arthur Tremblay pour un vaste projet de recherche (sous-jacente à un programme de recherche). L'hypothèse générale était double. En premier lieu, il s'agissait de démontrer le retard accusé par le système scolaire du Québec par rapport au projet de société des Québécois et du reste de l'Amérique du Nord. En second lieu, l'hypothèse avançait que ce retard était inscrit dans l'histoire de son système d'éducation (Bélanger, 1988, p. 22).

L'objectif du premier volet de ce vaste programme de recherche consistait à faire une étude comparative des manuels d'histoire utilisés dans les écoles françaises et les écoles anglaises. L'hypothèse générale de ce premier volet était qu'une telle étude révèlerait les différences culturelles. Les résultats suivants confirmaient cette hypothèse :

> ➢ les deux types de manuels présentaient les mêmes 96 figures historiques. Toutefois, les manuels français contenaient 228 autres personnes que les manuels anglais ne mentionnaient pas ;
>
> ➢ les manuels français consacraient 75 % des pages au régime français alors que les manuels anglais accordaient le même pourcentage au Régime français et au Régime anglais ;
>
> ➢ les manuels français accordaient aux figures historiques françaises des vertus personnelles et religieuses tandis que des vertus non religieuses et sociales caractérisaient les figures historiques du côté anglais.

Un second volet de cette recherche, subventionnée pour cinq ans par la Fondation Carnegie, qui débutait en 1957, portait sur l'évolution du système québécois relativement aux changements sociaux et culturels qui étaient survenus au début du siècle. Des journaux et des périodiques parus en éducation de 1875 à 1960 furent recensés afin d'y trouver une philosophie de l'éducation. Au moment où Joly citait cette étude, les résultats étaient malheureusement encore inconnus et il semblerait, d'ailleurs, que les résultats aient pu demeurer sous forme de manuscrit (Bélanger, 1988, p. 23).

Une autre étude fut entreprise en 1959 grâce à une subvention de l'Association d'éducation du Québec, étude dont l'objectif consistait à découvrir les liens possibles entre des facteurs socioéconomiques et les trois aspects suivants de la carrière scolaire et professionnelle d'un élève : 1) l'abandon scolaire précoce ; 2) l'orientation dans le monde du travail après cet abandon ; 3) le niveau d'aspiration éducationnelle et professionnelle des élèves encore à l'école. Les résultats révélaient entre autres que les taux de fréquentation scolaire étaient relativement faibles et qu'ils variaient selon les régions et certaines réalités socioéconomiques (Bélanger, 1988, p. 22).

Enfin, un troisième volet de la recherche, comprenant deux études menées en 1960, portait sur les attitudes de 400 enseignants qui œuvraient de la quatrième année à la septième année inclusivement. Les attitudes furent obtenues par des entrevues semi-structurées au cours desquelles on demandait aux enseignants de mentionner les problèmes importants éprouvés par les Canadiens français. On abordait les sujets suivants : l'industrialisation et ses effets, les effets de la télévision, le rôle des femmes en administration, l'immigration, les relations avec les Canadiens anglais, les forces armées, etc. Les enseignants s'entendaient sur l'immigration, les relations avec les Canadiens anglais, mais beaucoup moins sur les effets de la télévision.

Des exemples de recherches (1971-2000)

Il convient au premier chef de signaler les premiers organismes de recherche créés au Québec. Le bureau de la recherche et de la planification était créé dès 1960 au ministère de la Jeunesse, qui allait devenir en 1964 la Direction générale de la planification. En 1961, un programme de bourses de recherche en éducation pour la formation des chercheurs était créé. Enfin, en 1967, l'Institut national de recherche pédagogique voyait le jour. « Cet institut était chargé à la fois de mener des recherches et de stimuler la recherche par l'octroi de subventions aux chercheurs universitaires » (Bélanger, 1988, p. 23). Il y eut ensuite la création en 1969 du programme de Formation des chercheurs et d'actions concertées (FCAC) par le ministère de l'Éducation. Ce programme fut remplacé par le Fonds pour la formation des chercheurs et l'aide à la recherche (FCAR) en 1981. Au moment de la création du FCAC, 58 % des professeurs en éducation n'avaient jamais réalisé de recherche subventionnée, commanditée ou libre (Pedersen *et al.*, 1969).

Le bilan du secteur de l'éducation publié par le Conseil des Universités (1986) établissait les débuts de la recherche en éducation en 1964. Massé (1994) situait les premières recherches en administration de l'éducation de 1965 à 1970 (p. 290). Par contre, selon Brassard (1988, p. 102), ce n'est que peu avant 1978 que la recherche en administration de l'éducation aurait commencé à prendre une importance réelle et à se développer, même si les thèmes de recherche demeuraient passablement tributaires de l'influence nord-américaine ou des demandes immédiates du milieu (p. 2).

L'état de la recherche en administration de l'éducation se retrouvait donc au cours de la période 1970-1990 au même point que les premières conceptions de ce champ d'études, soit également au début des années 1970. On doit prendre conscience que la majorité des professeurs ont obtenu leur doctorat après 1968 et qu'ils n'étaient pas enclins à entreprendre des recherches subventionnées avant le milieu des années 1970. De plus, de 1965 à 1978, ce fut une période de changements dans les établissements d'enseignement supérieur, à savoir l'intégration des écoles normales, la création des facultés d'éducation et la création du réseau de l'Université du Québec. Ces changements ont possiblement contribué à retarder les débuts de la recherche en administration de l'éducation. Brassard (1988) avait probablement raison lorsqu'il affirmait que la recherche dans ce domaine devint importante peu avant 1978. On doit se rappeler par ailleurs que cette période suit de très près le début de l'enseignement de l'administration de l'éducation dans les universités québécoises. Par exemple, le premier doctorat dans cette matière, décerné par l'Université de Montréal, fut obtenu en 1974. L'étude de Papillon *et al.* (1987) révélait, par exemple, que seulement 10,4 % des projets de recherche dans le réseau de l'Université du Québec portaient sur des problèmes administratifs.

C'est en tenant compte des remarques précédentes que nous avons souligné les quelques recherches suivantes réalisées par des professeurs et parues après 1970 et surtout après 1980. Au point de départ, il est intéressant de mentionner que la satisfaction des enseignants et des directeurs d'école ainsi que la sélection de ces derniers furent quasiment les seuls sujets privilégiés par les chercheurs. Certaines de ces recherches correspondaient à des demandes spécifiques exprimées par des associations professionnelles ou correspondant à des contrats gouvernementaux. Elles ont donc été plutôt rarement entreprises à l'initiative des professeurs.

Une première étude portant sur la satisfaction des enseignants du secondaire fut réalisée par Marion et Dufour (1970) alors que tous les deux étaient à l'emploi de la Corporation des enseignants du Québec (CEQ). Elle fut effectuée au sein de 8 commissions scolaires avec des réponses venant de 501 enseignants et de 80 cadres. Chez les enseignants, les trois éléments les plus satisfaisants étaient les possibilités de promotion ou d'avancement, la satisfaction par rapport à l'attitude de leur supérieur et la satisfaction quant à leur statut.

Une seconde étude était entreprise à la demande de la Fédération des principaux du Québec (FPQ). La FPQ désirait faire inventorier le rôle et la fonction du principal d'école au Québec. L'étude fut réalisée par Laurin (1977). Au terme de son étude, l'auteur affirmait que « le principal, pour bien faire son ouvrage, doit maîtriser certaines techniques, certaines méthodes et certains procédés » (p. 164). Seize recommandations clôturaient cette étude quasi exhaustive du rôle du principal d'école.

Une troisième étude, commanditée par la Direction de la recherche du ministère de l'Éducation, a examiné la situation sociopédagogique des enseignantes et enseignants du Québec. L'étude volumineuse, qui couvrait cinq thèmes, a été rendue publique en six volumes publiés par le ministère. Ses auteurs, Cormier, Lessard et Valois (1979), ont publié l'un des aspects du vécu professionnel des enseignantes et enseignants abordé dans leur étude sous la forme d'un article de revue (Toupin *et al.*, 1982).

Une autre étude portant cette fois sur la sélection des directeurs d'école primaire fut réalisée par Deblois et Moisset (1981). Vingt-neuf directeurs généraux de commissions scolaires à travers la province, responsables de la sélection des directeurs d'école, avaient retourné un questionnaire utilisable. Les résultats révélèrent que cette sélection procédait en bonne partie de façon intuitive (p. 269) et qu'il n'existait pas de politiques de sélection écrites et systématiquement appliquées dans la région étudiée.

Girard (1983) a étudié le processus et les critères de sélection du directeur d'école au secondaire de la région administrative 03. Effectuée à l'aide d'entrevues dans les douze commissions scolaires de cette région administrative du Québec, l'étude révélait qu'il n'y avait pas de politiques écrites de sélection du directeur d'école et que sa sélection était le propre d'un groupe restreint de personnes, soit celles qui assistaient aux entrevues de sélection (p. 391).

Une sixième étude réalisée par Deblois et Moisset (1984) portait sur la satisfaction des directeurs et directrices d'école du Québec. Les auteurs ont obtenu 1 891 réponses utilisables, soit un taux de 65,5 % (p. 57). Plus de 81 % des répondants se disaient satisfaits de la possibilité de se réaliser, de leur vie personnelle et du travail lui-même. Par contre, ils étaient beaucoup moins satisfaits de leur salaire et de leurs possibilités de promotion et d'avancement.

Brunet *et al.* (1985) ont étudié le rôle du directeur d'école. La première partie de l'étude présentait un historique des directions d'école alors que la seconde traitait de l'exercice de leurs rôles et de l'efficacité organisationnelle. Les résultats ont montré que la plus grande partie du temps des directions d'école était consacré à interagir avec d'autres individus et qu'il leur était difficile de contrôler leur emploi du temps (p. 196).

Dupuis *et al.* (1985) ont présenté les résultats de leur étude portant sur le mitan de la vie et la vie professionnelle des directeurs d'école. Menée auprès de 1 400 directeurs d'école, soit un retour de 50 %, l'étude révélait que les répondants voyaient leur situation diamétralement différente de celle de la population en général pour 10 aspects étudiés (p.29). De plus, les directions d'école voyaient davantage les signes « objectifs » de la quarantaine pour les autres que pour eux-mêmes (p. 30).

Brunet, Goupil et Archambault (1986) ont publié une recherche portant sur le stress chez les directeurs d'école et le climat organisationnel. Parmi les 200 directeurs d'école de la région de Montréal sélectionnés au hasard pour cette étude, 111 ont répondu au questionnaire qu'ils avaient reçu. Les résultats montraient que « les directions d'école qui perçoivent leur climat comme participatif ressentent moins de stress que leurs homonymes qui perçoivent leur climat comme consultatif » (p. 16).

Une partie de l'étude entreprise en 1986 par Baudoux était publiée en 1987. Cette étude concernait les différences entre les directeurs et les directrices d'école. Elle a finalement fait l'objet d'un ouvrage plus qu'intéressant tant pour l'historique qu'il contient que pour la discrimination envers les femmes qu'il met en évidence (Baudoux, 1994a). L'étude a été menée auprès de 197 personnes qui avaient répondu au questionnaire.

Une onzième étude menée par Farine et Hopper (1987 et 1988) portait sur l'usage de l'ordinateur par les directeurs d'école. Il s'agissait de sonder les priorités, les effets constatés, les craintes et les tendances. Au total, 118 directeurs ont répondu au questionnaire. En général, l'étude révélait que les directeurs d'école étaient ouverts à l'usage de l'ordinateur malgré l'existence d'irritants. L'étude se terminait par des recommandations et quelques interrogations de fond.

Brunet *et al.* (1989) ont mené une étude sur la satisfaction au travail des directeurs et directrices d'école, compte tenu du mitan de la vie. Des 3 100 questionnaires expédiés, il en est revenu 1 400. Les résultats de leur étude démontraient que «lorsque le mitan constitue une crise chez certains directeurs, leur satisfaction au travail en est grandement touchée» (p. 30). Par exemple, plus un directeur percevait le mitan de façon négative, plus il avait tendance à juger son travail frustrant.

Brunet, Maduro et Corriveau (1990) étaient les auteurs d'une treizième étude en administration de l'éducation. L'objectif de leur étude consistait à examiner le rôle joué par le style de gestion sur l'efficacité de leur école. L'étude fut menée dans six écoles primaires appartenant à trois commissions scolaires différentes. Les résultats semblaient «mettre en évidence l'importance d'un style de gestion ouvert et participatif dans l'efficacité organisationnelle mesurée par les résultats scolaires à un examen écrit sur la langue française» (p. 20).

Deblois *et al.* (1991) ont reproduit leur étude de 1982 afin de pouvoir procéder à une comparaison entre les données de 1982 et celles de 1990. L'étude de 1990 assurait une représentation proportionnelle de sujets par rapport à celle de 1982, soit 350 personnes qui ont retourné le questionnaire. Les résultats montraient que la «satisfaction globale des directions d'école avait augmenté en 1990 par rapport à celle de 1982, mais qu'elle avait diminué sur plusieurs facettes de leur travail» (p. 14).

Barnabé (1991) a publié les résultats de son étude portant sur la motivation des enseignants. Les données de l'étude provenaient de 247 enseignantes et enseignants de 12 écoles situées dans 4 commissions scolaires différentes qui avaient bien voulu remplir l'instrument utilisé. L'analyse des données recueillies a permis d'observer que, en général, les enseignants étaient légèrement plus motivés par le contenu de leur travail que par son contexte. Les résultats de la même étude publiée par Burns et Barnabé (1992) révélaient que l'instrument utilisé donnait de meilleurs résultats en comparant les écoles plutôt que les commissions scolaires.

Baudoux (1994b) faisait part des résultats partiels de sa recherche concernant l'importance de critères reliés à la formation et à l'expérience lors du processus de sélection de cadres d'établissement d'éducation. Les résultats montraient que les critères de sélection étaient adaptés à la formation et à l'expérience des candidats masculins et que, pour le même critère, les candidates étaient parfois jugées différemment des candidats (p. 241).

Nous avons reçu de la part des neuf universités québécoises la liste des mémoires et des thèses soumis dans leur université respective au cours des dix dernières années (1990-2000). Cent quarante-huit mémoires et 78 thèses de doctorat ont été déposés durant cette période. Comme dans le cas du Canada anglais, il y avait pratiquement autant de sujets que de mémoires et de thèses. La satisfaction au travail (4), le rôle du directeur d'école (2) et la culture organisationnelle (2) étaient parmi les sujets traités dans les thèses de doctorat. Le premier des deux tableaux suivants (page 315) présente le nombre de mémoires de maîtrise soumis dans chacune des universités tandis que le second tableau (page 316) présente le nombre de thèses de doctorat soumises dans les mêmes universités.

LA REVUE *INFORMATION* DE LA FÉDÉRATION QUÉBÉCOISE DES DIRECTEURS D'ÉCOLE (1963-1990)[1]

Nous avons voulu reconnaître, dans le cadre de cette publication, la contribution importante de la revue *Information* de la FQDE dans la réflexion, l'analyse, la recherche et la formation liées au développement de l'éducation au Québec en général et plus particulièrement dans le domaine de l'administration de l'éducation.

La revue *Information*, lancée en janvier 1963 sous l'égide du Conseil de recherche et d'information (CRI) de la Fédération provinciale des principaux d'école (FPPE), devenue par la suite la Fédération québécoise des directeurs d'école et connue maintenant sous le nom de Fédération québécoise des directeurs et directrices d'établissement d'enseignement (FQDE), a été présente pendant trois décennies, soit de 1963 à 1990, sur la scène de l'administration scolaire québécoise. Revue «devant servir d'organe de diffusion à la FPPE tel que le

---

1. La revue *Information* est disponible pour consultation au Centre de documentation de la Fédération québécoise des directeurs et directrices d'établissement d'enseignement (FQDE), 7855, boulevard L-H Lafontaine, bureau 100, Ville d'Anjou (Montréal, Québec), H1K 4E4, tél. : (514) 353-7511, courriel : info@fqde.qc.ca, site Internet : http://www.fqde.qc.ca

TABLEAU 17

Distribution du nombre de mémoires de maîtrise soumis dans les universités du Québec de 1990 à 2000

Universités	Principaux sujets traités	Nombre de mémoires
Université Laval	– réussite scolaire – élèves au travail – volet sport	51
Université de Montréal	– situation de l'enseignement dans les pays étrangers – communautés culturelles et système scolaire – directions d'école	15
Université McGill	– *policy-making* – motivation – éducation multiculturelle	54
Université de Sherbrooke[1]	– supervision – leadership – gestion participative	72[2]
Université du Québec à Trois-Rivières[3]	– situation des enseignants – situation des directeurs d'école – leadership – gestion de l'enseignement aux Seychelles	20
Université du Québec à Chicoutimi	– gestion du vieillissement de la main-d'œuvre : le secteur de l'éducation dans l'Outaouais urbain	4
Université du Québec à Rimouski	– étude descriptive de l'organisation des services éducatifs à l'intention des jeunes en difficulté d'adaptation dans des centres de réadaptation du Québec – décentralisation en éducation : urgence démocratique ou paradoxe administratif – retour du sens de la démocratie : l'avenir de l'éducation	4
Université du Québec à Hull	– importance et satisfaction des attentes exprimées par des parents de quatre écoles primaires de la commission scolaire d'Aylmer – vers une optimisation du processus de gestion dans une école secondaire	6
Université du Québec en Abitibi-Témiscamingue	– élaboration d'un modèle de participation des parents dans le système scolaire québécois – élaboration d'un mode d'organisation des services d'éducation aux analphabètes dans une commission scolaire couvrant un territoire étendu et faiblement peuplé	6
	Total	**232**

1. Les données disponibles pour l'Université de Sherbrooke s'arrêtent à 1997.

2. Les travaux d'étudiants de l'Université de Sherbrooke ne sont pas des mémoires de type M.A. ou M.Ed., mais plutôt des essais.

3. Pour les constituantes de l'Université du Québec, étant donné l'impossibilité d'effectuer des regroupements de sujets, nous mentionnons les titres des mémoires les plus proches de l'administration scolaire.

TABLEAU 18

**Distribution du nombre de thèses de doctorat soumises
dans les universités du Québec de 1990 à 2000***

Universités	Principaux sujets traités	Nombre de mémoires
Université Laval	– rendement académique – rôle des directeurs d'école – formation rurale (système scolaire africain)	40
Université de Montréal	– résolution de problèmes – satisfaction au travail	30
Université McGill	– évolution d'un établissement scolaire – éducation des enfants exceptionnels	12
	Total	**82**

* Le programme de doctorat en administration scolaire n'étant pas offert à l'Université de Sherbrooke et dans les constituantes de l'Université du Québec, nous ne mentionnons pas ces universités dans le tableau.

mentionne Claude Poirier, son premier directeur, à l'occasion du ving-tième anniversaire de la fédération (*Information*, vol. 20, nᵒ 9, mai 1981, p. 6), elle se donna aussi comme mission d'informer et de perfection-ner, tel que le mentionne Florent Grandbois, qui en fut le directeur de 1980 à 1985. Ainsi, dans le premier numéro paru sous sa gouverne, en septembre 1980, Florent Grandbois mentionne quelques-uns des objectifs de la revue : « – faire connaître les orientations de la fédéra-tion, tant politiques, professionnelles que de relations de travail ; – faire connaître nos écoles particulières du Québec ; – faire connaître les écoles et expériences éducatives québécoises ; – faire connaître les écoles et expériences éducatives des pays étrangers ; – accueillir la réflexion éducative de nos membres et de nos partenaires en éducation ; – accueillir la recherche en éducation ; – faire une recension d'ouvrages en éducation » (*Information*, volume 20, numéro 1, septem-bre 1980, p. 3). Ne pouvant offrir au lecteur une analyse complète et détaillée de la revue dans le présent ouvrage, nous proposons néan-moins de replonger quelque peu dans la revue en prenant connaissance des données, colligées et présentées dans les tableaux 19 et 20, sur le contenu éditorial et les articles de recherche de la revue.

Recension et contenu éditorial

Le tableau 19 se veut une synthèse de l'ensemble du contenu éditorial paru dans la revue *Information* de 1963 à 1990, soit du début à la fin de la publication. On y trouve, dans un premier temps, le nombre de

TABLEAU 19

Recension et contenu éditorial de la revue *Information* de 1963 à 1990

	Période religieuse et humaniste (1963-1969)	Période professionnelle et d'engagement social (1970-1978)	Période d'autonomie et de partenariat avec le milieu (1979-1990)
Nombre de numéros	65	84	72
Éditoriaux écrits par :			
Présidents	23	44	30
Directeurs de la revue	13	10	5
Principaux	11	3	0
Autres personnes	11	4	1
Non signé	2	3	0
Pas d'éditorial	5	20	36
Thèmes abordés dans les éditoriaux			
Problèmes internes à la FPPE*	22	23	5
Place de la FPPE dans le CIC**	9		
Rôle du principal	7	15	4
Religieux	6		
Gestion		9	6
Pédagogie		7	2
Promotion du français		4	
École		3	3

Notes : 1) * FPPE : Fédération provinciale des principaux d'école
2) ** CIC : Corporation des instituteurs et institutrices catholiques

numéros publiés durant chacune des trois grandes périodes historiques. Vient ensuite la classification des éditoriaux selon les types d'auteurs, encore une fois en suivant le même découpage historique. Finalement, les thèmes abordés dans les éditoriaux sont mentionnés avec, pour chaque thème, la quantité d'éditoriaux s'y rapportant.

Les articles de recherche

Le tableau 20 présente une synthèse des articles de recherche parus dans la revue *Information*. Les articles sont d'abord regroupés par période, puis selon les thèmes abordés. La sélection des articles s'est faite principalement à partir des rubriques *Résumé de recherche* ou *Recherche* de la revue. Cependant, comme ces rubriques n'étaient pas toujours présentes dans le sommaire de tous les numéros, quelques autres articles parus hors de ces rubriques ont aussi été sélectionnés. Ces articles représentent cependant une faible proportion du corpus retenu.

TABLEAU 20

Les articles de recherche de la revue *Information* de 1963 à 1990

Sujets des articles	Période religieuse et humaniste 1970-1978 (48 articles)		Période d'autonomie et de partenariat avec le milieu 1979-1990 (80 articles)	
Administration/gestion (ADG)	8	*Sous-thèmes :* – Prise de décision ; formation ; direction participative ; absentéisme ; *accountability* ; décentralisation.	10	*Sous-thèmes :* – Décroissance : modèle d'analyse et rôle du directeur ; probation des enseignants ; – Perception des enseignants du style de gérance ; analyse institutionnelle ; identification du potentiel ; QVT ; GRH ; prise de décision.
Administrateur/principal (ADP)	19	*Sous-thèmes :* – Critères de promotion ; relations avec les enseignants ; rôle (4) ; leadership ; changement ; formation ; délégation de l'autorité ; rémunération (3) ; évaluation.	33	*Sous-thèmes :* – Difficultés ; connaissances requises ; tâche (3) ; fonction (3) ; évaluation de l'enseignant, de l'enseignement ; sélection du directeur d'école primaire ; perfectionnement (3) ; attentes des enseignants ; conditions de travail ; présences des femmes et des minorités (É-U) ; rôle (2) ; satisfaction (2) ; motivation des enseignants ; TIC (3) ; valeurs et pratiques religieuses ; leadership.
Changement (CHA)	2	*Sous-thèmes :* – Facteurs d'échec ; théorie du changement social intentionnel.	0	
École/milieu scolaire (ECO)	7	*Sous-thèmes :* – Changement ; relations avec les parents ; organisation (2) ; évaluation à l'école secondaire ; humanisation ; comité d'école.	12	*Sous-thèmes :* – Perception de l'école chez les administrateurs ; intégration des professionnels ; intégration scolaire ; humanisation (2) ; organisation ; relaxation ; influence des tendances sociales ; santé mentale et physique.

TABLEAU 20

Les articles de recherche de la revue *Information* de 1963 à 1990 *(suite)*

Sujets des articles	Période religieuse et humaniste 1970-1978 (48 articles)		Période d'autonomie et de partenariat avec le milieu 1979-1990 (80 articles)	
Éducation/ pédagogie (EDU)	4	*Sous-thèmes:* – Milieux défavorisés; école communautaire; rôle des manuels; temps de la leçon au secondaire.	5	*Sous-thèmes:* – Recherche québécoise; innovation pédagogique; apprentissage des droits (2); enseignement de la technologie.
Élèves (ELE)	0		4	*Sous-thèmes:* – Évaluation de l'effort; services personnels; intégration des EDAA; caractéristiques et situation des MSA.
Enseignants (ENS)	6	*Sous-thèmes:* – Sélection; motivation; chef de groupe; évaluation; formation: adéquation à l'emploi.	5	*Sous-thèmes:* – Participation et pouvoir au secondaire; temps partiel; temps partagé.
Information scolaire et professionnelle (ISEP)	2	*Sous-thème:* – Profession.	0	
Jeunes québécois (JQ)	0		4	*Sous-thèmes:* – Valeurs; passage du secondaire au collégial; modèle de relations avec les adultes.
Parents (PAR)	0		4	*Sous-thèmes:* – Aspirations; participation (2); valeurs; perception de la qualité de l'éducation, de l'école.
Presse écrite (PRE)	0		1	*Sous-thème:* – Pouvoir de négociation.
Travail (TRA)	0		2	*Sous-thèmes:* – Stress; stress chez les administrateurs; épuisement «burnout».

La répartition des articles de recherche par période

Aucun article de recherche n'a été publié au cours de la première période (1963-1969) de la revue. Les articles de recherche sont publiés au cours des deuxième (1970-1978) et troisième (1979-1990) périodes de la revue : 48 pour la deuxième période et 80 au cours de la troisième période. Le nombre sensiblement plus élevé d'articles pour la troisième période dénote-t-il une plus grande activité de recherche au cours de ces années ? La revue est-elle graduellement devenue un lieu d'accueil de plus en plus populaire pour diffuser la recherche dans un public ciblé ? Ce sont quelques interrogations que nous nous permettons après cette première analyse, mais qui nécessiteraient de plus amples recherches pour l'affirmer avec certitude. Au cours de la deuxième période, les articles se répartissent assez équitablement d'une année à l'autre : leur nombre varie entre six et neuf articles par année. On note cependant une absence quasi totale de ces articles au cours des deux dernières années de la deuxième période, avec zéro à trois articles de recherche parus pendant ces années. Cette absence d'articles de recherche se remarque aussi au tout début de la troisième période où aucun article de recherche ne paraît au cours de la première année (1979-1980). De façon générale, le nombre d'articles d'une année à l'autre est cependant plus variable qu'au cours de la période précédente. Ainsi, on passe de 0 à 10, 13 et 10 articles parus pendant les 4 premières années, pour ensuite passer à 4 articles les 2 années suivantes, pour revenir à 16, 11, 9 articles pour chacune des années suivantes, pour ensuite proposer 1 et 2 articles de recherche lors des deux dernières années de parution de la revue, en 1988-1989 et 1989-1990.

La nature des articles de recherche

Les articles composant le corpus ne présentent pas tous nécessairement des recherches comme telles ou leurs résultats. Il s'agit parfois « d'états de la question », de synthèses ou de « recension d'écrits » sur un sujet de l'heure ou encore de descriptions de projets d'intervention. Occasionnellement, la revue publie également des travaux de recherche d'étudiants de maîtrise en administration scolaire. C'est au cours de la troisième période de la revue (1979-1990) que la rubrique *Recherche* propose ces types d'articles. Cependant, en termes de proportion, les articles présentant des recherches en cours ou réalisées sont présents en plus grand nombre dans le corpus, et ce, pour les deux périodes.

Les sujets des articles de recherche

L'analyse des articles nous a permis de les regrouper sous une douzaine de thèmes. Le tableau 20 présente pour chacune des périodes, 1970-1978 et 1979-1990, chacun des 12 thèmes, avec leur fréquence, accompagné des sous-thèmes abordés. Le thème de l'administrateur/principal (ADP) vient en tête et domine encore plus largement au cours de la troisième période de la revue avec 33 articles, sur un total de 80, soit 41,25 % des articles de recherche pour cette période. Les sous-thèmes autour de l'administrateur varient quelque peu entre les deux périodes. Ainsi, le rôle (3) et la rémunération (3) viennent en tête au cours de la deuxième période (1970-1978), au cours de la période suivante (1979-1990), outre les sous-thèmes de fonction (3) et de tâche (3) qui avoisinent le sous-thème de rôle de la période précédente, il est aussi question de rôle (2). Notons également les questions du perfectionnement (3), de la satisfaction (2) et enfin de l'intégration des ordinateurs dans les écoles, que nous avons transposées dans notre tableau par l'expression plus contemporaine des TIC (3). Presque à égalité en termes de nombre, viennent ensuite le thème de l'administration/gestion (ADG), avec un résultat de 8 articles pour la deuxième période et de 10 articles pour la troisième période et celui de l'école/milieu scolaire (ECO), avec respectivement 7 et 12 articles pour chacune des périodes. Les sous-thèmes rattachés au thème ADG sont plutôt variés pour chacune des périodes, sans prédominance réelle de l'un sur les autres. Notons cependant que la question de la prise de décision revient au cours des deux périodes et que celles du style de gérance, de la direction participative et de la décentralisation que l'on retrouve à l'une ou l'autre période s'apparentent quelque peu. Concernant le thème ECO, notons d'abord la vigueur du thème (12 articles) au cours de la troisième période ; quant aux sous-thèmes, la question de l'humanisation ainsi que celle de l'organisation reviennent au cours des deux périodes. Suivent ensuite d'assez près le thème de l'enseignant (ENS) avec six et cinq articles et celui de l'éducation/pédagogie (EDU) avec quatre et cinq articles. Les thèmes de l'élève (ELE) et celui des parents (PAR) pour leur part ne sont présents qu'au cours de la troisième période.

Résumé

Aux États-Unis, la recherche en administration de l'éducation a débuté, surtout après 1910, grâce à l'argent de certaines fondations, aux enquêtes sur les écoles menées la plupart du temps par les professeurs de ce champ d'études et aux thèses de doctorat. D'une façon générale, tous les sujets pouvaient être abordés et ils n'étaient pas très importants pour l'avancement du domaine. Après 1930, les sujets traités se rapportaient surtout à l'économie.

Au moins trois évènements sont survenus pour aider la recherche. Ce fut le lancement de la revue *Review of Educational Research* devenue en 1973 la *Review of Research in Education*. La création du programme de recherche coopérative au United States Office of Education fut le second évènement. Le programme constituait le premier soutien à la recherche. Enfin, le programme de recherche et de développement mis sur pied par le gouvernement américain en 1964 représentait un autre effort important apporté à la recherche.

Tout au cours de son évolution, la recherche en administration de l'éducation a été l'objet de critiques parfois virulentes. On lui reprochait sa naïveté statistique, sa fixation sur les données recueillies et l'absence de théories pour appuyer les problèmes étudiés. On prétendait que la recherche était plus prétendue que pratiquée et que sa qualité avait besoin d'être améliorée. Enfin, on soulevait le fait que les chercheurs oubliaient les variables relatives à la classe et à l'enseignement et que la recherche n'améliorait pas la pratique.

La recherche avait jusqu'à récemment opté pour une approche rationaliste et positiviste reposant sur des études structuro-fonctionnalistes. L'approche phénoménologique a été proposée afin de palier aux approches précédentes. Ce n'est qu'après 1980 que l'on a connu de nouvelles perspectives appliquées à la recherche, telles que le postpositivisme, le féminisme ainsi que les théories critique et du chaos. Enfin, certaines personnes se sont demandées si le temps n'était pas venu de se poser sérieusement trois questions : pourquoi fait-on de la recherche, qui doit la mener et comment doit-elle être faite.

Au Canada, les recherches ont été surtout celles des professeurs et des étudiants de doctorat menées dans les années 1950. La recherche en administration de l'éducation traînait alors derrière celle réalisée dans les sciences sociales. Aucune organisation nationale ne coordonnait la recherche au pays malgré qu'au moins sept organisations aient été intéressées à la recherche. Ce n'est qu'en 1960 que fut créée une telle organisation : le Canadian Council for Research in Education (CCRE).

Le lancement du *Alberta Journal of Educational Research* en 1954 par l'Université de l'Alberta a représenté une publication importante pour la recherche. Ce fut le même cas lors du lancement du *The Canadian Administrator* publié par la même université. Les principaux thèmes de recherche abordés par les professeurs et les étudiants de doctorat furent la satisfaction au travail des enseignants et des gestionnaires ainsi que la sélection des mêmes personnels.

Au Québec, au milieu des années 1950, des subventions furent accordées pour des recherches surtout d'ordre pédagogique. La recherche en administration de l'éducation comme telle a semblé commencer vers 1978. Les thèmes privilégiés par les professeurs ont été les mêmes que ceux abordés dans le reste du Canada, à savoir la satisfaction des enseignants et des gestionnaires ainsi que la sélection de ces deux catégories de personnel.

Références

ACHILLES, C.M. (1991). «Re-Forming Educational Administration: An Agenda for the 1990s», *Planning and Changing*, vol. 22, nᵒ 1, p. 23-33.

AMERICAN EDUCATIONAL RESEARCH ASSOCIATION (2001). «Work of Task Force on Research and Inquiry», *Newsletter*, division A, hiver, p. 4.

AMERICAN ASSOCIATION OF SCHOOL ADMINISTRATORS (1991). «AASA Presents 1990-1991 Honors for Staff Development, Training, Research», *The School Administrator*, vol. 48, nᵒ 5, p. 26-29.

ANDERSON, G. et F. JONES (2000). «Knowledge Generation in Educational Administration From the Inside-Out: The Promise and Perils of Site-Based, Administrator Research», *Educational Administration Quarterly*, vol. 36, nᵒ 3, p. 428-464.

ANDREWS, J.H.M. (1961). «Research Needs in Educational Administration», dans C.P. Collins (dir.), *Second Conference of Educational Research*, Toronto, Canadian Education Association, p. 61-69.

AYERS, J.D. (1962). «Emerging Trends in Educational Research in Canada», *Canadian Education and Research Digest*, vol. 2, nᵒ 4, p. 228-233.

AYRES, L. (1909). *Laggards in Our Schools*, New York, Russell Sage Foundation.

AYRES, L. (1912). «Measuring Educational Processes Through Education Results», *School Review*, vol. 20, p. 300-306.

BARNABÉ, C. (1991). «La réaction des enseignants aux attributs de leur tâche: une approche à leur motivation», *Revue des sciences de l'éducation*, vol. 17, nᵒ 1, p. 113-129.

BAUDOUX, C. (1987). «Les directeurs et directrices d'école au Québec», *Information*, vol. 27, nᵒ 1, p. 11-17 et nᵒ 2, p. 5-10.

BAUDOUX, C. (1994a). *La gestion en éducation. Une affaire d'hommes ou de femmes?*, Cap-Rouge, Presses Inter Universitaires.

BAUDOUX, C. (1994b). « Étude de critères de sélection à des postes de direction reliés à la formation et à l'expérience », *Revue des sciences de l'éducation*, vol. 20, n° 2, p. 241-270.

BÉLANGER, P.W. (1988). « Rétrospective de la recherche en éducation en milieu francophone canadien », dans *Recherche et progrès en éducation. Bilan et prospective*, Actes du Iᵉʳ congrès des sciences de l'éducation de langue française du Canada. Québec, Faculté des sciences de l'éducation, Université Laval, p. 21-30.

BERGEN, J.J. et J. QUARSHIE (1987). *Historical Perspective on the Development of the Canadian Association for the Study of Educational Administration*, Edmonton, Department of Educational Administration, University of Alberta.

BOBBITT, F.J. (1915). « High School Costs », *School Review*, vol. 23, p. 505-534.

BOYAN N.J. (1968). « Problems and Issues of Knowledge Production and Utilization », dans T.L. Eidell et J.M. Kitchel (dir.), *Knowledge Production and Utilization*, Eugene, University of Oregon Press, p. 21-36.

BOYAN, N.J. (1981). « Follow the Leaders : Commentary on Research in Educational Administration », *Educational Researcher*, vol. 10, n° 2, p. 6-13 et 21.

BOYAN, N.J. (1988). « Describing and Explaining Administrative Behavior », dans N.J. Boyan (dir), *Handbook of Research on Educational Administration*, New York, Longman, p. 77-97.

BRASSARD, A. (1988). « La recherche en administration de l'éducation dans les universités du Québec et l'évolution du champ d'étude », dans *Recherche et progrès en éducation. Bilan et prospective*, Actes du Iᵉʳ congrès des sciences de l'éducation de langue française du Canada, Québec, Faculté des sciences de l'éducation, Université Laval, p. 102-105.

BREHAUT, W. et E. FRANCŒUR (1956). *Report of A Survey of Programmes and Courses in Canadian Degree Granting Institutions*, Toronto, Canadian Education Association.

BREHAUT, W. (1959-1960). « A Quarter Century of Educational Research in Canada. An Analysis of Dissertations (English) in Education Accepted by Canadian Universities, 1930-1955 », *Ontario Journal of Educational Research*, vol. 2, n° 2, p. 109-188.

BREHAUT, W. (1960). « Education Research in Canada 1956-1958 », *Educational Research*, vol. 32, n° 3, p. 234-246.

BREHAUT, W. et B.W.B. JACKSON (1962). « Canada », *Review of Educational Research*, vol. 32, n° 3, p. 234-246.

BREHAUT, W. (1963). « Educational Research in Canada, 1959-1961 », *Canadian Education and Research Digest*, vol. 3, n° 2, p. 128-131.

BREHAUT, W. (1969). « Trends in Education Theses in Canada 1962-1967 », *Education Canada*, vol. 9, n° 2, p. 33-36.

BRIDGES, E.M. (1982). « Research on the School Administrator : The State of the Art, 1967-1980 », *Educational Administration Quarterly*, vol. 18, n° 3, p. 12-33.

BRUNET, L. *et al.* (1985). *Le rôle du directeur d'école au Québec*, Iʳᵉ partie, Montréal, Faculté des sciences de l'éducation, Université de Montréal.

BRUNET, L., G. GOUPIL et J. ARCHAMBAULT (1986). « Stress et climat organisationnel chez les directeurs d'école », *Information*, vol. 25, n° 3, p. 10-17.

BRUNET, L. *et al.* (1989). *Le mitan de la vie et la vie professionnelle au travail*, Communication présentée au congrès de l'Association canadienne pour l'étude de l'administration scolaire, Québec.

BRUNET, L., C. MADURO et L. CORRIVEAU (1990). « Style de gestion des directeurs et des directrices d'école et efficacité organisationnelle en milieu scolaire », *Information*, vol. 29, n° 3, p. 15-20.

BURNS, M. et C. BARNABÉ (1992). « The Power of the Job Diagnostic Survey Instrument to Discriminate », *Journal of Educational Administration and Foundations*, vol. 7, n° 2, p. 27-45.

CALLAHAN, R.E. (1962). *Education and the Cult of Efficiency. A Study of the Social Forces that have Shaped the Administration of the Public Schools*, Chicago, University of Chicago Press.

CAMPBELL, R.F. (1957). « Situational Factors in Educational Administration », dans R.F. Campbell et R.T. Gregg (dir.), *Administrative Behavior in Education*, New York, Harper and Row Publishers, p. 228-268.

CAMPBELL, R.F. *et al.* (dir.) (1960). « Improving Administrative Theory and Practice : Three Essential Roles », dans R.F. Campbell et J.M. Lipham (dir.), *Administrative Theory as a Guide to Action*, Chicago, Midwest Administration Center, The University of Chicago Press, p. 171-189.

CAMPBELL, R.F. et D.H. LAYTON (1967). « An Appraisal : The Quarterly and the Field », *Educational Administration Quarterly*, vol. 3, n° 1, p. 2-6.

CAMPBELL, R.F. (1967). « Administrative Experimentation, Institutional Records, and Nonreactive measures », dans J.C. Smith et S.M. Elam (dir.), *Improving Experimental Design and Statistical Analysis*, Chicago, Rand McNally.

CAMPBELL, R.F. *et al.* (1987). *A History of Thought and Practice in Educational Administration*, New York, Teachers College Press, Columbia University.

CASWELL, H.L. (1929). *City School Surveys. An Interpretation and Appraisal*, New York, Bureau of Publications, Teachers College Press, Columbia University.

CHANCELLOR, W.E. (1904). *Our Schools : Their Administration and Supervision*, New York, Heath and Company.

CHARTERS, W.W. JR. (1977). « The Future (and a Bit of the Past) of Research and Theory », dans L.L. Cunningham, W.G. Hack et R.O. Nystrand (dir.), *Educational Administration. The Developing Decades*, Berkeley, McCutchan Publishing Corporation, p. 361-375.

CONSEIL DES UNIVERSITÉS (1986). *Bilan du secteur de l'éducation*, Québec, Gouvernement du Québec.

CORMIER, R.A., C. LESSARD et P. VALOIS (1979). *Les enseignantes et les enseignants du Québec : une étude socio-pédagogique*, Québec, Ministère de l'Éducation.

COUNTS, G.S. (1934). *The Social Foundations of Education*, New York, Scribner.

CULBERTSON, J.A. (1986). « Administrative Thought and Research in Retrospect », dans G.S. Johnson et C.C. Yeakey (dir.), *Research and Thought in Administrative Theory Developments in the Field of Educational Administration*, Lanham, University Press of America, p. 3-23.

DEBLOIS, C. et J.J. MOISSET (1981). « Problèmes de sélection des directeurs d'écoles primaires dans la région 03 », *Revue des sciences de l'éducation*, vol. 7, n° 2, p. 261-277.

DEBLOIS, C. et J.J. MOISSET (1984). « Satisfaction au travail des directeurs et directrices d'écoles du Québec, leurs projets de carrière et l'atteinte des objectifs de l'école québécoise », *Information*, vol. 24, n° 1, p. 31-34 et vol. 24, n° 4, p. 27-31.

DEBLOIS, C. *et al.* (1991). *Satisfaction au travail des directeurs et directrices d'écoles du Québec et leurs projets de carrière : une étude longitudinale, 1982/1990*, communication présentée au Congrès de la Société canadienne pour l'étude de l'éducation, Kingston.

DUNLOP, G.M. (1953). «Research in Educational Administration and Supervision», *Canadian Education*, vol. 8, n° 4, p. 41-44.

DUPUIS, P. *et al.* (1985). «Le mitan de la vie et la vie professionnelle chez les directions d'école du Québec», *Information*, vol. 25, n° 1, p. 27-31.

EDWARDS, R. (1968). «Educational Research and the Training of Researchers in Canada», *Canadian Education and Research Digest*, vol. 8, n° 4, p. 307-327.

ERICKSON, D.A. (1979). «Research on Educational Administration. The State-of-the-Art», *Educational Researcher*, vol. 8, n° 3, p. 9-14.

FARINE, A. et C. HOPPER (1987). «Les directeurs d'école et l'ordinateur. Problématique de l'implantation», *Information*, vol. 27, n° 2, p. 12-17 et p. 28.

FARINE, A. et C. HOPPER (1988). «Les directeurs d'école et l'ordinateur : priorités, effets constatés, craintes», *Information*, vol. 27, n° 3, p. 12-15 et 18 ; n° 4, p. 5-9 et 24.

FLEMING, W.G. (1957). *The Atkinson Study of Utilization of Student Resources*, Rapports n°ˢ 1-10, Toronto, College of Education, Department of Educational Research, University of Toronto.

FLEMING, W.G. (1961). «The Carnegie Study of Identification and Utilization of Student Talent in High School and College», *Ontario Journal of Educational Research*, vol. 3, p. 129-132.

FRIESEN, D., E.A HOLDAWAY et A.W. RICE (1981). «Administrator Satisfaction», *The Canadian Administrator*, vol. 21, n° 2, p. 1-5.

GIBSON, R.O. et M. STETAR (1975). «Trends in Research Related to Educational Administration», *UCEA Review*, vol. 16, n° 5, p. 11-20.

GIBSON, R.O. (1979). «An Approach to Paradigm Shift in Educational Administration», dans G.L. Immegart et W.L. Boyd (dir.), *Problem-Finding in Educational Administration*, Lexington, Lexington Books, p. 23-37.

GIRARD, H.C. (1983). «Processus et critères de sélection du directeur d'école au secondaire», *Revue des sciences de l'éducation*, vol. 9, n° 3, p. 391-399.

GOSINE, M. et M.V. KEITH (1970). «Bureaucracy, Teacher Personality Needs and Teacher Satisfaction», *The Canadian Administrator*, vol. 10, n° 1, p. 1-5.

GREENFIELD, T.B. (1979). *Research in Educational Administration in the United States and Canada*, communication présentée à la British Educational Administration Society, University of Birmingham, England.

GREENFIELD, T.B. (1988). «The Decline and Fall of Science in Educational Administration», dans D.E. Griffiths, R.T. Stout et P.B. Forsyth (dir.), *Leaders for America's Schools. The Report and Papers of the National Commission on Excellence in Educational Administration*, Berkeley, McCutchan Publishing Corporation, p. 131-159.

GREENFIELD, T.B. (1993). «Research in Educational Administration in United States and Canada», dans T.B. Greenfield et P. Ribbins (dir.), *Greenfield on Educational Administration. Towards A Humane Science*, New York, Routledge, p. 26-62.

GREENFIELD, W.D. (1988). « Moral Imagination, Interpersonal Competence, and the Work of School Administrators », dans D.E. Griffiths, R.T. Stout et P.B. FORSYTH (dir.), *Leaders for America's Schools. The Report and Papers of the National Commission on Excellence in Educational Administration*, Berkeley, McCutchan Publishing Corporation, p. 207-232.

GRIFFITHS, D.E. et L. IANNACCONE (1958). « Administrative Theory, Relationships, and Preparation », *Review of Educational Research*, vol. 28, n° 4, p. 334-357.

GRIFFITHS, D.E. (1965). « Research and Theory in Educational Administration », dans *Perspectives on Educational Administration and the Behavioral Sciences*, Eugene, Center for Advanced Study of Educational Administration, University of Oregon, p. 25-48.

GRIFFITHS, D.E. (1979). « Another Look at Research on the Behavior of Administrators », dans G.L. Immegart et W.L. Boyd (dir.), *Problem-Finding in Educational Administration*, Lexington, Lexington Books, p. 41-62.

GRIFFITHS, D.E. (1983). « Evolution in Research and Theory : A Study of Prominent Researchers », *Educational Administration Quarterly*, vol. 19, n° 3, p. 201-221.

GRIFFITHS D.E. (1991). « Introduction », *Educational Administration Quarterly*, vol. 27, n° 3, p. 262-264.

GUNN, J.A. et E.A. HOLDAWAY (1985). « Principals' Job Satisfaction », *The Canadian Administrator*, vol. 24, n° 7, p. 1-5.

HALL, R.M. (1963). « Research Priorities in School Administration », dans J.A. Culbertson et S.P. Hencley (dir.), *Educational Research : New Perspectives*, Danville, The Interstate Printers and Publishers, p. 19-30.

HALLER, E.J. (1970). *The Questionnaire Perspective in Educational Administration : Notes on the Social Context of Method*, communication présentée au Annual meeting of the American Educational Research Association.

HALLER, E.J. (1979). « Questionnaires and the Dissertation in Educational Administration », *Educational Administration Quarterly*, vol. 15, n° 1, p. 47-66.

HALPIN, A.W. (1957). « A Paradigm for Research on Administrative Behavior », dans R.F. Campbell et R.T. Gregg (dir.), *Administrative Behavior in Education*, New York, Harper and Row Publishers, p. 155-199.

HALPIN, A.W. (dir.) (1958). *Administrative Theory in Education*, New York, The Macmillan Company.

HALPIN, A.W. et A.E. HAYES (1977). « The Broken Iron, or, What Happened to Theory », dans L. Cunningham, W.G. Hack et R.O. Nystrand (dir.), *Educational Administration. The Developing Decades*, Berkeley, McCutchan Publishing Corporation, p. 261-297.

HARRIS, R.C. (1914). « Comparative Cost of Instruction in High Schools », *School Review*, vol. 22, p. 373-376.

HOLDAWAY, E.A. (1977). « How Do Alberta Teachers View Their Work ? », *The Alberta Teachers' Association Magazine*, mars, p. 8-10.

HOLDAWAY, E.A. (1978). *Educational Administration in Canada : Concerns, Research, and Preparation Programs*, communication présentée à la Fourth International Intervisitation Program in Educational Administration, Montreal.

HOLDAWAY, E.A. (1980). « Educational Administration in Canada : Concerns, Research, and Preparation Programs », dans R.H. Farquhar et I.E. Housego (dir.), *Canadian and Comparative Educational Administration*, Vancouver, Center for Continuing Education, University of British Columbia, p. 1-38.

IMMEGART, G.L. (1977). «The Study of Educational Administration, 1954-1974», dans L.L. Cunnignham, W.G. Hack et R.O. Nystrand (dir.), *Educational Administration. The Developing Decades*, Berkeley, McCutchan Publishing Corporation, p. 298-328.

IMMEGART, G.L. et W.L. BOYD (dir.) (1979). *Problem-Finding in Educational Administration. Trends in Research and Theory*, Lexington, Lexington Books.

JACKSON, R.W. (1957). «Canada», *Review of Educational Research*, vol. 27, n° 1, p. 27-38.

JENSON, T.J. et D.L. CLARK (1964). *Educational Administration*, New York, The Center for Applied Research in Education.

JOLY, J.-M. (1961). «Recent Educational Developments in Quebec», *Canadian Education and Research Digest*, vol. 1, n° 4, p. 21-39.

JUDD, C.H. et H.L. SMITH (dir.) (1914). *Plans for Organizing School Surveys with a Summary of Typical School Surveys*, 2ᵉ partie, The Thirteenth Yearbook of the National Society for the Study of Education. Chicago, University of Chicago Press.

KATZ, J. (1960). «The Status of Educational Research in Canada, 1957-1959», *Canadian Research Digest*, hiver, p. 1-11.

KILEY, L.A. (1973) *Toward A Programmatic Knowledge Production System in Educational Administration*, thèse de doctorat inédite, Cornell University.

KNOOP, R. (1981). «Job Satisfaction of Teachers and Attainment of School Goals», *The Canadian Administrator*, vol. 21, n° 1, p. 1-5.

KUH, G.D. et M.M. MCCARTHY (1980). «Research Orientation of Doctoral Students in Educational Administration», *Educational Administration Quarterly*, vol. 16, n° 2, p. 101-121.

LAURIN, P. (1977). *Le rôle du principal d'école au Québec*, Montréal, Fédération des principaux du Québec.

LAZERTE, M.E. (1955). *School Finance in Canada*, Edmonton, Canadian School Trustees' Association.

LINN, H.H. (1934). *Practical School Economies*, New York, Bureau of Publications, Teachers College Press, Columbia University.

MARION, G. et C. DUFOUR (1970). «La satisfaction des enseignants du secondaire du Québec», *Education Canada*, vol. 10, n° 3, p. 21-27.

MASSÉ, D. (1994). «Les programmes de formation en administration scolaire au Québec et recherches connexes», dans M. Bernard (dir.), *Pour les sciences de l'éducation. Approches franco-québécoises*, Paris, Centre de coopération interuniversitaire franco-québécois, Revue des sciences de l'éducation et INRP, p. 281-296.

MCCARTHY, M.M. (1986). «Research in Educational Administration: Promising Signs for the Future», *Educational Administration Quarterly*, vol. 22, n° 3, p. 3-20.

MIKLOS, E. (1964). «Situation des études théoriques et de la recherche en administration de l'éducation», *Troisième Conférence canadienne sur la recherche en éducation*, Ottawa, Conseil canadien pour la recherche en éducation.

MIKLOS, E. (1984). *Current Status of the Study of Educational Administration: Issues and Challenges*, communication présentée au Annual meeting of the Canadian Society for the Study of Education, Guelph, ON.

MIKLOS, E. (1992). *Doctoral Research in Educational Administration at the University of Alberta, 1958-1991*, Edmonton, Department of Educational Administration, University of Alberta.

MISKEL, C. et T. SANDLIN (1981). « Survey Research in Educational Administration », *Educational Administration Quarterly*, vol. 17, n° 4, p. 1-20.

MISKEL, C. (1990). « Research and the Preparation of Educational Administrators, *The Journal of Educational Administration*, vol. 28, n° 3, p. 32-47.

MURPHY, J., P. HALLINGER et A. MITMAN (1983). « Problems with Research on Educational Leadership : Issues to be Addressed », *Educational Evaluation and Policy Analysis*, vol. 5, n° 3, p. 297-305.

MURPHY, J. (1999). *Reconnecting Teaching and School Administration : A Call for a Unified Profession*, communication présentée au Annual meeting of the American Educational Research Association, Montréal.

NASH, P. (1962). « The Future of Educational Research in Canada : A Critique », *Canadian Education and Research Digest*, vol. 2, n° 3, p. 161-172.

NEWLON, J.H. (1934). *Educational Administration as a Social Policy*, San Francisco, Charles Scribner's Sons.

OGAWA, R.T., E.B. GOLDRING et S. CONLEY (2000). « Organizing the Field to Improve Research on Educational Administration », *Educational Administration Quarterly*, vol. 36, n° 3, p. 340-357.

OWENS, R.G. (1982). « Methodological Rigor in Naturalistic Inquiry : Some Issues and Answers », *Educational Administration Quarterly*, vol. 18, n° 2, p. 1-21.

PALLAS, A.M. (2001). « Preparing Education Doctoral Students for Epistemological Diversity », *Educational Researcher*, vol. 30, n° 5, p. 6-11.

PAPILLON, S. *et al.* (1987). « Les orientations de la recherche en éducation dans les constituantes de l'Université du Québec », *Revue des sciences de l'éducation*, vol. 13, n° 1, p. 52-68.

PEDERSEN, E. *et al.* (1969). *Bilan de la recherche en éducation*, Québec, Institut de recherche pédagogique, Gouvernement du Québec.

RIEHL, C. *et al.* (2000). « Reconceptualization Research and Scholarship in Educational Administration : Learning to Know Knowing To Do, Doing to Learn », *Educational Administration Quarterly*, vol. 36, n° 3, p. 391-427.

ROBINSON, V.M.J. (1994). « The Practical Promise of Critical Research in Educational Administration », *Educational Administration Quarterly*, vol. 30, n° 1, p. 56-76.

ROWAN, B. (1995). « Learning, Teaching, and Educational Administration : Toward A Research Agenda », *Educational Administration Quarterly*, vol. 31, n° 3, p. 344-354.

SEARS, J.B. (1925). *The School Survey*, New York, Houghton Mifflin.

SIMON, H.A. (1945). *Administrative Behavior. A Study of Decision Making in Administrative Organization*, New York, The Free Press.

STRAYER, G.D. et N.L. ENGLEHARDT (1925). *Problems in Educational Administration*, New York, Bureau of Publications, Teachers College Press, Columbia University.

SWIFT, W.H. (1958). *Trends in Canadian Education*, Toronto, Quance Lectures, W.J. Gage.

TOUPIN, L. *et al.* (1982). « La satisfaction au travail chez les enseignantes et enseignants au Québec », *Relations industrielles*, vol. 37, n° 4, p. 805-823.

TREMBLAY, A. (1955). *Les collèges classiques et les écoles publiques : conflit ou coordination*, Québec, Les Presses de l'Université Laval.

TSCHANNEN-MORAN, M. *et al.* (2000). «The Write Stuff: A Study of Productive Scholars in Educational Administration», *Educational Administration Quarterly*, vol. 36, n° 3, p. 358-390.

TYACK, D.B. et E. HANSOT (1982). *Managers of Virtue. Public School Leadership in America, 1820-1980*, New York, Basic Books.

TYLER, R.T. (1965). «The Field of Educational Research», dans E. Guba et S. Elam (dir.), *The Training and Nurture of Educational Researchers*, Bloomington, Phi Delta Kappa, p. 10-11.

WICKSTROM, R.A. (1973). «Sources of Teacher Job Satisfaction», *The Canadian Administrator*, vol. 13, n° 1, p. 1-5.

CHAPITRE 8

GRANDEUR ET MISÈRE D'UN CHAMP D'ÉTUDES MAL CONNU

Ce chapitre fait état de trois situations dans lesquelles se trouve l'enseignement de l'administration de l'éducation. En premier lieu, les principales critiques des programmes américains de formation dans ce champ d'études exprimées depuis ses origines sont rapportées. La petite histoire de l'implantation du champ d'études au Québec est ensuite présentée. Enfin, cette petite histoire québécoise est complétée par une présentation des opinions exprimées par des praticiens.

LES CRITIQUES DES PROGRAMMES AMÉRICAINS DE FORMATION

De tout temps, les programmes de formation en administration de l'éducation aux États-Unis ont subi des critiques parfois virulentes de la part de professeurs de ce domaine d'études, d'étudiants en période de formation ou de diplômés et d'administrateurs en place. Il convient, toutefois, de signaler que la vérification de l'efficacité des différents programmes n'a pas été l'objet de recherches substantielles. On doit donc se fier totalement aux sentiments exprimés par les plaignants.

L'enseignement de l'administration de l'éducation n'était pas aussitôt commencé que les praticiens faisaient connaître leurs mécontentements à son égard. C'est ainsi que très tôt après les débuts de l'enseignement du champ d'études, Spaulding (1910), alors directeur général de la commission scolaire de Newton au Massachusetts, faisait part de ses commentaires aux professeurs en administration de l'éducation. Il déclarait ceci :

> L'administration de l'éducation est énormément inefficace ; c'est la phase la plus faible de notre grande entreprise éducationnelle. Dans son état actuel, l'administration scolaire n'est pas le produit vivant d'une vision claire et d'une perspicacité aiguë ; c'est le résultat difficile de la tradition, de l'habitude, de la routine, du préjudice, de l'inertie modifiée par des élans occasionnels et locaux d'une activité irrégulière, semi-intelligente et progressive (p. 3).

Le département des directeurs d'école primaire de la National Education Association (NEA) rapportait qu'à peine 2 % de ses membres attribuaient leur succès comme administrateurs de l'éducation aux cours suivis (1968). Au cours des années 1970, les critiques ont continué de fuser de toutes parts. Bridges et Baehr (1971) indiquaient que la plupart des études montraient qu'il y avait peu de relation entre la formation reçue et l'efficacité des praticiens telle qu'elle était perçue par les supérieurs et les subordonnés. Bridges (1977), par exemple, affirmait à nouveau que la formation au deuxième cycle en administration de l'éducation était dysfonctionnelle lorsque l'on comparait les activités d'apprentissage et la réalité administrative, en considérant le rythme et la nature hiérarchique du travail, le caractère des communications relatives au travail et le contenu émotionnel du travail (p. 213).

Hoyle (1985) attirait l'attention sur les défauts des pratiques de formation en administration de l'éducation en affirmant que la plupart des gestionnaires suivent des cours fragmentés, se chevauchant, souvent inutiles et peu significatifs. Peterson et Finn (1985), quant à eux, affirmaient que les programmes de formation en administration de l'éducation étaient, d'une part, trop rigides et limités par des règles et, d'autre part, trop souples et inefficaces. Les auteurs croyaient tellement à l'amélioration des programmes de formation qu'ils ont affirmé qu'une «personne ne rencontre pratiquement jamais une bonne école avec un mauvais directeur ou une commission scolaire reconnue pour son rendement supérieur avec un directeur général qui réussit mal» (p. 42). Plus loin, ils posaient la question suivante :

> Est-ce qu'il y a une relation positive et significative entre ce que des individus font à l'université pour devenir des gestionnaires diplômés et leurs compétences à gérer des écoles publiques? (p. 48).

Black et English (1986) notaient que très peu de gestionnaires de l'éducation sont meilleurs après la lecture d'innombrables manuels ou la fréquentation de nombreux cours. Selon eux, «l'administration de l'éducation ne peut être apprise à partir de manuels, et d'excellents gestionnaires de l'éducation diplômés n'ont pas réussi parce que les manuels ou les cours n'enseignaient pas comment survivre face à la complexité de leur tâche» (p. xi).

Même la National Commission on Excellence in Educational Administration (NCEEA) n'a pas manqué l'occasion d'exprimer ce que ses membres considéraient comme des aspects troublants de l'administration de l'éducation. Les aspects suivants apparaissaient dans le rapport de 1997 et dans sa publication sous forme d'un ouvrage paru en 1988 :

➢ le manque de définition d'un leadership éducatif adéquat ;

➢ le manque de programmes de recrutement de directeurs dans les écoles ;

➢ le manque de collaboration entre les commissions scolaires et les universités ;

➢ le manque d'encouragement de la part de représentants des minorités et des femmes dans le domaine ;

➢ le manque de développement professionnel systématique des praticiens ;

➢ le manque de candidats de qualité dans les programmes de formation ;

➢ le manque de programmes de formation pertinents face aux demandes des praticiens ;

➢ le manque de séquences, de contenu moderne et d'expériences pratiques dans les programmes de formation ;

➢ le manque de systèmes de certification des gestionnaires de l'éducation promouvant l'excellence ;

➢ le manque de sens national de coopération à l'égard de la formation des gestionnaires de l'éducation (NCEEA, 1987, p. xvi et xvii ; Griffiths *et al.*, 1988, p. xiv).

Cooper et Boyd (1987) mentionnaient que les étudiants étaient souvent exposés à un mélange embrouillé de cours, n'ayant pas de sens véritable et un but clair » (p. 14). Ils ajoutaient que « la plupart des gestionnaires suivaient des cours fragmentés, répétés et souvent inutiles qui n'apportaient rien de vraiment nouveau » (p. 13). Toujours concernant le contenu des programmes, Clark (1988) affirmait que « le contenu des cours est fréquemment banal » (p. 5). Enfin, Mulkeen et Cooper (1989) concluaient que les étudiants « recevaient un pot-pourri de théories, de concepts et d'idées sans aucun lien entre eux et rarement utiles pour comprendre les écoles ou les gérer » (p. 12).

Peterson et Finn (1988), tout en reconnaissant que la qualité et l'utilité des programmes de formation en administration de l'éducation ne sont pas faciles à établir, affirmaient qu'une enquête après une autre auprès des administrateurs de l'éducation en poste révélait que la plupart jugeaient que leur formation universitaire avait été facile, ennuyante et utile seulement par intervalles (p. 95). Ils déploraient le fait que, contrairement à d'autres disciplines, l'administration de l'éducation n'avait pas développé son propre modèle d'études supérieures (p. 96).

Achilles (1988, p. 44), quant à lui, soulevait le problème des étudiants qui décident par eux-mêmes de s'inscrire à un programme de formation, le problème des programmes de formation qui étaient « paroissiaux », c'est-à-dire taillés davantage pour ces étudiants sans plan de carrière et finalement celui des programmes qui avaient tendance à être du genre traditionnel. Griffiths (1988b), pour sa part, présentait les deux sources principales de critiques. D'abord, une source de critiques affirmait que les gestionnaires de l'éducation n'étaient pas aussi compétents que ceux qui œuvraient dans d'autres domaines. Une seconde source prétendait que les comportements de ces gestionnaires n'avaient pas évolué au même rythme que les attentes du public (p. 285).

Cooper et Boyd (1988) ont affirmé qu'un modèle presque universel de formation en administration de l'éducation avait évolué en Amérique vers un modèle unique. « Ce modèle unique était contrôlé par l'État, loin des enseignants, obligatoire pour tous les nouveaux gestionnaires, offert par les universités, sanctionné par un nombre de crédits et lié à la certification des gestionnaires» (p. 251). Plus loin, ils soutenaient que la philosophie de base de ce modèle unique reposait sur la croyance à l'empirisme, la possibilité de pouvoir prédire et la certitude scientifique (p. 252).

En outre, les auteurs relevaient également les plaintes, souvent exprimées, voulant que les programmes de formation de ce champ d'études attiraient des candidats médiocres, que les standards d'admission à ces programmes étaient plutôt minimes et que les programmes étaient incohérents (p. 261). De plus, ils notaient que les critiques provenaient de quatre sources, à savoir de ceux qui croient que : 1) ce que les programmes de formation enseignent n'est pas ce dont les étudiants ont besoin pour accomplir leurs tâches ; 2) la recherche sur laquelle reposent les programmes est inadéquate pour guider la pratique ; 3) les gestionnaires ne peuvent pas établir un équilibre utile entre les connaissances générales et les connaissances spécifiques ; et 4) les cours sont ennuyants, qu'ils manquent d'application et qu'ils n'offrent aucun défi (p. 263).

Pitner (1988) résumait les plaintes provenant des praticiens. En général, ces derniers se plaignaient que les professeurs n'avaient pas d'expérience comme administrateurs dans les écoles publiques, que les programmes universitaires ne fournissaient pas des occasions d'appliquer les connaissances acquises à des situations réelles, que la théorie elle-même était trop souvent non pertinente pour les besoins du monde réel et que les praticiens n'avaient pas l'habitude de l'enseignement et de l'élaboration des cours (p. 378). Griffiths (1988a) affirmait que «la plupart des programmes de formation des gestionnaires scolaires varient en qualité, d'embarrassante à désastreuse» (p. 8).

Une des critiques souvent mentionnées fut celle de la «séparation des problèmes d'administration de ceux de l'éducation (Greenfield, 1988, p. 144). Mulkeen et Cooper (1989) affirmaient, pour leur part, que «l'enseignement de l'administration de l'éducation n'avait pas toujours bien présenté une vision large des écoles dans la société» (p. 53). Par contre, Clark (1988) écrivait que les étudiants passent à travers toutes leurs études sans jamais avoir vu une recherche récente ou sans jamais avoir lu un article dans l'*Administrative Science Quarterly*, l'*Educational Administration Quarterly* ou l'*American Journal of Sociology*. «Ils étaient, ajoutait-il, fonctionnellement des illettrés en ce qui regarde les connaissances de base de notre champ d'études» (p. 4-5).

Murphy et Hallinger (1989) ont présenté ce qu'ils considéraient comme les principaux problèmes relatifs à la formation en administration de l'éducation telle qu'elle était alors enseignée. Même s'ils datent de plus de dix ans, les besoins exprimés dans ce temps-là par les auteurs demeurent encore d'actualité et contribuent en quelque sorte à brosser un tableau plutôt sombre du champ d'études. Selon eux, les cinq premiers besoins étaient reliés au contenu des programmes de formation, les quatre suivants avaient trait au processus d'enseignement de cette matière et le dernier besoin portait sur la théorie et la pratique (p. 29). Voici la liste de leurs dix besoins présentés sans commentaires de leur part :

> ➢ le besoin d'une base de connaissances plus solide ;
> ➢ le besoin d'une théorie qui reflète les réalités du milieu de travail ;
> ➢ le besoin d'un contenu appuyé par la recherche des facteurs qui contribuent aux résultats organisationnels importants,
> ➢ en particulier, les indicateurs du progrès des élèves ;
> ➢ le besoin d'un accent plus prononcé à l'égard de la gestion des opérations techniques ;
> ➢ le besoin d'un accent plus prononcé sur les habiletés relatives à l'enseignement ;
> ➢ le besoin de concilier le processus de formation et les conditions du milieu de travail ;
> ➢ le besoin d'un meilleur enseignement ;
> ➢ le besoin de traiter les gestionnaires de l'éducation en étudiants adultes ;
> ➢ le besoin d'accentuer davantage les principes du changement efficace et du développement des ressources humaines ;
> ➢ le besoin d'établir de nouvelles avenues entre la théorie et la pratique (p. 29-32).

Le National Policy Board for Educational Administration (NPBEA, 1989) maintenait que la qualité des programmes s'était détériorée au cours des années : «le contenu des cours est souvent non pertinent, désuet et ne présente aucun défi» (p. 9 et 11). Guthrie (1990), pour sa part, écrivait que «la formation professionnelle des gestionnaires scolaires est l'une des plus faibles composantes de l'éducation aux États-Unis» (p. 228-229). De fait, il répétait ce que Spaulding avait déjà dit 80 ans auparavant. Enfin, Fullan (1991), commentant le développement professionnel des gestionnaires de l'éducation, affirmait que la théorisation, le manque d'identification des problèmes et des habiletés, la distance avec les situations pratiques et l'absence de mécanismes permettant l'application des acquis universitaires ont rendu les programmes universitaires relativement inefficaces (p. 336).

Pohland et Carlson (1993) ont rapporté que les matières les plus enseignées en 1976 relevées, par Davis et Spuck (1978), telles que les théories en administration, le leadership, la législation scolaire, la prise de décision, etc., étaient similaires aux domaines les plus souvent couverts dans les programmes de 1993. Quant à McCarthy (1999), elle mentionnait que les titres des cours du champ d'études et, dans plusieurs cas, les sujets abordés dans les cours étaient demeurés essentiellement les mêmes pendant plusieurs décennies (p. 125). Elle ajoutait que la description des cours du doctorat du milieu des années 1960 était encore applicable à plusieurs programmes des années 1990. Enfin, Cambron-McCabe (1999) demeure pessimiste quant aux futures possibilités d'améliorer les programmes de formation en administration de l'éducation lorsqu'il écrit :

> Les occasions d'une réforme sont rares. Si nous n'avons pas procédé à des réformes significatives au cours des dix dernières années, comment peut-on s'attendre à des changements dans un avenir prévisible ? (p. 218).

À la défense du passé

Compte tenu des nombreuses critiques exprimées à l'égard de la formation en administration de l'éducation depuis les origines de l'enseignement de ce champ d'études, il est de mise de soumettre les principales raisons qui peuvent expliquer le peu de changements apportés aux programmes de formation au cours de leur 80 premières années d'existence. McCarthy (1999, p. 126) affirmait que derrière des titres de cours similaires, leur contenu avait quand même changé et été tenu à jour. Il est important aussi d'exposer les motifs qui ont provoqué depuis les années 1980 des changements substantiels dans les programmes de formation. Dans les pages qui suivent, nous décrivons la situation vécue aux États-Unis.

Il est d'abord intéressant de relever le fait que les praticiens qui ont souvent critiqué la formation en administration de l'éducation n'ont pas exercé les pressions nécessaires afin de pouvoir participer à l'élaboration des programmes universitaires. Il faut ajouter qu'ils n'ont pas tellement été invités par les universités à collaborer à ce processus. La même situation a existé pour le perfectionnement des gestionnaires de l'éducation. Dans les deux cas, les programmes universitaires et le contenu des sessions de perfectionnement étaient préparés par des universitaires supposant ce qui convenait pour gérer adéquatement une organisation scolaire.

Au cours de toutes ces années, les professeurs en administration de l'éducation n'ont pas manifesté un grand intérêt pour modifier le contenu des programmes de formation de ce champ d'études. Comme le soulignaient McCarthy et Kuh (1997), pour être davantage qu'un pur exercice universitaire, la révision d'un programme de formation requiert généralement un travail de plusieurs heures en comité (p. 119). Or, selon les professeurs eux-mêmes, ce genre de travail est le moins satisfaisant. En 1973, 48 % d'entre eux désiraient moins de travail en comité (Campbell et Newell, 1973, p. 81) et 59 % déclaraient n'éprouver aucun plaisir à travailler en comité (McCarthy et Kuh, 1997, p. 154). En 1988, les professeurs affirmaient ne passer que 6 % de leur temps en comité (Kuh et McCarthy, 1989, p. 119).

Selon Kuh et McCarthy (1989), le système universitaire de promotion des professeurs n'a pas contribué à les encourager à revoir les programmes de formation en administration de l'éducation (p. 121). Selon eux, un modèle de formation professionnelle requiert un système de promotion qui reconnaît les contributions au champ d'études et à la réforme des programmes de formation. Ce ne fut pas le cas en administration de l'éducation. L'enseignement de ce champ d'études étant dispensé dans les facultés d'éducation plutôt que dans des écoles professionnelles, le système de promotion n'a pas suffisamment reconnu le travail accompli lors d'une révision de programme de formation (p. 121). Les critères de promotion demeuraient avant tout le nombre de recherches réalisées et les services professionnels rendus à la communauté. Murphy (1993a, p. xvi) faisait la même remarque.

L'inexpérience administrative d'une majorité de professeurs de l'administration de l'éducation peut servir d'explication pour le peu d'intérêt qu'ils ont accordé à la révision des programmes de ce champ d'études. Alors que Hills (1965) rapportait que seulement 12 % des professeurs d'alors n'avaient aucune expérience de l'enseignement ou de la pratique administrative (p. 65), les années suivantes ont permis de constater qu'il y avait eu une amélioration de la situation. En effet, McCarthy et Kuh (1997) soulignaient que seulement 23 % des professeurs en 1986 avaient une expérience en administration alors qu'en 1994, 33 % avaient une telle expérience (p. 87).

La prolifération des programmes de formation en administration de l'éducation des années 1970 et 1980 semble avoir renforcé le fait qu'il y ait eu très peu de révisions de programmes de formation du champ d'études. Cette prolifération a mené à une répartition des nouveaux professeurs entre les nombreuses universités et collèges américains qui offraient un tel programme. Les départements d'administration de l'éducation se sont retrouvés avec très peu de professeurs. En effet, la moyenne du nombre de professeurs est passée de 6,5 en 1976 (Davis, 1978) à 5,0 en 1986 (McCarthy *et al.*, 1988) et à 5,6 en 1990 (McCarthy et Kuh, 1997). Cette situation n'a pas été de nature à provoquer une révision des programmes.

La continuité du contenu des programmes de formation en administration de l'éducation que l'on a observée depuis les débuts de son enseignement a aussi été encouragée par le système de certification des gestionnaires de l'éducation imposé par les États américains. En effet, le système exigeait de suivre un minimum de cours bien définis dans les règles régissant le système. Les exigences d'un tel système expliqueraient que l'on pouvait retrouver les mêmes cours quasi immuables dans la plupart des universités et des collèges. Cooper et Boyd (1988) ont noté que les exigences de certification étaient demeurées les mêmes au cours des années à travers tous les États et qu'elles avaient aidé à perpétuer un modèle unique de formation dans ce domaine.

Enfin, il se peut que, en certains milieux, il y ait eu tout simplement une certaine résistance au changement. Plusieurs professeurs en administration de l'éducation, étant d'anciens enseignants, ont conservé leur attitude conservatrice qui a souvent caractérisé la profession enseignante (Lortie, 1975, p. 212 ; Corbett, Firestone et Roseman, 1987, p. 36). Milstein (1999) a indiqué que «la résistance au changement et à l'amélioration des programmes existait dans les bureaucraties universitaires aussi bien qu'à l'intérieur des programmes eux-mêmes» (p. 544). En 1997, seulement 9 % des professeurs déclaraient qu'une réforme des programmes était nécessaire (McCarthy et Kuh, 1997, p. 158).

Selon Murphy (1993a), ce n'est pas avant le milieu des années 1980 que l'on a assisté à une analyse critique de l'administration de l'éducation en général et, en particulier, des programmes de formation de ce champ d'études (p. 9). Chaque facette de cette formation a été examinée sérieusement au cours des années 1980. Il y eut alors un sentiment palpable et généralisé qu'une réforme des programmes était nécessaire (Murphy, 1993a, p. 9). Un peu comme avant 1947 lorsque les trois évènements déjà rapportés avaient donné un élan au champ d'études, des évènements non coordonnés sont survenus dans les années 1980, qui ont fait prendre conscience que des changements inéluctables et même pressants devaient être apportés aux programmes de formation en administration de l'éducation.

À la suite des vagues de réformes scolaires du milieu des années 1980, l'éducation américaine a alors connu des incidents importants à l'égard de la gouverne des écoles. Il y eut la décentralisation de la gestion dans les écoles, une gouverne partagée et l'exercice d'un leadership d'équipe (McCarthy, 1999, p. 126). D'autres forces incitant au changement ont été les bons d'éducation (*vouchers*), les écoles à charte et la gestion privée en éducation (McCarthy et Kuh, 1997, p. 249). Les gestionnaires de l'éducation devenaient dorénavant des facilitateurs, des mentors et des formateurs. Ces nouveaux rôles requéraient une formation qui mettait en évidence le programme d'études, l'enseignement, l'apprentissage, le contexte social de l'éducation, la culture des écoles et les valeurs (Murphy, 1993b).

En l'espace de deux ans, de 1986 à 1988, une série de circonstances ont amené les professeurs en administration de l'éducation à réaliser qu'ils ne pouvaient maintenir plus longtemps les mêmes programmes de formation. D'abord, ce fut les initiatives en 1986 de la Fondation Danforth en ce qui regarde la formation des directeurs d'école et les échanges interuniversitaires entre les professeurs de ce champ d'études et celles des États avec des modifications apportées à leur système respectif de certification des gestionnaires de l'éducation. Puis, ce fut la parution du rapport de la National Commission on Excellence in Educational Administration (NCEEA), parrainée par le University Council for Educational Administration (UCEA), recommandant, entre autres, l'adoption du modèle d'une école professionnelle et la participation d'éminents praticiens. La création en 1988 du National Policy Board for Educational Administration (NPBEA), qui entreprit une série d'activités destinées à donner une direction à la reconstruction des programmes de formation et aux établissements offrant ces programmes, a été un évènement important. Enfin, la publication du premier *Handbook of Research on Educational Administration* (Boyan, 1988), résultat d'un « irrésistible passé de cinquante ans de recherches originales et d'emprunts actifs » (Murphy et Forsyth, 1999, p. 266), a fourni un nouveau souffle dont le champ d'études avait grandement besoin.

Selon plusieurs auteurs, l'arrivée depuis 1986 d'un plus grand nombre de femmes comme professeurs en administration de l'éducation peut expliquer une plus grande ouverture à l'égard des changements, que certains considèrent comme profonds, apportés aux programmes de formation (Milstein, 1999, p. 541). Si, en 1972, les femmes ne représentaient que 2 % du corps professoral du champ d'études, elles en représentaient déjà 10 % en 1986 et 20 % en 1994 (McCarthy et Kuh, 1997, p. 68). Selon McCarthy (1999), 39 % des nouveaux professeurs embauchés entre 1989 et 1994 étaient des femmes. Seulement pour l'année 1994, plus de 50 % des nouveaux professeurs étaient des femmes. Murphy et Forsyth (1999) ont fait ressortir qu'une plus grande présence féminine s'est faite sentir dans des postes importants dans les principales organisations professionnelles en administration de l'éducation (p. 44).

Depuis les années 1970, il y a eu un déclin constant du nombre de professeurs en administration de l'éducation. Un bon nombre d'entre eux embauchés dans les années 1960 ont atteint l'âge de la retraite. Selon Murphy et Forsyth (1999), il y eut un fort taux de roulement parmi les professeurs entre 1987 et 1996 (p. 47). La situation a été d'autant plus sérieuse que, en général, ils n'étaient pas remplacés. En raison du départ de leurs professeurs, des départements d'administration de l'éducation ont été forcés de fusionner avec un ou plusieurs autres départements de leur faculté d'éducation. McCarthy et Kuh (1997) rapportaient que, parmi les chefs de département qui avaient indiqué une réorganisation de leur département, 47 % indiquaient qu'une fusion avait eu lieu. Ce mouvement de fusions a éventuellement provoqué des modifications majeures des programmes de formation du champ d'études (p. 35).

Milstein (1999), pour sa part, soulignait que pour changer les programmes de formation en administration de l'éducation dans les universités, il devait y avoir un empressement à vouloir le faire. Cet empressement, tout important soit-il, a besoin de champions qui possèdent la volonté et l'habileté pour le faire aussi bien que le soutien des professeurs (p. 544). Ces champions, selon McCarthy (1999), sont de plus en plus nombreux et visibles (p. 135). Milstein concluait qu'une « réforme des programmes requiert que les professeurs et les gestionnaires universitaires croient que les choses doivent être faites différemment. Cette croyance requiert un doute au sujet de l'efficacité des pratiques courantes » (p. 541).

McCarthy (1999) concluait qu'il y avait eu plus de verbiage que de changements réels des pratiques dans les programmes de formation en administration de l'éducation (p. 135). Elle ajoutait que les quelques programmes qui ont été révisés et modifiés ont fait l'objet d'une considérable attention lors de réunions et de publications professionnelles. Toutefois, selon elle, leur impact à ce jour avait été plutôt

modeste et il «était trop tôt pour savoir dans quelle mesure les innovations se répandront à travers les États-Unis et à quel point elles
redirigeront la culture des programmes de formation en administration
de l'éducation» (p. 135).

LA PETITE HISTOIRE DU CHAMP D'ÉTUDES
AU QUÉBEC

Cette partie du chapitre repose essentiellement sur les témoignages
recueillis lors de deux rencontres tenues à l'Université du Québec à
Montréal auprès de cinq des premiers professeurs en administration
de l'éducation au Québec. Les auteurs du présent ouvrage craignaient
qu'une certaine mémoire collective concernant ce champ d'études ne
soit perdue à tout jamais. Le présent ouvrage se prêtait particulièrement bien à profiter de la disponibilité de ces pionniers pour rapporter la petite histoire de l'administration de l'éducation qui peut-être
autrement n'aurait jamais été écrite.

Les professeurs rencontrés ont tous connu les débuts de l'implantation de l'administration de l'éducation au Québec dans les deux premières universités à offrir les premiers programmes de formation en ce
domaine, soit l'Université Laval et l'Université de Montréal. Grâce à
eux, nous avons pu également reconstituer le développement du champ
d'études à l'Université de Sherbrooke et à l'Université McGill. Voici
les personnes rencontrées:

> ➢ Clermont Barnabé, professeur retraité de l'Université McGill;
> ➢ Philippe Dupuis, professeur à l'Université de Montréal;
> ➢ Gérard Éthier, professeur retraité de l'École nationale d'admi-
>   nistration publique;
> ➢ Denis Massé, professeur invité à l'Université de Montréal,
>   retraité de l'Université de Sherbrooke;
> ➢ Jean Plante, professeur à l'Université Laval.

Les origines du champ d'études

Au moment où les premiers programmes de formation en administration de l'éducation étaient élaborés, le système scolaire du Québec
était en pleine évolution pour ne pas dire en pleine révolution. Plusieurs lois scolaires furent édictées et adoptées par le gouvernement

d'alors au cours de la session 1959-1960. Par suite de nombreux et importants changements survenus au cours de cette période, de nouvelles relations se sont établies entre l'État, les établissements et les personnels du monde de l'éducation.

C'est dans les écoles que les changements furent les plus ressentis et qu'ils devaient éventuellement influencer en bonne partie la conception de l'administration de l'éducation. Les écoles des années 1950 étaient relativement petites ; les plus grosses pouvaient avoir 500 élèves. Les nouvelles orientations prévoyaient des écoles de 2 000 élèves. Il était alors moins question de supervision pédagogique ; on requérait dorénavant la gestion d'une moyenne entreprise.

Auparavant, on avait tendance à embaucher un enseignant comme directeur d'école parce qu'il était un bon enseignant. Le point de référence n'était plus un rôle de gestionnaire-pédagogue, mais un rôle de gestionnaire tout court. Les programmes de formation en administration de l'éducation arrivaient dans un système où on voulait prendre des pédagogues et leur donner une formation pour devenir des directeurs d'école. Le milieu n'était pas prêt à faire ce passage, surtout ceux qui dirigeaient les commissions scolaires à l'époque.

Au point de vue de l'administration des commissions scolaires, on parlait au Québec de bicéphalie. Il y avait d'une part un secrétaire-trésorier dans chacune des commissions scolaires du Québec qui relevait des commissaires d'école en ce qui regardait l'administration financière et matérielle. D'autre part, un directeur général des écoles, relevant également des commissaires d'école, détenait la responsabilité des activités pédagogiques. Des conflits existaient parfois dans l'exercice de ces deux rôles.

Lorsque la bicéphalie prit fin, les premiers directeurs généraux des commissions scolaires ont souvent été des comptables ou des anciens secrétaires-trésoriers qui se méfiaient beaucoup des pédagogues. Dans plusieurs endroits, on ne voulait surtout pas confier l'administration d'une commission scolaire à un pédagogue. Le contrôle des commissions scolaires et des écoles aurait pu être perdu si les gens de « l'administration » d'alors avaient pris le pas sur les pédagogues. Les premiers professeurs d'administration de l'éducation ont assuré que le pédagogue restait la personne clé de la direction des écoles et des commissions scolaires.

Les premières années du champ d'études

À Montréal, le hasard a voulu que le frère Charles de la Communauté des Frères des écoles chrétiennes, directeur de l'Institut pédagogique Saint-Georges (IPSG) affilié à l'Université de Montréal, rencontre en 1960 le directeur du département d'administration de l'éducation de l'Université de l'Alberta, Arthur Reeves. Il y avait depuis le milieu des années 1950 à l'IPSG des cours axés sur la supervision scolaire et l'inspectorat. Cependant, le directeur de l'Institut désirait avoir un programme plus étoffé en administration de l'éducation. Après sa rencontre avec Reeves, le directeur de l'Institut cherchait une personne intéressée qui serait envoyée aux études dans ce domaine.

Philippe Dupuis, qui était alors directeur d'une école et qui suivait des cours à l'Institut, fut choisi pour aller faire ses études de maîtrise en administration de l'éducation à l'Université de l'Alberta. Lorsqu'il revint à l'Institut en septembre 1963, il élabora un programme de licence en pédagogie, option administration scolaire. Le programme était alors une copie plus ou moins conforme à la maîtrise qui existait en Alberta.

Entre 1963 et 1965, d'autres professeurs furent embauchés par l'Institut. Denis Massé, Gérard Éthier et Clermont Barnabé étaient du nombre. Une des conditions d'embauche était l'acceptation d'entreprendre des études doctorales en administration de l'éducation. Or, lors de l'intégration de l'Institut à la Faculté des sciences de l'éducation en 1966, l'Université de Montréal a respecté l'engagement que l'Institut avait pris à l'égard de ces trois professeurs. Ces derniers ont donc pu entreprendre des études doctorales, l'un en Alberta, le second à Toronto et le dernier à l'Université de New York à Buffalo.

L'enseignement prodigué par les premiers professeurs en administration de l'éducation n'était pas facile. Ils enseignaient à des groupes de plus de 100 étudiants (315 étudiants étaient inscrits à la licence en pédagogie, option administration scolaire, en 1967-1968). Ils étaient pour une bonne part des gestionnaires scolaires détenteurs d'un baccalauréat en pédagogie et exposés pour la première fois de leur vie à des concepts nouveaux. Il arrivait parfois que certains étudiants ne comprennent pas ce dont parlait le professeur. On part de loin.

À l'Université Laval, l'École de pédagogie et d'orientation (EPO) offrait au milieu des années 1950 des cours portant, comme à l'Université de Montréal, sur la supervision scolaire et l'inspectorat. Le professeur Arthur Tremblay eut une grande influence sur les futurs programmes d'administration de l'éducation, en particulier, ses études sur la réussite scolaire qu'il menait en compagnie du juge Thomas Tremblay. Jean-Yves Drolet, alors directeur d'école et étudiant à l'EPO, fut invité à entreprendre des études doctorales à l'Université de l'Alberta.

Lorsqu'il revint de l'Alberta en 1961, il élabora un programme de licence en pédagogie de 60 crédits, avec une option en administration scolaire qui était, comme à Montréal, une copie presque conforme à ce qui existait en Alberta. D'autres professeurs furent par la suite embauchés. Ce fut le cas de Jean Brassard, Valérien Harvey et Jacques Kirouac. Le programme a ensuite évolué au cours des années jusqu'en 1970 au moment où il y eut un changement d'orientation du département.

Ce changement était dû au projet de recherche sur les Aspirations scolaires et orientations professionnelles des étudiants du Québec (ASOPE) entrepris à l'automne 1970. La recherche ASOPE était dirigée à Montréal (Université de Montréal) par Guy Rocher et à Québec par Pierre W. Bélanger (Université Laval). Certains professeurs ont fait leurs études doctorales dans le cadre de cette recherche. Une nouvelle orientation du département a éventuellement amené des personnes ressources en sociologie de l'éducation plutôt qu'en sociologie des organisations. L'embauche de sociologues, tels que Claude Trottier, Roland Ouellet, Raymond Laliberté et Renée Cloutier, a fait en sorte que les quatre ou cinq professeurs d'administration d'éducation offraient des cours de service.

La culture organisationnelle du département, dès son origine, fut fortement teintée de sociologie. L'administration scolaire à l'Université Laval s'est modelée sur celle de Harvard et des universités du sud des États-Unis. À la maîtrise et au doctorat, les responsables n'ont pas suivi le modèle de l'Alberta. De 1970 à 1985, le département a offert un baccalauréat en éducation, option administration scolaire.

L'École nationale d'administration publique (ENAP), créée en 1969, offrait une maîtrise en administration publique. Elle n'a jamais montré d'intérêt pour l'administration scolaire et a même refusé des programmes de maîtrise spécialisés en administration municipale, en administration de la santé ou de l'éducation. Il y a eu toutefois une entente entre l'ENAP, l'Institut national de recherche scientifique (INRS) et l'Université du Québec à Montréal pour une maîtrise en gestion urbaine qui a duré une quinzaine d'années. Depuis 1979, l'ENAP a le contrôle exclusif de la maîtrise en gestion urbaine. En 1972, la parution de la politique administrative et salariale du ministère de l'Éducation mettait l'accent sur la formation des gestionnaires de l'éducation. L'ENAP fut alors mandatée pour assurer des sessions de perfectionnement des cadres scolaires. La même année, Denis Massé, de l'Université de Montréal, était prêté à l'ENAP pour deux ans.

La première demande de perfectionnement est venue de la part des directeurs de polyvalente (grande école secondaire). Le perfectionnement portait sur le processus de résolution de problèmes. La stratégie de perfectionnement fut de présenter aux directeurs généraux la nouvelle politique de perfectionnement du gouvernement parue en 1972 et le rôle que les commissions scolaires devaient jouer en cette matière auprès de leurs cadres. Une présentation identique eut lieu avec les directeurs du personnel, comme on les appelait alors.

En 1975, Denis Massé fit la suggestion à la Faculté des sciences de l'éducation de l'Université de Montréal de faire de la formation sur mesure. Considérant que cette formation ne faisait pas partie de la mission de l'Université, la suggestion fut refusée. C'est à ce moment qu'André Reid, secrétaire de la Faculté d'éducation de l'Université de Sherbrooke, embaucha Denis Massé pour faire de la formation sur mesure. Ce fut alors le début d'expériences fructueuses dans le domaine de la formation en administration de l'éducation dans cette université.

Il y a eu d'abord la création du Programme d'introduction pour la direction d'écoles secondaires (PIDES) en 1975 et du Programme d'introduction pour les directions d'écoles élémentaires (PIDEL) en 1976. Ces deux programmes ont permis l'engagement de praticiens, en particulier des directeurs d'écoles, comme professeurs adjoints. En même temps, la maîtrise en administration de l'éducation de l'Université de Sherbrooke portait plus sur les champs pratiques que sur l'acquisition de connaissances.

L'Université McGill a débuté l'enseignement de l'administration de l'éducation en 1965 avec l'arrivée du professeur Mildred Burns, fraîchement diplômé de l'Université Stanford. La Faculté d'éducation était située sur le campus du Macdonald College à Sainte-Anne-de-Bellevue avant de déménager la même année sur le campus du centre-ville. L'embauche éventuelle de quatre nouveaux professeurs dans le domaine entre 1966 et 1970 a permis l'élaboration d'un programme plus complet.

En 1976, le département d'administration de l'éducation comprenait sept professeurs et le programme comportait deux cours obligatoires: introduction à l'administration de l'éducation et analyse de cas. L'étudiant devait en plus obligatoirement suivre deux cours de trois crédits chacun dans trois domaines : politique, économique et planification. En septembre 1980, à l'occasion d'une réorganisation de la faculté, le département devenait celui d'administration et d'études politiques avec un personnel enseignant de onze membres.

Le recrutement et la sélection des étudiants dans les universités

À l'Université de Montréal, il n'y a jamais eu besoin d'un recrutement formel d'étudiants. Il existait un bassin naturel d'étudiants. De 1968 à 1977, par exemple, la section d'administration scolaire avait comme étudiants, entre autres, des anciens professeurs d'écoles normales qui se préparaient à devenir de futurs professeurs du réseau de l'Université du Québec. De plus, certaines commissions scolaires libéraient, au cours de cette période, des enseignants pour étudier à temps plein. De 1970 à 1975, la sélection des étudiants était assurée par deux professeurs qui étudiaient à fond les candidatures des étudiants.

À l'Université Laval, à l'occasion d'un projet subventionné par la Fondation Ford et l'Agence canadienne de développement international (ACDI), le département d'administration scolaire recevait en 1976 à peu près 24 cohortes d'étudiants venant de l'Afrique équatoriale française. Une formation plutôt sociopolitique leur était donnée. D'autres étudiants sont venus par la suite de l'Afrique du Nord, en particulier de l'Algérie, du Maroc et de la Tunisie. Il y a eu aussi des étudiants venus grâce à la Banque mondiale. Il s'agissait alors d'un recrutement international plutôt que local. Le besoin d'un recrutement local ne s'est donc jamais réellement fait sentir. Plus récemment, le recrutement d'étudiants se faisait de plus en plus par la féminisation et par des invitations personnelles de la part de professeurs. Une ouverture s'est faite pour accueillir des professeurs féminins.

En 1974, à l'Université de Sherbrooke, le recrutement des étudiants se faisait par une publicité expédiée dans le réseau des commissions scolaires. Avec les nouveaux programmes PIDES et PIDEL, l'enseignement était dispensé directement dans le milieu grâce à des cohortes de gestionnaires qui demeuraient ensemble tout au long de leur programme. Plusieurs étudiants de ces programmes pouvaient par la suite s'inscrire à la maîtrise, de telle sorte que le besoin d'un recrutement n'était pas nécessaire.

La situation actuelle de la formation

On a constaté une évolution particulière de la formation en administration de l'éducation à l'Université de Sherbrooke. Auparavant, la formation dans ce domaine était le résultat d'un choix personnel. Un individu décidait de son propre chef de s'inscrire à un programme universitaire de formation. Dans le cas des programmes PIDEL et PIDES offerts par l'Université de Sherbrooke, ils étaient annoncés dans les commissions scolaires et les individus s'y inscrivaient eux-mêmes.

À partir des années 1985 et 1986, l'Université de Sherbrooke offrait le Programme d'introduction à la direction d'écoles (PIDEC). Jusqu'en 1999, le programme était obligatoire dans certaines commissions scolaires et libre dans d'autres commissions. Depuis l'an 2000, l'Université de Sherbrooke a commencé à négocier des arrangements spéciaux avec chaque commission scolaire. C'est la commission scolaire qui choisit l'étudiant et qui l'inscrit au programme négocié avec l'Université de Sherbrooke. Présentement, il y a des commissions scolaires qui ont négocié des programmes très particuliers en demandant que certains éléments soient inclus dans le programme, qu'un étudiant soit déjà détenteur d'une maîtrise ou d'un doctorat en administration de l'éducation. Tout le monde doit passer par là. Ce n'est plus du recrutement, c'est de l'élaboration de programme.

Par exemple, une commission scolaire s'est vu offrir, par l'Université de Sherbrooke, une formation à la direction d'écoles qui s'adressait aux enseignants et aux professionnels qui avaient à peu près deux ans d'expérience dans le milieu. La réponse a été qu'on ne voulait pas faire connaître ce programme particulier parce qu'on voulait sélectionner les gens qui deviendraient directeurs d'école grâce à un processus de présélection. Il y a des milieux qui commencent à vivre en vase clos et qui mettent en place de la formation de « boutique ».

Au lieu de présélectionner et de payer les gens en les libérant pour qu'ils suivent la formation, ce sont les gens eux-mêmes qui, par leur propre motivation, décident de s'inscrire à une formation. Or, dans les commissions scolaires qui ont choisi le modèle mentionné précédemment, on se trouve à payer une bonne partie de la formation des personnes inscrites sans être certain qu'elles seront véritablement intéressées à la carrière de gestionnaire.

Certaines commissions scolaires de la région de Montréal commencent à réaliser que les gens ainsi formés ne seront pas nécessairement des gestionnaires. Mais il y en a d'autres, probablement à cause d'une espèce de visée hégémonique, qui veulent recruter des directions d'école à leur image. Toutefois, il est possible que des commissions scolaires se retrouvent dans un cul-de-sac plus vite qu'elles ne le pensent à cause de cette nouvelle pratique.

Dans une commission scolaire de la région de Québec, il n'y a plus personne qui s'inscrit à la maîtrise en administration de l'éducation à l'Université Laval à cause d'un contrat spécifique signé avec l'Université de Sherbrooke. Par exemple, un étudiant qui avait complété la moitié de son mémoire a tout abandonné pour la même raison. On est en train de mettre en place des conditions ou encore des contraintes qui empêchent les personnes qui pourraient avoir un intérêt à se diriger dans le domaine de le faire.

En l'an 2000, les candidats ne viennent pas s'inscrire à des programmes universitaires de formation en administration de l'éducation. Ce sont plutôt les commissions scolaires qui organisent le perfectionnement de leurs gestionnaires. Elles ont de plus en plus tendance à venir voir telle ou telle personne ou tel ou tel département afin de demander l'organisation de deux ou trois jours de formation sur tel ou tel sujet, de sorte que, encore là, l'effort personnel du cadre de formation n'est pas reconnu.

Il existe actuellement une table de concertation à laquelle participent les universités et la Fédération des directeurs d'établissement. On constate qu'il y a peu d'ouverture de la part des universités à mettre en commun ce qu'elles font, pour toutes sortes de raisons historiques. La rigidité des programmes fait en sorte qu'il devient difficile de les changer afin que les universités puissent s'ajuster entre elles. Cette situation représente un problème important et pour lequel il faut trouver des solutions.

Présentement, c'est un comité provincial, qui a été mis sur pied par la Fédération des commissions scolaires, auquel siègent les directions générales, les cadres et des représentants des directions d'école, arrivés plus tard, qui est en train de vouloir concevoir un programme d'insertion professionnelle pour la relève. Ce sont les directions d'école qui ont été obligées de demander à siéger au comité, sans quoi elles auraient été complètement tenues à l'écart, ce qui risque d'amplifier le phénomène déjà mentionné. Il y a lieu de se demander comment il se fait que les universités sont absentes de ce comité. La Fédération des commissions scolaires est plutôt sourde à une discussion sur autre chose que le terre-à-terre. Dès qu'on veut le faire, le discours ne passe pas.

L'École nationale d'administration publique (ENAP) qui recevait, dans les années 1980, à peu près 30 % des étudiants du milieu de l'éducation n'en reçoit plus que 8 % ou 10 %. De plus, lors de sa création en 1969, l'école formait surtout des professionnels en situation de gestion et des gestionnaires. La maîtrise professionnelle (maîtrise en administration publique – option A) répondait alors à un besoin. Depuis une dizaine d'années, c'est la maîtrise de recherche avec mémoire (maîtrise en administration publique – option B) qui est de plus en plus préférée.

Quelques explications possibles de la situation actuelle

Il semble bien que la direction des commissions scolaires veuille avoir la main mise sur la décision concernant les personnes qui iront en formation en administration de l'éducation. Un des désavantages d'une telle situation est que la commission scolaire se limite à un bassin ou à un milieu de recrutement. Elle restreint son bassin à son personnel et se retrouve le nez collé sur la baie vitrée parce que, actuellement, il n'y a pas suffisamment de directions d'école formées pour prendre la relève.

Les patrons se sont emparés à l'heure actuelle de la formation. Est-ce un prétexte pour profiter du fait que la relève était très difficile et qu'elle devenait un problème pour beaucoup de commissions scolaires afin de prendre la formation en main? Depuis au moins sept ans, le ministère de l'Éducation (MEQ) avait mis en place un comité pour étudier la question de la formation en administration de l'éducation. Mais le MEQ a laissé tomber, et cela a été récupéré par les patrons qui voulaient définir les conditions d'accès à la profession.

Il y a lieu de se demander si cette situation décrite précédemment n'est pas due au fait que les universités sont actuellement dans la course à la clientèle. Cette course à la clientèle favoriserait peut-être une telle situation. Il existe une baisse de clientèle dans les universités alors que les commissions scolaires désirent faire affaire privément avec tel ou tel professeur. C'est une sorte de marché au noir qui prive les universités d'une clientèle On peut parler de marché fermé et d'une course à l'argent au moyen des clients.

Il existe donc un phénomène de concurrence auquel font face les universités. Devant cela, la clientèle, que ce soit des commissions scolaires ou des directions d'école, va essayer de profiter ou de chercher des avantages à partir de la concurrence. Les facteurs financiers

montrent que la concurrence sera de plus en plus forte. Les organismes clients vont profiter de la situation et s'ajuster en fonction de
celle-ci.

Dans les universités, il faut reconnaître que l'aspect professionnel n'est pas valorisé ; il est même méprisé. Ce qui est valorisé, ce sont
les recherches qui se font avec les étudiants de doctorat. Lorsque l'on
regarde la sélection des professeurs, les demandes de subvention et la
titularisation, c'est le nombre d'articles écrits dans des revues dites
scientifiques qui compte. Cela influence la culture universitaire. Dans
plusieurs universités québécoises, on s'oriente de plus en plus vers des
maîtrises de recherche.

À l'ENAP, par exemple, la baisse de clientèle venant de l'éducation est probablement due au nouveau modèle adopté par les
commissions scolaires. Le « marché » a alors échappé à l'ENAP et les
étudiants ont préféré suivre le modèle de formation offert par leur
commission scolaire. Une autre raison du manque de clientèle appartenant à l'éducation est peut-être due au fait que l'école n'offrait pas
une maîtrise avec une spécificité en éducation. Enfin, l'embauche de
sociologues, de psychologues et de spécialistes en sciences politiques
a contribué à diminuer d'autant les professeurs en management et a
accentué la préférence pour la maîtrise de recherche au détriment de
la maîtrise professionnelle.

Des pistes de solutions

Les universités n'ont jamais affirmé leur mission par rapport à la formation des cadres scolaires. C'est ce qui explique que l'on se soit dirigé
vers la recherche et les publications. Les universités devraient avoir
une volonté commune d'en arriver à s'asseoir afin de définir cette mission. Y aurait-il moyen de créer un organisme ou un institut qui mettrait en commun les ressources, étant donné les besoins énormes et
le peu de ressources disponibles ? Il est difficile à ce moment-ci de
déterminer les modalités auxquelles pourraient en arriver les universités. Toutefois, il faudra le faire. Sinon, le danger ou le risque, c'est
le monopole.

Il faudrait examiner la discipline même de la gestion. Est-ce un
peu de psychologie, de sociologie ou de sciences politiques ? On en
est rendu, peut-être à cause du contexte actuel, au point où on devrait
mieux préciser les objectifs mêmes de la formation et mettre en doute
l'approche par compétences. Une chose semble être sûre : ce ne sont

plus les disciplines qui vont servir à définir les programmes. Il va falloir que les universités arrivent à revoir la formation des cadres scolaires de façon à ajuster leur formation aux besoins réels de la société.

Les universités devront apporter des changements dans leur façon de recruter des professeurs. Si elles veulent vraiment conserver l'enseignement de l'administration de l'éducation, elles devront chercher à embaucher des praticiens. Ces derniers auront quand même une préoccupation pour la recherche, mais auront été au départ des gestionnaires. De plus, les universités devront mettre en place un système d'échanges avec le milieu.

Une lueur d'espoir peut découler d'une réunion récente du comité formé des universités et de la Fédération des directeurs et directrices d'établissement d'enseignement. Certains professeurs ont alors suggéré de former un groupe de travail avec le mandat de réfléchir sur la problématique de la formation et de la professionnalisation. Pour ce faire, chaque université recrutera des étudiants qui sont directeurs d'école pour siéger au comité de réflexion.

Un autre élément d'espoir réside dans la pression actuellement exercée par le MEQ sur le besoin de performance (les contrats de performance du ministre Legault), de résultats et d'efficacité. Cet élément peut être une pression pour que l'enseignement de la gestion et la formation en gestion prennent un tournant assez significatif, car la pression pour que nos établissements publics soient performants est exprimée de plus en plus sous différentes formes. Le problème demeure qu'il faut définir ce que l'on entend par performance.

La formation des cadres scolaires est devenue une problématique très politique. Qui peut les atteindre pour leur dire qu'ils ne sont pas sur la bonne voie ? Qui en administration de l'éducation peut être capable de faire contrepoids aux décideurs ? Est-ce les associations de cadres ? Pour avoir un changement, le contrepoids devra être d'ordre politique. Les universités auraient peut-être besoin d'une bonne analyse de besoins et de se concerter davantage.

LES PERSPECTIVES EXPRIMÉES PAR DES PRATICIENS

En contrepartie du portrait de l'implantation de l'administration de l'éducation au Québec décrit par les premiers enseignants du champ d'études, nous avons voulu présenter l'autre côté de la médaille, celle des praticiens. À cette fin, nous avons fait parvenir un questionnaire aux cinq anciens présidents de la Fédération des principaux du Québec

(FPQ ; ancienne appellation) et de l'actuelle Fédération québécoise des directeurs et directrices d'établissement d'enseignement (FQDE), ainsi qu'au président actuel de la Fédération. Tous ont répondu et accepté que leur nom soit mentionné, si nécessaire.

Les présidents ont décrit le rôle joué par la Fédération dans le développement de la gestion de l'administration de l'éducation au Québec. Pour quatre anciens présidents, ce rôle s'est exercé par le biais des cours de formation ou de perfectionnement organisés par la Fédération au cours de son histoire. Maurice Fortin, président de 1966 à 1972, par exemple, a souligné que ces cours furent mis sur pied dès les premières années de la fondation de la Fédération. Il ajoutait que lorsque la Fédération s'est adressée en 1960 aux universités du Québec afin d'avoir des cours en administration scolaire pour le personnel de la direction des écoles, aucune d'elles ne pouvait répondre à cette demande. Il mentionnait que lors de la création du ministère de l'Éducation, les cours conduisant à un certificat de 30 crédits – émis par le MEQ – connurent une «vogue phénoménale». Plus de 3 000 membres «ont bénéficié de ces cours répartis en une douzaine de centres au Québec». Jean-Marc Mathieu, président de 1988 à 1992, soulignait l'apport de la Fédération dans le développement professionnel des membres de la Fédération. Il indiquait en particulier le rôle de la Fédération dans la création de l'Association francophone internationale des directeurs d'établissements scolaires ainsi que la tenue d'évènements de formation dans chacune des associations affiliées.

Quelles images de l'administration de l'éducation durant leur mandat les anciens présidents ont-ils gardées ? Gill Robert, président de 1972 à 1979, a gardé une image de l'allure davantage pédagogique qu'administrative du champ d'études. Selon lui, «le caractère administratif n'était pas nettement perçu ni nettement défini». Quant à Guy Lessard, président de 1992 à 1998, il «conserve une image de préoccupation de la formation initiale et de la formation continue, préoccupation de conserver pour l'entrée en fonction des qualifications minimales reliées à l'enseignement, préoccupation de la complexité de la tâche et du support à fournir aux membres afin de faire face à une évolution rapide de la profession». Enfin, Jean-Marc Mathieu rappelait les nombreuses discussions qui eurent lieu en 1988 au sujet de la loi 107 et celles à l'égard de la tâche des directeurs du secondaire en comparaison de celle des directeurs du primaire. Il a gardé l'image d'un vote «pris en assemblée provinciale qui a décidé qu'il n'y avait pas de différence entre la tâche des directions de l'un ou l'autre ordre d'enseignement».

La majorité de anciens présidents ont souligné des collaborations significatives au cours de leur mandat entre la Fédération et les universités. Gill Robert rappelait la recherche de Laurin en 1979 sur le rôle du principal d'école. Son successeur, Réal de Guire, président de 1979 à 1988, rapportait que, chaque année, plusieurs professeurs d'université soumettaient dans la revue de la Fédération des points de vue et des résultats de leurs recherches concernant l'administration de l'éducation. Jean-Marc Mathieu, pour sa part, signalait l'association entre la Fédération et l'École nationale d'administration publique (ENAP) et l'Université de Sherbrooke. Enfin, Guy Lessard mentionnait que des collaborations avaient eu lieu soit pour s'interroger sur les problèmes éprouvés par les directions d'école, soit pour réfléchir conjointement sur la formation initiale à offrir aux nouvelles directions soit pour développer des formations permettant aux membres de la Fédération de se ressourcer.

Parmi les contributions les plus significatives de la Fédération pour mieux faire connaître l'administration de l'éducation au Québec comme champ d'études et de pratique, les anciens présidents ont indiqué les cours dans ce domaine organisés par la Fédération, les nombreuses interventions auprès du ministère de l'Éducation, les textes parus dans la revue *Information*, l'implication de la Fédération dans des programmes de formation initiale, l'ouverture d'esprit toujours manifestée à l'égard des universités et la défense du maintien et même de l'augmentation des qualifications minimales à exiger à l'entrée à la fonction de la direction d'école.

Ces anciens présidents s'entendaient pour affirmer que, au début de la formation, le directeur d'école était perçu comme « le principal enseignant » et il devait se développer « sur le tas ». La formation mettait alors l'accent, selon l'un des répondants, sur le fait qu'il « devait être un bon animateur et un leader pédagogique ». C'est cette conception que l'on véhiculait et c'est à partir de celle-ci qu'on voulait le former. Deux autres répondants soulignaient que la conception alors privilégiée mettait l'accent sur la direction tant pédagogique que disciplinaire de l'école.

Trois présidents ont exprimé la conception qui prévaut aujourd'hui dans la formation des administrateurs scolaires au Québec. Alors que Gill Robert indiquait que la formation actuelle menaçait le caractère pédagogique de la direction d'une école, Guy Lessard reconnaissait toutefois la conception plus administrative de la formation pour la direction d'école. D'ailleurs, Jean-Marc Mathieu affirmait que la

Fédération québécoise des directeurs et directrices d'établissement d'enseignement (FQDE), dans sa continuelle demande de qualifications minimales, a toujours exigé une solide formation de départ.

Selon Gill Robert, « la formation prend une importance capitale. Elle devrait avoir lieu avant la nomination. Il faut que l'on se prépare à devenir administrateur et qu'à l'entrée en fonction l'on ait en main un certain bagage de connaissances acquises auprès d'une université. » Quant à Jean-Marc Mathieu, son regard sur la formation actuelle des administrateurs scolaires porte sur le « manque d'un bon programme d'apprentissage entre pairs et un système efficace et suivi de mentorat ou de tutorat pour assurer l'intégration de la formation à la pratique ».

Nous avons demandé aux présidents de nous faire part de leur vision de l'avenir de l'administration de l'éducation au Québec dans les prochaines années. Gill Robert affirmait que la formation administrative devait être acquise « sans cependant noyer le contexte pédagogique. C'est le danger avec la gouverne des écoles actuelles. » Cet avenir, pour Guy Lessard, devrait être dans le développement d'un champ d'études, compte tenu « des changements qui surgiront encore. De plus, l'administration de l'éducation au Québec devra faire preuve de leadership dans le système québécois d'éducation. »

Enfin, trois présidents ont formulé un souhait quant à l'avenir du champ d'études. Gill Robert souhaite que l'on évite « de chercher des administrateurs scolaires en dehors du champ des enseignants ». Guy Lessard espère que le champ d'études « travaille en concertation avec les partenaires du réseau afin d'être en mesure de répondre aux besoins, d'être près de la réalité ». Jean-Marc Mathieu, pour sa part, désire « qu'avant de pouvoir commencer une formation initiale dans ce champ d'études, le candidat ou la candidate réussisse un examen d'entrée portant sur ses capacités à communiquer à tous égards, sur sa philosophie de l'éducation et les éléments d'un projet éducatif qu'il pouvait proposer. Je souhaite aussi que sa demande d'admission soit appuyée et commentée par au moins cinq collègues de l'établissement où le candidat voudrait obtenir une première nomination. »

Le présent chapitre a permis à nos invités de décrire le contexte qui prévalait au début de l'enseignement de l'administration de l'éducation au Québec ainsi que l'histoire de cet enseignement. Les changements survenus à la suite du rapport Parent ont été un des éléments déclencheurs pour l'engouement à l'égard de l'enseignement du champ d'études. Le chapitre a mis en évidence l'influence de l'Université de l'Alberta dans le développement au Québec de l'administration de l'éducation.

L'enseignement de l'administration de l'éducation semble bien être arrivé à un tournant décisif. Nos invités l'ont clairement exprimé. Les universités qui jusqu'ici assuraient cet enseignement ont de moins en moins d'attraits pour les gestionnaires en exercice. Ce sont les commissions scolaires qui veulent prendre en charge la formation de leurs gestionnaires, soit par des contrats spécifiques et des contrats de courte durée négociés avec une université ou même un professeur choisi.

Une réflexion profonde sur la formation en administration de l'éducation est nécessaire, pour ne pas dire urgente. Toutes les personnes, les établissements et les associations professionnelles devront conjointement y participer. Il y va de son avenir.

Références

ACHILLES, C.M. (1988). «Unlocking Some Mysteries of Administration and Administrator Preparation: A Reflective Prospect», dans D.E. Griffiths, R.T. Stout et P.B. Forsyth (dir.), *Leaders for America's Schools. The Report and Papers of the National Commission on Excellence in Educational Administration*, Berkeley, McCutchan Publishing Corporation, p. 41-67.

BLACK, J.A. et F.W. ENGLISH (1986). *What They Don't Tell You in A School of Education About School Administration*, Lancaster, Technomic Publishing Company, Inc.

BOYAN, N.J. (dir.) (1988). *Handbook of Research on Educational Administration*, New York, Longman.

BRIDGES, E.M. et M.E. BAEHR (1971). «The Future of Administrator Selection Procedure», *Administrator's Notebook*, vol. 19, n° 5, p. 1-4.

BRIDGES, E.M. (1977). «The Nature of Leadership», dans L.L. Cunningham, W.G. Hack et R.O. Nystrand (dir.), *Educational Administration : The Developing Decades*, Berkeley, McCutchan Publishing Corporation, p. 202-230.

CAMBRON-McCABE, N.H. (1999). «Confronting Fundamental Transformation of Leadership Preparation», dans J. Murphy et P.B. Forsyth (dir.), *Educational Administration : A Decade of Reform*, Thousand Oaks, Corwin Press, p. 217-227.

CAMPBELL, R.F. et L.J. NEWELL (1973). *A Study of Professors of Educational Administration*, Columbus, University Council for Educational Administration.

CLARK, D.L. (1988). *Charge to the Study Group of the National Policy Board for Educational Administration*, document inédit.

COOPER, B.S. et W.L. BOYD (1987). « The Evolution of Training for School Administrators », dans J. Murphy et P. Hallinger (dir.), *Approaches to Administrative Training*, Albany, State University of New York Press, p. 3-27.

COOPER, B.S. et W.L. BOYD (1988). « The Evolution of Training for School Administrators », dans D.E. Griffiths, R.T. Stout et P.B. Forsyth (dir.), *Leaders for America's Schools. The Report and Papers of the National Commission on Excellence in Educational Administration*, Berkeley, McCutchan Publishing Company, p. 251-272.

CORBETT, H.D., W.A FIRESTONE et G.B. ROSEMAN (1987). « Resistance to Planned Change and the Sacred in School Culture », *Educational Administration Quarterly*, vol. 23, n° 4, p. 36-59.

DAVIS, W.S. (1978). « Departments of Educational Administration », dans P.F. Silver et D.W. Spuck (dir.), *Preparatory Programs for Educational Administrators in the United States*, Columbus, University Council for Educational Administration, p. 23-51.

DAVIS, W.S. et D.W. SPUCK (1978). « A Comparative Analysis of Masters, Certification, Specialist and Doctoral Programs », dans P.F. Silver et D.W. Spuck (dir.), *Preparatory Programs for Educational Administrators in the United States*, Columbus, University Council for Educational Administration, p. 150-177.

FULLAN, M.G. (1991). *The New Meaning of Educational Change*, New York, Teachers College Press, Columbia University.

GREENFIELD, W.D. (1988). « Moral Imagination, Interpersonal Competence, and the work of School Administrators », dans D.E. Griffiths, R.T. Stout et P.B. Forsyth (dir.), *Leaders for America's Schools. The Report and Papers of the National Commission on Excellence in Educational Administration*, Berkeley, McCutchan Publishing Company, p. 207-232.

GRIFFITHS, D.E. (1988a). *Educational Administration : Reform PDQ or RIP*, (UCEA Occasional Paper n° 8312), Tempe, University Council for Educational Administration.

GRIFFITHS, D.E. (1988b). « The Preparation of Educational Administrators », dans D.E. Griffiths, R.T. Stout et P.B. Forsyth (dir), *Leaders for America's Schools. The Report and Papers of the National Commission on Excellence in Educational Administration*, Berkeley, McCutchan Publishing Corporation, p. 284-304.

GRIFFITHS, D.E., R.T. STOUT et P.B. FORSYTH (dir.) (1988). *Leaders for America's Schools. Report and Papers of the National Commission on Excellence in Educational Administration*, Berkeley, McCutchan Publishing Corporation.

GUTHRIE, J. (1990). « The Evolution of Educational Management : Eroding Myths and Emerging Models », dans B. Mitchell et L.L. Cunningham (dir.), *Educational Leadership and Changing Contexts of Families, Communities and Schools*, The Eighty-Ninth Yearbook of the National Society for the Study of Education, 2e partie, Chicago, University of Chicago Press.

HILLS, J. (1965). « Educational Administration : A Field in Transition », *Educational Administration Quarterly*, vol. 1, n° 1, p. 58-66.

HOYLE, J.R. (1985). « Program in Educational Administration and AASA Guidelines », *Educational Administration Quarterly*, vol. 21, nᵒ 1, p. 71-93.

KUH, G.D. et M.M. MCCARTHY (1989). « Key Actors in the Reform of Administrative Preparation Programs », *Planning Into Practice*, vol. 25, nᵒ 2, p. 108-126.

LORTIE, D. (1975). *School Teacher. A Sociological Study*, Chicago, The University of Chicago Press.

MCCARTHY, M.M. *et al.* (1988). *Under Scrutiny : The Educational Administration Professoriate*, Tempe, University Council for Educational Administration.

MCCARTHY, M.M. et G.D. KUH (1997). *Continuity and Change : The Educational Leadership Professoriate*, Columbus, University Council for Educational Administration.

MCCARTHY, M.M. (1999). « The Evolution of Educational Leadership Preparation Programs », dans J. Murphy et K. Seashore Louis (dir.), *Handbook of Research on Educational Administration*, 2ᵉ éd., San Francisco, Jossey-Bass Publishers, p. 119-139.

MILSTEIN, M.M. (1993). *Changing the Way We Prepare Educational Leaders. The Danforth Experience*, Newbury Park, CA : Corwin Press, Inc.

MILSTEIN, M.M. (1999). « Reflections on "The Evolution of Educational Program" », *Educational Administration Quarterly*, vol. 35, nᵒ 4, p. 537-545.

MULKEEN, T.A. et B.S. COOPER (1989). *Implications of Preparing School Administrators for Knowledge-Work Organizations*, communication présentée au Annual Meeting of the American Educational Research Association, San Francisco.

MURPHY, J. et P. HALLINGER (1989). « A New Era in the Professional Development of School Administrators : Lessons from Emerging Programmes », *The Journal of Educational Administration*, vol. 27, nᵒ 2, p. 22-45.

MURPHY, J. (1993a). *Preparing Tomorrow's School Leaders. Alternative Designs*, University Park, UCEA.

MURPHY, J. (1993b). « Alternative Designs : New Directions », dans J. Murphy (dir.), *Preparing Tomorrow's School Leaders : Alternative Designs*, University Park, UCEA, p. 225-253.

MURPHY, J. et P.B. FORSYTH (dir.) (1999). *Educational Administration : A Decade of Reform*, Thousand Oaks, Corwin Press, Inc.

MURPHY, J. (1999). « The Reform of the Profession : A Self-portrait », dans J. Murphy (dir.), *Educational Administration : A Decade of Reform*, University Park, UCEA, p. 39-68.

NATIONAL POLICY BOARD FOR EDUCATIONAL ADMINISTRATION (1989). *Improving the Preparation of School Administrators. An Agenda for Reform*, Fairfax, NPBEA.

NATIONAL EDUCATION ASSOCIATION, DEPARTMENT OF ELEMENTARY SCHOOL PRINCIPALS (1968). *The Elementary School Principalship in 1968*, Washington, NEA.

NATIONAL COMMISSION ON EXCELLENCE IN EDUCATIONAL ADMINISTRATION (1987). *Leaders for America's Schools : The Report of the NCEEA*, Tempe, The University Council for Educational Administration.

PETERSON, K.D. et C.E. FINN JR. (1985). « Principals, Superintendents, and the Administrator's Art », *The Public Interest*, nᵒ 79, printemps, p. 42-62.

PETERSON, K.D. et C.E. FINN JR. (1988). «Principals, Superintendants, and the Administrator's Art», dans D.E. Griffiths, R.T. Stout et P.B. Forsyth (dir.), *Leaders for America's Schools. The Report and Papers of the National Commission on Excellence in Educational Administration*, Berkeley, McCutchan Publishing Company, p. 89-107.

POHLAND, P. et L. CARLSON (1993). «Program Reform in Educational Administration». *UCEA Review*, automne, p. 4-9.

PITNER, N.J. (1988). «School Administrator Preparation: The State of the Art», dans D.E. Griffiths, R.T. Stout et P.B. Forsyth (dir.), *Leaders for America's Schools. The Report and Papers of the National Commission on Excellence in Educational Administration*, Berkeley, McCutchan Publishing Company, p. 367-402.

SPAULDING, F.E. (1910). «The Aim, Scope, and Methods of a Course in Public School Administration», dans F.E. Spaulding, W.P. Burris et E.C. Elliot (dir.), *The Aim, Scope and Methods of a University Course in Public Administration*, conférence présentée au Meetings of the National Society for College Teachers of Education, Indianapolis, p. 3-62.

THOMSON, S.D. (dir.) (1993). *Principals for Our Changing Schools Knowledge and Skill Base*, Fairfax, National Policy Board for Educational Administration.

CHAPITRE 9

UNE ANALYSE RÉFLEXIVE ET PROSPECTIVE

La perspective adoptée pour la rédaction du présent ouvrage nous a permis d'exposer les principales étapes historiques du champ d'études. Il convenait, à l'occasion du résumé de l'ouvrage, de partager avec le lecteur les réflexions qu'a suscitées la rédaction de l'histoire de l'administration de l'éducation et tout ce qui entoure la formation des gestionnaires de l'éducation. Il était aussi important de faire certaines recommandations. C'est l'objectif de ce dernier chapitre.

RÉSUMÉ ET RÉFLEXIONS DES AUTEURS

L'état des connaissances de ce champ d'études ne semble pas, au cours des 100 ans de son histoire, avoir permis le développement d'une base de connaissances suffisantes pour qu'elle lui soit propre. Miklos (1992) mentionnait que non seulement il existait une base incertaine de connaissances pour la formation des gestionnaires de l'éducation, mais qu'il y avait aussi une base inadéquate de connaissances pour seconder les efforts d'amélioration des programmes (p. 28). Le débat au sujet de l'existence ou non d'une base de connaissances en administration de l'éducation que l'on a présenté nous a laissé quelque peu stupéfaits. En effet, comme professeurs depuis plusieurs années de ce champ d'études, nous avons réalisé à quel point nous avions peut-être trop facilement tenu pour acquis l'existence d'un corpus de connaissances propre à l'administration de l'éducation.

Sans vouloir reprendre ce débat, il faudrait à tout le moins reposer la question de Bordeleau (1987, p. 135) qui est restée encore sans réponse. «Le fait d'être administrateur en milieu de l'éducation au niveau primaire, secondaire ou universitaire fait-il appel à des connaissances administratives totalement différentes?» Sans y répondre, Bordeleau soulignait le danger de tomber trop facilement dans la problématique de la spécificité qui permet parfois de développer une fausse sécurité (p. 136). La question est d'autant plus intéressante que les connaissances véhiculées dans l'enseignement de l'administration de l'éducation s'inspirent encore de celles de l'administration générale.

Par contre, à l'image d'auteurs tels que Campbell (1958), il n'en demeure pas moins qu'un certain nombre de différences entre l'administration générale et l'administration de l'éducation aient été mises en évidence au Québec. En effet, par exemple, dans le débat provoqué par Brassard (1987a), Brunet (1987, p. 108) a montré entre autres l'importance de la spécificité du milieu lorsque vient le temps d'appliquer les notions de rôle venant de l'administration générale. À l'occasion de ce débat, Rondeau (1987, p. 122) concluait que ses «observations militaient en faveur d'un maintien de la spécificité d'un champ d'études comme l'administration de l'éducation».

Les auteurs du présent ouvrage croient qu'il existe suffisamment de données pour justifier l'existence d'une base de connaissances en administration de l'éducation. En effet, plusieurs auteurs ont puisé dans leurs pratiques administratives bien particulières du milieu de l'éducation ou dans des observations de pratiques pour nous léguer ce qu'il fallait pour élaborer une base de connaissances. C'est le cas, par exemple, de Payne (1875), de Bobbitt, Hall et Wolcott (1913), de Cubberley (1916) et, beaucoup plus tard, de Culbertson (1988) qui ont témoigné des particularités de l'administration de l'éducation et des connaissances particulières nécessaires aux gestionnaires de l'éducation.

Le développement historique de l'administration de l'éducation aux États-Unis et au Canada nous amène à la constatation que les professeurs américains plus que ceux du Canada ont été plus préoccupés par l'évolution de ce champ d'études. En effet, aussi tôt qu'en 1915, ils ont senti le besoin de partager leurs connaissances et leurs expériences en créant la revue *Educational Administration and Supervision*. Les praticiens ont également senti le besoin d'unir leurs efforts en participant en très grand nombre à la American Association of School Administrators (AASA) formée en 1937.

Le rôle des Fondations dans l'évolution de l'administration de l'éducation ne peut être passé sous silence, surtout l'apport de la Fondation Kellogg en 1947 et plus tard celui de la Fondation Danforth en 1986. Le Canada, malheureusement, n'a pas connu le même engagement et joui d'une aide aussi importante. Il aura fallu dans les années 1950 que des Canadiens requièrent eux-mêmes une forme d'aide de la Fondation Kellogg pour que l'administration de l'éducation se développe. Il faut alors rendre hommage à la Canadian Education Association (CEA) qui, à sa mesure, a participé au développement de ce champ d'études au Canada.

L'époque du mouvement de la direction scientifique des entreprises appliquée à l'éducation nous a rappelé qu'il existait encore en administration de l'éducation des relents de cette approche. On n'a qu'à penser, par exemple, au minutage du nombre de périodes d'enseignement dans les écoles ou aux menus détails contenus dans les programmes d'études. Brassard (1987b) fournissait un autre exemple relatif à la gestion de l'éducation lorsqu'il écrivait que « soulever la question du statut des directions d'école au Québec ne remet-il pas sur la table le vieux problème de la séparation taylorienne entre ceux qui prennent les décisions et ceux qui ont à les exécuter ? » (p. 143).

Aux États-Unis, on a constaté l'intervention de l'État dès 1960 en éducation en général et en administration de l'éducation. Au même moment, ce fut également le cas dans la plupart des provinces canadiennes. Au Québec, le gouvernement a d'abord élaboré les premiers règlements du ministère de l'Éducation (1966), et ce dernier publia éventuellement la politique administrative et salariale (1971) suivie de nombreux autres documents relatifs à la gestion de l'éducation. Cette documentation n'est d'ailleurs pas sans avoir déterminé un certain style de gestion. Miskel (1990) remarquait que même aux États-Unis l'administration de l'éducation était encore de plus en plus dirigée par les législatures et les agences étatiques (p. 38).

Comme on a pu le constater, le développement de l'administration de l'éducation aux États-Unis a bénéficié de la publication de plusieurs ouvrages qui sont demeurés d'importants points de référence. On n'a qu'à penser, entre autres, aux ouvrages de Campbell et Gregg (1957) et de Griffiths (1964). Au Canada anglais, il a fallu attendre les années 1970 pour assister à la parution des premiers ouvrages de ce champ d'études (Giles, 1974 ; Monroe, 1974 ; Gue, 1977). Au Québec, les premiers ouvrages dans ce domaine ont été des collectifs, l'un dirigé par Barnabé et Girard (1987) et l'autre, par Brassard (1987a). Il y a eu par la suite plusieurs ouvrages québécois relatifs à l'administration de l'éducation qui ont été cités dans le présent ouvrage.

Toujours grâce à leur préoccupation pour l'avancement de l'administration de l'éducation, les professeurs américains ont profité d'études importantes portant sur la formation, telles que celles de Culbertson *et al.* (1969) et de Silver et Spuck (1978), toutes deux publiées par le University Council for Educational Administration (UCEA). À notre connaissance, aucune étude équivalente n'a existé au Canada anglais. Au Québec, la seule étude connue des auteurs de cet ouvrage qui approcherait quelque peu les études américaines est actuellement introuvable parce que non publiée. Il s'agissait d'une étude sociodémographique qui servit à la tenue d'un symposium en 1972 organisé par l'Association francophone des professeurs d'université en administration de l'éducation (AFPUAE).

Même si l'enseignement de l'administration de l'éducation a débuté au début du siècle dernier aux États-Unis (1900) et malgré l'influence de l'administration générale, le lecteur aura sûrement remarqué que le développement du champ d'études autant que ses conceptions ont évolué lentement au cours de ces années. Les conceptions de l'administration de l'éducation, en particulier, ont davantage opté pour une approche théorique plutôt que pour une approche pratique. Plus souvent qu'autrement, ces conceptions n'ont pas toujours profité des conceptions précédentes. Ce qui explique, en bonne partie, le fait qu'elles aient été plutôt hétéroclites.

Au Canada, cet enseignement qui remonte aux années 1950 a également évolué très lentement. En fait, il n'y a pas eu de très grands efforts de conception de l'administration de l'éducation. On s'est plutôt contenté de suivre les tendances américaines de l'administration générale et de celle de l'éducation. Quant au Québec, on est passé d'une conception pédagogique du champ d'études à une conception administrateur-pédagogue au milieu des années 1960, avant d'aboutir à une conception d'administrateur au milieu des années 1970 avec un récent retour à une conception pédagogue-administrateur. C'est au Québec plutôt que dans le reste du Canada que l'on retrouve le plus grand nombre de conceptions du champ d'études qui mériteraient d'être connues de nos collègues du Canada anglais.

Campbell *et al.* (1987) ont fait remarquer que les programmes en administration de l'éducation ont oscillé entre la préparation de la personne et la préparation pour le rôle. Dans le premier cas, « le candidat était encouragé à développer ses capacités intellectuelles, sa philosophie éducative et sa conscience culturelle » (p. 171). Dans le second cas, « l'accent était mis sur la formation de l'individu de façon qu'il soit apte à tenir le ou les rôles qu'il était appelé à jouer » (p. 171). En général, on a pu remarquer que la même situation a existé au Canada et au Québec.

D'une façon générale, on peut affirmer que les cours offerts dans les programmes américains de formation en administration de l'éducation aux États-Unis et au Canada n'ont pas toujours suivi les conceptions que l'on se faisait de cette formation. Le plus souvent, chaque programme était construit selon le programme précédent sans qu'on ait nécessairement procédé à son évaluation et en était tout simplement une expansion (Silver et Spuck, 1978, p. 66). De plus, le contenu des cours était déterminé selon les professeurs disponibles et leurs intérêts plutôt que de reposer sur une analyse de besoins. À titre d'exemple, au Québec, un cas a retenu notre attention. Il s'agit d'un professeur qui a été embauché pour enseigner les sciences politiques et qui a toujours enseigné les méthodes de recherche.

Les programmes de formation en administration de l'éducation ont, de tout temps, été critiqués et des efforts ont constamment été déployés pour répondre aux critiques exprimées. Cependant, il faut constater que les programmes ont connu une évolution plutôt lente, malgré les critiques. De fait, les méthodes pédagogiques ont évolué plus rapidement que les programmes. Au Québec, depuis quelques années, on semble se préoccuper davantage d'identifier les besoins de formation des gestionnaires de l'éducation.

Les conceptions de la formation en administration de l'éducation ont mis l'accent tantôt sur une formation théorique tantôt sur une formation pratique. Elles ont mis en relief l'importance de développer chez le gestionnaire des connaissances, des compétences et des attitudes. Il ne fait pas de doute qu'il y ait eu une transmission de connaissances et, dans une certaine mesure, d'habiletés. Nous ne sommes pas aussi sûrs qu'il y ait eu des changements d'attitudes chez les diplômés.

Pour qu'il y ait des changements d'attitudes, il aurait fallu que les étudiants et, en particulier, les praticiens de la gestion de l'éducation veuillent bien remettre en question leurs pratiques administratives. Notre expérience nous porte à penser que cette nécessaire remise en question n'a pas souvent été suscitée par les professeurs de ce champ d'études. Par contre, au point de vue des connaissances théoriques, il serait intéressant de connaître combien de diplômés en administration de l'éducation ont eu l'occasion d'être sensibilisés par l'enseignement, leurs lectures personnelles ou la référence à certaines sommités tels que Follett, Barnard, McGregor ou Argyris.

Griffiths (1977) soulevait les deux questions suivantes au sujet de la formation des gestionnaires de l'éducation : est-ce que les gestionnaires de l'éducation devraient être formés dans des universités? est-ce que cette formation devrait reposer sur un mode de compétences? (p. 423). Pitner (1987), quant à elle, mentionnait le fait que nous n'avons pas tellement de preuves évidentes au sujet de la relation entre la formation du gestionnaire, son travail et son efficacité (p. 63). Elle ajoutait que la recherche et la théorie suggèrent que la bonne façon de gérer est contextuelle et idiosyncratique. Il y aurait lieu au Québec de réfléchir sur les deux questions soulevées par Griffiths (1977).

Au Québec, Brassard (1988) maintenait que «les unités de formation en administration scolaire n'avaient pas eu d'influence sur ce qui s'est passé dans les systèmes scolaires à cause de la prolifération des programmes de formation et de la dispersion des efforts» (p. 104). Il ajoutait que «la formation donnée alors se caractérisait par l'ambiguïté ; on tentait de produire un diplômé moitié praticien, moitié chercheur». Pour sa part, Barnabé (1988) indiquait que l'on avait peut-être trop enseigné l'administration et pas suffisamment la façon d'administrer (p. 105).

À notre avis, il y aurait lieu pour les professeurs d'administration de l'éducation de se demander comment les expériences universitaires et culturelles (points de vue, engagements sociaux, sources traditionnelles et non traditionnelles de connaissances) ont pu améliorer l'apprentissage de ce champ d'études de la part des étudiants. Les professeurs devraient aussi se rappeler qu'au centre des discussions portant sur la formation des gestionnaires de l'éducation, il y a une question de valeurs. Voulons-nous former de futurs gestionnaires pour gérer les organisations scolaires telles qu'elles existent maintenant ou voulons-nous plutôt les former pour ce qu'elles peuvent devenir?

Les exigences pour la certification des gestionnaires de l'éducation aux États-Unis sont plus développées et plus précises qu'au Canada. Peut-être en a-t-on senti le besoin plus tôt qu'ici ? Dans le cas du recrutement des étudiants aux programmes de formation en administration de l'éducation, il y a eu relativement plus d'efforts déployés aux États-Unis qu'au Canada, et ce, malgré les faiblesses dénoncées. Enfin, en général, la sélection des étudiants a nettement été plus rigoureuse aux États-Unis, en comparaison des pratiques canadiennes en ce domaine.

Les trois enquêtes menées auprès des professeurs américains en administration de l'éducation pour connaître leur situation professionnelle ont révélé des résultats intéressants, surtout lorsqu'il s'agissait des besoins du champ d'études qui nous ont semblé avoir changé parallèlement aux étapes de son développement. Ainsi, alors que les professeurs étaient préoccupés par l'accroissement des connaissances en 1972 et par la réforme du curriculum en 1986, ce n'est qu'en 1994 qu'ils ont ressenti le besoin d'accorder une plus grande attention aux problèmes pratiques de la formation.

On a pu constater que de nombreuses méthodes pédagogiques étaient employées dans l'enseignement de l'administration de l'éducation aux États-Unis, comparativement au Canada où on en utilisait beaucoup moins. Il faut admettre que les professeurs canadiens et québécois n'ont que très rarement manifesté un intérêt pour les méthodes pédagogiques. On a constaté beaucoup plus d'écrits américains sur le sujet que d'ouvrages canadiens ou québécois. Ce qui semble être logique compte tenu de la population, mais le constat est là.

La recherche en administration de l'éducation aux États-Unis a subi le même sort que la formation dans ce domaine : perçue négativement et qualifiée de faible. Même les thèses de doctorat qui représentaient la plus grande production furent critiquées. Il n'existe pas une telle analyse des thèses soumises dans les universités canadiennes anglaises et québécoises. Au Canada, nous n'avons même pas une version du *Dissertation Abstract* (DA) américain où l'on trouve les résumés des thèses de doctorat soumises dans différentes universités américaines. L'Association canadienne d'éducation (ACE) a pendant plusieurs années joué le même rôle que le DA américain. Pour des raisons inconnues des auteurs, l'Association a interrompu la publication des mémoires et des thèses soumises dans les universités canadiennes.

Il faut dire que, en général, les professeurs canadiens en administration de l'éducation n'ont pas connu la renommée grâce à leurs recherches. Il est important toutefois de signaler que, d'une part, le soutien financier à la recherche en éducation n'a pas toujours été une priorité de nos gouvernements et que, d'autre part, il est de plus en plus difficile d'obtenir du financement dans ce domaine. La surcharge de travail des professeurs des universités et le fait qu'ils ne sont pas plus enclins qu'il le faudrait à la recherche peuvent également expliquer le manque de recherches de leur part.

Les critiques à l'égard de la recherche en administration de l'éducation aux États-Unis pourraient être appliquées aux recherches réalisées au Québec par les professeurs d'administration de l'éducation. On peut affirmer que la recherche dans ce champ d'études a rarement fourni des pistes de solution à des problèmes ou joui d'une réputation importante dans le milieu. Quand a-t-on entendu parler d'une recherche qui représentait une percée au point d'être une référence obligée puisqu'elle avait fait avancer d'une façon significative le domaine? En général, les recherches ont davantage été descriptives de situations problématiques.

Il y a possiblement une autre explication. Comme le souligne Schön (1994), «dans l'évolution de chaque profession, on retrouve l'apparition du chercheur-théoricien dont le rôle en est un d'investigation scientifique et de systématisation théorique» (p. 51). Il se crée alors une division des tâches entre les personnes orientées vers la théorie et celles qui le sont vers la pratique. Au Québec, avons-nous en administration de l'éducation suffisamment de chercheurs-théoriciens pour que la recherche dans ce domaine ait de plus en plus d'adeptes? Pour faire avancer les connaissances, cette question pourrait à notre avis faire l'objet d'un séminaire de discussion et pourquoi pas l'objet d'une recherche documentaire.

Une perspective futuriste de l'administration de l'éducation au Québec

Morin (2000) écrivait récemment que «le futur se nomme incertitude» (p. 89). Nous ajoutons qu'il n'est pas aisé de percer cette incertitude et de pouvoir prédire l'avenir. Nous ne prétendons pas lever ici le voile du futur et affirmer ce qu'il sera pour cette application de l'administration générale qu'est l'administration de l'éducation. Nous nous contenterons plutôt de présenter une vision exploratoire en utilisant une carte contextuelle sûrement incomplète et en s'inspirant de ce que certains auteurs américains ont vu dans leur boule de cristal. Notre vision porte sur les futurs aspects théoriques et pratiques du champ d'études.

Si l'on sent le besoin de projeter un futur possible et réalisable, c'est que l'on assume que des changements sont nécessaires et même inéluctables. Brassard (1987b), écrivant sur l'avenir de l'administration de l'éducation, se demandait si les conditions dans lesquelles a évolué ce champ d'application de l'administration au Québec pouvaient expliquer la quasi-absence d'une culture administrative qui soit fortement adaptée aux organisations d'éducation. Il posait aussi la question suivante: «En bref, ne vaut-il pas de s'interroger sur la façon dont l'administration de l'éducation semble devoir se développer au Québec dans l'avenir?» (p. 154).

Plusieurs pressions provenant de l'extérieur des établissements universitaires de formation se font de plus en plus sentir pour modifier ce que nous faisons dans le cadre de la formation des gestionnaires de l'éducation. Murphy et Hallinger (1989) nous ont fourni une bonne idée de ce que peuvent être ces pressions. Même si ces dernières sont encore, à notre connaissance, d'actualité aux États-Unis, elles sont probablement appropriées à la situation québécoise.

Il y a d'abord, selon eux, un retour à l'idée que le gestionnaire de l'éducation est au centre de l'amélioration d'une commission scolaire ou d'une école. De plus en plus d'écrits, en particulier ceux qui traitent du changement, de l'amélioration des écoles et de leur efficacité, ont contribué à montrer que les directeurs généraux ou les directeurs d'école pouvaient exercer une influence considérable sur leur commission scolaire ou leur école. Au même moment, l'éducation redevient une préoccupation importante de la part du public qui reconnaît la complexité de la gestion des organisations scolaires et la difficulté de la tâche des gestionnaires.

Il semble bien que l'on entretienne actuellement la même croyance au Québec si l'on considère les changements récents en ce qui concerne la gouverne des écoles. Il y a lieu de se demander si la formation en administration de l'éducation ne devrait pas mettre un accent très particulier sur la gestion des écoles primaires et secondaires. Il fut un temps où des programmes d'études québécois en administration de l'éducation permettaient aux étudiants de se spécialiser en administration des écoles primaires ou secondaires. Peut-être devrait-on y revenir.

Certains auteurs mentionnent que, de plus en plus, les gestionnaires de l'éducation sont souvent incapables de gérer les opérations techniques importantes d'une commission scolaire ou d'une école, à savoir la mise en valeur de l'enseignement et de l'apprentissage des élèves. Les gestionnaires ayant quitté l'enseignement depuis plusieurs années se sentent dépourvus face aux opérations techniques de leur organisation. En général, les programmes de formation en administration de l'éducation n'ont pas toujours préparé les gestionnaires à leur rôle de leader pédagogique, c'est-à-dire cette capacité d'apprécier et de pouvoir influencer ce qui se passe dans les classes. Pourtant, il s'agit là d'un rôle qui est susceptible d'influer sur l'amélioration et l'efficacité d'une organisation scolaire.

Murphy et Hallinger mentionnaient, en troisième lieu, la prolifération de l'idéologie relative à la réforme scolaire (p. 26). Quoiqu'ils fassent allusion au mouvement des réformes scolaires des années 1980 aux États-Unis, leur remarque peut s'appliquer aussi bien à la situation québécoise actuelle. Il y aurait dû y avoir, par exemple, de fortes pressions pour préparer à l'avance les directeurs d'école québécois à faire face à leur nouveau rôle commandé par la réforme scolaire. Il semble que ce ne fut malheureusement pas le cas. Les gestionnaires, au contraire, ont été malgré eux placés devant un fait accompli. La loi 180 fut promulguée avant même que les gestionnaires aient eu la chance de s'y préparer adéquatement.

Un autre facteur, soulevé par les deux auteurs et qui contribue à souhaiter des changements dans la formation des gestionnaires de l'éducation, est le désenchantement grandissant envers le mouvement théorique en administration de l'éducation et l'apport des sciences sociales au cours des 30 dernières années. Selon plusieurs auteurs déjà cités dans les chapitres précédents (Culbertson, 1983 ; Greenfield, 1993), ces deux approches de la formation des gestionnaires de l'éducation ont été insuffisantes pour servir de guide à l'étude de ce champ d'études. Elles ne semblent pas avoir davantage servi à la compréhension de la pratique administrative. Il y aurait lieu de réfléchir sérieusement sur les connaissances et les aspects pratiques de la formation des gestionnaires québécois.

Il y a aussi des pressions exercées pour apporter des changements dans les programmes de formation des gestionnaires de l'éducation à la suite du désenchantement grandissant exprimé par les praticiens sur les programmes universitaires. Comme il a été mentionné à la fin du quatrième chapitre, les critiques à l'égard de la formation reçue à l'université ont constamment soulevé le manque de réalisme de ces programmes. Les praticiens ont maintes fois recommandé de faire des changements à l'égard du contenu des programmes et des méthodes pédagogiques en vigueur. Encore une fois, les deux questions soulevées par Griffiths (1977) pourraient servir de départ à une telle réflexion.

Enfin, Murphy et Hallinger (1989) mentionnaient la perception grandissante du peu d'amélioration de la pratique administrative en éducation comme dernière pression qui est exercée pour réformer les programmes de formation en administration de l'éducation. On croit dans plusieurs milieux de l'éducation que toutes ces années d'enseignement de ce champ d'études ont peu contribué à de réelles améliorations de la pratique administrative et de l'organisation scolaire. Cette situation peut s'expliquer en grande partie pour les raisons évoquées précédemment.

Au point de vue théorique, Achilles (1991) prévoyait que deux domaines relatifs à l'administration de l'éducation avaient besoin dans le futur d'une sérieuse attention, à savoir la recherche et la base de connaissances (p. 23). Pour faire avancer le destin du champ d'études, il ajoutait qu'un travail substantiel devait être fait à l'égard du développement d'un modèle en éducation afin de guider la recherche, le développement et la préparation des changements dans les programmes de formation des gestionnaires de l'éducation (p. 29).

Il a souvent été question des praticiens dans notre ouvrage, que ce soit à l'occasion de leurs critiques à l'égard de leur formation ou de leur absence lors de l'élaboration des programmes en administration de l'éducation. Il fut également mentionné que l'on devait tenir davantage compte de la pratique dans les programmes du champ d'études. Nous avons relevé dans la section sur le développement et la conception de l'administration de l'éducation, tout autant que dans celle sur la conception de la formation, l'ignorance des praticiens. Dorénavant, nous invitons fortement les responsables des programmes de ce champ d'études à prévoir un mécanisme permanent de consultation avec un groupe de praticiens choisis avant de procéder à la mise en place d'un nouveau programme ou même avant d'y apporter des modifications substantielles.

Pour ce faire, nous considérons comme important que l'on garde à l'esprit la culture particulière entretenue par les praticiens. Le concept d'une communauté de pratique décrit par Wenger (1998) est de nature à mieux nous aider à comprendre cette culture. Au centre de son concept, il s'agit d'un groupe social engagé dans la poursuite d'une même entreprise que l'on partage, telle que celle de l'éducation ou de l'administration de l'éducation. Selon lui, les pratiques sont des façons de négocier un sens à donner à l'action sociale. Le sens provient de deux processus complémentaires : la participation et la réification.

La participation consiste en des expériences partagées et des négociations qui résultent des interactions sociales entre les membres d'une communauté de la pratique poursuivant un même but. La réification, quant à elle, est le processus par lequel des communautés de la pratique produisent des représentations concrètes de la pratique, telle que des outils, des symboles, des règles et des documents (p. 7). Une communauté de pratique implique un engagement mutuel, une entreprise négociée et un répertoire de ressources et de pratiques. On devrait, selon Wenger, s'attendre alors à ce que les membres d'une telle communauté :

➢ interagissent plus intensément entre eux et savent plus que ceux à l'extérieur de la communauté ;

➢ soient redevables de leurs actions plus à l'entreprise partagée de la communauté qu'à quelque autre entreprise ;

➢ se sentent plus capables d'évaluer les actions des autres membres de la communauté que les actions de ceux qui sont à l'extérieur de la communauté ;

➢ fassent appel à des ressources et des documents produits localement plutôt qu'à des ressources et des documents imposés par l'extérieur de la communauté (p. 8).

Nous partageons entièrement la remarque générale de Clark (1999) qui devrait inspirer les responsables des programmes d'administration de l'éducation de même que tous les professeurs de ce champ d'études. Il écrivait ce qui suit :

On ne doit à personne le droit d'être admis à un programme d'études supérieures en administration de l'éducation. Mais on doit aux enfants, à la jeunesse, aux enseignants, parents et citoyens une obligation de préparer seulement des éducateurs les plus prometteurs à l'accession à des rôles de leadership dans les écoles (p. 229).

Il ajoutait que l'on doit définir ce que l'on peut et ne peut pas faire compte tenu des ressources limitées que nos universités possèdent.

LA GESTION EN CONTEXTE DE PÉNURIE DE PERSONNEL

On ne peut terminer cet ouvrage sans mentionner les problèmes invoqués par des universitaires, par des fédérations et associations de directeurs d'établissement scolaire et par les médias.

L'administration de l'éducation au Québec et la crise de la quarantaine !

La problématique mise en cause dans ce chapitre est bien celle de la rareté, de la pénurie même de directions d'école compétentes au Québec. Tout le monde en parle dans les corridors sans en faire un vrai débat de société. S'il y a une rareté réelle au niveau des postes de direction occupés par des personnes compétentes, il faut se poser les vraies questions afin d'y répondre adéquatement et d'y trouver des solutions originales. La journaliste du *Devoir*, Marie-Andrée Chouinard, levait le voile dans l'édition du samedi 18 et du dimanche 19 mai 2002 sur le problème. Elle écrivait ceci : « une enquête effectuée pour le compte de la Fédération des commissions scolaires du Québec (FCSQ) démontre que le nombre de candidats prometteurs est insuffisant dans les bassins de recrutement par rapport au nombre de postes de direction d'établissement actuellement ouverts et par rapport aux besoins anticipés ».

De plus, la conseillère en formation et en développement organisationnel à la FCSQ, Monique Poulin, avance que, « entre 1995 et 2005, on aura remplacé 100 % des directions d'école », soit quelque trois mille personnes. « Les commissions scolaires de tout le territoire du Québec éprouvent des difficultés importantes à intéresser des candidats pour leurs postes de direction d'établissement, et ce, malgré les efforts déployés ces dernières années pour constituer des banques de relève », conclut la firme d'experts-conseils qui a mené l'enquête pour le compte de la Fédération des commissions scolaires du Québec. Il n'est donc pas étonnant que la relève soit absente. « Les directeurs d'école aujourd'hui sont pris entre l'arbre et l'écorce », ils sont pressurisés de partout, note Robert Morin, alors président de la Fédération québécoise des directeurs d'établissement (FQDE). Il faut noter au passage que cette fédération regroupe 2200 membres sur environ 3000 au Québec.

Alors, qu'est-ce qui explique cette situation ?

L'accélération des changements que subit le réseau de l'éducation, la décentralisation des pouvoirs vers l'école, la mise en place et la coordination des conseils d'établissements, la lourdeur de la tâche sont les principaux facteurs invoqués pour expliquer les difficultés rencontrées par les directeurs dans l'accomplissement de leur travail. La question qu'on peut se poser à présent est la suivante : peut-on gérer efficacement un établissement scolaire dans un tel contexte ? La question est importante, mais il est difficile d'y répondre par l'affirmative. Le contexte actuel fait en sorte que les deux dimensions très importantes dans la gestion efficace d'une école, soit la gestion du personnel et la supervision pédagogique, sont négligées, pour ne pas dire mises de côté.

Pour expliquer le malaise qui se vit dans le milieu scolaire actuellement, mentionnons cette citation de Robert Morin dans une entrevue accordée au *Devoir* (18-19 mai 2002) : « Aujourd'hui, on enseigne le 30 juin et le 1er juillet on est directeur d'école, alors qu'auparavant une personne pouvait passer quelque cinq années dans la peau d'un adjoint avant de sauter à la direction de l'école, maintenant, les enseignants quittent la classe pour le bureau de direction. » Cela doit faire réfléchir. Gérer une école aujourd'hui, ce n'est pas du tout la même chose qu'il y a à peine vingt ans. Les élèves et le personnel ont changé. Les problèmes sociaux auxquels les écoles sont confrontées, la diversité des clientèles d'élèves sont autant d'éléments à considérer dans le processus de décision des gestionnaires scolaires. Les directions d'établissement doivent rendre des comptes, elles doivent gérer des plans de réussite et quoi encore !

Notre société doit porter un regard critique sur ce phénomène des directions d'école peu ou pas préparées et qui dirigent les écoles primaires et secondaires avec des responsabilités plus grandes et des défis plus importants à relever. Il ne s'agit pas de discréditer des hommes et des femmes qui, dans les circonstances, démontrent toute leur bonne volonté à faire un travail honnête. Il s'agit plutôt de dire tout haut ce que plusieurs pensent tout bas et dont ils parlent dans les corridors et dans les cafétérias d'école. Il faut interpeller les bonnes personnes. Il ne s'agit pas non plus de dramatiser la situation, il faut simplement faire ressortir sa fragilité tout en invitant les partenaires à s'asseoir pour trouver une solution commune. Plusieurs acteurs importants du dossier de l'éducation doivent prendre acte qu'il existe un malaise sérieux. L'école québécoise a mal à sa direction ! Alors, que les meilleurs spécialistes de la gestion de l'éducation au Québec retroussent leur manche et qu'ils passent à l'action. On peut d'abord poser les questions qui suivent à plusieurs acteurs impliqués directement ou indirectement.

Dans un tel contexte : quel est le rôle du ministère de l'Éducation, des commissions scolaires, des fédérations et des associations de directions d'établissement scolaire ? Quel est le rôle des universités et celui des médias ? Et, enfin, quel est le rôle de la communauté tout entière ?, etc.

Tous ces acteurs sociaux et politiques semblent observer ce qui se passe sans se mouiller véritablement. Tous les acteurs identifiés – et bien d'autres – doivent rompre le silence et regarder la situation en face et la confronter au plus vite. Nous parlons ici bien sûr de regarder de près tout ce qui peut être fait en partenariat, mais à partir d'une approche globale. Il faut donc, pour ce faire, voir la gestion de l'école et la gestion de l'éducation dans une perspective globale. Les solutions temporaires ne sont pas celles qui sont souhaitées dans une telle situation. Elles doivent être envisagées de la base au sommet ou du sommet vers la base. Car à l'université aussi, le problème est sérieux et le malaise, profond. On préfère ignorer ou faire semblant d'ignorer que l'université est en pénurie aussi pour assurer la formation de la relève. Certaines universités sont actuellement obligées d'embaucher des retraités pour une deuxième carrière afin de répondre temporairement à leurs besoins dans la formation des directeurs et des cadres scolaires. Où en serons-nous dans trois ans (court terme) dans cinq ans (moyen terme) et dans dix ans (long terme) ? Pour sortir de cette situation, nous croyons que toutes les universités québécoises devraient faire front commun avec le ministère de l'Éducation, la Fédération des commissions scolaires, la Fédération québécoise des directeurs d'établissement, les Associations des directeurs d'établissement, etc., dans un dialogue national sur la formation des gestionnaires des établissements scolaires du Québec. Il en va de l'avenir de l'école québécoise et surtout de la réussite du plus grand nombre. Si l'école québécoise est dirigée par des personnes bien formées à la fonction, nous croyons que la réforme «Prendre le virage du succès» augmentera ses chances de réussite. Toutefois, si rien n'est fait rapidement au niveau des acteurs importants mentionnés ci-dessus, nous risquons de payer le prix à moyen et à long terme comme société. Il nous faut trouver une issue de secours !

Ce dernier chapitre a présenté les quelques réflexions que les nombreuses étapes et importants évènements de l'histoire de l'administration de l'éducation ont pu susciter chez les auteurs. Ces réflexions ont suivi intentionnellement l'ordre des chapitres de l'ouvrage. Le chapitre s'est terminé par un essai de projection de ce que pourrait être dans l'avenir ce champ d'études.

Références

ACHILLES, C.M. (1991). «Re-forming Educational Administration: An Agenda for the 1990s», *Planning and Changing*, vol. 22, n° 1, p. 23-33.

BARNABÉ, C. et H.C. GIRARD (dir.) (1987). *Administration scolaire. Théorie et pratique*, Chicoutimi, Gaëtan Morin éditeur.

BARNABÉ, C. (1988). «La recherche en administration de l'éducation dans les universités du Québec et l'évolution du champ d'étude», dans *Recherche et progrès en éducation. Bilan et prospective*, Actes du 1er Congrès des sciences de l'éducation de langue française du Canada, Québec, Faculté des sciences de l'éducation, Université Laval, p. 102-105.

BOBBITT, F.J., J.W. HALL et J.D. WOLCOTT (1913). *The Supervision of City Schools. Some General Principles of Management Applied to the Problems of City Schools Systems*, The Twelfth Yearbook of the National Society for the Study of Education, 1re partie, Bloomington, University of Indiana.

BORDELEAU, Y. (1987). «L'administration des champs d'application de l'administration, le danger du ghetto», dans A. Brassard (dir.), *Le développement des champs d'application de l'administration: le cas de l'administration de l'éducation*, Montréal, Faculté des sciences de l'éducation, Université de Montréal, p. 132-138.

BRASSARD, A. (dir.) (1987a). *Le développement des champs d'application de l'administration: le cas de l'administration de l'éducation*, Montréal, Faculté des sciences de l'éducation, Université de Montréal.

BRASSARD, A. (1987b). «L'enjeu: le développement de l'administration de l'éducation», dans A. Brassard (dir.), *Le développement des champs d'application de l'administration: le cas de l'administration de l'éducation*, Montréal, Faculté des sciences de l'éducation, Université de Montréal, p. 141-154.

BRASSARD, A. (1988). «La recherche en administration de l'éducation dans les universités du Québec et l'évolution du champ d'étude», dans *Recherche et progrès en éducation. Bilan et prospective*, Actes du 1er Congrès des sciences de l'éducation de langue française du Canada, Québec, Faculté des sciences de l'éducation, Université Laval, p. 102-105.

BRUNET, L. (1987). «L'applicabilité de la théorie des rôles administratifs de Mintzberg en administration de l'éducation», dans A. Brassard (dir.), *Le développement des champs d'application de l'administration: le cas de l'administration de l'éducation*, Montréal, Faculté des sciences de l'éducation, Université de Montréal, p. 105-113.

CAMPBELL, R.F. et R.T. GREGG (dir.) (1957). *Administrative Behavior in Education*, New York, Harper and Row Publishers.

CAMPBELL, R.F. (1958). «What Peculiarities in Educational Administration Make It a Special Case?», dans A.W. Halpin (dir.), *Administrative Theory in Education*, New York, Macmillan Company, p. 168-185.

CAMPBELL, R.F. *et al.* (1987). *A History of Thought and Practice in Educational Administration*, New York, Teachers College Press, Columbia University.

CHOUINARD, M.-A. (2002). «Pénurie de directeurs à l'horizon. Les 3 000 directeurs d'école du Québec auront été remplacés en dix ans», *Le Devoir*, 18-19 mai, p. A-1 et B-14.

CLARK, D.L. (1999). «Searching for Authentic Educational Leadership in University Graduate Programs and with Public School Colleagues», dans J. Murphy et P.B. Forsyth (dir.), *Educational Administration: A Decade of Reform*, Thousand Oaks, Corwin Press, p. 228-236.

CUBBERLEY, E.P. (1916). *Public School Administration*, Boston, Houghton Mifflin Co.

CULBERTSON, J.A. *et al.* (1969). *Preparing Educational Leaders for the Seventies*, Columbus, University Council for Educational Administration.

CULBERTSON, J.A. (1983). «Theory in Educational Administration. Echoes from Critical Thinkers», *Educational Researcher*, vol. 34, n° 10, p. 15-22.

CULBERTSON, J.A. (1988). «A Century's Quest for a Knowledge Base», dans N.J. Boyan (dir.), *Handbook of Research on Educational Administration*, New York, Longman, p. 3-26.

GILES, T.E. (1974). *Educational Administration in Canada*, Calgary, Detselig Enterprises.

GOUVERNEMENT DU QUÉBEC (1966). *Règlements du ministre de l'Éducation*, Québec, Ministère de l'Éducation.

GREENFIELD, T.B. (1992). «The Decline and Fall of Acience in Educational Administration», dans D.E. Griffiths, R.T. Stout et P.B. Forsyth (dir.), *Leaders for America's Schools. The Report and Papers of the National Commission on Excellence in Educational Administration*, Berkeley, McCutchan Publishing Corporation, p. 131-159.

GREENFIELD, T.B. (1993). «Research in Educational Administration in United States and Canada», dans T.B. Greenfield et P. Ribbins (dir.), *Greenfield on Educational Administration. Towards a Human Science*, New York, Routledge, p. 26-52.

GRIFFITHS. D.E. (dir.) (1964). *Behavioral Science and Educational Administration*, The Sixty-Third Yearbook of the National Society for the Study of Education, 2ᵉ partie, Chicago, The University of Chicago Press.

GRIFFITHS, D.E. (1977). «Preparation Programs for Administrators», dans L.L. Cunningham, W.G. Hack et R.O. Nystrand (dir.), *Educational Administration. The Developing Decades*, Berkeley, McCutchan Publishing Corporation, p. 401-437.

GUE, L.R. (1977). *An Introduction to Educational Administration in Canada*, Toronto, McGraw-Hill Ryerson.

MIKLOS, E. (1992). «Administrator Preparation, Educational», dans M.C. Alkin (dir.), *Encyclopedia of Educational Research*, vol. 1, New York, Macmillan Publishing Company, p. 22-29.

MINISTÈRE DE L'ÉDUCATION (1971). *La politique administrative et salariale*, Québec, Gouvernement du Québec.

MISKEL, C. (1990). « Research and the Preparation of Educational Administrators », *Journal of Educational Administration*, vol. 28, n° 3, p. 33-47.

MONROE, D. (1974). *The Organization and Administration of Education in Canada*, Ottawa, Secretary of State, Education Support Branch.

MORIN, E. (2000). *Les sept savoirs nécessaires à l'éducation du futur*, Paris, Éditions du Seuil.

MURPHY, J. et HALLINGER, P. (1989). « A New Era in the Professional Development of School Administrators : Lessons from Emerging Programmes », *Journal of Educational Administration*, vol. 27, n° 2, p. 22-45.

PAYNE, W.H. (1875). *Chapters on School Supervision*, New York, Wilson, Hinkle, and Company.

PITNER, N.J. (1987). « School Administrator Preparation in the United States », dans K.A. Leithwood *et al.* (dir.), *Preparing School Leaders for Educational Improvement*, London, Croom Helm.

RONDEAU, A. (1987). « L'administration et ses champs d'application : quelle orientation privilégier ? », dans A. Brassard (dir.), *Le développement des champs d'application de l'administration : le cas de l'administration de l'éducation*, Montréal, Faculté des sciences de l'éducation, Université de Montréal, p. 117-123.

SCHÖN, D.A. (1994). *Le praticien réflexif. À la recherche du savoir caché dans l'agir professionnel*, Montréal, Les Éditions Logiques.

SILVER, P.F. et D.W. SPUCK (dir.) (1978). *Preparatory Programs for Educational Administrators in the United States*, Columbus, University Council for Educational Administration.

TYACK, D. et et Hansot (1982). *Managers of Virtue. Public School Leadership in America, 1820-1980*, New York, Basic Books.

WENGER, E. (1998). *Communities of Practice : Learning, Meaning, and Identity*, New York, Cambridge University Press.

INDEX ONOMASTIQUE

INDEX THÉMATIQUE

SUMMARY

EDUCATIONAL ADMINISTRATION: A HISTORICAL PERSPECTIVE

To improve the teaching and practice of educational administration, it is our view that a knowledge base is required. For this reason, we start by explaining how this field of study differs from other existing disciplines and how the existence of this knowledge base might be asserted or denied. After reviewing the literature and research projects carried out over the years, we have found sufficient knowledge specific to the administration of education to confirm that this field of study does indeed have a knowledge base, even if it is rather diversified. This is the ground covered in the first chapter.

The second chapter presents key moments in the evolution and development of educational administration in the United States, Canada and Quebec. This field of study, which was initially rather philosophical at its inception at the beginning of the century, was later influenced by ideas of scientific management that were current at the time in industry. The discipline evolved thanks to professional organisations, the financial efforts of the Kellogg Foundation and publications that have often served as reference points for the profession. In English Canada, development of educational administration began in the 1950s in Alberta, again thanks to the Kellogg Foundation. In Quebec, by contrast, the timid beginnings of the implementation of this field of study did not appear until the 1960s in two French-speaking universities (Université Laval and Université de Montréal), with McGill University following a few years later.

The third chapter reviews the various ways in which educational administration has been understood throughout its evolution. Scientific business management favoured an approach based on efficiency. This was gradually replaced by a human relations approach, which in turn gave way to other approaches such as bureaucracy, a competence-based approach, a systems approach and decision-making. Attempts to define the concepts underlying the field of educational administration have been more frequent in Quebec than elsewhere in Canada.

The purpose of the fourth chapter is to review both the various approaches to training in educational administration as they have been taught in the United States and Canada, and models for development of school managers. Early approaches with their emphasis on efficiency were followed by more theoretical conceptions influenced by the social sciences. Since the 1980s, discussions have focused on an approach to manager training that would provide connections between theory and practice. In English Canada, the approach to school manager training has been confined to reproducing the approach prevailing in the United States.

The fifth chapter deals with the practical translation of theoretical conceptions of training in educational administration. It focuses on the contents of courses and study programmes that have existed at various times in educational administration and on current offerings. Change has clearly been infrequent over the years, and the content of American, Canadian and Quebec programmes has generally, with few exceptions, been similar in the various universities offering a study programme in this area. In Quebec, fairly significant changes have occurred over the past few years as the Quebec Ministry of Education, since 2000, has made management training a requirement for new school principals.

The sixth chapter addresses the historical evolution of practices in teaching educational administration. The contribution of professors to the teaching of this discipline is emphasised. The certification of American managers is explained, and processes for recruiting and selecting students in educational administration are described. This is followed by a description of the situation experienced by American professors of educational administration and a discussion of their pedagogical methods. The same topics are covered in English Canada and Quebec. Certification of school managers varies greatly from one state or province to another. Recruitment and selection of students have been rather weak in both countries and pedagogical methods have been criticised for being inappropriate and lacking in realism.

The seventh chapter presents the historical evolution of research in educational administration. In the United States as in Canada, research has generally been carried out by professors and Ph.D. students who applied a rationalist and positivist approach, based on structuro-functionalist studies, until the advent of the phenomenological approach in the 1980s. Throughout its evolution, research in educational administration has been the object of sometimes virulent criticism focusing on its statistical *naïveté* and on the lack of theories supporting the issues under study.

The next chapter deals with the strengths and weaknesses of educational administration. First, the major criticisms that have been levelled against American training programmes in this field are summarised. The situation in Quebec is then presented through interviews with a few pioneers in the field and practitioners. It is clear that educational administration is at a crossroads in the United States and Canada today.

The last chapter provides a reflective analysis of the various stages through which the field of study has passed and relates some of the events that have marked the history of educational administration. The authors summarise their work and present the reflections that arose as it was written. A number of issues are raised, including approaches to educational administration, training, development of school managers and research. The future of this field of study is in the hands of school board managers, professors, and university authorities. If nothing is done to correct the situation, the teaching of educational administration will be threatened in the short or long term.

AGMV Marquis

MEMBRE DE SCABRINI MEDIA

Québec, Canada
2002